S0-BKV-928

家庭常用藥品須知

230 種藥物 3000 種藥品名的實用手冊

邱永智 著

吳序

中國人是一個很喜歡使用藥物的民族。從大街小巷都可看到中藥舖、西藥房的招牌中，即可略見端倪。雖然如此，但一般人對用藥的知識，尤其是使用西藥，仍多是一知半解，道聽塗說，沒有什麼正確的資訊來源。很可惜的是坊間一直沒有以一般民眾為主要讀者群的用藥常識書籍，市面上絕大多數有關藥物的書籍，均是專業性的，以提供醫藥人員查閱為主，而且也不是在一般書店即可買得到。這對一般想獲得正確用藥常識的民眾而言，實在是非常不便。

邱永智先生在美國醫藥分業制度中已有近十年專業藥師的經驗，他以兩年的時間，整理彙編了數百種在中美兩地常用或常見的西藥，並以提供一般讀者用藥常識為主，而編寫了這本藥物使用手冊。他用心良苦，期望藉著此書能提高國人的用藥常識，在需要用藥的時候，能夠與醫師配合正確地使用各種藥物。

此書雖不是供專業醫藥人員查閱的專用書籍，但仍依極專業、嚴謹的態度來編寫，書中列舉的藥品名及出產藥廠的資料甚為詳盡，其中的醫藥知識亦非常正確。尤其可貴的是他能用淺顯的文字書寫，讓讀者能夠了解艱深的醫藥原理，不致因生澀難懂的醫學名詞的困擾而不知所云。書中也一再強調，在使用任何的藥物上一定要有醫師的診斷及處方，不可自行購買需要有處方的藥物來服用，因為不同的藥物及劑量會因許多不同的因素而有所調整。同時病患要與醫師溝通以往用藥的經驗，及使用藥物時有任何不良反應，使醫師能對病患使用的藥物有更準確的控制。

此書雖是為一般讀者而寫的，但是對專業的醫師、藥師也有很大的助益。尤其是當醫師診病忙碌，無暇對病患詳細解說如何使用藥物時，可將此書中有關該病人使用的藥物的資料複印給病患閱讀，此書即可成為醫師極有用的幫手。另外當病人在購買藥物時，若有任何的問題，此書也可成為藥師回答病患的參考資料。此外，現今往來中美兩地的同胞已有愈來愈多的趨勢，書中將中美兩地的藥品並列，對同時需要在兩地購買相同藥物的病患提供了極大的方便，與兩地的醫師、藥師溝通，也可減少買錯藥物的可能性。

欣聞國內已開始施行醫藥分業，這個制度對各種藥品使用的專業化，及增加用藥的安全性是極有助益的，這在醫師、藥師及病患三方面都有正面的價值。除了醫師、藥師各以其專業來提供病患的服務外，如果能加強病患的用藥常識，則可使藥物的藥效及安全性更加提高，醫師也能更有效地掌握病情。願此書的出版不僅能提升國人的用藥常識，亦能對醫師、藥師有所助益。如此也算成就了作者對國內醫藥分業盡一份力的心願。

美國紐約大學醫學中心醫師
吳承光
1997年11月

自 序

「藥就是毒」。這是大學時第一次上「藥學簡介」時某位教授在課堂上所說的第一句話。古云：「水能載舟，亦能覆舟」，如果我們能善加利用藥物的優點則必能藥到病除；反之，使用不當則會深受其害。由於藥物的日新月異，幾乎每天都有不同的醫、藥新知發表，即使是醫護人員都需要不斷地進修，才能充分地掌握現代醫學的新知。一般民眾若要從浩瀚的醫藥領域及艱澀難懂的醫學術語中充分了解自己所使用的藥品，是相當不容易的。

一般民眾就醫時，由於醫師的忙碌，很少有足夠的時間能向病患充分解釋用藥的相關問題，而我深信民眾不僅渴望了解、也有權利知道自己所服用藥物的有關訊息。目前市面上有許多藥學的書籍，但絕大多數是提供專業醫藥人員使用的，藥品及藥商繁多，更加深了一般民眾對藥物了解的困難。如何能幫助讀者找尋到自己所需要的參考資料，以及培養一般民眾正確的用藥知識，是促成我寫此書的動機。

《家庭常用藥品須知》一書，是筆者將台灣及美國兩地常用的藥品整理編輯而成。書中包含約四千種商品名，以230種不同化學名的常用口服及外用藥為主。至於一般醫院內所使用的注射藥品，則不在本書討論的範圍之內。

本書有幾個特點是與其他藥品書籍不同的：

1. 書中的內容完全針對一般讀者需要知道的藥品知識為主，而以口語化的方式書寫，盡量不使用難懂的醫學名詞，不同於醫護人員使用的專業藥品手冊，比較容易為一般讀者了解與接受。

2.書中同時列舉中、美兩地的商品名，可作為往返兩地的華人參考對照使用。

3. 書中教導讀者正確的用藥方式及最適當的用藥時間，能幫助患者達到最理想的藥物療效及最低的副作用。

4.書中「注意事項」及「副作用」單元，教導讀者良好的醫藥常識以保障病患用藥的安全、使藥物能夠充分地達到治療的效果，及副作用發生時一些可能處置的方法，和在何種情況下，應該盡快地通知醫師。

5.書中「懷孕及哺乳」單元，可提供孕婦或哺乳的母親在使用藥物前的提醒及可能的預防措施。

6.書中「忘記用藥」單元，教導讀者萬一忘記用藥時可以做的步驟，使整個治療的過程中，不會因為忘記用藥而至前功盡棄。

本書不分章節，而是以單篇藥品化學名的英文字母順序編排。每一種藥品下又細分為七個單元，茲將使用的方法及每個單元的大綱簡介如下：

使用方法

當您購買或領回藥物後，通常在藥瓶或藥袋上會印有該藥物的英文化學名或者是藥廠特定的商品名，此時最簡易快捷的查詢方法，就是經由書後的英文索引，找到該藥名相對應的頁數。由於本書列舉約四千種最常用的化學名或商品名，只要您使用的藥物是較普遍常用的藥物，應該可輕易地找尋到所要參考的藥物資料。

本書前面另有一個以藥物的作用分類的目錄，只要您對照疾病或所要治療的症狀，就可找尋到適用於該症的藥物説明。

每種藥品單元大綱簡介

1.**化學名**：藥品的名稱分為化學名及商品名兩種，一般的藥瓶會將此兩種名稱同時印在藥瓶的標籤上。化學名通常為國際通用，無論你在台灣、美國、或是中國大陸，如果使用此一化學名則各地的醫護人員，都可以很快地了解你所使用的藥品。商品名則為特定藥品的註冊商標名。由於藥廠繁多，同一種化學名依藥廠的不同可有許多不同的商品名，因此除非此一商品名相當出名，要不然並不見得為所有醫護人員所熟悉。本書的藥品化學名後同時並列目前最常用的商品名，以方便台、美兩地對照使用。無論用化學名或商品名查閱，均可由索引，找尋到所要查閱的藥品。商品名後括弧內的名稱則為製造的藥廠。

2.**藥物作用**：此單元是將引起疾病的原因及藥物如何在體內達到治療的功效，用簡潔、扼要及深入淺出的方式，讓讀者能稍微明瞭藥物在人體內的作用。

3.**用法**：一般而言，睡前服藥可以降低藥物產生頭暈目眩的副作用；空腹服藥可以增強藥物在體內的吸收及藥效；飯後服藥可以減輕藥物對胃壁刺激及造成惡心嘔吐的副作用。此單元主要是依照各個藥品的藥性以及藥品劑型的不同，教導讀者正確的用藥方式及最適當的用藥時間，以達到最理想的藥物療效及最低的副作用。

4.**注意事項**：此單元提供讀者用藥的基本常識及應該注意的事項。良好的醫藥常識不但能保障病患用藥的安全，使藥物能夠充分地達到治療的效果，同時也能減輕藥物的副作用，避免不必要的後遺症產生。

5.**副作用**：此單元將藥物的副作用分為較常見與較嚴重的副作用兩部分。任何藥物都有產生副作用的可能，有的副作用屬於藥物的特性之一，有的則與病患體質或劑量的多寡有關。許多副作用在經過身體適應後，會自然消失，有的副作用可事先預防，有些副作用則為藥物後遺症的前兆或不良藥物反應的警訊，需要醫師做適當的處置或停止使用該藥。此單元主要是讓讀者能事先知道可能發生的副作用及處置的方法，和在何種情況下，應該盡快地通知醫師。

6.**懷孕及哺乳**：胎兒與母親是兩個相連的個體，許多藥物可經由母親的血液循環及胎盤而到達胎兒的體內，造成對胎兒的影響。有些藥物亦會滲入乳汁而被餵哺的嬰兒飲用，造成對嬰兒的影響。由於藥物對母體的治療與胎兒及餵哺嬰兒的安全同等重要，兩者的利弊取捨得視母親病情的嚴重性、劑量的多寡，及藥物可能對胎兒或哺乳嬰兒的不良影響而有所不同。此單元最大的目的是提供婦女使用藥物前的提醒及可能的預防措施。然而為了保障胎兒或餵哺嬰兒的安全，孕婦及哺乳婦女在服用任何藥物之前仍然應該事先諮詢醫師的意見。

7.**忘記用藥**：使用藥物最大的目的就是治療疾病，忘記用藥不但不能使身體康復，甚至可能會使病況惡化；但「亡羊補牢，猶未晚也」，此單元主要是告訴讀者萬一忘記用藥時可以做的步驟，使整個治療的過程中，不會因為忘記用藥而前功盡棄。

國內已逐漸地實施醫藥分業制度，相信這可使醫師與藥師分別於個人專長的領域中，提供民眾更安全及更有效率的醫、藥品質。此書最主要的目的是教導民眾正確用藥的基本常識，而不是教讀者如何自己使用藥物。最有效、最安全的藥物治療，必須依照臨床上個人的體質、疾病的輕重、體重的多寡、性別的不同、年齡的高低等，而對劑量做適當的調整，故讀者在使用藥物時應該完全以醫師的指示為主。

邱永智
於美國德州休士頓市
德州州立大學安德森癌症醫療中心
1997年12月2日

藥物作用分類目錄

肌肉鬆弛劑

安眠藥

控制前列腺腫大

青光眼藥

青春痘或粉刺

支氣管擴張劑

止痛劑(非麻醉類)

止痛藥(麻醉類)

女性荷爾蒙

抑制胃酸分泌

利尿劑

抗惡心、嘔吐

抗腹瀉藥

抗生素(抗細菌感染)

抗生素(抗黴菌感染)

抗帕金森症

抗焦慮藥

抗憂鬱藥

抗過敏藥

抗組織胺——流鼻水、過敏

抗肺結核球

抗癲癇藥

氣喘藥

消除便秘

降血壓藥

降膽固醇藥

退燒藥

痛風藥

促進血液循環

預防心絞痛

預防心律不整

預防充血性心衰竭

幫助戒煙、酒

關節炎藥

類固醇藥

治糖尿病藥

治皮膚炎或濕疹

治甲狀腺機能不足

胃潰瘍藥

精神病藥

祛痰劑

血管收縮劑(止鼻塞)

止咳劑

其他類

Acebutolol(阿西布特諾)

商品名(台灣)

Sectral®(法・May-baker)

商品名(美國)

Sectral®(Wyeth-Ayerst)

☞藥物作用

本藥爲一種「貝它阻斷劑」的降血壓藥。它能夠使心跳的速率以及心臟血液的輸出量降低,並且間接地使血管放鬆,而達到降血壓的目的。本藥同時能降低心臟的工作量,及減輕心臟所需氧氣的消耗,因此也可用來預防心絞痛的發生。它的另一作用就是能穩定心臟脈搏電流的傳導,因此可以用來預防心律不整的發生。本藥亦可作爲消除焦慮、緊張以及手部顫抖的輔助藥物使用。

☞用法

本藥不受食物的影響,因此,空腹或與食物一起服用均可。如果一天服藥一次,最好在早上服用;如果一天服藥兩次,則早晚各服用一次。最好養成每天在固定時間服藥的習慣,以免忘記服藥。使用膠囊時,最好整顆藥物與水一起服用,但如有吞嚥困難時可打開膠囊服用。

☞注意事項

服用此藥後,可能會產生頭昏眼花的副作用,尤其在剛開始服藥的期間。因此,在尚未完全適應此藥之前,當開車或操作危險機械時,必須小心謹慎。

如果懷孕,對藥物過敏,或者有支氣管炎、手腳血液循環不良、心跳過慢、心臟疾病、甲狀腺機能亢進、肝臟疾病、肺氣腫或其他的肺部疾病、重症肌無力症、氣喘、腎臟病、精神沮喪、糖尿病等等。醫師需要進一步考慮這些情況，並且謹慎地用藥，因此使用此藥之前，應該事先通知醫師。

本藥只能控制血壓升高，並不能完全治癒高血壓。服用此藥後，血壓可能要經過幾個星期才能漸漸地降低到理想的程度。患者必須持續服用此藥，才能有效控制血壓。

經過一段時間藥物治療後，即使血壓已恢復正常，亦不可間斷或者是突然地停止服藥。突然停止服藥可能會使血壓升高，甚至造成心臟病發作。如需要停藥，應該得到醫師許可，並且在醫師指示下，在約兩個星期內，漸漸地將藥物的劑量降低然後再停藥。

在服用此藥之前，應該請教護士或者是醫師，如何測量自己的脈搏。如果脈搏跳動較平常爲慢或者脈搏低於50，就應該通知醫師。

爲了達到降低血壓的作用，應該遵循醫師指示，食用低鹽類、低脂肪的食物，戒煙酒，並且盡可能在身體許可下，依照醫師的指示做適當的運動。服用此藥後，如果覺得口乾，在嘴內含一塊冰塊或嚼一片口香糖應該會紓解此一現象。通常口渴現象在服藥一陣子後，應該會自然消失。

開始服用此藥時，可能會產生頭暈目眩的感覺，尤其是突然站立或坐起時，不過如果能夠緩慢地站立或坐起，應該會減少此一現象。

服用此藥後可能會影響運動時的敏覺性，應該在服藥前與醫師商討，何種運動較適合你的體能，或多大的運動量，才不至於造成身體的傷害。此藥會使血糖降低，同時會遮蓋低血糖所引起的症狀。如果患有糖尿病，就應該密切注意並經常測量血糖。

當你要拔牙或動手術之前，應該事先告訴醫師有服用本藥。爲避免此藥在手術當中，會造成心臟方面的問題，醫師也許會建議在手術的前兩天，漸漸地停止使用此藥。

市面上許多治療過敏、鼻塞、咳嗽、感冒，以及減肥的成藥中，經常含有會使血壓升高的成分。爲了避免造成血壓突然升高，在服用此類藥物之前，應該事先徵詢醫師或藥師的意見。

☞副作用

此藥常見的副作用爲：下痢、失眠、皮膚發癢、性欲降低、便秘、胃腸不適、疲倦、做噩夢、惡心嘔吐、腹脹、精神緊張及焦慮、鼻塞、頻尿、頭痛、頭暈目眩等等，這些副作用，通常在服用藥物一陣子後，身體漸漸習慣了此一藥物的作用，應該會漸漸地消失。不過，如果這些副作用過強而造成困擾，或者經過一段時間後，這些症狀還不能完全消除，就應該通知醫師。

此藥較嚴重的副作用爲：手掌產生青紫色、心跳過快或過慢(低於50)、幻覺、皮膚起紅疹、呼吸困難、胸口疼痛、眼睛或皮膚發黃、腳部或關節腫脹、精神沮喪、關節疼痛、嚴重的頭暈或暈倒等等。通常這些副作用發生的機率較低，但是如果發生時，可能是藥物造成的不良反應，或者是劑量需要調整，應該盡快通知醫師。

☞懷孕及哺乳

醫學報告對此類藥物的影響，沒有一定的結論。目前爲止，尚無報告顯示此藥會造成胎兒的缺陷，但曾有醫學報告指出孕婦在生產前服用此類藥物，可能會造成胎兒出生後體重減輕、血壓下降、血糖降低、心跳減慢，及呼吸困難。另外，也有報告顯示，此類藥物不會造成胎兒任何問題。當懷孕時，應該與醫師討論此藥可能對胎兒的影響，醫師會衡量身體的狀況及胎兒的危險性，決定是否應該服藥。

少量的藥物會經由母乳到達嬰兒體內，爲了避免造成新生兒血壓下降及心跳減慢的作用，當餵哺嬰兒時，最好使用其他的乳製品，以取代母乳。

☞忘記用藥

如果忘記服藥，應該在記得時，立即服用。但是，如果是一天服藥一次，而距離下次服藥的時間少於8小時，就應該捨棄此次的藥物，恢復到下次正常服藥的時間，千萬不可一次使用雙倍的劑量。如果是一天服藥兩次，而距離下次服藥的時間只有4小時，就應該立即服藥，然後等到5至6小時後服用另一次的藥物，最後再恢復到下次正常服藥的時間。

Acetaminophen(乙醯胺基酚)

商品名(台灣)

A.A.P®(信元)
A.T®(利達)
Acedol®(皇佳)
Acenol®(佑寧)
Aceta Supp®(回春堂)
Aceta®(正和)
Acetal®(瑞安)
Acetamol®(衛達)
Acetanin®(應元)
Acetomin®(居禮)
Amiphen®(信隆)
Anacin-3®(東洋)
Anliton®(永勝)
Antiphen®(正氏)
Antone®(厚生)
APAP®(強生)
Aporon®(美西)
Aton®(新喜)
Bichinton®(內外)
Bocoton®(寶齡富錦)
Datrix®(必治妥)
Depain®(華盛頓)
Depyretin®(榮民)
Hecamol®(健康)
Konaton®(國嘉)
Lactam®(杏輝)
Minophen®(優良)
NAPA®(瑞士)
Pacinol®(永新)
Panacon®(信元)
Panadol®(溫莎)
Panatol®(汎生)
Paracetamol®(回春堂)
Paramol®(生達)
Paran®(永信)
Paranol®(人人)
Piant®(羅得)
Pinsu®(杏林)
Pylinaton®(好漢賓)
Pymadon®(井田)
Pyrian®(根達)
Pyrudom®(大豐)
Scanlon®(金馬)
Scanol®(丹・斯肯漢)
Sediton®(木村)
Stone®(國際新藥)
Sufucon®(東洲)
Sukainon®(居禮)
Tamdron®(康福)
Tempte®(仁德)
Tinten®(中化)
Yollowin®(世達)
Zolben®(瑞華)

商品名(美國)

Anacin-3®(Whitehall)
Feveral®(Upsher)
Meda®(Circle)
Panadol®(Glenbrook)
Tempra®(Mead-J)
Tylenol®(McNeil-CPC)

☞藥物作用

本藥為一種「止痛」及「退燒」的藥物。它可以用來消除一般頭痛、月經痛、牙齒痛、肌肉痠痛以及感冒所引起的頭痛等輕微到中度的疼痛。但是它對於關節炎所引起的腫痛並無消腫及止痛的作用。此藥另外有一個作用，就是能夠降低病菌感染或其他原因所引起的發燒，使體溫降到正常的溫度。

☞用法

此藥通常在需要止痛或退燒的情況才使用。它不受食物的影響，因此，空腹或與食物一起服用均可。必要時此藥的錠劑可以壓碎，膠囊可以打開來服用。如果使用的是發泡錠的話，應該事先將藥片放入約120cc.的冷開水中，待其完全發泡溶解後，然後飲用。如果使用的是液體藥物時，應該使用有刻度的量杯或藥管以量取正確的藥量。

本藥的肛門栓劑，其使用方法如下：

1. 將栓劑的外包裝撕開，然後將栓劑頂端用水稍微地濕潤一下。
2. 左臂靠著床側躺，將右腳彎曲，然後將膝蓋伸向胸口。
3. 將栓劑插入肛門兩三公分(小孩一兩公分)內，然後用手指頂住栓劑約20秒鐘。
4. 在床上靜躺約15分鐘，再起床將手清洗乾淨。

☞注意事項

如果是自行購買此藥服用，在服藥前，應該詳細地閱讀說明書，並且根據藥廠所指示的劑量服用。一般來講，在正常劑量下此藥造成副作用的機會並不大，但是如果長期大量服用此藥的話，可能會產生肝臟的毒性，甚至造成生命危險。雖然此藥中毒的症狀不見得會顯現出來，但是如果服藥後有惡心、嘔吐、不正常的出汗、厭食、身體不適、拉肚子、腹部疼痛等等症狀出現時，就應該立即通知醫師，或到附近的醫院做進一步的急救。

對於12歲以下的小孩，除了醫師特別指示外，使用此藥的次數，在一天中不可超出5次，使用的時間不可連續超過5天。成年人使用的時間不可連續超過10天。

長期大量服用此藥可能會造成肝臟的損傷，如果病人又經常飲酒的話，更有可能會加重肝臟的副作用。如果有肝臟方面的疾病，或經常大量飲酒的話，醫師需要進一步地考慮這些情況並且謹慎地用藥。因此在使用此藥之前，應該事先通知醫師。

由於發泡錠(藥片放入水中會迅速起泡及溶解)通常含有大量的鈉鹽，如果長期或大量服用的話，可能會增加體內鹽的含量，間接地會增加體內水分的積聚使血壓升高，或者使高血壓或心臟病的病況惡化。因此如果有高血壓或心臟病，在使用此發泡錠之前，應該事先通知醫師。

市面上許多咳嗽、過敏、傷風感冒等的成藥，通常含有與此藥相同的藥用成分。在服用此藥期間，如果購買以上成藥服用的話，應該事先詢問藥師是否含有此一成分，以免服用雙倍劑量造成藥物過量或中毒。

此藥以短期使用爲主。無論大人或小孩，如果以此藥當作退燒藥來使用，不可連續使用超過3天。如果在使用3天後仍然無法退燒時，這可能是較嚴重的病症所引起的，就應該盡快地通知醫師。小孩使用此藥時，在一天之內，不可服用超過5次的劑量。對於溫度極高或者不明原因所引起的發燒，不可自行服用此藥而應該請教醫師。如果此藥當作止痛藥使用，不可連續使用超過10天(小孩5天)。如果使用超過10天，仍然無法止痛時，表示此一疼痛可能是較嚴重的病症所引起的，或者是有併發症產生，就應該請教醫師。小於3歲的小孩應該由醫師診斷後服藥。

在使用肛門栓劑時，如果在使用前，覺得此栓劑過於柔軟，不易放入肛門內，可事先將栓劑連同包裝紙放入冰箱內冷凍一陣子，或使用冷水沖淋一兩分鐘，而在使用前再將包裝紙撕開。將栓劑頂端用水稍微地濕潤一下，應該有利於肛門的插入。

☞副作用

在正常的劑量下，此藥可以說是幾乎沒有副作用。但是，如果在大劑量，以及長期的服用下，此藥可能會造成肝臟及血液方面的問題，因此需要注意如皮膚起紅疹、皮膚發紅或發癢、尿液突然減少、突然的發燒或喉嚨痛、眼睛或皮膚變黃、惡心嘔吐或腹痛、昏睡、精神恍惚、極度疲倦、虛弱等副作用。通常這些副作用發生的機率較低，但是如果有上述症狀時，可能是藥物造成的不良反應，或者是劑量需要調整，應該盡快通知醫師。

☞懷孕及哺乳

雖然此藥會通過胎盤，但是在正常及短期的劑量下，此藥對懷孕婦女來說是安全的；但是在大劑量或長期的服藥下，此藥可能會造成孕婦極度的貧血，或造成胎兒腎臟方面的問題，因此沒有必要的時候，最好盡量少用此藥。

雖然少量的藥物會經由母乳到達餵嬰的體內，但是尚無醫療報告顯示，會對餵哺的嬰兒造成不良的影響。但是爲了慎重起見，當決定親自餵哺嬰兒前，最好能夠徵求醫師的意見。

☞忘記用藥

此藥通常在疼痛、發燒情況下，覺得有需要的時候才服用。假如是按照固定的時間服用此藥，當忘記時，應該在記得時，立即服用。但是，如果距離下次服藥的時間只有一小時，就應該捨棄所遺忘的藥物，恢復到正常服藥的時間，不可一次服用雙倍的劑量。

Acetaminophen/Codeine（乙醯胺基酚／可待因）

商品名（台灣）

Bo-Codein®（寶齡富錦）
Caton®（正和）
Codening Fen®（威力）
Conapin®（瑞士）
Cosutone®（華興）
Cotomn®（臺本）
Couton®（美西）
Depain®（皇佳）
Enodone®（華盛頓）
Lizuton®（明大）
Painfree®（信元）
Pisantong®（井田）
Quit Analgesic®（壽元）
Sunet Heton®（永新）
Sunichang®（黃氏）
Suring®（羅得）
Toncopin®（新喜）
Tricoton®（大亞）

商品名（美國）

Aceta/Codeine®（Century）
Capital/Codeine®（Carnrick）
Margesic No.3®（Marnel）
Phenaphen/Codeine®（Robins）
Tylenol No.3®（McNeil）
Tylenol with Codeine®（McNeil）

☞藥物作用

此藥爲Acetaminophen與Codeine兩種止痛成分組合而成的。Codeine屬於麻醉類止痛藥的一種，主要作用於腦部中樞神經，以達到止痛的效果；Acetaminophen則爲非麻醉類止痛劑。此藥可以用來解除中度到嚴重的疼痛如拔牙、手術後，以及身體重大傷害如骨折、燒傷、癌症等引起的疼痛。

☞用法

本藥不受食物的影響，因此空腹或與食物一起服用均可，不過最好與食物一起服用以免對胃部產生刺激，此藥在剛開始感覺疼痛的時候立即服用，可以達到較好的止痛效果，如果等到疼痛轉爲激烈時才服用，其產生的止痛效果較差。使用液體藥物時，應該用有刻度的量杯或藥管，以量取正確的藥量。

☞注意事項

此藥會產生想睡覺及頭暈的感覺，尤其是剛開始服藥那段期間。因此，除非已經適應了此藥的作用，否則當開車或操作危險機械時，應該格外地小心謹慎。酒精會增加此藥思睡的副作用，應當避免飲用或限制酒量。

如果懷孕，對藥物過敏，經常飲用大量的酒，或者有肝臟疾病、腎臟病、氣喘、癲癇症、膽囊疾病或膽結石、頭部受傷、前列腺腫大、排尿困難等等，醫師需要進一步考慮這些情況並且謹慎地用藥，因此在使用此藥前，應該事先通知醫師。

安眠藥、肌肉鬆弛劑、鎮靜劑、抗過敏藥、抗抑鬱藥、精神病藥，及其他的止痛藥都有可能會增加此藥思睡的副作用。當同時服用這些藥物時，應當特別注意其思睡的相乘效果。

此藥中Codeine的成分具有成癮性，因此除了醫師許可外，應避免連續使用超過10天的劑量。同時，也不可服用超過醫師所指示的劑量或使用的時間。服藥經過一段時間後，此藥的止痛效果可能會漸漸地降低。當此現象發生時，應該徵求醫師的指示，千萬不可自行增加服用的劑量。

市面上許多頭痛、止痛、咳嗽、過敏、傷風感冒等的成藥，通常含有與Acetaminophen具有相同的藥用成分。在服用此藥期間，如果購買上述成藥服用的話，應該事先詢問藥師是否含有此一成分，以免服用雙倍劑量發生藥物過量，造成肝臟的損傷或劑量中毒的危險。

長期服用此藥後，不能突然地停藥，因爲突然停藥有可能導致戒斷症狀(由於身體對藥物的依賴性，停藥後所產生的不適情況)的發生，譬如失眠、神經緊張或激動、顫抖、惡心嘔吐、胃痛、拉肚子等等。如果要停藥的話，應該遵循醫師的指示，漸漸地降低服藥的劑量或次數，然後再停藥。

服藥期間如果有便秘發生的話，就應該多食用蔬菜或水果等幫助消化的食物，並且在身體許可下，多做運動，或飲用大量的水分。服用此藥後，也許會產生口渴的現象，但是如果能夠含一塊冰塊或糖果在嘴內的話，應該可以減少此一副作用。

剛開始服用此藥時，可能會有頭昏眼花的感覺，尤其是突然站立或坐起時。如果能夠緩慢地站立或坐起，應該會減少此一現象。

☞副作用

此藥常見的副作用為：口乾、小便困難、便秘、流汗、面部潮紅、胃口降低、惡心、想睡覺、頭暈目眩。這些副作用，通常在服用一陣子後，身體漸漸習慣了，應該會漸漸地消失。如果這些副作用強到困擾你的程度，或者經過一段時間後，這些症狀還不能完全消除，就應該通知醫師。

此藥較嚴重的副作用為：心跳突然加快、皮膚起紅疹、肌肉顫抖、身體出現青紫色的瘀傷、呼吸困難、情緒改變、眼睛或皮膚發黃、焦慮不安、發燒或喉嚨痛、極度疲倦、極度虛弱、極度興奮。通常這些副作用發生的機率較低，但是如果有上述症狀發生時，可能是藥物造成的不良反應，或者是劑量需要調整，應該盡快地通知醫師。

☞懷孕及哺乳

此藥對孕婦的影響並無很完整的臨床實驗資料，但是如果懷孕時長期大量服用藥物的話，可能會造成胎兒上癮，並且可能造成新生兒肌肉顫抖、持續地打呵欠、哭鬧不休、嘔吐、緊張不安、顫抖等等症狀。孕婦如果在生產前服用此藥的話，則有造成新生兒呼吸困難的可能。當懷孕時，應該通知醫師，他會衡量身體的狀況，如果情況允許的話，可能會以短期使用，和較低劑量讓患者服用。

此藥可經由母乳吸收入嬰兒體內，可能造成新生兒過度的安睡，餵奶的母親應該使用其他的乳製品以取代母乳。

☞忘記用藥

如果按照正常的時間服藥，當忘記服藥時，應該在記得時，立即服用。但是，如果距離下次服藥的時間太近，就應該捨棄所遺忘的藥物，然後恢復到正常服藥的時間，千萬不可一次服用雙倍的劑量。

Acetazolamide(阿西他邁)

商品名(台灣)

Acetazolamax®(厚生)
Atenezol®(日・Tsuruhara)
Azol®(新喜)
Diamox®(立達)

商品名(美國)

Dazamide®(Major)
Diamox® Sequels(Lederle)
Diamox®(Lederle)

☞藥物作用

本藥爲一種治療「青光眼」的藥物。青光眼的發生，主要是由於眼球內部液體不正常的增加，使得眼球的壓力隨之增加，因而導致視網膜神經受到壓迫而受損，如果不治療的話可能會導致瞎眼。本藥的作用就是能抑制體內的一種化學物質，而減少眼內液體的產生，間接地降低眼壓，而達到治療青光眼的目的。本藥亦能用於預防高山症所引起的惡心、頭痛、呼吸困難及疲乏等等。它可以與其他癲癇藥物一起使用，以治療癲癇症，也可以當作利尿劑使用，以降低體內多餘的水分。

☞用法

服用此藥時，最好與牛奶或食物一起服用，並且在服用後最好能夠飲用一大杯的開水，以減輕胃部的刺激和避免造成腎結石。必要時，此藥的藥片可以壓碎服用，但是長效型的膠囊應該整粒吞服，不可壓碎或在嘴內咀嚼，以免引起藥物立即釋放入體內，而產生藥物過量中毒的危險。

☞注意事項

服用此藥會降低身體的警覺性及平衡感，或者產生頭暈及想睡的感覺。因此，除非已經適應了此藥，當開車或操作危險機械時，應該格外地小心謹慎。

如果懷孕或哺乳嬰兒，對藥物過敏(尤其是對磺胺藥或對利尿劑過敏)，或者有肝臟疾病、阿狄森氏病(一種腎上腺疾病)、腎臟病、痛風、糖尿病等等，醫師需要進一步考慮上述情況，並且謹慎地用藥，因此使用此藥之前，應該事先通知醫師。

長期服用此藥會使體內的鉀離子含量降低，因而造成口渴、虛弱、肌肉無力或抽筋、心跳不規則等等症狀。因此，醫師可能會要求多吃含鉀量高的食物如香蕉、橘子水等，或者服用含鉀的藥物，以補充鉀離子。如果長期服用此藥，應該詢問醫師如何補充鉀離子。

如果使用此藥的目的在治療癲癇，當服用一段時間後，不可未經醫師的許可就突然地停藥，突然的停藥有可能會使癲癇病況轉壞或發作。需要停藥時，醫師也許會要求服用另外一種藥物，並且漸漸地將此劑量降低，然後再停藥。

由於此藥的化學結構與磺胺類的抗生素和一種稱為“Thiazides”類的利尿劑相似，如果對此一類藥物過敏的話，對本藥也有可能過敏。因此在使用此藥之前，應該事先告訴醫師或藥師，對那種藥物過敏和過敏時所產生的症狀。

在服藥期間，應該定期拜訪醫師，他需要依照身體的狀況以及藥效，適當地調整使用的劑量，以達到最佳的療效。經過一陣子服藥後，此藥的療效可能會漸漸地降低。當覺得藥物的效力不夠時，不可自行增加服用的劑量，而應該通知醫師。

長期服用此藥後，除了醫師同意外，最好不要換別種廠牌的藥品。不同廠牌的，雖然標示的成分及劑量相同，但是由於各個藥廠品管的能力，和藥物劑型的不同，都有可能影響此藥在體內的釋放及吸收，因此其在體內所產生的濃度及藥效也不見得會相同。

☞副作用

此藥常見的副作用為：手腳發麻、口乾、多尿、拉肚子、胃口降低、眼睛怕光、惡心、想睡覺、嘔吐、嘴巴有金屬味、體重減輕、頭痛等等。這些副作用，通常在服用藥物一陣子後，由於身體漸漸習慣了此一藥物，應該會漸漸地消失。不過，如果這些副作用強到困擾你的程度，或者經過一段時間後，這些症狀還不能完全消除，就應該通知醫師。

此藥較嚴重的副作用為：小便困難或疼痛、心跳不正常、皮膚產生紫色的斑點或瘀傷、皮膚發紅發癢、肌肉痛或抽筋、肌肉無力或顫抖、呼吸困難或加快、突然發冷、眼睛或皮膚變黃、發燒或喉嚨痛、尿中帶血、視覺模糊、精神沮喪、精神恍惚、糞便變黑等等。通常這些副作用發生的機率較低，但是如果發生時，可能是藥物造成的不良反應，或者是劑量需要調整，應該盡快通知醫師。

☞懷孕及哺乳

目前為止，此藥對孕婦產生影響的數據並不完全，但是根據動物實驗顯示，在高劑量下此藥可能會影響胎兒的發育，造成胎兒骨骼或成長方面的缺陷。當懷孕時，應該通知醫師，他會衡量狀況，決定是否應該服藥。

少量的藥物會經由母乳到達嬰兒體內，為了避免對新生兒造成不良的影響，在使用此藥期間，最好能改用其他的乳製品以取代母乳。

☞忘記用藥

如果忘記服藥，應該在記得時，立即服用。但是如果距離下次服藥的時間太近，就應該捨棄所遺忘的藥物，然後恢復到正常服藥的時間，千萬不可一次服用雙倍的劑量。

Acyclovir(艾賽可威)

商品名(台灣)

Aclovir®(杏輝)
Acylete®(中化)
Anclozin®(羅得)
Antivirs®(人人)
Cyclovir®(壽元)
Deviro®(景德)
Devirus®(溫士頓)
Jinrih®(井田)
Oppvir®(世達)
Supola®(中美)
V.F®(瑞士)
Vicorax®(元澤)
Virhail®(華興)
Virless®(永信)
Virun®(黃氏)
Xoxacin®(內外)
Yutam®(優生)
Zovirax®(英・寶威)

商品名(美國)

Zovirax®(Burroughs Welcomew)

☞藥物作用

此藥爲一種「抗濾過性病毒」的藥物。它能阻止濾過性病毒的繁殖，因此可以用來治療「性病」類疱疹病毒所引起的生殖器疱疹，和治療其他「非性病」類單純性疱疹所造成的水痘等等。此藥的外用軟膏，可以用來消除或預防疱疹病毒所引起皮膚的搔癢及疼痛等等。

☞用法

本藥不受食物的影響，因此空腹或與食物一起服用均可。使用本藥時，最好能夠整顆與水一起吞服，但如有吞嚥的困難時，則可打開膠囊或將藥片壓碎服用。塗用軟膏時，應該先戴指套或手套(以免感染其他部位)，再將藥膏均勻地塗抹於整個患部，同時依照醫師的指示服用完，或塗完所有處方的藥物。

☞注意事項

此藥並不能徹底根治濾過性病毒所造成的感染，只能用來減輕此感染所造成的症狀。如果使用此藥的目的是治療生殖性疱疹病毒的話，因爲生殖性疱疹是性病的一種，即使病患沒有任何外在的症狀，仍有可能會造成另一位性伴侶的感染。假使病患有任何症狀發生時，應該避免性交或使用適當的保險套，以免傳染給對方。

如果懷孕、對藥物過敏、或者有腎臟病(對口服藥物而言)，醫師需要進一步考慮這些情況並且謹慎地用藥。因此，在使用此藥之前，應該事先通知醫師。

此藥並不是專門用來治療性病類疱疹病毒的，它同時可用來治療非性病類濾過性所造成的感染，如水痘等等。無論使用的是口服藥物或者是藥用軟膏，都應該依照醫師的指示，完成整個治療過程，即使症狀已經消除或減輕，仍舊要用完醫師處方的藥物。

本藥爲醫師針對病情所下的處方，下次如果有類似的感染，雖然症狀相同，但也許感染的病菌不同，服用此藥不見得有效，更有可能會延誤治病的時間。因此需要經由醫師的診斷及指示服藥，更不可將此藥留給他人使用。

長期服用此藥後，會造成牙齦腫大或流血，如果能夠經常刷牙、用牙線清洗牙齒，或者用手按摩牙齦，應該會減輕此一副作用。

如果使用此藥的目的在治療疱疹，就應該在疱疹症狀剛開始的時候，立即服用或塗抹藥物，以達到最有效的治療。

在使用軟膏前，應該先將感染的部位用清水及肥皂清洗乾淨，等待患部乾後再將藥膏均勻地塗抹於患部。爲了避免接觸而造成其他部位的傳染，在使用完藥膏後，應該徹底將手清洗乾淨。

本藥的外用軟膏不能使用於眼睛，應該使用專門的眼用軟膏以治療眼睛的感染。同時，本藥的外用軟膏也不能用於陰道，因爲此藥的充填劑(軟膏內其他的非藥效成分)，可能會刺激陰道內部柔軟的組織而造成腫大。

☞副作用

此藥常見的副作用爲：拉肚子、疲倦、眼花目眩、惡心、腹痛、厭食、嘔吐、頭痛。外用軟膏則會產生皮膚發癢或發紅、灼熱感、刺痛等等。這些副作用，通常在服用藥物一陣子後，身體逐漸習慣了，應該會漸漸消失。不過，如果這些副作用強到困擾你的程度，或者經過一段時間後，這些症狀還不能完全消除，就應該通知醫師。

此藥較嚴重的副作用爲：口渴、排尿次數及尿量降低、發燒或肌肉痛、極端的疲倦、嘔吐、嚴重的惡心、嚴重的腹痛等等。通常這些副作用發生的機率較低，如果發生時，可能是藥物造成的不良反應，或者是劑量需要調整，應該盡快通知醫師。

☞懷孕及哺乳

目前爲止，此藥對孕婦的影響並無很完整可靠的數據。根據動物實驗顯示，在正常人類劑量下，此藥並不會造成動物胎兒的損傷，然而在高於60倍以上的劑量，則可能會影響胎兒發育，造成胎兒的缺陷。當懷孕時，應該通知醫師，他會衡量狀況，決定是否應該服藥。

此藥會經由母乳到達嬰兒體內，但是尚無醫療報告顯示會對餵哺的嬰兒造成不良的影響，不過爲了慎重起見，在使用期間，最好能改用其他的乳製品以取代母乳。

☞忘記用藥

如果忘記的是口服藥的話，應該在記得時，立即服用；並將當天未服完的劑量，依照相等的時間間隔服用完，千萬不可服用雙倍的劑量。如果忘記的是外用藥，則應在記得塗藥時，立即塗用，然後再依照原來的間隔時間，塗用下次的劑量，直至晚上就寢爲止；但是，如果距離下次用藥的時間太近，就應該捨棄此次的藥物，恢復到下次正常用藥的時間，千萬不可一次使用雙倍的劑量。

Albuterol(Salbutamol，沙布坦)

商品名(台灣)

Albutol®(正和)
Astamol®(內外)
Bentolin®(富生)
Butovent®(義・Chiesi)
Censolin®(世紀)
Cotran®(優生)
Disbron®(西・Ferrer)
Mozal®(強生)
Novo-Salmol®(加・Novo)
Respolin®(澳・3M)
Sabuchan®(永昌)
Sabumol®(合誠)
Sabutal®(瑞士)
Sadamol®(衛達)
Salbumol®(芬・美迪亞)
Salbuscan®(丹・Scanpharm)
Salbutamo®(陽生)
Salbutol®(皇佳)
Salbuvent®(芬・Leiras)
Saltmol®(成大)
Saltol®(中化)
Saltolin®(政德)
Salutol®(景德)
Samol®(北進)
Satamol®(生達)
Sodalin®(信元)
Sucotin®(溫士頓)
Ventolin®(英・葛蘭素)
Volmax®(英・Glaxo)

商品名(美國)

Proventil®(Schering)
Ventolin®(Glaxo)

☞藥物作用

本藥爲一種「支氣管擴張劑」。它可以作用於支氣管的肌肉細胞，使支氣管能夠放鬆而擴張開來，讓更多的空氣進入肺部，幫助病人的呼吸。此藥可以用來紓解氣喘、支氣管發炎，及肺氣腫所引起的呼吸困難。

☞用法

此藥包括多種劑型，有普通錠劑、長效錠、糖漿液，及口腔噴霧劑等等。本藥的錠劑分爲普通藥片及持續型釋放錠劑兩種。它的錠劑不受食物的影響，空腹或與食物一起服用均可，但是爲了避免對胃部產生刺激，最好與食物一起服用。如果使用的是液體的，在使用之前，應先將藥瓶輕微搖動，使藥物能均勻分散，並使用有刻度的量杯或藥管以量取正確的藥量。如有必要時，此藥的藥片可以壓碎服用，但是持續錠應該整顆吞服，不可咀嚼或壓碎服用。

☞注意事項

本藥的口腔噴霧劑，通常附有藥廠提供的使用說明書，在使用此藥之前，應該詳細地加以閱讀，如果有任何疑問或者不知道正確的使用方法，可請教你的醫師或藥師。

服用此藥會造成頭暈目眩和降低警覺性，尤其是剛開始服藥期間，發生此一副作用的機會最大。因此除非已經適應了此藥的作用，當開車或操作危險機械時，應該格外小心。

如果懷孕或餵哺嬰兒，對藥物過敏，或者有癲癇、心臟病、高血壓、糖尿病、攝護腺腫大、青光眼、甲狀腺機能亢進等等，醫師需要針對這些情況謹慎地用藥，因此應該事先通知醫師。

使用口腔噴霧劑的方法如下：

1. 在使用前，應該輕輕地搖晃藥瓶，使藥物能均勻分散。
2. 將肺部內的空氣，盡量經由鼻孔呼出。
3. 將藥瓶的瓶口放入口中，直到稍微超過牙齒的內部。然後用嘴唇將整個藥瓶的出口完全封住。
4. 將藥瓶往下壓，同時緩慢地用深呼吸將藥物吸入肺部。此時，應該避免將藥物噴在牙齒或舌頭上。
5. 當藥物吸入肺部後，應該停止呼吸幾秒鐘。然後再將肺內的空氣緩慢呼出。
6. 如果每回需要使用兩次以上的劑量時，在兩次使用藥物的中間最好能相隔一兩分鐘，好讓第一次的劑量能夠充分地被吸收。

當使用口腔噴霧時，應該避免接觸到眼睛，並且不可接觸到火源，以免造成藥瓶爆炸。

使用此噴霧劑時，醫師也許會要求同時用Beclomethasone或是Ipratropium的噴霧劑。同時使用此類噴霧劑時，應該先使用本藥，大約5分鐘，再使用先前堤到的藥物。如此一來，可先將支氣管打開來，幫助另外一種藥物更深入肺部的微小支氣管，以達到治療氣喘的最大效果。

如果所使用的劑量不能紓解症狀、呼吸的頻率加快，或者使用次數增多等情形，通常是病情加重或支氣管痙攣的先兆。因此應該盡快通知醫師，他會對病情重新做檢查及評估，以便適當地更換或調整藥物劑量。

使用此藥時，應該完全依照醫師指示服用，不可超過劑量或次數。過多的劑量可能會造成嚴重的併發症，甚至可能使氣喘加重。依照醫師指示用藥後，如果呼吸的狀況還不能改善的話，就應該通知醫師。

當使用完口腔噴霧劑後，應該用溫水將噴霧劑的開口部分徹底地清洗乾淨，並且用紙巾擦乾，一天至少應該清潔一次，以保持清潔衛生。每次使用完噴霧劑後，如果覺得嘴巴或喉嚨乾燥的話，可使用開水漱口，以減少此一副作用。

如果藥物會導致失眠的話，可詢問醫師是否允許將最後一次服藥的劑量，提前於睡覺前幾小時服用，以減少失眠的現象。如果在服藥期間，會頭暈目眩的話，最好能夠緩慢地起身或站立，這樣應該可以減輕此一現象。

如果要出遠門的話，最好能夠攜帶充分的藥物。當需要拔牙或動手術時，應該事先通知醫師有服用此藥。

☞副作用

此藥常見的副作用為：手會顫抖、胃口降低、小便疼痛、心跳加快、四肢無力、失眠、肌肉抽筋、思睡、流汗增加、胸口灼燒、惡心、嘔吐、緊張不安、臉部潮紅、頭痛、頭暈目眩、口乾或喉乾(噴霧劑)、咳嗽或喉部刺激(噴霧劑)等等。這些副作用，通常在服用藥物一陣子後，漸漸習慣了，應該會逐漸消失。不過，如果這些副作用強到困擾你的程度，或者經過一段時間後，這些症狀還不能完全消除，就應該通知醫師。

此藥較嚴重的副作用為：心跳過快或不規則、血壓過高、胸口不舒服或疼痛、連續及嚴重的惡心嘔吐、連續及嚴重的頭暈目眩、極度的緊張不安、嚴重的顫抖、嚴重的頭痛等等。通常這些副作用發生的機率較低，但是如果發生時，可能是藥物造成的不良反應，或者是劑量需要調整，應該盡快地通知醫師。

☞懷孕及哺乳

此藥曾經被用來預防早產，但有報告指出，孕婦服用此藥可能會影響子宮的收縮，因而減緩生產的時間，同時有可能使母親的心跳增快、血糖增高，使胎兒心跳增快、血糖降低。另外根據動物實驗顯示，在極高劑量下，此藥可能會影響胎兒的發育，造成胎兒的缺陷。懷孕時，應該通知醫師，他會衡量氣喘的嚴重性，和藥物可能對胎兒的影響，決定是否應該服藥。

對於餵奶的母親來說，目前尚不知此藥是否會經由母乳到達嬰兒體內，爲了避免對嬰兒造成不良影響，服藥期間應該考慮使用其他的乳製品，以取代母乳。

☞忘記用藥

如果忘記服藥，應該在記得服藥時，立即服用。並將當天未服完的劑量，依照等分的時間間隔服用完，千萬不可服用雙倍的劑量。如果遺忘超過兩次的劑量，就應該參考醫師的意見。

Allopurinol(安樂普利諾)

商品名(台灣)

Alloprim®(信隆)
Alloprin®(日・Towa)
Allopurine®(厚生)
Alloric®(瑞士)
Allorin®(人人)
Alloscan®(丹・Scanpharm)
Alopril®(東洋)
Aloprinol®(強生)
Alunlan®(永信)
Apico®(大亞)
Aprinol®(日・Teysan)
Apurin®(丹・GEA)
Apurol®(瑞士・Sieg)
Capurate®(澳・Sigma)
Clint®(塞・Medo)
Gylonol®(中央)
Kylourid®(希・Medhel)
Monarch®(日・UJI)
Oscar®(乖乖)
Purinol®(居禮)
Salobel®(大日本)
Serviprinol®(瑞安)
Takanarumin®(日・高田)
Urecin®(應元)
Urinol®(杏輝)
Uroquad®(德・保齡)
Xylonol®(優良)
Zyloric®(英・Wellcome)

商品名(美國)

Zyloprim®(BW)

☞藥物作用

本藥爲治療「慢性痛風」的藥物。痛風的發生，主要是由於體內產生過多的尿酸結晶體，當此一結晶體聚集到關節時，會刺激關節而造成患部的疼痛。本藥的作用，就是它能抑制尿酸產生過程的一種催化劑(加速化學反應的化合物)，使尿酸的產生因而受到抑制，因而達到防止痛風的發生。

☞用法

爲了避免對胃產生刺激，此藥最好與食物或牛奶一起服用，使用此藥時，除了醫師的特別指示外，應該每天至少喝2000cc.的水，以減少腎結石的發生。必要時，藥片可以壓碎服用。

☞注意事項

此藥只能預防痛風發作，並不能立即紓解痛風的發作，必須經過幾個月的藥物治療後，才能將痛風的症狀逐漸地減輕。對於急性痛風的發作，必須使用醫師所指定的另一種藥物來紓解。當使用其他的藥物治療急性痛風時，仍舊應該繼續服用此藥。

如果懷孕或哺乳嬰兒，對藥物過敏，或者有腎臟病、高血壓、糖尿病等等，醫師需要針對這些情況謹慎用藥，因此使用此藥之前，應該事先通知醫師。

服用此藥時，最好不要飲酒，因爲酒精會增加體內尿酸的含量，間接地提高痛風發生的可能。在服藥後，最好也不要服用過量的維他命C或果汁，因爲此兩者都有可能會使尿液變成酸性，增加腎結石發生的機率。

本藥需要定期服用才能產生藥效。即使服藥一陣子後，覺得痛風的病況已經改善，也不可停止服藥。醫師需要依照病況，逐漸地調整劑量以達到最佳的治療效果。因此在服藥期間，必須依照醫師的指示，定期到醫院或診所做進一步的身體檢查。

除非情況特殊或醫師禁止外，在服用此藥物期間，最好一天能夠飲用10至12杯(每杯約250cc.)的開水，以避免造成腎結石，同時能達到最佳的治療效果。

剛開始服藥的前三至六個月，痛風發作的次數也許會增多。但是長久服藥後，痛風發作的次數及程度應該會漸漸地減少。

此藥對某些人可能會造成思睡或注意力不集中，因此除非已經習慣了此藥，當操作危險機械或開車時，應該格外地小心謹慎。

此藥可能會對Captopril或Enalapril此兩種抗高血壓藥物產生相互作用，因而出現不舒服、頭痛、發燒、關節痛、肌肉痛、皮膚起紅疹、心跳過快、低血壓等症狀。如果同時又服用利尿劑或者有腎臟毛病的話，更容易發生副作用。假使同時服用上述藥物的話，就應該通知醫師，或許他會考慮改換其他的藥物取代。服用此藥後，如果身體發紅、發癢或其他的過敏反應時，應該立即停藥，並且通知醫師。

☞副作用

此藥常見的副作用爲：肌肉痠痛、拉肚子、思睡、消化不良、掉髮、惡心、嘔吐、頭痛等等。這些副作用，通常在服用藥物一陣子後，應該會漸漸消失。不過，如果這些副作用強到困擾你的程度，或者經過一段時間後，這些症狀還不能完全消除，就應該通知醫師。

此藥較嚴重的副作用爲：小便困難或疼痛、皮膚或眼睛發黃、皮膚起紅疹或不正常的瘀傷、呼吸困難、突然流鼻血、突然發燒、發冷或喉嚨痛等等。通常這些副作用發生的機率較低，但是如果發生時，可能是藥物造成的不良反應，或者是劑量需要調整，應該盡快通知醫師。

☞懷孕及哺乳

由於生育年齡的婦女使用此藥的機會不是很大，因此此藥對孕婦影響的資料並不是很完備。但是根據動物實驗顯示，此藥可經由胎盤進入胎兒體內，可能會影響胎兒正常的發育及成長。由於動物實驗並不完全等於人類可能的反應，因此當懷孕時，應該通知醫師，他會衡量情況，決定是否應該服藥。

此藥可經由母乳到達嬰兒體內，可能會造成新生兒的不良作用，服藥期間，應該停止餵食母乳，而改用其他的乳製品，待停藥兩三天後，再恢復餵食母乳。

☞忘記用藥

如果忘記服藥，應該在記得時，立即服用。並將當天未服完的劑量，依照等分的時間間隔服用完，千萬不可一次服用雙倍劑量。如果遺忘超過兩次的劑量，就應該參考醫師的意見。

Alprazolam（阿普拉若南）

商品名（台灣）

Alprox®（芬・Orion）
Kalma®（澳・Alphapharm）
Xanax®（普強）

商品名（美國）

Xanax®（Upjohn）

☞藥物作用

本藥為一種短期使用的「抗焦慮藥」。它可用於解除焦慮和緊張，以及因為情緒沮喪所引起的焦慮症。

☞用法

本藥不受食物的影響，因此空腹或與食物一起服用均可。如有必要時，此藥的藥片可以壓碎服用。如使用此藥超過4個星期以上，不可突然停藥。

☞注意事項

此藥會產生想睡覺及頭暈的感覺，尤其是剛開始服藥期間，因此除非已經適應了此藥的作用，當開車或操作危險機械時，應該格外地小心。酒精會增加此藥思睡的副作用，應當避免飲用或限制酒量。

如果懷孕或哺乳嬰兒，對藥物過敏，經常飲用大量的酒，或者有肝臟疾病、腎臟病、癲癇、重症肌無力症、青光眼、氣喘、肺氣腫、嚴重的精神沮喪等等，醫師需要針對這些情況謹慎用藥，因此在使用此藥之前，應該事先通知醫師。

安眠藥、肌肉鬆弛劑、鎮靜劑、抗過敏藥、感冒藥、抗抑鬱藥、止痛藥等等，都有可能會增加此藥思睡的副作用。同時服用這些藥物時，應當特別注意其增加思睡的相乘效果。

長期大量服用此藥的話，可能會造成成癮性或者依賴性，因此應該完全遵照醫師指示服藥，千萬不可服用超過醫師處方的劑量或使用的時間。

經過一段時間服藥後，此藥的作用可能會漸漸地減弱，當此現象發生時，千萬不可自行增加劑量，而應該徵求醫師的指示，他也許會考慮改用其他藥物取代。

老年人對此藥所造成的頭暈及運動失調現象較一般人敏感，因此當老年人服用此藥後，走路、爬樓梯或運動時，應該格外小心謹慎，以免摔倒而導致骨折。

服用此藥3至4個月後，不能突然停藥，因爲突然停藥有可能會導致戒斷症狀的發生。如果要停藥的話，應該遵循醫師指示漸漸地降低服藥劑量或次數，然後再停藥。

在服藥期間如果有便秘發生的話，就應該吃蔬菜或水果等幫助消化的食物，並且在醫師及身體的許可下，多做運動或飲用大量的水分。服用此藥後也許會產生口渴現象，但是如果能夠含一塊冰塊或糖果的話，應該可以減少此一副作用。

剛開始服用此藥時，可能會產生頭昏眼花的感覺，尤其是突然站立或坐起時，不過如果能夠緩慢地站立或坐起，應該會減少此一現象。

☞副作用

此藥常見的副作用爲：口乾、小便困難、下痢、思睡、便秘、疲倦、噁心、發抖、視覺模糊、嘔吐、頭痛、頭暈目眩等等。上述的副作用，通常在服用藥物一陣子後，應該會漸漸地消失。如果這些副作用強到困擾你的程度，或者經過一段時間後，這些症狀還不能完全消除，就應該通知醫師。

此藥較嚴重的副作用爲：手腳及眼睛有不能自主地運動、皮膚突然出現不正常青紫色的瘀傷、皮膚起紅疹或發癢、眼睛及皮膚發黃、發燒、發冷及喉嚨疼痛、極端疲倦、精神不尋常的興奮、精神恍惚或沮喪、幻覺等等。通常這些副作用發生的機率較低，如果發生時，可能是藥物造成的不良反應，或者是劑量需要調整，應該盡快通知醫師。

☞懷孕及哺乳

此藥會經由胎盤進入胎兒體內，有造成胎兒缺陷的可能，尤其是前三個月懷孕期間的可能性最高，同時此藥具有成癮性，孕婦於最後的六個月服用此藥，有可能會造成新生兒緊張不安、顫抖等戒斷症狀。孕婦於懷孕的最後一個星期服用此藥，則有可能造成嬰兒過度安睡、心跳減慢及呼吸困難等現象。因此，除非有必要，並且經過醫師的同意外，孕婦應該避免服用此藥。

對餵奶的母親而言，此藥會經由母乳到達嬰兒體內，造成新生兒過度的安睡。並且，嬰兒對此藥的代解作用較成年人爲慢，藥物在體內長久的累積，將造成不良影響。餵奶的母親應該考慮使用其他的乳製品以取代母乳。

☞忘記用藥

如果忘記服藥，時間不超過一小時，應該立即服用；如果超過一小時，應該捨棄此次的藥物，然後恢復到下次正常服藥的時間，千萬不可一次服用雙倍的劑量。

Amantadine(安曼他定)

商品名(台灣)

Amadine®(元澤)
Amanda®(衛達)
Amandin®(優生)
Amandine®(華興)
Amanta®(回春堂)
Amantec®(順華)
Amazolon®(日・Sawai)
Amtadine®(元宙)
Anasin®(明德)
Anrigin®(黃氏)
Antadin®(南光)
Antadine®(永吉)
Atadin®(生達)
Decold®(羅得)
Dopadine®(瑞士)
Enzil®(永信)
Influ®(井田)
Manta®(正和)
Mepharmin®(美時)
PK-Merz®(德・Merz)
Protexin®(西・Landerlan)
Simon®(永昌)
Sumon®(新東)
Topharmin®(日・Toyo)
Viracon®(應元)

商品名(美國)

Symadine®(Reid-RoWell)
Symmetrel®(Dupont)

☞藥物作用

本藥爲一種治療「帕金森」症的藥物。帕金森症主要是由於腦內傳送訊息的兩種化學物質Acetycoline和Dopamine不平衡所造成的。Acetycoline的含量過高或Dopamine的含量過少，都會造成帕金森症的發生。病人剛開始會手部顫抖，進而手腳僵硬，最後造成行動緩慢或困難。此藥的作用就是能加強Dopamine的釋放，改善帕金森的症狀。本藥另一個作用，是可以用來預防A型流行性感冒所引起的呼吸道感染。

☞用法

本藥不受食物的影響，因此空腹或與食物一起服用均可。必要時，此藥的膠囊可以打開來服用。假使使用的是糖漿液時，應該使用有刻度的量杯或藥管，以量取正確的藥量。

☞注意事項

此藥對某些人可能會造成思睡或頭暈目眩，因此，除非已經習慣了此藥的作用，當在操作危險機械或開車時，應該格外地小心謹慎。另外此頭暈目眩的副作用，可能會因爲立即站立或起身而加重，因此應當盡量緩慢起身，或減緩站立的速度以減輕此一副作用。酒精會加重頭暈目眩的副作用，也應該盡量避免喝酒。

如果懷孕或哺乳嬰兒，對藥物過敏，或者有心臟病、腎臟病、四肢或關節水腫、癲癇等等，醫師需要針對這些情況謹慎地用藥，因此在使用此藥之前，應該事先通知醫師。

如果服用此藥的目的在預防感冒，就應該在剛暴露於感冒病毒下，或者在感冒症狀剛開始發作時盡早服藥。如果服藥後，感冒症狀仍然發生，應該繼續服用此藥。

假若服用此藥的目的在治療帕金森症，在服藥經過一段時間後，如果覺得四肢運動的狀況逐漸好轉時，應該逐步地增加運動量，使身體能夠漸漸適應外在環境，但不可過度運動，以免一時無法適應而跌倒受傷。

長時間服藥後，藥效可能會漸漸減弱，如果有此現象時，不可自行增加服藥劑量；應該通知醫師，他也許會要求停藥一陣子再繼續服用，或者要求暫時換另外一種藥物。

服藥後，除非經醫師同意，不可突然地停藥。突然停藥有可能使帕金森症的情況轉爲惡化。必要時，應該遵從醫師的指示漸漸地降低服藥的次數或劑量，然後再停藥。

☞副作用

此藥常見的副作用爲：口乾、失眠、注意力不集中、便秘、做噩夢、惡心、嘔吐、緊張不安、頭痛、頭暈目眩等等。上述的副作用，通常在服用藥物一陣子後，應該會漸漸消失。不過，如果這些副作用強到困擾你的程度，或者經過一段時間後，還不能完全消除，就應該通知醫師。

此藥較嚴重的副作用：手腳水腫、皮膚起紅疹、呼吸困難、迷幻、眼腫或視覺改變、視覺模糊、暈倒、精神恍惚等等。通常這些副作用發生的機率較低，但是如果發生時，可能是藥物造成的不良反應，或者是劑量需要調整。應該盡快通知醫師。

☞懷孕及哺乳

目前爲止，此藥對孕婦的影響，並無很完整可靠的資料。但是動物實驗顯示，在高劑量下，此藥可能會造成動物胎兒的缺陷。另有報告顯示，孕婦於懷孕的前三個月使用此藥，可能會造成胎兒心臟血管方面的問題。因此，在一般情況下，尤其是懷孕的前三個月，除非有絕對的需要，並且經由醫師許可外，孕婦應該避免服用此藥。

此藥可經由胎盤到達嬰兒體內，會造成對新生兒的不良作用。因此服藥期間，應該停止餵食母乳，而改用其他的乳製品來取代。

☞忘記用藥

如果忘記服藥，應該在記得時，立即服用。但是，如果距離下次服藥的時間太近，就應該捨棄此次的藥物，恢復到下次正常服藥的時間，千萬不可服用雙倍劑量。

Amiloride/Hydrochlorothiazide（利尿劑）

商品名（台灣）

Amilco®（英・Norton）
Amiton®（黃氏）
Amitrid®（芬・Huht.）
Amizide®（生達）
Kaluril®（澳・Alphapharm）
Moduretic®（默克）
Scanduretic®（丹・Scanpharm）
Tiaden®（西・G.A）

商品名（美國）

Moduretic®（Merck）

☞藥物作用

此藥爲一種「利尿劑」。它是由Amiloride與Hydrochlorothiazide兩種不同的利尿成分組合而成。此兩種不同的利尿成分一起用的目的，是要平衡體內鉀離子。此藥主要是預防高血壓，和治療水分積聚而引起的病症，如心衰竭等等。如果體內含過多的水分，此多餘的水分將會增加血管內部的壓力，造成身體水腫或高血壓，最後可能導致心臟長久的負荷，而產生衰竭。此藥的作用，就是能夠幫腎臟將體內多餘的水分及鹽分，經由尿液排出，而達到治療的目的。

☞用法

此藥通常是一天服用一次。如果在睡前服用的話，可能需要夜晚起床小便而干擾睡眠。爲了避免此藥對胃部產生刺激，如果一天服藥一次的話，最理想的服藥時間，是用完早餐後。如有必要時，此藥的藥片可以壓碎服用。爲了避免忘記服藥，最好能養成固定時間服用的良好習慣。

☞注意事項

如果使用此藥的目的是治療高血壓的話，本藥只能控制血壓，並不能真正治癒高血壓，甚至可能需要終生服用此藥，才能達到穩定血壓的效果。服用此藥後，必須經過幾個星期的時間，才能將血壓慢慢地降下來。爲了達到完全的降壓效果，必須每天服用此藥，即使血壓已經控制穩定，也不可忘記或省略服藥。爲了達到理想降血壓的作用，也應該遵循醫師的指示，食用低鹽類、低脂肪食物，戒煙酒，並且盡可能依照醫師指示做適當的運動。

如果懷孕，對藥物過敏(尤其是對磺胺藥過敏)，或有肝臟疾病、腎臟病、痛風、紅斑性狼瘡、糖尿病等等，醫師需要進一步考慮這些情況，因此應該事先通知醫師。

在服用某些利尿劑的同時，醫師會要求服用含鉀類的食物，譬如香蕉、橘子水等等，或者要求直接服用含鉀類的藥物，以補充體內由於藥物所造成鉀離子的缺失。由於此藥是由兩種不同利尿成分組合而成的，其中一種成分會增加體內鉀離子的產生，而另一成分卻會造成鉀離子的缺失，此兩種作用相互中和而達到平衡關係，因此在服用此一藥物時，除非有醫師特別指示外，並不需要服用含鉀的食物或藥物。

剛開始服用此藥的時候，小便的次數及數量都會增加，同時可能會產生極端疲倦的感覺。通常這些現象在幾個星期後會漸漸地減少。如果經過一陣子後仍然不能消除，就應該通知醫師。

此藥可能會引起頭暈目眩的現象，特別是早上剛起床的時候。如果能緩慢地起身或站立，應該可以減緩此一現象。另外爲了避免此一副作用的發生，應該避免站立太久、飲用大量的酒、在太陽下做太激烈的運動，以及洗太熱的熱水浴等等。

此藥可能會使血糖升高，因此患有糖尿病的人，應該密切地測量尿液或血液中糖的含量。

此藥爲一利尿劑，其主要的目的是將體內多餘的水分排除出去。如果身體因爲某些病症，而產生嚴重腹瀉或嘔吐的話，可能造成身體嚴重脫水，甚至體內電解質(維持身體細胞正常生理功能的化學礦物質)也會伴隨著水分流失，而造成不平衡甚至產生其他併發症。因此，服藥期間如有嚴重腹瀉或嘔吐發生的話，就應當通知醫師。

本藥會增加皮膚對陽光的敏感性，如果在陽光下曝曬太久，有可能會導致灼傷、過敏，以及脫水，因此應該盡量避直接曝曬，同時穿著長袖類衣物，以保護皮膚。

市面上許多治療過敏、鼻塞、咳嗽、感冒，和減肥的成藥中，經常含有會使血壓升高的成分。如果使用此藥的目的在治療高血壓，或充血性心衰竭，為了避免造成血壓突然升高或心臟的惡化，在服用此類藥物之前，應該事先諮詢醫師或藥師。

☞副作用

此藥常見的副作用為：惡心、嘔吐、便秘、性欲降低、皮膚對光敏感、胃口降低、排氣增加、腹痛、拉肚子、頭暈、想睡覺、頭痛、小便增加、疲倦、胃腸不適等等。這些副作用，通常在服用藥物一陣子後，應該會漸漸地消失。如果這些副作用強到困擾你的程度，或者經過一段時間後，還不能完全消除，就應該通知醫師。

此藥較嚴重的副作用為：口乾、皮膚發紅發癢、焦慮、背痛、呼吸困難、小便困難、情緒改變、手指腳趾發麻、眼睛及皮膚發黃、極度虛弱及疲倦、關節突然的疼痛、喉嚨痛、身體出現不正常的紫斑或瘀傷、舌頭發紅或發炎、小便疼痛、心跳不正常、肌肉抽筋疼痛。通常這些副作用發生的機率較低，但是如果發生時，可能是藥物造成的不良反應，或者是劑量需要調整，應該盡快通知醫師。

☞懷孕及哺乳

此藥由兩種藥品組合而成，根據此兩種藥品個別的動物實驗顯示，在正常劑量下，此兩種藥品都不會造成胎兒生長缺陷或損傷。不過，由於此藥會經由胎盤到達胎兒體內，可能會造成胎兒體重減輕，和出生後黃疸或血液凝固方面的問題。當懷孕時應該通知醫師，他會看情況，決定是否應該服藥。

少量的藥物會經由母乳到達嬰兒體內，為了避免藥物對新生兒造成不良的影響，餵奶的母親應該考慮使用其他的乳製品以取代母乳。

☞忘記用藥

如果一天服藥一次，當忘記服藥時，應該在記得時，立即服用。如果等到第二天才記起來的話，就應該捨棄此次的藥物，只服用第二天的藥物，千萬不可一次服用雙倍的劑量。

Aminophylline(氨基非林)

商品名(台灣)

Aminophylline®(多家藥廠)
Anpillin®(回春堂)
Asiphylline®(信東)
Neophylline®(衛材)
Phyllocontin®(英・Napp)

商品名(美國)

Aminophylline®(多家藥廠生產)

☞藥物作用

本藥為一種「支氣管擴張劑」。它可以直接作用於支氣管的肌肉,使支氣管放鬆而擴張,讓更多的空氣能夠順利地進入肺部,幫助病人呼吸。此藥可以用來紓解氣喘病、支氣管發炎,及肺氣腫病所引起的呼吸困難。

☞用法

為了增強藥物的吸收作用,使用本藥時,最好能在空腹的時候服用,譬如飯前一小時,或飯後兩小時,服用時最好能同時飲用一杯的開水,以減少胃部的刺激。如果使用的是長效劑型藥物的話,在服用時不可咀嚼或壓碎,以免引起藥物立即釋放造成藥物過量而中毒。如是使用液體藥物時,每次在使用之前,應該用有刻度的量杯或藥管,以量取正確的藥量。

本藥另外有肛門栓劑,其使用方法請參見頁5。

☞注意事項

由於本藥的化學結構與咖啡因極為類似,因此具有咖啡因的許多特性,譬如它可能導致失眠、精神緊張，以及胃部不舒服等等。因此在服藥期間應當避免服用大量含有咖啡因的飲料如咖啡、可可、可樂等等，以免增加此藥的副作用。如果對咖啡過敏的話，也不要服用此藥。

如果懷孕或哺乳嬰兒，對藥物過敏，經常飲用大量的酒，或者有胃潰瘍、甲狀腺機能亢進、高血壓、腎臟病、肝臟疾病、心臟病等等，醫師需要針對這些情況謹慎用藥，因此在使用此藥之前，應該事先通知醫師。

服用此藥時，醫師需要定期評估藥效，尤其在服藥後的頭幾個星期，醫師也許會要求驗血，來測量此藥在血中的濃度，以便適當調整藥物的劑量，因此必須遵從醫師指示，定期到醫院做檢查。

由於此藥在體內的濃度、藥效、副作用，和安全性對身體的影響很大。因此，應當完全依照醫師指示服藥。如果服用的次數或劑量過高，可能會造成極大的副作用及危險性；如果服用的次數或劑量過低，則不容易達到藥物治療的效果。

剛開始服用此藥時，可能會覺得情緒緊張不安、睡不著覺，以及有惡心的感覺。經過一段時間慢慢地適應後，此一狀況應該會漸漸消失；如果症狀持續下去時，也許是藥物的劑量太大，應當告訴醫師，他也許會考慮減少劑量。

此藥在體內若能達到固定的濃度，則可達到最好的藥效。因此，最好能將一天24小時，分隔爲相等的時段給藥。如一天服藥4次，則分隔爲每6小時給藥一次；如一天服藥3次，則分隔爲每8小時給藥一次。並且應該完全遵照醫師處方服藥，更不可忘記服用。

使用準確的劑量對現有的病況相當重要，同時經過長時間服用後，除非經過醫師許可，最好不要換別種廠牌的同一成分藥品。不同廠牌的，雖然標示的劑量相同，但是由於各個藥廠品管的能力，和藥物劑型的不同，都有可能影響藥物的釋放及吸收，因此所產生的濃度及藥效也不見得會相同。

如果服藥後經常有拉肚子的現象，可能是劑量過高，應當告訴醫師，他可能會考慮調整劑量。

市面上許多治療氣喘、過敏、感冒、咳嗽的成藥或處方藥中，可能含有增加此藥副作用的成分，因此在服用此類藥物之前，最好能徵詢醫師或藥師的意見。

☞副作用

此藥常見的副作用爲：噁心、緊張不安。這些副作用，通常在服用一陣子後，應該會漸漸地消失；如果這些副作用強到困擾你的程度，或者經過一段時間後，還不能完全消除，就應該通知醫師。

此藥較嚴重的副作用爲：心跳不正常或加快、失眠、肌肉顫抖、呼吸加快、拉肚子、疲倦無力、腹部抽痛、經常的噁心、嘔吐、精神恍惚、臉部潮紅、糞便變黑、頭痛、頭暈目眩等等。通常這些症狀發生的機率較低，如果發生時，可能是藥物造成的不良反應，或者是劑量需要調整，應該盡快地通知醫師。

☞懷孕及哺乳

目前爲止，尚無資料顯示此藥會造成胎兒的缺陷。但是動物實驗顯示，在高於人類30倍劑量的情況下，則有可能引起老鼠胎兒的缺陷。另外此藥可經由胎盤進入胎兒體內，孕婦服用此藥可能會造成新生兒心跳加快、緊張不安，及嘔吐等等副作用。懷孕時，應該通知醫師，他會衡量氣喘的嚴重性，以及藥物可能對胎兒的影響，決定是否應該服藥。

此藥可經由胎盤到達嬰兒體內，可能會造成新生兒煩躁不安、失眠，和胃腸不適等副作用。因此，在使用此藥期間，應該停止餵食母乳，而改用其他的乳製品。

☞忘記用藥

如果忘記服藥，應該在記得時，立刻服用。但是，如果距離下次服藥的時間太近，就應該捨棄此次的藥物，恢復到下次正常服藥的時間，千萬不可一次服用雙倍的劑量。如果因爲忘記服藥而產生嚴重氣喘的話，就應當立即通知醫師。

Amitriptyline(安米普林)

商品名(台灣)

Amilin®(冰・Toro)
Amiplin®(小林)
Isetin®(永新)
Laroxyl®(羅氏)
Pinsaun®(優生)
Saroten®(丹・龍德)
Tripyline®(中央)
Trynol®(強生)
Tryptanol®(美・Merck)

商品名(美國)

Elavil®(Stuart)
Endep®(Roche)

☞藥物作用

本藥爲一種「抗憂鬱」的藥物。身體病變所引起的憂鬱或沮喪，是由於腦部負責神經傳導的化學物質，失去平衡所造成的。此藥的作用就是能使此類化學物質恢復到正常的含量，因而達到治療的目的，使病人逐漸恢復到開朗與自信。此藥亦可作爲治療頭痛，或其他病變所引起的慢性痛的輔助藥物。

☞用法

本藥不受食物的影響，因此空腹或與食物一起服用均可，必要時此藥的藥片可以壓碎服用。此藥通常是一天服用1到3次，不過大部分以一天服用一次爲主。如果是一天服藥一次，而此藥會產生想睡覺的感覺，則可安排於睡前服用；如果服用此藥會導致失眠，則可安排於早晨服藥。

☞注意事項

此藥會產生想睡覺的感覺，尤其是剛開始服藥期間；因此，除非已經適應了此藥的作用，當開車或操作危險機械時，應該格外地小心謹慎。酒精會增加此藥思睡的副作用，應當避免飲用或限制酒量。

如果懷孕或哺乳嬰兒，對藥物過敏，經常飲用大量的酒，或者有氣喘、癲癇、青光眼、排尿困難、肝臟疾病、精神病、甲狀腺機能亢進、前列腺腫大、腎臟病、心臟病等等，醫師需要針對這些情況謹慎地用藥，因此在使用此藥之前，應該事先通知醫師。

安眠藥、肌肉鬆弛劑、鎮靜劑、抗過敏藥、感冒藥、抗抑鬱藥、止痛藥等等，都有可能增加此藥思睡的副作用。服用這些藥物時，應當特別注意彼此增加思睡的相乘效果。

剛開始服用此藥的時候，必須經過幾個星期的時間，才能完全達到藥物的作用。因此不能因爲一時覺得藥物無效而放棄服用。同時，此藥必須定期服用才能達到最好的效果，也不能因爲一時覺得症狀已經改善而停止服藥。

使用此藥期間，醫師需要定期評估藥效反應，以便適當地調整劑量，患者必須遵守醫師指示，定期到醫院或診所做檢查。

長期服用此藥後，不能突然停藥。因爲突然停藥可能會產生戒斷症狀，如頭痛、惡心、極端的不舒服等等。必須停藥時，應該事先徵得醫師許可，並遵循指示，漸漸地降低劑量或次數，然後再停藥。

要拔牙或動手術之前，應該事先通知醫師有服用此藥，因爲手術期間所使用的麻醉藥或許是肌肉鬆弛劑，也許會與此藥產生不良作用如血壓降低或呼吸抑制等等。

此藥會增加皮膚對陽光的敏感性，如果在陽光下曝曬太久，可能會導致過敏或灼傷，因此在服藥期間，應當盡量避免陽光直接照射，並且穿著長袖衣物以保護皮膚。

服用此藥後，如果突然起立或坐起，也許會產生目眩；不過如果能夠減慢起立或坐起的速度，應該能改善此現象。如果覺得服用此藥會口渴，放一塊冰塊或者含一顆糖果在嘴內，應該能改善此現象。

許多藥物會與此藥產生相互作用，也許會對身體產生不良的作用，或者是降低彼此的藥效。因此，無論服用的是成藥或者是處方藥，最好能養成在服藥前事先諮詢醫師或藥師的良好習慣。

☞副作用

此藥常見的副作用爲：口乾、失眠、拉肚子、思睡、疲倦、胸口灼熱、惡心、過量的流汗、頭痛、頭暈等等。這些現象，通常在服用一陣子後，應該會漸漸地消失。不過，如果這些副作用強到困擾你的程度，或者經過一段時間後，這些症狀還不能完全消除，就應該通知醫師。

此藥較嚴重的副作用爲：手腳及頭部不正常的抖動、手腳僵硬、小便困難、心跳不正常、皮膚出現不正常瘀傷、皮膚起紅疹或發癢、呼吸困難、緊張不安、眼痛、眼睛及皮膚發黃、發燒、發冷及喉嚨疼痛、視覺模糊、極端的疲倦、精神恍惚等等。通常這些副作用發生的機率較低，如果發生時，可能是藥物造成的不良反應，或者是劑量需要調整，應該盡快通知醫師。

☞懷孕及哺乳

此藥會經由胎盤進入胎兒體內，可能會影響胎兒的發育，尤其是懷孕的前三個月可能性最高。也有報告顯示孕婦於生產前服用此藥的話，可能會影響胎兒呼吸、心臟及排尿系統方面的問題。因此，除非必要且經醫師同意外，孕婦應該避免服用此藥。

少量的藥物會經由母乳到達嬰兒體內，可能造成新生兒過度的安睡或情緒的不安，餵奶的母親應該考慮使用其他乳製品，以取代母乳。

☞忘記用藥

如果一天服用兩次以上的劑量，當忘記服藥時，應該在記得時，立即服用。並將當天未服完的劑量，依照等分的時間間隔服用完。但是，如果距離下次用藥的時間太近，就應該捨棄此次的藥物，恢復到下次正常用藥的時間，千萬不可一次使用雙倍的劑量。假如一天服用一次，而且在晚上服用的話，如果忘記用藥，應該在記得時，立即使用；如果等到第二天才記起來，就應該捨棄使用所遺忘的藥物，恢復到正常用藥的時間，千萬不可使用雙倍的劑量。

Amlodipine（安脈狄平）

商品名（台灣）

Norvasc®（輝瑞）

商品名（美國）

Norvasc®（Pfizer）

☞藥物作用

本藥爲一種「鈣離子阻斷劑」的降血壓，及預防心絞痛發生的藥物。此藥的作用能使血管擴張，讓血液順暢流通，而達到降血壓的目的。本藥亦可擴張心臟內的血管，使心臟能夠得到更多的血液和氧氣，解除心臟因爲缺氧而造成壞死，最後導致心絞痛的發生。

☞用法

爲了避免對胃部產生刺激，此藥最好與食物一起服用。服用此藥片時，應該吞服整顆的藥物，不可咀嚼或壓碎服用。此藥通常是一天服用一次，不論是早上或晚上服用，最好養成固定時間服藥的習慣，以減少忘記服藥的可能。

☞注意事項

本藥具有預防心絞痛及降血壓的作用。如果服用此藥是爲了預防心絞痛發作，就必須定期服用才有效果；若是在心絞痛發作時才服用是無效的。萬一心絞痛發作，就必須使用另外一種藥物來紓解。

如果懷孕或哺乳嬰兒，對藥物過敏，或者有心臟疾病、心律不整、充血性心衰竭、腦中風、低血壓、肝臟疾病等等，醫師需要針對情況謹慎用藥，因此在使用此藥之前，應該先通知醫師。

服用此藥後，可能會產生頭昏眼花的副作用，尤其在剛開始服藥期間。因此，在尚未完全適應此藥之前，當開車或操作危險機械時，必須小心謹慎。

本藥只能控制血壓升高，並不能完全治癒此症，因此可能需要終生服用此藥。服用此藥後，可能需要經過幾個星期的時間，血壓才能漸漸降低到理想的程度，同時，在經過一段時間後，即使血壓已恢復正常，仍舊需要持續地服藥，才能有效控制住血壓。

經過一段時間藥物治療後，即使覺得血壓已恢復正常，亦不可間斷或者突然停止服藥。突然停止服藥有可能使血壓升高甚至造成心臟病發作。如須停藥，應該事先得到醫師許可，並且在醫師指示下，逐漸降低劑量然後再停。

在服用此藥之前，應該先請教護士或者醫師如何測量脈搏。如果覺得脈搏跳動較平常慢或者低於50，就應該通知醫師。

為了達到更理想的降血壓作用，應該遵循醫師指示，食用低鹽類、低脂肪的食物，戒煙酒，並且盡可能依照醫師指示做適當的運動。

剛開始服用此藥時，可能會有頭暈目眩的感覺，尤其是突然站立或坐起時，不過如果能夠緩慢地站立或坐起，應該會減少此一現象。

如果使用此藥的目的在預防心絞痛的發作，在經過一陣子服藥後，不可因為心絞痛不再發作而突然增加運動量；應該事先與醫師商討何種運動較適合，或多大的運動量才不會造成心臟過度的負荷，而導致心絞痛再次的發生。

要拔牙或動手術之前，應該先通知醫師有服用此藥。

剛開始服用此藥時，也許會有頭痛的感覺，但是經過一段時間後，此現象應該會漸漸消除。如果經過一段長時間後，此現象仍然無法消除，就應該通知醫師。

市面上許多治療過敏、鼻塞、咳嗽、感冒，和減肥的成藥中，經常含有會使血壓升高的成分。為了避免血壓突然升高，服用此類藥物之前，應該事先徵詢醫師或藥師的意見。

☞副作用

此藥常見的副作用為：便秘、疲倦、噁心、臉部發紅發熱、頭痛、頭暈目眩等等。這些副作用，通常在服用藥物一陣子後，應該會漸漸消失。不過，如果這些副作用強到困擾你的程度，或者經過一段時間後，這些症狀還不能完全消除，就應該通知醫師。

此藥較嚴重的副作用為：心跳過快或心跳過慢(低於50)、皮膚起紅疹、呼吸困難、胸口疼痛、腳部水腫、嚴重的頭暈等等。通常這些副作用發生的機率較低，但是如果發生時，可能是藥物造成的不良反應，或者是劑量需要調整，應該盡快通知醫師。

☞懷孕及哺乳

此藥對孕婦的影響，並無很完整的資料。但是根據動物實驗顯示，在高劑量的情況下，此藥可能會造成胎兒的生長缺陷、延長孕婦懷孕的時間，以及影響胎兒骨骼的發育，劑量越高，可能發生的機率就更高。因此，除了使用藥物的優點勝於可能造成的副作用，並且經由醫師同意外，孕婦應該避免服用此藥。

目前為止，尚不知此藥是否會經由母乳到達嬰兒體內，為了避免藥物可能對新生兒造成影響，餵奶的母親，應該考慮使用其他的乳製品，以取代母乳。

☞忘記用藥

如果忘記服藥，應該在記得時，立即服用。但是，如果距離下次服藥的時間太近，就應該捨棄此次藥物，恢復到下次正常服藥的時間，千萬不可一次服用雙倍劑量。

Amoxicillin(安莫西林)

商品名(台灣)

Amocil®(南光)
Amocillin®(濟生)
Amolin®(永豐)
Amoxcin®(永昌)
Amoxi-gobens®(西·Normon)
Amoxil Syrup®(美・SKB)
Amoxil®(美・SKB)
Ancorin®(景德)
Chitacillin®(日・萬華)
Gemox®(政德)
Hiconcil®(必治妥)
Ibiamox®(義・Istituto)
Limox®(利達)
Moxilen®(塞・Medo)
Pamoxicillin®(聯邦)
Servamox®(瑞士・Cimex)
Supercillin®(榮民)
Winmox®(溫士頓)

商品名(美國)

Amoxil®(SKB)
Biomox®(Inter. E)
Polymox®(Apothecon)
Trimox®(Apothecon)
Wymox®(Wyeth)

☞藥物作用

本藥爲一種「盤尼西林」類的抗生素。它主要的作用是能破壞細菌的細胞壁，使細菌不能正常地生長繁殖，因此可以用來治療某些細菌所引起的感染如尿道感染、淋病、梅毒、中耳炎、咽喉炎、鼻竇炎，和皮膚感染等等。此藥對於濾過性病毒，和黴菌或真菌所造成的感染無效。

☞用法

本藥不受食物的影響，因此空腹或與食物一起服用均可。必要時，此藥的膠囊可以打開來服用，藥片可以壓碎服用。如果使用的是液體藥物時，每次在使用前，應先將藥瓶輕微搖動使藥物能均勻分散，並使用有刻度的量杯或藥管，以量取正確的藥量。

☞注意事項

服用此藥時，必須依照醫師指示服用完所有的處方(通常是7至14天)，即使覺得症狀已經消除，仍須服用完所有處方的份量，以免感染復發，或將來細菌產生對藥物的抗藥性。

如果懷孕或哺乳嬰兒，對藥物過敏(尤其是盤尼西林類抗生素)，對花粉或任何東西過敏，或者有腎臟病、氣喘、胃腸道的毛病如腸炎、潰瘍性結腸炎等等。醫師需要針對這些情況謹慎用藥，因此在使用此藥之前，應該事先通知醫師。

服用此藥後，可能會降低口服避孕藥的作用。因此服用此藥時，最好能同時使用其他有效的避孕方法，譬如使用保險套等來避孕。此藥會干擾糖尿病患尿液血糖測量，如果要依照此一測量結果來改變飲食或藥物的劑量時，應該先徵求醫師的意見。

如果是服用液體藥物的話，由於此液體藥物必須在新鮮的情況下使用才有效(其有效期通常爲兩個星期)，通常藥師會在藥瓶上標明有效日期，如果藥物過期的話，就不該使用。另外，也應該將此藥放於冰箱冷藏室(不是冷凍室)內，以保持藥物的新鮮。

本藥與盤尼西林屬於同一類的抗生素，如果對盤尼西林過敏，對此藥也有可能會產生過敏，最好不要服用。萬一服用後產生過敏反應，如呼吸困難、皮膚發紅或發癢等等，應該立即通知醫師。

本藥爲醫師針對病情所下的處方，如果下次有類似的感染，雖然產生的症狀相同，但也許引起感染的病菌不同，服用此藥不見得有效，更有可能會延誤治療。因此必須經過醫師的診斷及指示服藥，也不可將此藥留給他人使用。

爲了達到最佳的滅菌效果，此藥必須在血中達到固定的濃度，因此最好每天在相等的時間間隔服藥。如一天服藥3次，則應該每8個小時服用一次；一天服藥4次，則應該每6個小時服一次，並且不可忘記。

在極少數的情況下，服用此藥一陣子後，會產生拉肚子的現象。此可能由於抗生素破壞了胃腸內細菌的平衡所引起的。因此不該自行服用止瀉藥物，因爲如果使用了錯誤的藥物，有可能會使腹瀉惡化。應該請教醫師，做適當的治療。

☞副作用

此藥常見的副作用爲：拉肚子、胃腸不適、胸口灼熱、惡心、嘔吐、頭暈。這些作用，通常在服用藥物一陣子後，應該會漸漸消失。不過，如果這些副作用強到困擾你的程度，或者經過一段時間後，這些症狀還不能完全消除，就應該通知醫師。

此藥較嚴重的副作用爲：皮膚水腫、皮膚發紅、血壓下降、呼吸困難、喉嚨痛、發燒、發癢、腹部抽痛、嚴重的拉肚子等等。通常這些副作用發生的機率較低，但是如果發生時，可能是藥物造成的不良反應，或者是劑量需要調整，應該盡快通知醫師。

☞懷孕及哺乳

一般來講，此藥用於孕婦是安全的。但是，仍須更廣泛的醫學資料加以證明其安全性，懷孕時，最好還是通知醫師。

對於餵奶的母親來說，少量的藥物會經由母乳到達嬰兒體內，可能會影響嬰兒腸內細菌的平衡，造成嬰兒拉肚子，或腸胃不舒服，也有可能會造成過敏反應。因此，餵奶的母親最好使用其他的乳製品，以取代母乳。

☞忘記用藥

如果忘記服藥，應該在記得時，立即服用。但是，如果距離下次服藥的時間太近，而一天服藥兩次，就應該先服用所遺忘的藥物，然後等約5至6小時後，再服用下次的劑量。如果一天服藥3次以上，應該先服用所遺忘的藥物，然後等約2至3小時後服用另一次劑量，再恢復到下次正常服藥的時間。

Amoxicillin/Clavulanate(安滅菌)

商品名(台灣)

Augmentin®(美・SKB)

商品名(美國)

Augmentin®(SKB)

☞藥物作用

本藥為兩種不同成分組合而成的「抗生素」。Amoxicillin為一種「盤尼西林」類的抗生素，主要的作用是能破壞細菌的細胞壁，抑制細菌的生長，可以用來治療許多種類細菌所引起的感染，如尿道感染、急性中耳炎、肺炎、鼻竇炎，和皮膚感染等等；Clavulanate的作用主要是保護Amoxicillin不受細菌破壞，間接地增加抵抗細菌的能力。此藥對於濾過性病毒，和黴菌或真菌所造成的感染無效。

☞用法

本藥不受食物影響，因此空腹或與食物一起服用均可。必要時，此藥的藥片可以壓碎服用。如果使用的是液體藥物時，每次在使用藥物之前，應先將藥瓶輕微搖動，使藥物能均勻分散，並使用有刻度的量杯或藥管，以量取正確的藥量；如使用的是咀嚼錠的話，應該先在嘴內咀嚼然後再吞服入胃。

☞注意事項

服用此藥時，必須依照醫師指示服用所有的處方(通常是7至14天)，即使覺得感染的症狀已經消除，仍須服完所有的份量，以免感染復發或細菌產生抗藥性。

如果懷孕或哺乳嬰兒，對藥物過敏(尤其是盤尼西林類抗生素)，對花粉或其他東西過敏，或者有腎臟病、氣喘、胃腸道的毛病(如腸炎、潰瘍性結腸炎)等等，醫師需要針對這些情況謹慎用藥，因此在使用之前，應該先通知醫師。

服藥後，可能會降低口服避孕藥的作用，因此服用此藥時，最好能同時使用其他的避孕方法，譬如使用保險套等來避孕。此藥會干擾糖尿病患者尿液血糖測量的結果，因此如果要依照此測量結果來改變飲食或藥物劑量時，應該先徵求醫師的意見。

如果服用液體藥物的話，必須在新鮮的情況下使用才有效(其有效期通常爲兩個星期)。通常藥師會在藥瓶上標明有效日期，如果藥物過期的話，就不該使用。另外，也應該將此藥放在冷藏室(不是冷凍室)內，以保持藥物的新鮮。

本藥與「盤尼西林」屬於同一類的抗生素。如果對盤尼西林過敏，對此藥也有可能會過敏，最好不要服用此藥。萬一服用藥物後產生過敏反應，如呼吸困難、皮膚發紅或發癢等等，就應該立即通知醫師。

本藥爲醫師針對病情所下的處方，如果下次有類似的感染，雖然症狀相同，但也許引起感染的病菌不同，服用此藥不見得會有效，甚至可能會延誤病情。因此必須經過醫師診斷及指示服藥，更不可將此藥留給他人使用。

爲了達到最佳的滅菌效果，此藥必須在血中達到固定的濃度，因此最好每天在相等的時間間隔下服藥。如一天服藥3次，則應該每8個小時服用一次，不可忘記。

極少數的情況下，在服用此藥一陣子後，可能會產生拉肚子現象。此可能是抗生素破壞了胃腸內細菌的平衡所引起的。因此不該自行服用止瀉藥物，如果使用了錯誤的藥物，有可能會使腹瀉的情況惡化，應該請醫師做適當的治療。

☞副作用

此藥常見的副作用爲：拉肚子、胃部脹氣、胃腸不適、胸口灼熱、惡心、嘔吐、頭痛、頭暈等等。這些現象，通常在服用一陣子後，會漸漸消失。不過，如果這些副作用強到困擾你的程度，或者經過一段時間後，還不能完全消除，就應該通知醫師。

此藥較嚴重的副作用爲：皮膚水腫、皮膚發紅、血壓下降、呼吸困難、喉嚨痛、發燒、發癢、腹部抽痛、嚴重的拉肚子等等。通常這些副作用發生的機率較低，但是如果發生時，此可能是藥物造成的不良反應，或者是劑量需要調整，應該盡快通知醫師。

☞懷孕及哺乳

一般來講，孕婦使用此藥是安全的。但是，此藥仍須更廣泛的醫學資料加以證明其安全性，懷孕時，最好還是通知醫師。

對於餵奶的母親來說，少量的藥物會經由母乳到達嬰兒體內，可能會影響嬰兒腸內細菌的平衡，造成拉肚子或腸胃不舒服，也可能會有過敏反應。因此，最好使用其他乳製品，以取代母乳。

☞忘記用藥

如果忘記服藥的話，應該在記得時，立即使用。並將當天未用完的劑量，依照等分的時間間隔服完。

Ampicillin(安比西林)

商品名(台灣)

Ampicyn®(義・生化)
Ampilisa®(義・Lisapharma)
Ampimycin®(根達)
Ampolin®(永豐)
Ancillin®(中化)
Ap-Mycin®(新東)
Hiperbiotico®(荷・Atral)
Li-Cillin®(利達)
Linpemycin®(林化學)
Omnipen®(惠氏)
Pelitin®(永信)
Penbritin®(美・SKB)
Pentrexyl®(必治妥)
Rophabiotic®(比・Ropharma)
Servicillin®(瑞士・SVP)
Standacillin®(澳・Biochemi)
Trifarcin®(義・Lisapharma)
Winpicillin®(溫士頓)

商品名(美國)

D-Amp®(Dunhall)
Omnipen®(Wyeth)
Polycillin®(Apothecon)
Principen®(Apothecon)
Totacillin®(SKB)

☞藥物作用

本藥爲一種「盤尼西林」類的抗生素。它主要的作用是能破壞細菌的細胞壁，使細菌不能正常生長繁殖，因此可以用來治療某些細菌所引起的感染，如尿道感染、淋病、腦膜炎、中耳炎、咽喉炎、鼻竇炎、肺炎、敗血症，和皮膚感染等等。此藥對濾過性病毒，和黴菌或真菌所造成的感染無效。

☞用法

爲了增強藥物的吸收，最好在空腹的時候服用，譬如飯前一小時、或飯後兩小時。必要時此藥的膠囊可以打開來服用。如果使用的是液體藥物時，每次在使用之前，應先將藥瓶輕微搖動使藥物能均勻分散，並使用有刻度的量杯或藥管以量取正確的藥量。

☞注意事項

服用此藥時，必須依照醫師的指示服完所有的處方(通常是7至14天)，即使覺得症狀已經消除，仍須服完所有處方的份量，以免感染復發，或細菌產生抗藥性。

如果懷孕或哺乳嬰兒，對藥物過敏(尤其是盤尼西林類抗生素)，對花粉或其他東西過敏，或者有腎臟病、氣喘、胃腸道的毛病(如腸炎、潰瘍性結腸炎)等等。醫師需要針對這些情況謹慎用藥，因此在使用此藥之前，應該先通知醫師。

如果是服用液體藥物的話，則必須在新鮮的情況下使用才有效(其有效期通常為兩個星期)。藥師通常會在藥瓶上標明有效日期，如果過期的話，就不該使用。另外，也應該將此藥放於冷藏室(不是冷凍室)內，以保持新鮮。

服用此藥後，可能會降低口服避孕藥的作用，因此最好能同時使用其他的避孕方法，譬如使用保險套等來避孕。

在極少數情況下，服用此藥一陣子後，可能會產生拉肚子的現象。此可能是抗生素破壞了胃腸內細菌的平衡所引起的。因此不該自行服用止瀉藥物，如果用了錯誤的藥物，有可能會使腹瀉的情況惡化，應該請醫師做適當的治療。

本藥與「盤尼西林」屬同一類的抗生素，如果對盤尼西林過敏，對此藥也可能會過敏，最好不要服用此藥。萬一服用後產生過敏反應，如呼吸困難、皮膚發紅或發癢等等，應該立即通知醫師。

本藥為醫師針對病情所下的處方，如果下次有類似的感染，雖然症狀相同，但也許引起感染的病菌不同，服用此藥不見得會有效，更有可能會延誤病情。因此必須經醫師的診斷及指示服藥，更不可將此藥留給他人使用。

為了達到最佳的滅菌效果，此藥必須在血中達到固定的濃度，因此最好每天在相等的時間間隔下服藥。譬如一天服藥3次，則應該每8個小時服用一次；一天服藥4次，則應該每6個小時用一次，不可忘記服用。

☞副作用

此藥常見的副作用爲：拉肚子、胃腸不適、胸口灼熱、惡心、嘔吐、頭暈等等，這些副作用，通常在服藥一陣子後，應該會漸漸消失。不過，如果這些副作用強到困擾你的程度，或者經過一段時間後，還不能完全消除，就應該通知醫師。

此藥較嚴重的副作用爲：皮膚水腫、皮膚發紅、發癢、血壓下降、呼吸困難、喉嚨痛、發燒、腹部抽筋疼痛、嚴重的拉肚子等等。通常這些副作用發生的機率較低，但是如果發生時，可能是藥物造成的不良反應，或者是劑量需要調整，應該盡快通知醫師。

☞懷孕及哺乳

一般來講，此藥用於孕婦是安全的。但是，目前此藥仍須更廣泛的醫學資料加以證明其安全性，如懷孕時，最好還是通知醫師。

對於餵奶的母親來說，少量的藥物會經由母乳到達嬰兒體內，可能會影響嬰兒腸內細菌的平衡，造成拉肚子或腸胃不舒服，也有可能產生過敏反應。因此，餵奶的母親最好能使用其他乳製品，以取代母乳。

☞忘記用藥

如果忘記服藥，應該在記得時，立即服用。但是，如果距離下次服藥的時間太近，而又是一天服藥兩次，就應該先服用遺忘的藥物，然後等約5至6小時後，再服下次的劑量。如果一天服藥3次以上，應該先服遺忘的藥物，等約2至3小時後，再服用下次的劑量，然後恢復正常的用藥時間。或者可一次服用雙倍的劑量，然後再恢復到另一次正常服藥的時間。

Ascorbic Acid(維他命C)

商品名(台灣)

Ascolin®(永豐)
Ascorbic Acid®(多家藥廠)
Ascormin®(中國化學)
Beauty C®(溫士頓)
Bivescone®(華盛頓)
Ceetomin®(中國化學)
Cero®(晟德)
Cevibid®(美・Geriatric)
Cicimei®(瑞士)
Cinal®(鹽野義)
Cishu C®(中國新藥)
Congen-C®(中美)
C-Son®(溫士頓)
C-Vita®(漢堡)
Daily Plus-C®(西德有機)
Duocee®(中國生化)
Fancy®(信元)
Gentle-C®(政德)
Green C®(瑞士)
Instacon-c®(政德)
Instamin-c®(政德)
King Fancy®(信元)
Meishi®(元澤)
My C.C®(美西)
Opal-C®(信東)
Paulin-C®(東洋)
Robosin®(人生)
Shin-C®(新豐)
Sylvia®(羅得)
Top-C®(順生)
V.C Lozenges®(今日)
V.C Tablet®(瑞安)
Viscorbic®(康福)
Vitacide®(明德)
Vitamin C®(多家藥廠)
Winston-Ch®(溫士頓)
Yu Sheng C®(優生)

商品名(美國)

Cecon®(Abbott)
Cetane®(Forest)
Cevalin®(Lilly)
Cevi-Bid®(Geriatric)
Flavorcee®(Hudson)
Vita-C®(Freeda)

☞藥物作用

本藥就是俗稱的「維他命C」,主要用來治療「壞血病」。此藥主要的功能是幫助體內產生傷口復原時所需要的一種膠原質,以及幫助胃腸道吸收含鐵的礦物質,和神經傳導所需要的腎上腺素等等。如果體內缺少了此種維他命,將會發生許多病症如傷口不易復原、牙齦出血、關節痛、貧血、容易受細菌的感染、牙周病,以及影響骨骼及牙齒的發育等等。

☞用法

此藥通常是一天服用一次。在服用此藥時，應該養成每天在同一時間服藥的習慣，以減少忘記服用。此藥有多種劑型，包括咀嚼錠、普通錠劑、長效錠劑或膠囊，和液體藥物等。通常此藥物可在一般藥房購買到，使用藥物時，應該詳細閱讀說明書，並根據說明書或醫師的指示服用。如果是服用長效的錠劑或膠囊時，應該整顆吞服，不可咀嚼或壓碎服用。

☞注意事項

使用此藥時，應該遵照醫師或藥廠指示的劑量服用，不可過量。由於此藥不能在體內積聚，過量的藥物會由尿液排出體外，而造成浪費，同時由體內排出的藥物，也可會改變尿液的酸度，增加腎結石發生的可能。

如果懷孕或哺乳嬰兒，對藥物過敏，或者有糖尿病、痛風、甲狀腺機能亢進、癌症、腎臟病、胃潰瘍等病症，醫師需要針對這些情況更爲謹愼用藥，因此在使用此藥前，應該先通知醫師。

此藥可能會干擾糖尿病患者由尿液測量糖分的結果。在服藥期間，應該詢問醫師或藥師用何種有效的方法測量尿液中的糖分。同時，此藥也可能會干擾其他化學檢驗的結果，在做任何尿液或血液檢查前，應該告訴醫師或檢驗人員有服用此藥。

由於此藥有些劑型含有鈉鹽，如果由於某種病況而需要限制鹽類吸收的話，就應該詳細地閱讀使用說明，或者要求藥師幫忙查閱所服用的劑型是否有鈉鹽存在。

日常生活中，如果有充分、均衡的飲食，即可提供正常人所須的維他命，而不需要藉外來藥物的補充。一般含維他命C多的食物有橘子、檸檬、西瓜、番石榴、番茄、草莓等等。同時，如果只是單純服用此維他命C的話，並不能完全補充體內其他類維他命的需求，只有均衡、營養的食物，才是最好方法。

貯存此藥時，應該避免潮濕、高溫以及太陽直接曝曬的地方。同時，也不該貯存於浴室內的小櫥櫃，以免藥物的化學結構受濕熱的破壞而分解。

☞副作用

在正常的劑量下，此藥產生副作用的機會並不高。不過如果有胃腸不適、惡心嘔吐、嚴重的拉肚子、頭痛等狀況出現，而且達到不能忍受的情況下，就應該通知醫師。

☞懷孕及哺乳

當懷孕時，孕婦需要適當的維他命，以維持胎兒的正常發育。不過如果服用過量的維他命C，可能會造成胎兒對此維他命的需求增加。等待出生後，如果給予正常的劑量，反而會劑量不足而造成新生兒胃口降低、消化不良、體重無法增加，和煩躁不安等現象。如果懷孕期間醫師要求服用此藥的話，應該按照醫師指示的劑量及時間服用。

此藥會經由母乳到達嬰兒體內，正常的劑量下，尚無報告顯示會造成嬰兒的不良反應，不過，餵奶的母親在使用之前，最好先徵求醫師的意見。

☞忘記用藥

如果忘記服藥，應該在記得時，立即服用。但是，如果距離下次服藥的時間太近，就應該捨棄此次的藥物，恢復到下次正常服藥的時間，千萬不可一次服用雙倍的劑量。

Aspirin(阿斯匹靈)

商品名(台灣)

A.S.A®(內外)
Alpin®(寶齡富錦)
Anbinin®(永新)
Anpisol®(大豐)
Asnin®(中化)
Aspirin®(多家藥廠)
Astar®(信元)
Bayer Aspirin®(瑞華)
Bufferin-AS®(東洋)
Cardiopirin®(榮民)
Childern Tinwan®(中美)
Coldholin®(成大)
Comfurt®(明德)
Ducodon®(內外)
Furbber®(東昇)
Hucoton®(合誠)
Lisuzer®(元澤)
Macwon®(詠大)
Pankazu®(汎生)
Relasdon®(佑寧)
Ropal®(皇佳)
Stin®(中化)
Suyuan®(皇佳)
Suzerton®(元澤)
Suzer®(永吉)
Tapal®(施德齡)
Through®(中美)
Toderin®(永勝)
Wonic®(吉立)
Yacrolin®(培力)

商品名(美國)

Bayer®(Glenbrook)
Buffex®(Hauck)
Easprin®(Parke-Davis)
Ecotrin®(SKB)
Empirin®(B-W)
Genprin®(Goldline)
ZORprin®(Boots)

☞藥物作用

本藥即是所謂的「阿斯匹靈」。此藥在醫療上有多種用途，它可以用來治療頭痛及身體其他部位輕微的疼痛、退燒、治療關節炎和預防血液凝結及幫助血液流通，因此也可以用來預防腦中風及心臟病發作。

☞用法

此藥對胃的刺激相當大，使用此藥時最好與食物或牛奶一起服用；並且在用完藥物後30分鐘內，最好不要立即躺下，以免藥物對上消化道直接刺激。本藥分爲普通藥片、腸衣錠或膠囊、肛門栓劑及發泡劑等等。如有必要時，此藥之普通藥片或膠囊可以打開來或壓碎服用，但是腸衣錠或持續釋放型膠囊應該整片吞服，不可在咀嚼或壓碎服用。如果使用的是發泡錠，應該先將藥片放入約75cc.的水中，待其完全發泡溶解後再飲用。

此藥的肛門栓劑使用方法，請參見頁5。

☞注意事項

如果是自行購買此藥服用，在服用前，應該詳細地閱讀說明書，並且根據藥廠指示的劑量服用。一般來講，在正常劑量下，此藥造成副作用的機會並不大，但是如果長期大量服用此藥的話，可能會影響血液的酸鹼平衡而造成昏迷，甚至威脅到生命。中毒的症狀包括耳鳴、呼吸加快或加深、痙攣、視覺改變、極度口渴、極端的疲倦及想睡覺、拉肚子、腹痛、噁心嘔吐、極端的興奮或緊張等等。如果有上述藥物中毒的症狀時，應該立即通知醫師，或馬上到醫院做急救。

如果懷孕或餵哺嬰兒，對藥物過敏，或者有氣喘、充血性心衰竭、腎臟病、肝臟疾病、胃潰瘍、高血壓、氣喘、痛風、甲狀腺機能亢進等等，醫師需要針對這些病症更謹慎地用藥，因此在使用此藥之前，應該先通知醫師。

如果服用此藥的目的在治療關節炎，通常在服藥後一個星期，關節四肢的症狀應該有所改善，但是此藥必須經過至少三個星期時間，才能達到最大作用。另外，由於此藥只能改善症狀，並不能治癒，必須長期按時服用，才能達到最好的效果，患者不能一時覺得症狀已經改善而停止服藥。

此藥如果放在浴室等潮濕的環境或放置過久，很容易產生分解。測量藥物是否新鮮，可打開瓶蓋聞一下是否有醋的味道，如果含醋味，則表示此藥已經變質不可再使用。

由於發泡錠(藥片放入水中會迅速起泡及溶解)通常含有大量的鈉鹽，如果長期或大量服用的話，可能會增加體內鹽的含量，間接地增加體內水分的積聚，使血壓升高或心臟病惡化。因此如果有高血壓或心臟病，在使用此發泡錠之前，最好詢問藥師或醫師藥中鈉鹽的含量。

根據統計，此藥是容易造成小孩誤食而發生意外的前幾種藥物之一。小孩如果大量服用此藥的話，有可能會失去知覺或甚至於造成死亡。因此應當將此藥放到安全的地方。

如果此藥是用來退燒時，當發燒超過3天仍然不退，或者在任何時間發高燒，此可能是較嚴重的病症所引起的，應當立即通知醫師。成年人使用此藥在治療疼痛時，不應該超過10天(小孩5天)，如果超過了10天仍覺得痛就應當請教醫師，通常此表示這狀況是由於其他較嚴重的病症所引起的，或者是目前的病況漸漸惡化的結果。小孩在使用此藥時，在一天之內不可服用超過5次的劑量。

年齡低於16歲時，不該用此藥治療感冒或水痘所引起的發燒。如果使用此藥的話，有可能會引起雷氏症候群而造成肝臟或腦部的病變。

長期服用此藥對胃部的刺激非常大，應該隨時留意是否有胃出血或胃潰瘍發生。如果有暗黑色條紋或塊狀的糞便時，此爲內出血的徵兆，應該通知醫師做進一步的檢查。

使用肛門栓劑時，如果覺得此栓劑過於柔軟，不易放入肛門內，可先將栓劑連同包裝紙(使用前再將包裝紙撕開)放入冰箱冷凍一陣子，或使用冷水沖淋兩三分鐘。在使用前將栓劑頂端用水稍微濕潤一下，利於肛門的插入。

此藥會抑制血液的凝固，因此在拔牙或動手術之前，應該事先通知醫師。通常在手術前5至7天，醫師會要求停止服用此藥，以免手術時造成過量流血。

☞副作用

此藥常見的副作用爲：胃腸不舒服、胸口灼燒、輕微的胃痛、輕微的惡心或嘔吐等等。這些副作用，通常在服用藥物一陣子後，應該會漸漸消失。如果這些副作用強到達困擾你的程度，或者經過一段時間後，這些症狀還不能完全消除，就應該通知醫師。

此藥較嚴重的副作用爲：過敏反應、皮膚發紅發癢、呼吸困難、鼻塞、嚴重的頭暈或暈倒、臉部發腫、極度的疲倦和虛弱，糞便中帶暗黑色的血塊、嚴重的腹痛等等。通常這些副作用發生的機率較低，但是如果發生時，此可能是藥物造成的不良反應，或者是劑量需要調整，應該盡快通知醫師。

☞懷孕及哺乳

懷孕時，應該通知醫師有服用此藥。孕婦於生產前的最後三個月服用的話，可能會延長生產的時間，增加產前、生產時以及生產後流血的可能，同時，此藥可能會造成嬰兒體重過輕、新生兒心臟及血液方面的問題。若非絕對需要並經醫師同意外，孕婦應該避免服用此藥。

雖然少量的藥物會經由母乳到達嬰兒體內，但是，在正常劑量下，尚無報告顯示會對餵奶的嬰兒造成不良的影響。不過爲了慎重起見，當決定親自餵奶前，最好能夠徵求醫師的意見。

☞忘記用藥

如果忘記服藥，應該在記得時，立即服用。但是，如果距離下次服藥的時間太近，就應該捨棄此次藥物，恢復到下次正常服藥的時間，千萬不可一次服用雙倍的劑量。

Astemizole(阿斯特米挫)

商品名(台灣)

Anzim®(黃氏)
Astem®(信輝)
Astemi®(井田)
Astemin®(生達)
Astemine®(永盛)
Astemizole®(皇佳)
Astemizol®(成大)
Astin®(瑞士)
Astole®(應元)
Gistacin®(濟生)
Golin®(永信)
Hisloc®(華興)
Hismanal®(比・仁山)
Hismizole®(西華)
Histazole®(景德)
Mistizole®(順生)
Semine®(信東)
Sinena®(乖乖)
Trumin®(羅得)
Umine®(國嘉)

商品名(美國)

Hismanal®(Janssen)

☞藥物作用

本藥爲一種「抗組織胺」的抗過敏藥。它主要使用於許多過敏反應所引起的皮膚發紅、發癢現象，以及花粉過敏或傷風感冒引起的流鼻水、打噴嚏、眼睛發紅及發癢等等。本藥的優點，就是比其他的抗過敏藥有較低想睡覺的副作用。

☞用法

此藥通常是一天服用一次，爲了增強藥物的吸收，最好在空腹的時候服用，譬如飯前一小時，或飯後兩小時服用。如有必要，此藥的藥片可以壓碎服用。

☞注意事項

雖然此藥造成思睡的作用相當低，但是有些人的敏感度較高，仍有可能會造成頭暈及思睡。因此開車或操作危險機械時，應該格外地小心謹慎。酒精會增加此藥思睡的副作用，應當避免或限制飲酒。

如果懷孕或哺乳嬰兒，對藥物過敏，或者有肝臟疾病、氣喘、青光眼、排尿困難、前列腺腫大、甲狀腺機能亢進、心臟疾病等等，醫師需要針對這些病症謹慎用藥，因此使用前，應該先通知醫師。

安眠藥、肌肉鬆弛劑、鎮靜劑、抗過敏藥、感冒藥、抗抑鬱藥、止痛藥等等，這些藥物都有可能會增加此藥思睡的副作用。因此同時服用這些藥物時，應當特別注意彼此增加思睡的相乘效果。

此藥較嚴重的副作用之一，就是會造成心跳不規則或加快。因此服用此藥時，不能因爲想要達到較快或較強的藥效，而增加服用的劑量；應該完全依照醫師或者藥廠所指示的劑量或次數服藥，以免造成心臟過重的負荷或危險。

在做皮膚過敏反應測試之前，應該先通知醫師有服用此藥。因爲此藥的抗過敏作用，可能會干擾測試的結果。

本藥會增加身體對陽光的敏感性，如果在陽光下曝曬太久，可能會導致皮膚的過敏或灼傷，因此應該盡量避免直接曝曬，並穿著長袖衣物，以保護皮膚。

如果服用此藥會覺得口渴，放一塊冰塊或者含一顆糖果在嘴內，應該能改善此現象。如果口渴現象超過兩個星期，就應該通知醫師。

此藥可能會與其他藥物產生不良的相互作用，譬如與Ketoconazole、Itraconazole、Fluconazole等抗黴菌的藥物，或者Erythromycin、Clarithromycin等抗生素一起合用的話，則可能會產生嚴重心律不整。如果與上述藥物合用的話，就應該事先通知醫師，他或許會考慮用其他藥物取代。

☞副作用

此藥常用的副作用爲口乾、心跳增快、皮膚對陽光敏感、耳鳴、流汗增加、胃口及體重增加、胃腸不適、做噩夢、排尿困難、視覺模糊、精神恍惚、精神緊張及不正常的興奮、輕微的思睡、頭暈等等，這些現象通常在服藥一陣子後，應該會漸漸消失。不過，如果這些副作用強到困擾你的程度，或者經過一段時間後，還不能完全消除，就應該通知醫師。

此藥較嚴重的副作用為：心跳不正常、幻覺、失眠、皮膚起紅疹或產生類似青紫色的瘀傷、呼吸困難、恍惚或沮喪、突然發燒、眼睛及皮膚發黃、發冷或喉嚨痛、極端的疲倦、精神極度的興奮等等。通常這些副作用發生的機率較低，但是如果發生時，可能是藥物造成的不良反應，或者是劑量需要調整，應該盡快通知醫師。

☞懷孕及哺乳

此藥對孕婦的影響，並無很完備的資料。動物實驗顯示，在高於人類50倍的劑量下，並無報告顯示會造成母體及胎兒的不良作用，然而在超過100倍的劑量下，則會同時造成母體及胎兒的毒性。懷孕時，應該通知醫生，他會根據身體的狀況決定是否應該服藥。

目前為止，尚不知此藥是否會經由母乳到達嬰兒體內，但是為了避免對新生兒產生影響，餵奶的母親，應該使用其他的乳製品，以取代母乳。

☞忘記用藥

如果忘記服藥，應該在記得時，立即服用。但是，如果距離下次服藥的時間太近，就應該捨棄此次的藥物，恢復到下次正常服藥的時間，千萬不可一次服用雙倍的劑量。

Atenolol(阿廷諾)

商品名(台灣)

Aircrit®(華興)
Anlipin®(國嘉)
Apo-Atenol®(加・Apotex)
Atecor®(愛・Rowa)
Atehexal®(德・Hexal)
Atelon®(黃氏)
Ateno®(井田)
Atenol®(永新)
Atenol®(皇佳)
Atenol®(衛達)
Atenon®(世紀)
Ateol®(生達)
Blokium®(西・Prodes)
Cinyala®(成大)
Licpin®(應元)
Noten®(澳・Alphapharm)
Pensin®(居禮)
Profit®(明德)
Sailagile®(日・Nissin)
Sedamin®(中化)
Selinin®(元宙)
Shpynja®(中美)
Stermin®(信東)
Swinorin®(瑞士)
Tandate®(乖乖)
Tenminlar®(新豐)
Tennon®(厚生)
Tenol®(優生)
Tenolmin®(正長生)
Tenolol®(瑞安)
Tenormin®(英・Zeneca)
Tiatenol®(大豐)
Urosin®(永信)
Wesipin®(永盛)

商品名(美國)

Tenormin®(ICI)

☞藥物作用

本藥為一種「貝它阻斷劑」的降血壓藥。它能夠使心跳的速率、心臟血液的輸出量降低，並能間接地使血管放鬆，而達到降血壓的目的。本藥同時能降低心臟的工作量，及減輕心臟所需氧氣的消耗，因此可用來預防心絞痛的發生。它的另一作用就是能穩定心臟脈搏電流的傳導，因此可用來預防心律不整的發生。本藥亦可當作消除焦慮緊張、頭痛，以及手部顫抖的輔助藥物。

☞用法

本藥不受食物影響，因此空腹或與食物一起服用均可。通常是一天服用一次，不論是早上或晚上均可，最好養成每天在固定時間服藥的習慣，以減少忘記的可能。長期使用後，如果要停藥，必須經過醫師的許可，不可自行停止服用，以免血壓突然升高或造成心臟方面的問題。如有必要時，此藥的藥片可以壓碎服用。

☞注意事項

服用此藥後，可能會產生頭昏眼花的副作用，尤其在剛開始服藥期間。因此，在尚未完全適應此藥之前，當開車或操作危險機械時，必須小心謹慎。

如果懷孕或哺乳嬰兒，對藥物過敏，或者有心臟疾病、心跳過慢、手腳血液循環不良、氣喘、支氣管炎、肺氣腫或其他的肺部疾病、糖尿病、甲狀腺機能亢進、精神沮喪、重症肌無力症、腎臟病、肝臟疾病等等，醫師需要針對情況謹慎用藥，因此在使用此藥之前，應該先通知醫師。

本藥只能控制血壓升高，並不能治癒高血壓。服用此藥後，可能要經過幾個星期血壓才能漸漸地降到理想的程度。因此必須持續地服用此藥，才能有效地控制住血壓。

經過一段時間藥物治療後，即使覺得血壓已恢復正常，亦不可間斷，或者是突然停止服藥。突然停止服藥有可能會使血壓升高，甚至造成心臟病發作。如要停藥，應該徵得醫師的許可，並且在他的指示下，經過一段時間，將藥物漸漸降低然後再停藥。

在服用此藥之前，應該請教護士或醫師如何測量脈搏。如果覺得脈搏跳動較平常爲慢，或者脈搏低於50，就應該通知醫師。爲了達到理想降血壓的作用，醫師可能會要求患者服用低鹽類、低脂肪的食物，戒煙酒，以及做適當的運動等等。患者應該盡量遵循醫師的指示。

剛開始服用此藥時，可能會產生頭暈目眩的感覺，尤其是突然站立或坐起時，不過如果能夠緩慢地站立或坐起，應該會減少此一現象。服用此藥後，如果覺得口乾，在嘴內含一塊冰塊，或嚼一片口香糖應該會紓解此一現象。通常口渴的現象在服藥一陣子後會自然消失。

服用此藥後可能會影響運動時的敏覺性，因此應該與醫師商討，何種運動較適合，或多大的運動量，才不會造成傷害。此藥會使血糖降低，同時遮蓋低血糖所引起的症狀。如果患有糖尿病就應該密切注意並經常測量血糖。

在拔牙或動手術之前，應該先通知醫師有服用此藥。因爲此藥在手術中，可能會造成心臟方面的問題，醫師也許會建議在手術前兩天，漸漸地停止使用。

許多治療過敏、感冒、氣喘，及咳嗽的成藥中，經常會含有使血壓升高的成分。因此爲了避免血壓突然升高，使用此類藥物之前，應該事先徵求醫師或藥師的意見。

☞副作用

此藥常見的副作用爲：性欲降低、拉肚子、疲倦、做噩夢、眼乾、惡心嘔吐、想睡覺、頭暈等等。這些副作用，通常在服用藥物一陣子後，應該會漸漸消失。不過，如果這些副作用強到困擾你的程度，或者經過一段時間後，這些症狀還不能完全消除，就應該通知醫師。

此藥較嚴重的副作用爲：心跳過快或心跳過慢(低於50)、皮膚起紅疹、呼吸困難、指甲或手掌產生青紫色、胸痛、腳部或關節腫脹、精神沮喪、嚴重的頭暈或暈倒等等。通常這些副作用發生的機率較低，但是如果發生時，可能是藥物造成的不良反應，或者是劑量需要調整。應該盡快通知醫師。

☞懷孕及哺乳

此類藥物對人體的影響，尙無定論。目前爲止，尙無報告顯示此藥會造成的缺陷，但曾有醫學報告指出，孕婦在產前服用此類藥物，可能會造成胎兒出生後體重減輕、血壓下降、血糖降低、心跳減慢，及呼吸困難。另外，也有報告顯示，此類藥物不會造成胎兒任何問題。懷孕時，應該與醫師討論此藥可能對胎兒的影響，他會衡量狀況，決定是否應該服藥。

少量的藥物會經由母乳到達嬰兒體內，爲了避免可能造成新生兒血壓下降及心跳減慢，餵哺嬰兒時，最好使用其他的乳製品，以取代母乳。

☞忘記用藥

如果忘記服藥，應該在記得服藥時，立即服用。但是，如果是一天服藥一次，而距離下次服藥的時間少於8小時；或者一天服藥兩次，而距離下次服藥的時間少於4小時，就應該捨棄所遺忘的藥物，恢復到下次正常服藥的時間，不可一次服用雙倍的劑量。

Atenolol/Chlorthalidone(降血壓藥)

商品名(台灣)

Anolen®(居禮)
Atenozide®(景德)
Target®(義・Lisapharm)
Tenoret®(英・Zeneca)
Tenoretic®(英・Zeneca)
Tensolin®(永新)
Yeaselin®(中日)

商品名(美國)

Tenoretic®(Zeneca)

☞藥物作用

本藥爲Atenolol與Chlorthalidone，兩種不同的降血壓成分組合而成的「降血壓藥」。Atenolol爲一種「貝它阻斷劑」的降血壓藥，主要的作用是能夠讓心臟收縮的速率、收縮力量降低，以及間接地使血管放鬆，而達到降血壓的目的。Chlorthalidone是一種「利尿劑」，如果體內含有過多的水分，此多餘的水分會增加血管內部的壓力，而造成水腫或高血壓。此成分的作用，就是能夠幫腎臟將體內多餘的水分經由尿液排出，而達到降血壓的目的。

☞用法

此藥通常是一天服用一次。由於含有利尿劑，如果在睡前服用的話，可能會因爲夜晚起床小便而干擾睡眠，並且爲了避免造成對胃部的刺激，如一天服藥一次的話，最理想的服藥時間，應該是用完早餐以後。爲了避免忘記服藥，最好能養成每天在固定時間服藥的良好習慣。如有必要時，此藥的藥片可以壓碎服用。

☞注意事項

服用此藥後，可能會產生頭昏眼花，及降低敏覺性，尤其在剛開始服藥的期間。因此，在尚未完全適應此藥之前，當開車或操作危險機械時，必須小心謹慎。

如果懷孕或哺乳嬰兒，對藥物過敏(尤其是對磺胺藥過敏)，或者有心臟疾病、心跳過慢、氣喘、支氣管炎、肺氣腫或其他肺部疾病、腎臟病、糖尿病、肝臟疾病等等，醫師需要針對情況謹慎用藥，因此使用此藥之前，應該先通知醫師。

本藥只能控制血壓，並不能治癒高血壓。服用此藥後，必須經過幾個星期的時間，才能將血壓慢慢地降下來。爲了達到完全降壓效果，必須每天服用此藥，即使血壓已經控制穩定，也不可忘記或省略服藥，甚至可能需要終生服用此藥，才能達到穩定血壓的效果。爲了達到理想的降血壓作用，應該遵照醫師的指示，服用低鹽類、低脂肪食物，戒煙酒。並且盡可能地依照醫師指示做適當的運動。

在服用之前，應該請教護士或醫師如何測量脈搏。如果覺得脈搏跳動較平常慢或者低於50，就應該通知醫師。

剛開始服用此藥時，可能會產生頭暈目眩的感覺，尤其是突然站立或坐起時。不過，如果能夠緩慢地站立或坐起，應該會減少此一現象。服用此藥後，如果覺得口乾，在嘴內含一塊冰塊或嚼一片口香糖，應該可以紓解此一現象。通常口渴現象在服藥一陣子後，會自然消失。

長期服用此藥後，可能會使體內的鉀離子含量降低，而造成口渴、虛弱、肌肉無力或抽筋、心跳不規則等等。因此，醫師可能會要求多吃含鉀量高的食物，如香蕉、橘子水等，或者直接服用含鉀藥物，以補充鉀離子。如果長期服用此藥，應該詢問醫師如何補充鉀離子。

在拔牙或動手術之前，應該先通知醫師有服用此藥。因爲此藥在手術當中，可能會造成心臟方面的問題，醫師可能會建議在手術前兩天漸漸地停止使用。

許多治過敏、感冒、氣喘，及咳嗽的成藥中，經常會含有使血壓升高的成分。爲了避免血壓突然升高，使用此類藥物之前，應該事先徵求醫師或藥師的意見。

☞副作用

此藥常見的副作用爲：口渴、小便增多、肌肉無力、性欲降低、便秘、拉肚子、疲倦、頭痛、做噩夢、眼乾、鼻塞、惡心嘔吐、想睡覺、目眩、胃口降低、胃腸不適等等。這些副作用，通常在服用藥物一陣子後，應該會漸漸地消失。不過，如果這些副作用強到困擾你的程度，或者經過一段時間後，還不能完全消除，就應該通知醫師。

此藥較嚴重的副作用爲：心跳不規則、皮膚起紅疹、呼吸困難、眼睛或皮膚發黃、指甲或手掌產生青紫色、胸痛、腳部或關節腫脹、喉嚨痛、精神沮喪、嚴重的頭暈或暈倒等等。通常這些副作用發生的機率較低，但是如果發生時，可能是藥物造成的不良反應，或者是劑量需要調整，應該盡快通知醫師。

☞懷孕及哺乳

目前爲止，尙無動物實驗顯示此藥會造成胎兒生長缺陷或損傷。然而，由於此藥會經由胎盤到達胎兒體內，可能會造成胎兒黃疸、體重減輕、心跳減慢、呼吸困難，以及血液凝固方面的問題。因此，除非經由醫師許可，孕婦應該避免服用此藥。

少量的藥物會經由母乳到達嬰兒體內，爲了避免藥物可能造成對新生兒的不良影響，餵奶的母親應該考慮使用其他的乳製品以取代母乳。

☞忘記用藥

如果忘記服藥，應該在記得時，立即服用。但是，如果一天服藥一次，而距離下次服藥的時間只有8小時，就應該捨棄遺忘的藥物，恢復到下次正常服藥的時間，不可一次服用雙倍劑量。

Atropine/Scopolamine/Hyoscyamine /Phenobarbital(胃腸痙攣藥)

商品名(台灣)

A.H.P®(強生)
Anti®(壽元)
Bellaton®(人生)
Donnatal®(勞敏士)
Fuso®(皇佳)
Hyostal®(正氏)
Slitonin®(金田)
Soreless®(應元)
Spalatin®(金馬)
Spanton®(合誠)
Sparte®(永信)
Spartin®(正和)
Spasmodin®(井田)
Spasmolin®(生達)
Spastolate®(尼斯可)
Stoma-Hlin®(永新)
Thostin®(回春堂)
Weiwei®(景德)
Weyan®(明大)

商品名(美國)

Barbidonna®(Wallace)
Belladonna Alkaloids /Phenobarbital(多家藥廠)
Donnatal®(Robins)
Hyosophen(Rugby)
Kinesed®(Stuart)
Relaxadon®(Geneva)
Spasmolin®(Mead)
Spasmophen®(Lannett)

☞藥物作用

此藥由四種化合物組合而成,用來治療「腸胃不適」。Atropine、Scopolamine和Hyoscyamine三種藥具有「抗肌肉痙攣」的作用。它可以緩和腸胃道或小腸等平滑肌肉,因為不正常收縮所造成的痙攣,使這些肌肉放鬆,而達到減輕疼痛、不舒服或其他併發症發生的可能。此藥另一種成分Phenobarbital,則具有緩和情緒緊張的作用。此藥經常用來紓解因情緒或壓力過大,所導致胃腸痙攣的不適症狀如胃痛、腹瀉或便秘,以及排氣增加等等。此藥另一個作用是能當作治療胃潰瘍的輔助藥物。

☞用法

此藥最好能飯前服用。爲了減輕藥物對胃壁的刺激，在服藥時最好能同時飲用一杯開水或牛奶。由於制酸劑會干擾此藥的吸收，若是醫師要求同時服用制酸劑，可飯前服用此藥而飯後再服用制酸劑。如有必要時，此藥的藥片可以壓碎服用。如果使用的是液體藥物時，應該使用有刻度的量杯或藥管，以量取正確的藥量。

☞注意事項

服用此藥後，可能會產生視覺模糊、想睡覺或者降低敏覺性，尤其在剛開始服藥期間。因此，在尚未完全適應此藥之前，當開車或操作危險機械時，最好能夠小心謹慎。酒精會增加此藥思睡的副作用，應當避免或限制酒量。

如果懷孕，對藥物過敏，或者有心臟疾病、青光眼、腸道阻塞、前列腺腫大、排尿困難、肝病、腎臟病、潰瘍性結腸炎、氣喘或呼吸道疾病等等，醫師需要針對這些情況謹慎用藥，因此使用之前，應該事先通知醫師。

安眠藥、肌肉鬆弛劑、鎮靜劑、抗過敏藥、感冒藥、抗抑鬱藥、止痛藥等等，這些藥物都有可能會增加此藥思睡的副作用。當同時服用這些藥物時，應當特別注意增加思睡的相乘效果。

制酸劑或治療拉肚子的藥物，會減緩此藥的吸收，因而降低藥效。因此，服用此類藥物時，至少與此藥相隔約一兩小時。

此藥會降低身體正常排汗及散熱能力。因此，應該避免在太陽下及過熱的地方太久。同時，洗澡時也應該避免水溫太高，以免散熱不良及血壓下降而造成暈倒。

此藥會使眼睛對陽光更爲敏感，而造成眼睛的不舒服。因此在陽光下，如果能使用太陽眼鏡，或者避免直接曝曬，應該會使眼睛感覺較舒適。

服用此藥後會產生口渴現象，但是如果能夠含一塊冰塊，或一塊糖果的話，應該可以減少此副作用。另外，由於嘴巴過於乾燥容易造成細菌繁殖，因而增加蛀牙或其他口腔疾病的發生，因此在服藥期間，應該特別注意口腔的清潔衛生。

小孩及老年人對此藥較一般人敏感。老年人較易引起不正常的興奮、口乾、小便困難、皮膚乾燥、便秘、情緒不安、想睡覺、精神恍惚等等；小孩可能會引起不正常的興奮、皮膚發熱、情緒不安、噩夢，以及體溫突然升高等等。

☞副作用

此藥常見的副作用爲：口乾、小便困難、失眠、性欲降低、便秘、流汗減少、疲倦、眼睛怕光、噁心、視線模糊、想睡覺、嘔吐、頭痛、頭暈目眩。這些副作用，通常在服用藥物一陣子後，應該會漸漸消失。不過，如果這些副作用強到困擾你的程度，或者經過一段時間後，還不能完全消除，就應該通知醫師。

此藥較嚴重的副作用爲：心跳過快、皮膚有青紫色的瘀傷、皮膚起紅疹、呼吸困難、迷幻、眼睛或皮膚發黃、眼睛痛、喉嚨痛或發燒、視覺改變、不正常的興奮或緊張不安、精神恍惚。通常這些副作用發生的機率較低，但是如果發生時，可能是藥物造成的不良反應，或者是劑量需要調整，應該盡快通知醫師。

☞懷孕及泌乳

孕婦應該避免服用此藥。由個別成分的動物實驗顯示，此藥可能會造成胎兒呼吸抑制、損傷，或影響血液凝結而造成胎兒出血的現象。

少量的藥物會經由母乳到達嬰兒體內，嬰兒食用了含此藥物的母乳，可能會造成新生兒呼吸困難、疲倦或心跳減慢。另外，此藥也會降低乳汁的分泌，因此餵奶的母親應該改用其他的乳製品以取代母乳。

☞忘記用藥

如果忘記服藥，應該在記得時，立刻服用。但是，如果距離下次服藥的時間太近，就應該捨棄此次的藥物，恢復到下次正常服藥的時間，千萬不可一次服用雙倍劑量。

Azithromycin(亞茲索黴素)

商品名(台灣)

Zithromax®(輝瑞)

商品名(美國)

Zithromax®(Pfizer)

☞藥物作用

此藥爲一種「抗生素」。它的構造及作用類似俗稱的紅黴素。此藥主要的作用，是能夠抑制細菌蛋白質的產生。使細菌不能正常生長與繁殖，因而造成細菌的死亡。此藥可用於許多種細菌所引起的感染，如肺炎、支氣管炎、咽喉炎、舌炎、細菌性性病所造成的尿道及子宮頸炎，以及皮膚感染等等。此藥對於濾過性病毒，以及黴菌或真菌所造成的感染無效。

☞用法

爲了增強藥物的吸收，使用本藥時，最好在空腹時服用，譬如飯前一小時，或飯後兩小時。由於制酸劑會影響吸收，因此在服用本藥兩小時之內，應該避免使用。如有必要時，此藥的膠囊可以打開來服用。

☞注意事項

服用此藥時，必須依照醫師指示用完所有的處方(大約5天)，即使感染的症狀已經完全消除，仍須服完所有處方的份量，以免細菌沒有完全消除，而造成感染復發，或細菌產生抗藥性。

如果懷孕或哺乳嬰兒，對藥物過敏(尤其是對紅黴素過敏)，或者有肝臟疾病、腎臟病、腸道發炎等等，醫師需要針對這些情況謹慎用藥，因此使用此藥之前，應該事先通知醫師。

本藥與紅黴素屬於同一類的抗生素，如果對紅黴素過敏的話，對此藥也有可能產生過敏，因此最好不要服用此藥。萬一服用此藥後產生過敏反應，譬如呼吸困難、皮膚發紅或發癢等等，就應該立即通知醫師。

本藥會增加皮膚對陽光的敏感性，如果在陽光下曝曬太久，有可能會導致皮膚灼傷，應該盡量避免陽光直接曝曬，並穿著長袖衣物，以保護皮膚。

制酸劑可能會降低此藥的吸收，當服用此類藥物或食物時，應該至少相隔約兩小時。

本藥爲醫師針對病情所下的處方，如果下次有類似的感染，雖然產生的症狀相同，但也許造成感染的病菌不同，服用此藥不見得有效，更有可能會延誤病情。因此，必須經醫師診斷及指示服藥，更不可將此藥留給他人使用。

爲了達到最佳的滅菌效果，此藥必須在血中達到一定的濃度，因此最好每天在相等的間隔時間服用。此藥通常是一天服用一次，因此可安排於早餐前一小時或飯後兩小時服用。

在極少數的情況下，服用此藥一陣子後，有拉肚子的現象時，可能是抗生素破壞了胃腸內細菌的平衡所引起的，不可自行服用止瀉藥物，因爲如果使用了錯誤的藥物，有可能使腹瀉更爲惡化，應該請教醫師做適當的治療。

☞副作用

此藥常見的副作用爲：胃口降低、胃部輕微疼痛、胃腸不適、噁心、頭痛等等。這些副作用，通常在服用藥物一陣子後，應該會漸漸地消失。不過，如果這些副作用強到困擾你的程度，或者經過一段時間後，還不能完全消除，就應該通知醫師。

此藥較嚴重的副作用爲：心跳突然加快、皮膚有青紫色的瘀傷、皮膚發紅發癢、呼吸困難、拉肚子、眼睛或皮膚發黃、陰部發癢、臉部發腫等等。通常這些副作用發生的機率較低，但是如果發生時，可能是藥物造成的不良反應，或者是劑量需要調整，應該盡快通知醫師。

☞懷孕及哺乳

此藥對孕婦的實驗並沒有完備的數據，不過動物實驗顯示，在正常劑量下並不會造成動物胎兒的損傷。由於動物實驗結果與人體反應並不一定完全相同，因此懷孕時，仍然需要通知醫師，他會衡量狀況，決定是否應該服藥。

目前爲止，尙不知此藥是否會經由母乳到達嬰兒體內，爲了避免藥物造成的不良副作用，當考慮用母乳餵哺新生兒時，最好經由醫師許可及指示服藥。

☞忘記用藥

如果忘記服藥，應該在記得時，立即服用。但是，如果距離下次服藥的時間太近，就應該捨棄此次藥物，恢復到下次正常服藥時間，千萬不可一次服用雙倍劑量。

Baclofen(貝可芬)

商品名(台灣)

Baclon®(芬・Leiras)
Bacofen®(信元)
Bacon®(仁興)
Bacone®(黃氏)
Bafen®(瑞士)
Befon®(美時)
Colmifen®(塞・Remedica)
Gegifene®(乖乖)
Legafen®(元宙)
Lioresal®(汽巴嘉基)
Maclofen®(順生)
Mulax®(東洋)
Muscofen®(合誠)
Pacifen®(紐・Pacific)
Pickton®(居禮)
Solofen®(政德)
Spinax®(衛達)
Sugei®(厚生)

商品名(美國)

Lioresal®(Geigy)

☞藥物作用

本藥爲一種「肌肉鬆弛劑」。它可以作用於大腦或脊髓,使脊柱病變所導致硬化緊張的肌肉能夠得到鬆弛。

☞用法

本藥不受食物的影響,因此空腹或與食物一起服用均可。必要時,此藥的錠劑可以壓碎服用。

☞注意事項

此藥會產生想睡的感覺,尤其是剛開始服藥期間,除非已經適應了此藥,當開車或操作危險機械時,應該格外小心謹慎。酒精會增加此藥思睡的副作用,應當避免飲用或限制酒量。

如果懷孕或哺乳嬰兒,對藥物過敏,或者有腎臟病、癲癇症、糖尿病、精神病、腦中風等，醫師需要針對這些情況謹慎用藥，因此在使用之前，應該事先通知醫師。

剛開始服用此藥時，醫師可能會在一段時間內，漸漸增加劑量，必須完全遵守醫師的指示服用。另外，此藥必須經過幾個星期的時間，才能達到完全的作用，因此不能因爲一時覺得藥物無效而放棄服用。

服用此藥一陣子後，不可突然停止服藥。突然停藥有可能會造成幻覺、情緒緊張，以及肌肉痙攣的可能。如果要停藥，應當遵循醫師的指示，漸漸地降低服用的劑量然後再停。

安眠藥、肌肉鬆弛劑、鎮靜劑、抗過敏藥、抗抑鬱藥、止痛藥等等，這些藥物都有可能會增加此藥思睡的副作用。同時服用這些藥物時，應當特別注意彼此增加思睡的效果。

如果服藥期間有便秘的話，就應該多食用蔬菜或水果等幫助消化的食物，並且在醫師許可下，多做運動或飲用多量的水分。服用此藥後也許會產生口渴的現象，如果能夠含一塊冰塊或糖果的話，應該可以減少此一副作用。

剛開始服用此藥時，可能會產生頭昏眼花，尤其是突然站立或坐起時，不過如果能夠緩慢地站立或坐起，應該會減少此一現象。此藥會造成尿急或小便疼痛、便秘、頭痛、失眠等等。如果服藥經過一陣子後，此現象仍然持續不變，就應當通知醫師。

此藥可能會增加糖尿病患者的血糖濃度，如果因爲血糖濃度增加而要增加劑量前，應該事先請教醫師。

☞副作用

此藥常見的副作用爲：疲倦、噁心、虛弱、頻尿、頭痛、頭暈等等。這些副作用，通常在服用藥物一陣子後，應該會漸漸消失。不過，如果這些副作用強到困擾你的程度，或者經過一段時間後，還不能完全消除，就應該通知醫師。

此藥較嚴重的副作用爲：手腳顫抖、心跳突然加快、耳鳴、肌肉痛、胸口疼痛、視覺改變、精神沮喪、精神恍惚等等。通常這些副作用發生的機率較低，但是如果發生時，可能是藥物造成的不良反應，或者是劑量需要調整，應該盡快通知醫師。

☞懷孕及哺乳

此藥對孕婦的影響，並無很完備的資料。但是根據動物實驗顯示，在高劑量下，此藥可能會影響動物胎兒的骨骼發育及體重減輕。因此，懷孕時，應該與醫師討論此藥可能對胎兒的影響，他會衡量狀況，決定是否服藥。

目前爲止，尚不知此藥是否會經由母乳到達嬰兒體內，爲了避免藥物對新生兒產生影響，餵奶的母親最好使用其他乳製品，以取代母乳。

☞忘記用藥

如果忘記服藥的話，應該在記得時，立即服用。並將當天未用完的劑量，依照等分的時間間隔用完。但是如果距離下次用藥的時間太近，就應該捨棄此次的藥物，恢復到下次正常用藥的時間，千萬不可一次使用雙倍劑量。

Beclomethasone(貝克美松)

商品名(台灣)

Aldecin®nasal(美・先靈)　　Beconase®(英・葛蘭素)
Aldecin®oral(美・先靈)　　Becotide®(英・葛蘭素)
Beclomet®(芬・Orion)　　Clenil®(義・Chiesi)

商品名(美國)

Beclovent®(Allen & H.)　　Vancenase®(Schering)
Beconase®(Allen & H.)　　Vanceril®(Schering)

☞藥物作用

本藥爲一種「類固醇」的藥物，其化學結構類似腎上腺所分泌的一種荷爾蒙。此藥有許多的用途，其口腔噴霧劑主要是與其他類治療氣喘的藥物一起合用，以預防慢性氣喘發作。對於急性氣喘的發作，並不能達到立即紓解的效果。本藥的鼻腔噴霧劑可用來紓解過敏，及花粉類過敏所引起的鼻塞、流鼻水、打噴嚏，以及眼睛發腫、發紅、搔癢及淚水增加等等。

☞用法

本藥分爲鼻腔及口腔噴霧劑兩種，爲了達到完全的藥效，應該在第一次使用之前，詳細閱讀說明書或請教醫師正確的使用方法。使用完口腔噴霧劑以後，應該漱口，以免造成對口部或喉部的刺激。

使用口腔噴霧劑的方法，請參見頁18。

☞注意事項

本藥通常附有藥廠提供的使用說明書，在使用此藥之前，應該詳細加以閱讀，如果有任何疑問或者不知道正確的使用方法，可請教醫師或藥師。

用此口腔噴霧劑時，醫師也許會要同時使用Albuterol，或者是Metaproterenol的噴霧劑，這時，應該先使用前面所提到的藥物，大約5分鐘後再用本藥。如此一來，先前的藥物可以藉著支氣管鬆弛及擴張的作用，幫助本藥更深入肺部的微小支氣管，而達到治療氣喘的最大效果。

如果懷孕或哺乳嬰兒，對藥物過敏，或者有糖尿病、肝臟疾病、心臟疾病、甲狀腺機能不足、腎臟病、重症肌無力症、骨質疏鬆、高血壓、胃潰瘍、全身性或黴菌感染、青光眼等等，醫師需要針對這些情況謹慎用藥，因此在使用此藥之前，應該先通知醫師。

剛開始使用此噴霧劑時，必須經過1至4個星期，才能達到藥物的完全作用。因此，不能因爲一時覺得藥物無效而放棄使用。同時，此藥必須定期使用才能達到最好的效果，因此，必須依照醫師的指示用藥。

本藥的口腔噴霧劑是用來紓解氣喘的症狀，必須長期使用才有效。但是對於急性氣喘，並沒有立即擴張支氣管的作用，因此不能當作急性氣喘發作的急救藥物。

當氣喘發作時的緊急情況，應該用另外一種專門治療急性氣喘的藥物。在使用完鼻腔或口腔噴霧劑後，應該用溫水將噴霧劑的開口徹底清洗乾淨，並且用紙巾擦乾，一天至少應該清潔一次，以保持正常的清潔衛生。

使用此藥時，應該完全依照醫師的指示，不可超過醫師推薦的劑量或次數。劑量過多可能會造成併發症，甚至可能會使症狀加重。使用藥物一陣子後，如果病況還不能改善的話，就應該通知醫師。

使用完口腔噴霧劑以後，應該漱口，將口內剩餘的藥物完全清除，以免對口部或喉部產生刺激，並且避免破壞口內微生物的平衡，而導致口部的感染。

☞副作用

此藥常見的副作用爲：咳嗽、流鼻水、嘴巴或鼻子乾燥刺激、聲音沙啞粗糙、鼻塞等等。這些副作用，通常在使用藥物一陣子後，應該會漸漸消失。不過，如果這些副作用強到困擾你的程度，或者經過一段時間後，還不能完全消除，就應該通知醫師。

此藥較嚴重的副作用爲：口腔內部或舌頭上有白色的塊狀、皮膚發紅發癢、呼吸困難等等。通常這些副作用發生的機率較低，但是如果發生時，應該盡快通知醫師。

☞懷孕及哺乳

根據動物實驗顯示，孕婦如果使用此藥的注射劑會影響胎兒的正常發育，並且可能造成胎兒缺陷，尤其是懷孕的前三個月可能性最高。雖然此藥經由嘴巴或鼻子吸入體內的劑量有限，目前尚無資料顯示會造成胎兒的損傷，不過懷孕時，仍然應該與醫師討論此藥可能對胎兒的影響，他會衡量狀況，決定是否應該用藥。

目前尚不知此藥是否會經由母乳到達嬰兒體內，爲了避免藥物可能對新生兒產生影響，餵奶的母親，應該用其他的乳製品以取代母乳。

☞忘記用藥

如果忘記用藥的話，應該在記得時，立即使用。並將當天未用完的劑量，依照相等的時間間隔使用完。但是，如果距離下次用藥的時間太近，就應該捨棄此次的藥物，恢復到下次正常用藥的時間，千萬不可一次使用雙倍劑量。

Benazepril（降血壓、預防充血性心衰竭藥）

商品名（台灣）

Cibacen®（汽巴嘉基）

商品名（美國）

Lotensin®（汽巴嘉基）

☞藥物作用

本藥爲一種「ACE抑制劑」的降血壓以及預防「充血性心衰竭」的藥物。此藥可壓制血管內某種會使血管收縮的化學物質，而使血管能適當地擴張，使更多的血液能在血管內順暢地流通，而達到降血壓的目的。過多的血液長久滯留在心臟，會使心臟的工作量增加，因而導致心衰竭。本藥可使血管擴張，積壓於心臟的血液便可以回流到身體各個部位，可以間接地預防充血性心衰竭。

☞用法

本藥不受食物的影響，因此空腹或與食物一起服用均可。如有必要時，此藥的藥片可以壓碎服用。通常是一天服用一至兩次，如果一天服藥一次，最好在早上服用；如果一天服藥兩次，則早晚各服一次。最好養成每天在固定時間服藥的習慣，以減少忘記的可能。酒精可能會增加此藥造成頭暈或目眩，因此服用此藥時，應該避免喝酒。

☞注意事項

服用此藥後，可能會產生輕微的頭暈目眩，尤其在剛開始服藥期間。因此，在尙未完全適應此藥之前，當開車或操作危險機械時，必須小心謹慎。

如果懷孕，對藥物過敏，或者有心臟疾病、肝臟疾病、腎臟病、糖尿病、紅斑性狼瘡等等，醫師需要針對這些情況謹慎用藥，因此使用此藥之前，應該先通知醫師。

服用此藥後，血壓可能要經過幾個星期，才會漸漸地降到理想的程度。在經過一段時間的藥物治療後，即使血壓已恢復正常，亦不可間斷，甚至可能一生都需要服用此藥以控制血壓。

爲了達到理想血壓，應該遵循醫師的指示，服用低鹽類、低脂肪食物，戒煙酒，並且盡可能依照醫師指示做適當的運動。

爲了避免忘記服藥，最好養成每天在固定時間服用的習慣，在經過一段時間服藥後，不可突然地停止服用。突然停藥，有可能會造成血壓升高，甚至導致心臟方面的問題。如須停藥時，應該得到醫師的許可，並且在醫師的指示下，將劑量漸漸地降低然後停藥。

此藥只能用來控制高血壓或心衰竭，並不能根治此症，因此必須長期服用此一藥物，才能適當地控制病情。如果使用此藥主要是用於心衰竭，就應該避免太激烈的運動，並且在使用前應該先請教醫師，何種活動或運動量最適合。

剛開始服用此藥時，可能會產生頭暈目眩，尤其是突然站立或坐起時，不過如果能夠緩慢地站立或坐起，應該會減少此一現象。飲酒、洗太熱的澡、太陽下站立太久、流太多的汗等，這些因素都有可能會增強此藥的降壓效果，應該盡量避免，以免血壓過度下降，而造成頭暈目眩甚至暈倒。

許多治療過敏、感冒、氣喘，及咳嗽的成藥中，經常會含有使血壓升高的成分。因此，爲了避免血壓突然地升高，使用此類藥物之前，應該先徵求醫師或藥師的意見。

☞副作用

此藥常見的副作用爲：口乾、下痢、味覺降低、咳嗽、疲倦、噁心、頭痛等等。這些副作用，通常在服用藥物一陣子後，應該會漸漸地消失。不過，如果這些副作用強到困擾你的程度，或者經過一段時間後，還不能完全消除，就應該通知醫師。

此藥較嚴重的副作用爲：心跳不正常的增快、四肢關節疼痛、皮膚起紅疹、血壓太低而暈倒、呼吸及吞嚥困難、突然的發熱或發冷、胸部疼痛、腹部疼痛及惡心嘔吐、臉部或四肢腫大等等。通常這些副作用發生的機率較低，但是如果發生時，可能是藥物造成的不良反應，或者是劑量需要調整，應該盡快地通知醫師。

☞懷孕及哺乳

此藥可經由胎盤進入胎兒體內，可能會影響到胎兒腎臟以及頭骨的正常發育，並會使血壓降低，甚至造成胎兒死亡，尤其是懷孕最後六個月時可能性最高。當發現懷孕時，應該停止服藥，並立即通知醫師。

此藥會經由母乳到達嬰兒體內，爲了避免藥物可能對新生兒造成影響，餵奶的母親最好能用其他乳製品，以取代母乳。

☞忘記用藥

如果忘記服藥，應該在記得時，立即服用。但是，如果一天服藥一次，而距離下次服藥的時間少於8小時，就應該捨棄此次的藥物，恢復到下次正常服藥時間，千萬不可一次使用雙倍的劑量。如果一天服藥兩次，而距離下次服藥的時間只有4小時，應該立即服藥，然後等到5至6小時後服用另一次的藥物，最後再恢復到正常服藥的時間。

Benzoyl Peroxide(本溶塞)

商品名(台灣)

A.D.F Cream®(東榮)
Acnacyl®(聯邦)
Acner®(益美)
Acne®(美・Clay-Park)
Acnie®(回春堂)
Aczo®(杏輝)
Akana®(明德)
Anti-Acne®(恆安)
Benoxy 5®(英・史帝富)
Benoxyl®(史帝富)
Benza gel®(信元)
Benzac®(美・Owen)
Benzagel®(美・Dermik)
Benz®(壽元)
Bioacne®(希・Filoderm)
Bovly Gel®(寶齡富錦)
Cerosmy®(中美)
Cleaner®(優良)
Consdo®(井田)
Cuticura®(美・Campana)
Desquam®(必美)
Dry and Clean®(美・Whitehall)
Dufa Gel®(生達)
Easymove®(合誠)
Leeze®(皇佳)
Lencon®(人人)
Oxy Wash®(美・Norcliff)
Oxy-10 ®(史帝富)
Oxy-5®(史帝富)
Oyx Lotion®(紐・Stevens)
Panoxyl AQ®(史帝富)
Panoxyl®(史帝富)
Pretty Gel®(信元)
Sheate®(美西)
Stri-Dex®(溫莎)
Sumeily 5%®(全福)

商品名(美國)

Acne-10®(Various)
Acne-Aid®(Stiefel)
Ben-Aqua®(Syosset)
Benzac AC®(Galderma)
Buf-Oxal 10®(3M)
Clearasil®(P&G)
Del Aqua-5®(Syosset)
Dermoxyl®(ICI)
Desquam-X®(Westwood)
Dry and Clean®(Whitehall)
Dryox®(C&M)
Fostex 5% BPO®(Bristol-Myers)
Loroxide®(Dermik)
Oyx 10®(SKB)
Panoxyl®(Stiefel)
Persa-Gel®(Ortho Derm)
Vanoxide®(Dermik)
Xerac BP5®(Person & C.)

☞藥物作用

此藥爲一種外用治療「青春痘或粉刺」的藥。它主要是藉著釋放氧氣的能力，使引起粉刺的細菌蛋白質產生氧化作用，而達到殺菌效果。此藥通常用來治療輕度至中度的青春痘或粉刺。

☞用法

此藥分爲多種　型，通常清潔液與藥用肥皂是用來清洗受感染的皮膚，乳液、凝膠及軟膏等則當作外用藥使用。使用軟膏或乳液時，應該先用溫和無刺激的肥皂或皮膚清潔劑，將患部清洗乾淨，然後再用紙巾將水輕輕地拭乾。等到皮膚完全乾燥後，再將藥物均勻地塗抹於患部並輕微地加以按摩。

☞注意事項

塗用藥時，不可塗抹超過醫師所指示的　量與次數，更不可將此藥擦在破損或陽光灼傷的皮膚上，也不能塗抹於眼睛、嘴巴，及鼻孔內部或周圍。

此藥對皮膚是一種刺激性的藥物，因此在使用期間，應當盡量避免皮膚經由日曬、風吹、寒冷，以及酒精、化妝品、檸檬等等的再一次刺激。並且除了經醫師的許可外，不該同時塗用其他治療面皰的藥物。每天洗臉的次數，也應當限制在2至3次，並且應該選用溫和無刺激性的肥皂。

塗用此藥後通常需要經過4至6個星期才能見效。如果超過時間還見不到藥效，就應該通知醫師，也許他會考慮改用其他的藥物或方法做進一步的治療。

塗用此藥後，也許皮膚會發熱或者有輕微刺痛的感覺，也可能會產生乾燥及輕微脫皮的現象。如果這些現象過於強烈，甚至造成不舒服，就應該降低塗抹的次數或劑量，甚至暫停使用一陣子。

使用本藥時，如果要用化妝品，最好能用水溶性的。同時，最好能夠減少使用的次數。並且在使用期間，盡量減少臉部的刺激，譬如日曬等。

年齡低於12歲的小孩，除非經醫師許可外，應該避免使用本藥。此藥具漂白作用，使用時，應當避免接觸到衣物或頭髮上，以免造成脫色或變色。此藥在濕熱的地方容易產生分解作用，應該避免貯存於浴室內。

☞副作用

此藥常見的副作用為：皮膚乾燥脫皮、發紅、發熱、輕微刺痛。這些副作用，通常在使用一陣子後，應該會漸漸消失。不過，如果這些副作用強到困擾你的程度，或者皮膚起水泡或發腫、起紅疹，就應該通知醫師。

☞懷孕及哺乳

此藥對孕婦的影響，並無很完備的資料，懷孕時，最好能通知醫生，他會衡量情況，決定是否應該用藥。

目前為止，尚不知此藥是否會經由母乳到達嬰兒體內，但尚無報告顯示會造成新生兒的不良作用。餵奶的母親在使用期間應該密切注意嬰兒的反應或改用其他乳製品。

☞忘記用藥

如果忘記用藥的話，應該在記得時立即使用，並將當天未用完的劑量，依照相等的時間間隔使用完。但是，如果距離下次用藥的時間太近，就應該捨棄此次藥物，恢復到下次正常用藥的時間，千萬不可一次使用雙倍的劑量。

Benztropine（帕金森症藥）

商品名（台灣）

Cogentin®（美・Merck）

商品名（美國）

Cogentin®（MSD）

☞藥物作用

本藥爲一種治療「帕金森症」藥物。帕金森症主要是由於腦內傳送訊息的Acetycoline和Dopamine不平衡所造成的。Acetycoline含量過高或Dopamine含量過少，都會造成帕金森症。病人剛開始手會顫抖，進而手腳僵硬，最後造成行動緩慢或困難。此藥就是能降低Acetycoline在腦內含量，因而改善帕金森的症狀。

☞用法

此藥通常是一天服用一次（但有些特殊病歷，一天可服用4次）。如果一天服藥一次，應該在晚上睡覺前服用。因爲睡前服藥可幫助肌肉得到適當的控制，有助於睡覺時的轉動，和第二天清晨起身。如有必要此藥的藥片可以壓碎服用。

☞注意事項

此藥會引起思睡及視覺模糊，尤其是剛開始服藥時，因此除非已經適應了此藥，當開車或操作危險機械時，應該格外小心謹慎。酒精會增加此藥思睡的副作用，應當避免飲用或限制酒量。

如果懷孕或哺乳嬰兒，對藥物過敏，或者有小腸阻塞、心臟病、尿道阻塞、肝臟疾病、青光眼、重症肌無力、高血壓、腎臟病、前列腺腫大等等，醫師需要針對這些情況謹慎地用藥，因此在使用前，應該先通知醫師。

此藥會降低身體正常的排汗及散熱的能力。因此，應該避免在陽光下及過熱的地方太久而中暑。另外，洗澡時也應該避免水溫太熱，以免散熱不良及血壓下降而造成暈倒。

服用此藥後也許會產生口渴的現象，如果能夠含一塊冰塊或糖果在嘴內的話，應該可以減少此副作用。服藥期間如有便秘發生的話，應該多吃蔬菜或水果等幫助消化，並且在醫師許可下，多做運動或飲用開水。

使用此藥一段時間後，如果覺得四肢的運動狀況逐漸好轉，就應該漸漸增加運動量，使身體能夠漸漸地適應外在環境，但不可過度運動，以免身體一時無法適應而跌倒受傷。

服用此藥一陣子後，不可未經醫師同意就突然停藥，這樣可能會使病況轉壞。如須停藥時，醫師會指示漸漸將劑量降低，然後停藥。

制酸劑可能會降低此藥作用，因此服用時，應該與制酸劑至少相隔約一兩小時。

此藥會使眼睛對陽光更爲敏感，而造成眼睛不舒服。因此在陽光下，如果能使用太陽眼鏡或者避免直接曝曬，應該會使眼睛較爲舒適。

剛開始服用此藥時，可能會產生頭昏眼花的感覺，尤其是突然站立或坐起時，不過如果能夠緩慢地站立或坐起，應該會減少此一現象。服用此藥一陣子後，醫師可能需要依照身體的反應，適當地調整劑量，因此應該依照醫師的指示，定期到醫院或診所做檢查。

☞副作用

此藥常見的副作用爲：手腳發麻或無力、口乾、小便困難或疼痛、思睡、便秘、眼睛怕光、惡心、視覺模糊、嘔吐、頭暈目眩等等。這些副作用通常在服用藥物一陣子之後，應該會漸漸地消失。不過，如果這些副作用強到困擾你的程度，或者經過一段時間後還不能完全消除，就應該通知醫師。

此藥較嚴重的副作用爲：失眠、皮膚起紅疹、行動笨拙、呼吸困難、迷幻、眼睛痛、精神恍惚。通常這些副作用發生的機率較低，如果發生時，可能是藥物造成的不良反應，或者是劑量需要調整，應該盡快通知醫師。

☞懷孕及哺乳

目前爲止，尚無資料顯示此藥會對胎兒造成不良作用，然而，仍須更廣泛的醫學數據以確認其安全性。當懷孕時，應該與醫師討論此藥可能對胎兒的影響，他會衡量狀況，決定是否應該服藥。

少量的藥物會經由母乳到達嬰兒體內，雖然目前爲止尚無報告顯示會造成新生兒的不良作用，但此藥可能會降低母乳產生的數量，因此最好能考慮使用其他的乳製品，以取代母乳。

☞忘記用藥

如果忘記服藥，同時距離下次服藥的時間超過4小時，應該立即服用，然後恢復到下次正常服藥的時間；如果距離下次服藥的時間少於4小時的話，仍舊需要先服用遺忘的藥物，約等到4至6小時後服用另一次劑量，然後再恢復到正常服藥的時間。

Betamethasone(倍他美松)

商品名(台灣)

B-B Gel®(人人)
Beben Gel®(派德)
Beca-A®(健康)
Bejisone®(北進)
Bemetson®(芬・Orion)
Ben Gel®(杏輝)
Benison®(政德)
Besong®(杏輝)
Betameson®(龍杏)
Betasone®(龍杏)
Betasone®(優良)
Betnovate®(葛蘭素)
Bevamen®(恆安)
Cordel®(大正)
Diprocel®(比・Schering)
Diprosone®(葡萄王)
Episone®(寶齡富錦)
Fumerol®(美時)
Joy Ointment®(中美)
King Deron®(明德)
Parmason®(寶齡富錦)
Propisone®(全福)
Septon®(鹽野義)
Sinta Gel®(長安)
Tsuanlan®(信東)
Weecon®(永豐)

商品名(美國)

Alphatrex®(Savage)
Betatrex®(Savage)
Beta-Val®(Lemmon)
Celestone®(Schering)
Diprolene®(Schering)
Diprosone®(Schering)
Maxivate®(Westwoood)
Teladar®(Dermol)
Valisone®(Schering)

☞藥物作用

本藥爲一種「類固醇」，它的作用類似腎上腺所分泌的一種荷爾蒙。此藥可以增加體內一些抵抗病菌或外來物質的抗體細胞，以增強身體的抵抗力。本藥的外用軟膏具有抗發炎、止癢，和血管的收縮作用，因此可以用於各種皮膚的炎症或濕疹所引起的皮膚發紅、發腫、疼痛、乾燥、搔癢、乾硬、脫皮等等，亦可用於皮膚過敏所產生的紅腫。

☞用法

本藥爲一種皮膚外用藥物。它包括許多不同劑型的製劑如乳膏、油性軟膏、水性軟膏、凝膠、皮膚噴霧劑等等。使用此藥之前，應該詳細地閱讀說明書，或者事先詢問醫師或藥師正確的使用方法。每次在使用噴霧劑和乳膏之前，應先將藥瓶輕微搖動使藥物均勻分散，然後再使用。

塗用此藥之前，應當先用溫和無刺激的肥皂輕柔地清洗患部，用清水沖洗再用紙巾輕拍患部，直到皮膚將乾但尚含有一點點濕氣為止。最後再將藥物均勻塗抹一片薄層於患部，並且稍微加以按摩。如果覺得清洗時會刺痛皮膚或者醫師禁止，可捨棄此一步驟直接將藥物塗抹於患部。

如果使用的是噴霧劑，噴口應該距離患部約15公分，使用的時間不超過3秒鐘以免凍傷皮膚。所噴灑的藥物應該能涵蓋整個患部和外圍的一小部分。噴灑藥物時，如果噴灑的部位接近臉部的話，應該避免接觸到眼睛和將藥物吸入肺部。

☞注意事項

此藥的噴霧劑，通常含有高壓的充填氣體，因此在貯藏的時候應該避免高溫、太陽直接曝曬，或距離火源太近。同時也應該避免直接在罐頭上鑽孔，以免造成藥罐爆炸。

使用此藥於嬰兒尿布周圍的部位時，在塗完藥物時，不可用尿布將患部包得太緊。同時也應該避免用塑膠尿布或褲子，以免增強皮膚對藥物的吸收，導致藥品過量吸入身體，造成阻礙嬰兒生長等副作用。

使用此藥期間，如果感覺皮膚刺激、疼痛、或有發癢、發紅、發腫的情況。就應該停止使用並通知醫師。如果皮膚有細菌感染的現象，如發紅、發熱、發膿等等，也應該盡快通知醫師。

當患部有乾燥或輕微龜裂現象時，可在使用前，先用乾淨的紙巾，沾少許的水分使皮膚濕潤一下，擦乾多餘的水分，然後再塗抹藥物。通常油性軟膏，吸收水分和保持在皮膚的時間較長，較適於一般的乾燥皮膚。

使用本藥時，不可超過指示劑量與次數，同時應該避免將藥物擦在皮膚破損的地方、眼睛，以及鼻子、嘴巴內部的黏膜部位。如果用於眼睛附近時，最好能用棉花棒，以免不小心將藥物塗抹到眼睛。

使用本藥後，應該避免用不透氣或者是很緊的繃帶，以免藥物過量吸收到體內，造成副作用。同時，如果症狀是由於黴菌或細菌感染所造成的，單單使用本藥是無效的，必須同時使用抗生素才能完全根治。

使用此藥時，應該避免用化妝品或其他乳劑或化學藥劑。如有必要使用的話，最好能夠經過醫師同意。此藥以短期使用爲主，如果長期大量使用的話，容易吸收入血液循環到達身體各部位，造成全身性的副作用，如血糖升高、血壓升高、失眠、肌肉無力、身體水腫肥胖、沮喪、易受細菌感染、等等。因此，使用此藥期間，應該完全依照醫師的指示。

☞副作用

通常在正常的劑量下，此藥造成副作用的機率並不是很高，只是輕微地感覺皮膚灼熱、乾燥、輕微的刺痛等等。但是如果皮膚有毛髮增生、細菌感染、顏色改變、嚴重刺痛、長粉刺、起水泡等情況發生的話，就應該通知醫師。

☞懷孕及哺乳

此藥經由皮膚吸收入身體的劑量不較口服劑量高，但是如果大量使用一段長時間後，藥物會經由皮膚吸收並由胎盤進入胎兒體內，可能會影響胎兒的正常發育、阻礙嬰兒正常固醇類荷爾蒙的產生，及造成胎兒缺陷的可能。因此，孕婦在使用此藥前應該通知醫師，他會考慮利弊，決定是否應該用藥。

在正常外用的劑量下，此藥經由母乳到達嬰兒體內的劑量有限，不過餵奶的母親仍然需要密切注意嬰兒對藥物可能的反應，如果有不良作用產生，就應該改用其他奶水取代。

☞忘記用藥

如果忘記用藥，應該在記得時，立即使用。但是，如果距離下次用藥的時間太近，就應該捨棄此次的藥物，恢復到下次正常用藥的時間，千萬不可一次使用雙倍的劑量。

Betaxolol(貝特舒)

商品名(台灣)

Betoptic®(愛爾康)

商品名(美國)

Betoptic®(Alcon)
Betoptic S®(Alcon)

☞藥物作用

本藥爲一種治療「青光眼」的眼藥水。青光眼是由於眼球內部液體不正常的增加，或者是眼球內液體堵塞不能流出，迫使眼球內部的壓力隨之增加，而壓迫到視覺神經，並使視野變形，如果不治療的話，有造成瞎眼的可能。本藥能降低眼球內部液體的產生，間接地降低眼內壓，而達到治療青光眼的目的。

☞用法

此藥通常一天使用兩次，使用此眼藥水的步驟如下：

1. 將雙手徹底清洗乾淨。
2. 身體平躺或頭向後仰，眼睛往上直視。
3. 用手將下眼皮往下或往外拉，使它變成小型的袋狀，然後再將藥水點入。此時應該避免藥瓶的頂端接觸到眼睛或皮膚。
4. 點完藥水後，眼睛往下注視約幾秒鐘，然後輕輕地將眼睛閉起一兩分鐘，使藥物有足夠的時間被吸收，在此期間應該盡量地避免眨眼或揉眼睛。
5. 用手指輕壓靠近鼻端的眼角，以免藥水流入鼻內或喉部。

6. 用乾淨的紙巾將多餘的藥水擦去，並且將瓶蓋蓋好。如果要繼續點用另外一種藥水時，至少應該等5分鐘的時間，以避免影響彼此的吸收。

☞注意事項

使用藥水後幾分鐘，也許會產生短暫的視力模糊。因此，在眼睛尚未完全適應之前，當開車或操作危險機械時，必須小心謹慎。

如果懷孕或哺乳嬰兒、對藥物過敏，或者有支氣管炎、心臟疾病、肺氣腫、重症肌無力症、氣喘、糖尿病、甲狀腺機能亢進等等，醫師需要針對這些情況謹慎地用藥，因此在使用之前，應該先通知醫師。

此藥只能用來控制青光眼，並不能完全根治它。因此，除非有醫師特別指示，即使覺得眼睛的狀況良好，仍然需要繼續依照醫師的指示使用，停止用藥可能會使青光眼的情況惡化。

在點眼藥之前，應該先用肥皂將手徹底清洗乾淨。為了避免汙染整瓶的藥水，應該避免將藥瓶的前端接觸到手部或眼睛。用完藥水後，亦不可用紙巾或布擦拭或者用水清洗藥瓶的前端，並且應該盡快將藥瓶蓋住。

本藥亦不能使用超出醫師所指示的劑量或次數。過多的藥物有可能會被吸收入體內，而經由血液到達身體其他的部位，造成許多不良的副作用。

使用此藥後，可能會使眼睛較為怕光。因此應該避免在強光或者是太陽底下站立太久。另外如果能戴太陽眼鏡的話，應該會使眼睛感到比較舒服。

在使用此藥幾天後，如果仍然有視覺模糊或眼睛痛等症狀，就應該通知醫師。在使用此藥一陣子後，也應該定期到診所做檢查，醫師會根據藥效做進一步的診治或劑量的調整。

雖然此眼藥水只用於眼部，進入身體的劑量有限，但對於患有糖尿病的病人而言，此藥仍有可能會遮蓋低血糖所引起的症狀。如果患有糖尿病，就應該密切注意並經常測量血糖。

在拔牙或動手術之前，應該先通知醫師有使用此藥。

☞副作用

在正常劑量下，此藥造成副作用的機率並不是很高，只有在剛開始點時，眼睛可能會輕微的刺痛、流眼淚、灼熱感、不舒服等等。但是經過幾分鐘後，此現象應該會消失。如果症狀嚴重到不能忍受的程度，或者有心跳變慢、失眠、呼吸困難、腳腫脹、精神沮喪等等情況，就應該盡快通知醫師。

☞懷孕及哺乳

此藥能經由眼睛的吸收而到達母親的血液循環，如果使用劑量過大或過於頻繁，仍有可能對胎兒造成影響。雖然動物實驗顯示此藥並不會造成胎兒的缺陷，但仍有實驗顯示，在極大的劑量下此藥會造成老鼠及兔子流產。爲了避免萬一，懷孕婦女在使用此藥之前，應該經過醫師的同意，並且嚴格遵照指示用藥。

目前爲止，尚不知此藥是否會經由母乳到達嬰兒體內，但尚無報告顯示會造成新生兒的不良作用。餵奶的母親在使用期間，應該密切注意嬰兒的反應，或改用其他的乳製品取代。

☞忘記用藥

如果忘記用藥，應該在記得時，立即使用。但是，如果距離下次用藥的時間太近，就應該捨棄此次的藥物，恢復到下次正常用藥的時間，千萬不可一次使用雙倍的劑量。

Bisacodyl（秘可舒）

商品名（台灣）

B.B®（漁人）
Benly®（大豐）
Bicodyl®（元澤）
Bicotan®（合誠）
Bidyl®（中化）
Bili®（回春堂）
Bisacodyl®（多家藥廠）
Bisadyl®（明德）
Bisalax®（葡萄王）
Bisatin®（明大）
Bisaton®（人生）
Bisaton®（永勝）
Biscol®（西德有機）
Biton®（新喜）
Cathartinol®（元澤）
Colac®（世紀）
Colonlax®（永新）
Comin®（國際）
Dolton®（金馬）
Ducolax®（百靈佳）
Johnlax®（強生）
Laxatin®（回春堂）
Licodyl®（生達）
Liton®（永昌）
Micosu®（井田）
Sinlition®（詠大）
Suben®（華盛頓）
Sumiton®（世紀）
Suncodyl®（順生）
Tonlaxan®（內外）
Zuzuton®（福元）

商品名（美國）

Bisco-Lax®（Raway）
Dulcagen®（Goldline）
Dulcolax®（Ciba）
Fleet Laxative®（Fleet）

☞藥物作用

本藥爲一種短期使用的「排便劑」。它能幫助大腸內的水分聚集，和刺激腸道神經以增加腸道的蠕動，達到幫助糞便排出的目的。此藥可用於環境改變、食物改變，或長期臥床等因素所引起的便秘，並經常用於手術前、生產前以及直腸鏡檢查前的清腸準備。

☞用法

此藥分爲錠劑及肛門栓劑兩種，通常錠劑在服用後6至8小時後便會排便，因此如果第二天清晨須做手術或胃腸檢查，就應該在晚上就寢前服藥。肛門栓劑只須15至60分鐘即可引起排便，因此應該在清晨剛起床的時候使用。本藥藥片通常包有一層外膜，主要是避免藥物對胃腸的刺激，因此服用時應該整顆吞服，不可咀嚼或壓碎服用。

本藥的肛門栓劑使用方法，請參見頁5。

☞注意事項

通常10歲以下小孩，不能充分表達症狀與不適，爲了避免遺漏任何潛在的病症，以及避免藥物可能造成的副作用，除非經由醫師的診斷及處方外，不可自行給小孩服用此一藥物。

如果懷孕，對藥物過敏，或者有心臟疾病、肛門流血、腸道阻塞、糖尿病等等，醫師需要針對這些情況謹慎用藥，因此在使用此藥之前，應該事先通知醫師。

使用肛門栓劑前，如果覺得此栓劑過於柔軟不易放入肛門內，可事先將栓劑連同包裝紙放入冰箱內冷凍一陣子，或者可使用冷水沖淋兩三分鐘，而在使用前再將包裝紙撕開。在使用前如果能夠將栓劑頂端用水稍微濕潤一下，應該有利於肛門的插入。

除非在特殊的情況以及醫師許可外，爲了避免造成對藥物的濫用及依賴性而導致腸道肌肉，和神經組織的損害，此藥應該以短期使用爲主。平常爲了避免便秘，應該多食用蔬菜或水果等食物，並且在身體及醫師的許可下，多做運動，或每天至少飲用6至8杯(每杯約250cc.)的開水或飲料。

此藥應該以短暫的紓解便秘爲主，除非醫師特別的指示外，一天所服用的劑量應該不超過一次，而連續使用藥物的時間應該不超出一個星期。當排便恢復正常後，就應該停止使用。

在服藥期間，如果覺得藥物並沒有達到紓解便秘的作用、肛門有流血現象，或者是藥效過強而產生水分過分流失及電解質失衡的狀況，如身體抽筋疼痛、全身無力、頭暈等時，就應該通知醫師。

牛奶與制酸劑會干擾此藥的作用，因此當服用牛奶或制酸劑時，應該與此藥至少相隔約一小時。

☞副作用

在正常劑量下，此藥造成副作用的機率並不是很高，只有在剛開始服藥的時候，可能會產生輕微的惡心、腹部抽痛、腹部不舒服等等。但是經過一陣子的服藥後，此現象應該會消失。不過，如果這些症狀嚴重到不能忍受的程度，就應該盡快通知醫師。

☞懷孕及哺乳

此藥對孕婦的影響，並無很完備的資料，當懷孕時，最好能告訴醫師，他會根據身體的狀況，並衡量治療的優點和對胎兒的危險性，決定是否應該服藥。

目前爲止，尚不知此藥是否會經由母乳到達嬰兒體內，但是爲了避免造成嬰兒拉肚子或其他不良副作用，餵奶的母親在使用此藥期間，應該用其他的乳製品，以取代母乳。

☞忘記用藥

如果忘記服藥，應該在記得時，立即服用。但是，如果距離下次服藥的時間太近，就應該捨棄此次的藥物，恢復到下次正常服藥的時間，千萬不可一次服用雙倍的劑量。

Bromocriptine(布克丁)

商品名(台灣)

Barlolin®(瑞士)
Broma-Del®(中化)
Bromotine®(北進)
Butin®(永信)
Crip®(華興)
Criptine®(優良)
Demil®(國嘉)
Deprolac®(衛達)
Elerus®(應元)
Medocriptine®(塞・Medochemie)
Parilac®(以・Teva)
Parlodel®(瑞華)
Serocryptin®(義・Serono)
Syntocriptine®(塞・Codal)
Unew®(井田)
Updopa®(瑞人)
Volbro®(信東)

商品名(美國)

Parlodel®(Sandoz)

☞藥物作用

本藥爲一種治療「帕金森症」的藥物。它的作用就是能像Dopamine一樣，直接作用於腦細胞，因而改善帕金森的症狀。此藥另一個作用就是可以降低乳汁的產生，因此不親自餵奶的婦女，可以用此藥來停止乳汁的產生以降低乳房的膨脹感。

☞用法

爲了避免對胃部的刺激，此藥最好與食物或牛奶一起服用。如果是第一次服用此藥，可能會因血壓過低而產生頭暈目眩。因此當第一次服藥後，最好能夠立即躺下以減少頭暈目眩的可能。如有必要時，此藥的藥片可以壓碎服用。

☞注意事項

此藥可能會使女性受精的能力增強，因而增高懷孕機率，同時，避孕藥也可能會干擾此藥的作用，因此應該使用保險套等藥物以外的方法避孕。萬一懷孕，應該立即通知醫師。

如果懷孕，對藥物過敏，或者有心臟疾病、肝臟疾病、高血壓、精神方面不正常、癲癇等病症，醫師需要針對這些情況謹慎用藥，因此使用此藥之前，應該事先通知醫師。

產後婦女，可用本藥來停止乳汁的分泌，如果想用母乳餵哺嬰兒的話，應該停止使用此藥。

服用此藥可能會造成頭暈目眩，尤其在第一次服藥時的機會最高。因此，當第一次服用此藥時，最好能躺著服用。如果此藥會造成頭暈，當起身或站立時，最好能緩慢地站立，這樣應該能減緩此一副作用。

此藥有造成頭暈的可能，因此當駕車或操作危險機械時，應該特別小心謹慎。此藥通常需要幾個星期時間才能達到完全的藥效。因此不可因爲一時感覺沒有藥效，就突然停藥，這樣有可能使身體的情況變壞。

此藥與酒精一起服用，可能會導致心跳增快、視覺模糊、頭痛、胸口痛，因此在服用此藥期間，應該避免喝酒。

☞副作用

此藥常見的副作用爲：口乾、思睡、便秘、拉肚子、胃口不佳、疲倦、噁心、腳抽筋、腹痛、嘔吐、精神沮喪、鼻塞、頭暈目眩等等。這些副作用，通常在服用藥物一陣子後，應該會漸漸消失。不過，如果這些副作用強到困擾你的程度，或者經過一段時間後，還不能完全消除，就應該通知醫師。

此藥較嚴重的副作用爲：大便變黑、心跳增快、胸口疼痛、連續及嚴重的噁心、嘔吐、連續及嚴重的腹痛、暈倒、精神恍惚、臉部、舌頭或頭部有不能自行控制的抖動等等。通常這些副作用發生的機率較低，但是如果發生時，可能是藥物造成的不良反應，或者是劑量需要調整，應該盡快地通知醫師。

☞懷孕及哺乳

此藥並不適用於懷孕婦女，因爲人體及動物實驗同時證實，此藥會造成胎兒的缺損，因此服用此藥期間應該避免懷孕。如果在服藥期間懷孕，就應該立即通知醫師。此藥會抑制母乳的產生，餵奶的母親應該考慮使用其他的乳製品，以取代母乳。

☞忘記用藥

忘記服藥時，假如時間不超過4小時，就應該立即服用；但是，如果時間超過4小時，就應該捨棄此次的藥物，然後恢復到下次正常服藥的時間，千萬不可一次服用雙倍的劑量。

Brompheniramine(溴敏)

商品名(台灣)

Antial®(義・Ellem)
Bramin®(汎生)
Broamine®(健康)
Bromine®(永信)
Brominine®(壽元)
Bromin®(正氏)
Bromphin®(皇佳)
Bromphmine®(合誠)
Bromtapp®(北進)
Broncomine®(豐田)
Broncomine®(應元)
Brophemin®(永新)
Broramin®(永吉)
Chin-Mint®(永昌)
Clomins®(中日)
Cotamine®(東昇)
Demizone®(美時)
Dimetane®(勞敏士)
Dimetan®(培力)
Dimetine®(永勝)
Extamine®(人人)
Histacur®(回春堂)
Jenemin®(居禮)
Kimmedon®(景德)
Licomine®(溫士頓)
Lonamine®(立達)
Minmin®(三東)
Minrid®(華興)
Peimine®(培力)
Pukamin®(井田)
Shi Bee Lon®(西華)
Subomin®(信元)

商品名(美國)

Bromphen®(多家藥廠)
Brotane®(Halsey)
Dimetane®(Robins)
Veltane®(Lannett)

☞藥物作用

本藥爲一種抗組織胺類的「抗過敏」藥。它能解除各類過敏或傷風感冒所引起的症狀，如流鼻水、流淚、打噴嚏、眼睛發紅、發癢等等。此藥並可解除皮膚過敏或昆蟲咬傷所造成的紅腫及發癢。本藥具有思睡作用，因此亦可用來當作安眠藥使用。

☞用法

本藥不受食物影響，因此空腹或與食物一起服用均可。本藥分爲普通藥片及持續型釋放錠劑兩種，如有必要時，此藥之藥片可以壓碎服用，但是持續錠應整顆吞服，不可咀嚼或壓碎服用。如果使用的是液體時，就應該用有刻度的量杯或藥管，以量取正確藥量。

☞注意事項

此藥會造成極端思睡，除非已經適應了藥物的作用，當開車或操作危險機械時，應該格外小心。酒精會增加此藥思睡的副作用，應當避免或限制所服用的酒。

如果懷孕，對藥物過敏，或者有甲狀腺機能亢進、青光眼、前列腺腫大、氣喘、排尿困難、心臟疾病等等，醫師需要針對這些情況謹慎用藥，因此在使用此藥之前，應該事先通知醫師。

安眠藥、肌肉鬆弛劑、鎮靜劑、抗過敏藥、感冒藥、抗抑鬱藥、止痛藥等藥物，都有可能會增加此藥思睡作用。服用這些藥物時，應當特別注意彼此增加思睡的相乘效果。

在做皮膚過敏反應的測試之前，應該先通知醫師有服用此藥，因爲此藥的抗過敏作用，可能會干擾測試的結果。

本藥會增加身體對陽光的敏感性，如果在陽光下曝曬太久，有可能會導致皮膚的過敏或灼傷，應該盡量避免陽光直接曝曬，並穿著長袖衣物，以保護皮膚。

小孩及老年人對此藥較一般人敏感。老年人較易引起虛幻、排尿困難、頭暈、口舌乾燥、低血壓等等。小孩與老年人亦可能會引起噩夢、不正常的興奮，及情緒不安等等。

如果服藥期間有便秘發生的話，就應該多食用蔬菜或水果等幫助消化的食物，並且在醫師及身體的許可下，多做運動或飲用多量的水分。服用此藥後也許會產生口渴的現象，但是如果能夠含一塊冰塊或糖果在嘴內的話，應該可以減少此一副作用。

☞副作用

此藥常見的副作用爲：口乾、心跳增快、皮膚對陽光敏感、耳鳴、思睡、流汗增加、胃口降低、胃腸不適、做噩夢、排尿困難、視覺模糊、精神恍惚、精神緊張及不正常的興奮、頭暈。這些副作用，通常在服用藥物一陣子後，應該會漸漸消失。不過，如果這些副作用強到困擾你的程度，或者經過一段時間後，還不能完全消除，就應該通知醫師。

此藥較嚴重的副作用為：幻覺、失眠、皮膚起紅疹或有青紫色的瘀傷、呼吸困難、精神恍惚或沮喪、突然發燒、發冷、喉嚨痛、眼睛及皮膚發黃、極端疲倦、精神極度興奮等等。通常這些副作用發生的機率較低，但是如果發生時，可能是藥物造成的不良反應，或者是劑量要調整，應該盡快通知醫師。

☞懷孕及哺乳

根據動物實驗顯示，在正常劑量下，此藥尚不至於造成胎兒的缺陷。然而由於此藥對孕婦的醫學數據有限，其安全性並未完全建立。當懷孕時，應該與醫師討論此藥可能對胎兒的影響，他會衡量狀況，決定是否服藥。孕婦於懷孕的最後三個月，應該避免服用此藥，因為此藥可能會對新生兒產生不良反應。

少量的藥物會經由母乳到達嬰兒體內，可能會造成新生兒過度的興奮、緊張不安及睡眠不正常。因此，餵奶的母親應該使用其他的乳製品，以取代母乳。

☞忘記用藥

如果忘記服藥，應該在記得時，立即服用。但是，如果距離下次服藥的時間太近，就應該捨棄此次的藥物，恢復到下次正常服藥時間，千萬不可一次服用雙倍的劑量。

Bumetanide(布米他奈)

商品名(台灣)

Budema®(世達)
Bumeta®(華興)
Bunisex®(國強)
Burinex®(日・Leo)
Busix®(信東)
Butanide®(永新)
Urenide®(羅德)

商品名(美國)

Bumex®(Roche)

☞藥物作用

本藥爲一種強力的「利尿劑」。它可以用來預防高血壓、消除身體的水腫，以及預防充血性心衰竭。如果體內含過多的水分，將會增加血管內部的壓力，造成水腫或高血壓，最後心臟可能會因爲長久的負荷，而產生心衰竭。此藥的作用，就是能夠幫助腎臟，將體內多餘的水分經由尿液排出，而達到治療的目的。

☞用法

此藥通常一天服用一次，由於是一種強力的利尿劑，如果在睡前服用的話，可能會因夜晚起床小便而干擾睡眠。同時爲了避免藥物可能對胃部的刺激，最理想的服藥時間，應該是用完早餐以後。如果一天服藥的次數在一次以上時，應該安排最後一次服藥的時間，以不超過晚上6點爲準。如有必要時，此藥的藥片可以壓碎服用。

☞注意事項

本藥爲一強力的利尿劑，如果服用超過正常的劑量，會使體內的水分及電解質大量地流失，最後有可能會破壞身體正常的功能。因此必須遵循醫師的指示，正確地服用此藥。

如果懷孕，對藥物過敏，或者有肝臟疾病、腎臟疾病、痛風、聽覺障礙、糖尿病等等病症，醫師需要針對這些情況謹慎用藥，因此在使用此藥之前，應該事先通知醫師。由於嚴重的惡心或拉肚子會造成體內水分或電解質的大量流失，如果又服用此一強力利尿劑的話，將會使體內水分及電解質流失的情況更爲嚴重。因此如果有任何疾病造成嘔吐或下痢時，也應該通知醫師。

市面上許多治療過敏、鼻塞、咳嗽、感冒，以及減肥的成藥中，通常含有會使血壓升高的成分。爲了避免血壓突然升高，因此在服用此類藥物之前，應該事先徵詢醫師或藥師的意見。

此藥會增加小便次數，如果在夜晚服用此藥的話，可能會因爲多次起床小便而影響正常睡眠。因此最後一次服藥時間，最好能安排於晚上6點以前。

長期服用此藥後，會使體內鉀離子含量降低，而造成口渴、虛弱、肌肉無力或抽筋、心跳不規則等等。因此，醫師可能會建議多吃含鉀量高的食物，如香蕉、橘子水等等，或者要求直接服用含鉀的藥物來補充。如果長期服用此藥，應該詢問醫師如何補充鉀離子。

剛開始服用此藥的時候，小便次數及數量都會增加，同時也許會有極端疲倦的感覺，通常此一現象在幾天後應該會漸漸減少。如果此現象經過一陣子後仍然不能消除，就應該通知醫師。

此藥可能會使血糖升高，因此患有糖尿病的人，應該更密切測量尿液或血液中糖的含量。

此藥可能會引起頭暈目眩的副作用，尤其是早上剛起床的時候。但是如果能緩慢地起身或站立，應該可以減緩此一現象。另外，爲了避免此一副作用，應該避免站立太久、避免飲用大量的酒、不要在太陽下做太激烈的運動，以及洗太熱的熱水浴等等。

本藥會增加身體對陽光的敏感性，如果在陽光下曝曬太久，有可能會導致皮膚的灼傷，因此應該避免陽光的直接曝曬，並穿著長袖衣物，以保護皮膚。

在拔牙或動手術之前，應該事先通知醫師有服用此藥。

☞副作用

此藥常見的副作用爲：拉肚子、胃口降低、胃腸不適、視覺模糊、頭痛、頭暈目眩。這些副作用，通常在服藥一陣子後，應該會漸漸地消失。不過，如果這些副作用強到困擾你的程度，或者經過一段時間後，還不能完全消除，就應該通知醫師。

此藥較嚴重的副作用爲：皮膚起紅疹、皮膚發紅、關節痛、糞便變黑、耳鳴或聽覺受影響、眼睛或皮膚變黃等等。通常這些副作用發生的機率較低，但是如果發生時，可能是藥物造成的不良反應，或者是劑量需要調整，應該盡快通知醫師。

☞懷孕及餵乳

根據以往孕婦使用過的經驗，此藥並不會造成胎兒的缺陷，但是仍須更廣泛的醫學資料證明其安全性。另外根據動物實驗顯示，在高劑量情況下，此藥仍有可能減緩動物骨骼的成長，使胎兒的體型減小，以及造成胎兒的損傷。因此，除了醫師同意外，孕婦應該避免服用此藥。

目前爲止，尚不知此藥是否會經由母乳到達嬰兒體內，爲了避免藥物可能對新生兒造成影響，餵奶的母親，應該使用其他的乳製品，以取代母乳。

☞忘記用藥

如果忘記服藥，應該在記得時，立即服用。但是，如果距離下次服藥的時間太近，就應該捨棄此次的藥物，恢復到下次正常服藥的時間，千萬不可一次服用雙倍的劑量。

Buspirone(布匹隆)

商品名(台灣)

Anxinil®(瑞士)　Busp®(黃氏)　Buspine®(華盛頓)
Buisline®(華興)　Buspam®(皇佳)　Relac®(聯邦)
Busmin®(明大)　BuSpar®(必治妥)　Sepirone®(信元)

商品名(美國)

BuSpar®(Mead Johnson)

☞藥物作用

本藥爲一種短期使用的「抗焦慮藥」。它可用於解除精神的焦慮、緊張，和情緒沮喪所引起的焦慮症。此藥偶爾可用來消除月經前的症狀，如腹部絞痛、焦躁不安，以及疲乏等等。

☞用法

本藥不受食物影響，因此空腹或與食物一起服用均可。如有必要時，此藥的藥片可以壓碎服用。

☞注意事項

此藥需要4至8個星期，才能漸漸達到完全的藥效。因此不可以因爲頭一兩個星期，覺得沒有藥效就停止服用。同時，此藥必須定期服用才能達到最好效果，也不能因爲一時覺得症狀已經改善而停止服用。

如果懷孕或對藥物過敏，在使用此藥之前，應該先通知醫師。另外，此藥主要是由肝臟分解，並經腎臟排出體外，如果有嚴重的肝臟或腎臟疾病時，應當事先通知醫師。

此藥可能會產生想睡覺的感覺，尤其是剛開始服藥期間，因此，除非已經適應了此藥的作用，當開車或操作危險機械時，應該格外地小心謹慎。雖然酒精不見得會增加此藥的副作用，但是仍舊應當避免飲用或限制酒量。

安眠藥、肌肉鬆弛劑、鎮靜劑、抗過敏藥，或止痛藥等等，這些藥物都有可能會增加思睡的副作用，同時服用這些藥物時，應當特別注意其思睡的相乘效果。

使用此藥的期間，醫師需要定期評估藥效反應，以便適當調整服藥劑量，因此需要遵守醫師指示，定期到醫院或診所做檢查。

如果緊張或焦慮是由於工作的壓力，或者是日常生活所造成的，不一定需要服用此藥來緩和，應該進一步與醫師討論病況，以尋求最好的解決方法。

如果長期服藥後，頭部、臉部，或頸部產生重複而且不能自主的運動，就應當盡快通知醫師。

剛開始服用此藥時，可能會產生頭昏眼花的感覺，尤其是突然站立或坐起時，不過如果能夠緩慢地站立或坐起，應該會減少此一現象。服用此藥後也許會產生口渴的現象，但是如果能夠含一塊冰塊或糖果在嘴內的話，應該可以減少此一副作用。

☞副作用

此藥常見的副作用為：口乾、失眠、拉肚子或便秘、疲倦、惡心、虛弱、精神緊張、嘔吐、鼻塞、頭痛、頭暈目眩等等。這些副作用，通常在服用藥物一陣子後，應該會漸漸地消失。不過，如果這些副作用強到困擾你的程度，或者經過一段時間後，還不能完全消除，就應該通知醫師。

此藥較嚴重的副作用為：手指腳趾發麻、心臟跳動過快或不規則、皮膚發紅發癢、耳鳴、肌肉痛、視覺模糊、精神恍惚、顫抖等等。通常這些副作用發生的機率較低，但是如果發生時，可能是藥物造成的不良反應，或者是劑量需要調整，應該盡快通知醫師。

☞懷孕及哺乳

根據動物實驗顯示，在正常劑量下，此藥並不會造成胎兒缺陷。不過，由於動物實驗結果與人體反應不一定完全相同。當懷孕時，最好能通知醫師，他會衡量狀況，決定是否應該服藥。

少量藥物會經由母乳到達嬰兒體內，爲了避免藥物造成新生兒的影響，餵奶的母親在使用此藥之前，應該徵求醫師的意見。

☞忘記用藥

如果忘記服藥，應該在記得時，立即服用。但是，如果距離下次服藥的時間太近，就應該捨棄此次的藥物，恢復到下次正常服藥的時間，千萬不可一次服用雙倍的劑量。

Butoconazole(布安克那挫)

商品名(台灣)

Femstat®(中國化學)

商品名(美國)

Femstat®(Syntex)

☞藥物作用

本藥爲一種陰道用的抗生素。它可以用來治療念珠菌或黴菌感染所造成的陰部搔癢、灼痛,或不正常分泌。

☞用法

使用陰道軟膏或藥片(陰道栓劑)時,其使用的步驟如下:

1. 將陰道軟膏充填入隨藥附贈的藥管內,直到藥管所標示的部位。如果使用的是陰道栓劑時,先將栓劑的包裝撕開,並將栓劑的頂端浸入水中濕潤一下。然後將栓劑放入藥廠附贈的長條狀的夾藥管中。
2. 仰躺在床上,將兩腳膝蓋往上舉,並向外側張開。
3. 輕輕地將藥管深入陰部,並將藥物壓入內部。
4. 將藥管輕輕地拔出、丟棄或者用肥皂清洗乾淨。
5. 將手清洗乾淨以免病菌汙染。

使用陰道栓劑時,如果沒有藥管,則使用的步驟如下:

1. 將栓劑的包裝撕開,並用手握住栓劑尾端。
2. 將頂端浸入水中濕潤一下。
3. 仰躺在床上,將兩腳膝蓋往上舉,並向外側張開。

4. 用手指將栓劑放入陰道內，並用手指穩住栓劑約一兩分鐘。

5. 至少靜躺15分鐘，再起立將手清洗乾淨，以免病菌汙染。

本藥最好在睡覺前使用，爲了達到最好的藥效，除了使用完後洗手外，最好避免起床四處走動。

☞注意事項

使用藥物期間，如果有發燒、腹痛，及陰道內產生惡臭，就應該通知醫師。用藥經過一段時間後，如果症狀仍然沒有改善，也應該通知醫師。

使用此藥一陣子後，如果覺得陰道搔癢的症狀完全消失後，仍須依照醫師所開處方的份量以及時間，用完所有的處方。即使在月經期間，仍然應該繼續使用此藥。

在使用陰道軟膏或藥片(陰道栓劑)之前，除非醫師特別指示外，並不需要事前清洗陰道。並且在月經來時，也應該繼續使用，不可間斷。

使用此藥期間，應該避免行房。如有必要時，應該要求先生使用保險套，以免將病菌傳染給他。如果不使用保險套的話，由於病菌在兩人間來回地傳染，要完全治癒是非常渺茫。

在使用完藥物後，爲了避免汙染到衣物，最好能使用衛生棉。但是應該避免使用插入式衛生棉條，以免藥物吸著在棉條上而減低了作用。

本藥爲醫師針對病情所下的處方，如果下次有類似的感染，雖然產生的症狀相同，也許感染的病菌不同，服用此藥不見得有效，更有可能會延誤病情。因此必須依照醫師的指示用藥，更不可將此藥留給他人使用。

☞副作用

此藥常見的副作用爲：造成性伴侶器官的刺激及灼熱感、腹部疼痛、頭痛等等。這些副作用，通常在使用藥物一陣子後，應該會漸漸地消失。不過，如果這些副作用強到困擾你的程度，或者經過一段時間後，還不能完全消除，就應該通知醫師。

此藥較嚴重的副作用爲：陰道發癢、灼熱或有分泌物產生。通常這些副作用發生的機率較低，但是如果發生時，可能是藥物造成的不良反應或劑量需要調整，應該盡快通知醫師。

☞懷孕及哺乳

此藥對孕婦的影響並無很完備的資料。由於少量藥物可能會經由陰道內壁吸收到胎兒體內，並且將藥管放入陰道也可能會造成其他問題。因此孕婦在使用此藥之前，應該徵求醫師的意見。

目前爲止，尚不知此藥是否會經由母乳到達嬰兒體內，當決定親自餵哺嬰兒前，最好能夠徵求醫師的意見，或者在使用藥物期間改用其他的乳製品，以取代母乳。

☞忘記用藥

如果忘記用藥，應該在記得時，立即使用。但是，如果距離下次用藥的時間太近，就應該捨棄此次的藥物，恢復到下次正常用藥的時間，千萬不可一次使用雙倍的劑量。

Calcium Carbonate(碳酸鈣)

商品名(台灣)

Basic®(明德)
Canat®(華興)
Dacon®(世達)
Euconca®(正長生)
Hi-Cal®(順生)
Livecal®(優良)
Os-Cal®(寶齡富錦)
Top-Cal®(黃氏)
U-Cal®(順生)
Xpar-Cal®(華盛頓)

商品名(美國)

Cal-Plus®(Geriatric)
Caltrate®(Lederle)
Gencalc 600®(Goldline)
Os-Cal 500®(Marion)
Oyst-Cal 500®(Nature's)

☞藥物作用

本藥爲一種含「鈣」的化學藥品。鈣質在我們體內占有極重要的份量，是構成骨骼的重要成分，缺少了它則容易造成骨骼疏鬆、或影響骨骼的正常發育。另外，鈣質能夠維持身體內神經、肌肉、心臟、腎臟、血液凝結、呼吸等正常功能，以及抑制神經系統中由於過多的鎂所造成的沮喪。通常一般人可以從正常的飲食中得到適量的補給，但是對於一些營養不良、病人、成長中的小孩，和懷孕或停經的婦女，也許需要格外的補給。本藥亦有結合胃酸的作用，可以用來預防胃酸過多而引起的胃痛、胃腸不舒服，和胃潰瘍的發生。

☞用法

爲了避免對胃部的刺激，服用此藥時最好與食物或一杯水一起服用。如果使用的是液體藥物時，每次在使用之前，應先將藥瓶輕微搖動，使藥物能均勻分散，並用有刻度的量杯或藥管量取正確的藥量。如果使用的是咀嚼錠時，在吞服之前，應該在口中徹底咀嚼。如有必要時，此藥的普通藥片可以壓碎服用。

☞注意事項

如果使用此藥的目的在中和過度胃酸所造成的胃痛或不舒服，通常6歲以下的小孩，由於不能充分地表達症狀與不適，為了避免遺漏任何潛在的病症，及避免藥物對小孩可能造成的副作用，除非經由醫師的診斷及處方外，不該自行給與小孩服用此一藥物。

如果懷孕，對藥物過敏，或者有腎臟病等，醫師需要針對這些情況謹慎用藥，因此在使用此藥之前，應該先通知醫師。

此藥可能會干擾許多種藥物的吸收。因此，如果同時服用其他藥物時最好相隔約一兩小時。此藥會與「四環類抗生素」Tetracycline、Doxycycline，或Minocycline等藥物互相結合，因而降低殺菌效果。當與上述藥物合用時，兩者使用間隔至少要兩小時。

長期服用此藥可能會造成體內其他礦物質(電解質)的不平衡，或者造成腎結石的可能。如果要服用此藥超過兩個星期以上，最好經由醫師的同意。

通常牛奶、魚類、乳酪、綠色蔬菜等等，含有大量的鈣質。除了服用藥物補充鈣質外，在平常也應該隨時注意保持均衡飲食的良好習慣。

☞副作用

此藥常用的副作用為：口乾、小便疼痛、便秘、胃口不佳、惡心、虛弱、想睡覺、嘔吐、頭痛。這些副作用，通常在服用藥物一陣子後，應該會漸漸地消失。不過，如果這些副作用強到困擾你的程度，或者經過一段時間後，還不能完全消除，就應該通知醫師。

此藥較嚴重的副作用為：小便的次數及尿液增加、血壓升高、眼睛怕光、惡心、想睡覺、嘔吐、心跳不正常、精神恍惚。通常這些副作用發生的機率較低，但是如果發生時，可能是藥物造成的不良反應，或者是劑量需要調整，應該盡快通知醫師。

☞懷孕及哺乳

一般來講，孕婦於懷孕最後六個月服用此藥是安全的。孕婦於前兩個月使用此藥，可能會造成胎兒輕微的損傷，最好避免在前三個月期間服用此藥。孕婦於懷孕6個月服用此藥，可能會造成胎兒體中的鎂過低、肌肉的緊張和肌腱的反射增強。不過，只要不長期大量服用此藥，造成此一副作用的機會相當低。

雖然少量的藥物會經由母乳到達新生兒體內，但其濃度並不高，目前爲止尚無醫療報告顯示，會對餵奶的嬰兒造成不良的影響。

☞忘記用藥

如果忘記服藥的話，應該在記得時，立即使用，並將當天未用完的劑量，依照等分的時間間隔使用完。但是如果距離下次用藥的時間太近，應該捨棄此次的藥物，恢復到下次正常用藥的時間，千萬不可一次使用雙倍的劑量。

Captopril(卡特普)

商品名(台灣)

Aceloc®(順生)
Acepril®(聯邦)
Aceprotin®(塞・Codal)
Apo-Capto®(加・Apotex)
Apuzin®(永信)
C.P.T®(永新)
Calatec®(中化)
Capdon®(生達)
Capomil®(衛達)
Caponal®(世紀)
Capoten®(必治妥)
Caproine®(皇佳)
Captolin®(國嘉)
Captolong®(韓・Boryoung)
Captopin®(寶齡富錦)
Captopri®(瑞士)
Captrol®(瑞安)
Catopren®(世達)
Ceporin®(信東)
Excel®(榮民)
Hyperten®(永盛)
Kecap®(新東)
Meriga®(中美)
Rilcapton®(塞・Medo)
Smarten®(華星)
Tecapril®(羅得)
Vasodil®(東洋)

商品名(美國)

Capoten®(BMS)

☞藥物作用

本藥爲一種「ACE抑制劑」的降血壓和預防「充血性心衰竭」的藥物。此藥可壓制血管內某種會使血管收縮的化學物質，由於此種化學物被壓制，血管便能適當地擴張，使血液能夠在血管內順暢地流通，而達到降血壓的目的。過多的血液長久滯留在心臟，可能會使心臟的工作量增加，最後心臟不能負荷而導致衰竭。本藥可使血管擴張，積壓於心臟的血液便可以回流入各個部位，間接地預防充血性心衰竭。

☞用法

此藥通常是一天服用兩至三次。使用本藥時，最好在空腹時服用，譬如飯前一小時，或飯後兩小時。如有必要時，此藥的藥片可以壓碎服用。酒精可能會增加此藥造成頭暈或目眩的可能，因此服用此藥時，應該避免喝酒。

☞注意事項

服用此藥後，可能會產生輕微頭暈或目眩，尤其在剛開始服藥期間。因此，在尚未完全適應此藥之前，當開車或操作危險機械時，必須小心謹慎。

如果懷孕，對藥物過敏，或者有心臟疾病、肝臟疾病、紅斑性狼瘡、腎臟病、糖尿病等等，醫師需要針對這些情況謹慎用藥，因此在使用此藥之前，應該先通知醫師。

服用此藥後，血壓可能要經過幾個星期才會漸漸地降低到理想的程度。在經過一段時間藥物治療後，即使血壓已恢復正常，亦不可間斷服藥，甚至可能一生都需要服用此藥。

爲了達到理想降血壓的作用，應該遵循醫師的指示，服用低鹽類、低脂肪食物，戒煙酒，並且盡可能依照醫師的指示做適當的運動。

爲了避免忘記服藥，最好養成每天在固定時間服藥的習慣，並且在服藥一段時間後，不可突然停止服藥。突然停藥，有可能會造成血壓升高，甚至會造成心臟方面的問題。如要停藥時，應該得到醫師的許可，並且在醫師的指示下，將劑量漸漸地降低然後再停。

此藥只能用來控制高血壓或心衰竭，不能根治此一病症，因此必須長期服用此一藥物，才能適當控制病情。如果此藥是用於心衰竭，就應該避免做太激烈的運動，並且在使用前先請教醫師，何種活動或運動量最適合身體狀況。

剛開始服用此藥時，可能會產生頭暈目眩的感覺，尤其是突然站立或坐起時，不過如果能夠緩慢地站立或坐起，應該會減少此一現象。飲酒、洗太熱的澡、太陽下站立太久、流太多的汗等等，這些因素都有可能會增加此藥降低血壓的效果，因此應該盡量避免，以免血壓過度下降，而造成頭暈目眩，甚至暈倒的可能。

市面上許多治療過敏、鼻塞、咳嗽、感冒，和減肥的成藥中，經常含有會使血壓升高的成分。因此，爲了避免造成血壓突然升高，在服用此類藥物之前，應該事先徵詢醫師或藥師的意見。

此藥可能會與Allopurinol（治療慢性痛風的藥物），產生不良的過敏反應，而發生不舒服、頭痛、發燒、關節痛、肌肉痛、皮膚起紅疹、心跳過快、低血壓等等症狀。如果又服用利尿劑或者有腎臟毛病的話，更容易發生副作用。因此如果與上述藥物合用的話，就應該通知醫師，或許他會考慮改換其他的藥物取代。

☞副作用

此藥常見的副作用爲：口乾、下痢、味覺降低、咳嗽、疲倦、惡心、頭痛。這些副作用，通常在服用藥物一陣子後，應該會漸漸地消失。不過，如果這些副作用強到困擾你的程度，或者經過一段時間後，還不能完全消除，就應該告訴醫師。

此藥較嚴重的副作用爲：心跳不正常的增快、四肢關節疼痛、皮膚產生紅疹、因爲血壓太低而暈倒、呼吸及吞嚥困難、突然的發熱或發冷、胸部疼痛、腹部疼痛及惡心嘔吐、臉部或四肢腫大。通常這些副作用發生的機率較低，但是如果發生時，可能是藥物造成的不良反應，或者是劑量需要調整，應該盡快通知醫師。

☞懷孕及哺乳

此藥可經由胎盤進入胎兒體內，此類ACE抑制劑可能會影響到胎兒腎臟以及頭骨正常的發育，並會使血壓降低，甚至造成胎兒死亡，尤其是懷孕最後六個月的可能性最高。懷孕時，應該停止服藥，並立即通知醫師。

此藥會經由母乳到達嬰兒體內，爲了避免藥物可能對新生兒造成影響，餵奶的母親最好能使用其他乳製品，以取代母乳。

☞忘記用藥

如果忘記服藥，應該在記得時，立即服用。但是，如果距離下次服藥的時間太近，就應該捨棄此次的藥物，恢復到下次正常服藥的時間，千萬不可一次服用雙倍的劑量。

Carbamazepine(卡巴馬平)

商品名(台灣)

Cabapin®(政德)
Carbama®(井田)
Carbapin®(荷・Pharmacheme)
Carbaze®(華盛頓)
Carmapine®(培力)
Neurotol®(芬・Farmos)
Taver®(塞・Medo)
Tegol®(優生)
Tegretol®(汽巴加基)
Temporol®(芬・Orion)
Teril®(澳・Alphapharm)
Tetol®(內外)

商品名(美國)

Tegretol®(Geigy)

☞藥物作用

本藥爲一種治療「癲癇」的藥物，作用於腦部及神經系統，以治療癲癇的發作。另外，可用於治療由面部三叉神經病變所引起臉部、舌頭、及咽喉的疼痛。偶爾此藥亦可用來治療戒酒後所產生的情緒不安、緊張及發作。

☞用法

爲了避免對胃部的刺激，此藥最好與食物或飯後服用。如果是使用液體藥物時，每次在使用之前，應該先將藥瓶輕微搖動，使藥物能均勻分散。並使用有刻度的量杯或藥管，以量取正確的藥量。必要時，此藥的普通藥片可以壓碎服用，但是長效型錠劑應該整顆吞服，不可咀嚼或壓碎服用。

☞注意事項

如果服用此藥的目的是在防止癲癇發作，在使用此藥一陣子後，不可突然停藥。突然的停藥，可能會導致癲癇發作。需要停藥時，應該遵循醫師的指示，漸漸地減低服用的劑量，然後再停。

如果懷孕，對藥物過敏，經常飲用大量的酒，或者有血液或骨髓方面的疾病、肝臟疾病、青光眼、腎臟病等等，醫師需要針對這些情況謹慎用藥。患者在使用此藥之前，應事先通知醫師。

此藥有可能會造成頭暈、目眩及思睡。除非已經適應了此藥，否則當開車或操作危險機械時，應該格外小心。酒精會增加此藥思睡的作用，應當避免服用含酒精的飲料。

在長期服用此一藥物後，如果發覺有喉嚨痛、發燒、口部有潰瘍、皮膚上有青紫色的瘀傷或不正常的流血現象，就應當盡快通知醫師，這可能是此藥造成血液方面較嚴重副作用的前兆，醫師也許會要求到醫院做進一步的檢驗。

服用此藥期間，有可能會降低口服避孕藥的作用，最好能同時使用其他的避孕方法，譬如使用保險套等來避孕。

在服藥期間，醫師需要依照患者身體的狀況和藥效，適當地調整所使用的劑量。因此應該遵照醫師的指示，定期拜訪醫師。如果小孩使用此藥，應該記錄他一切不尋常的行爲、情緒，和癲癇的發作。同時，也應該要求學校老師做相同的紀錄。因爲這些資料，有助於醫師評估病情，以便做適當劑量的調整及治療。

雖然此藥可以用來治療臉部的三叉神經痛，但是它並不是一種止痛劑，不能用它來治療其他病症所引起的疼痛，如頭痛、牙痛、肌肉痛等等。

此藥會使皮膚及眼睛對陽光較爲敏感，如果長期暴露於陽光下，容易造成皮膚灼傷或過敏。因此，如果需要長時間暴露於太陽下，最好能戴太陽眼鏡及穿著長袖衣物。

此藥可能會與Propoxyphene(止痛藥)產生不良反應。由於Propoxyphene會阻止本藥的代謝及排出體外，有可能會造成在體內積聚，甚至造成藥物中毒的現象，如頭暈、頭痛、想睡覺、惡心及肌肉運動不協調等等。使用此藥期間如果同時服用上述止痛藥物，就應該通知醫師，他應該會考慮改換另外一種止痛藥物。

☞副作用

此藥常見的副作用爲：注意力不集中、惡心、想睡覺、嘔吐、頭暈目眩。

這些副作用，通常在服用藥物一陣子後，應該會漸漸消失。不過，如果這些副作用強到困擾你的程度，或者經過一段時間後，還不能完全消除，就應該通知醫師。

此藥較嚴重的副作用為：小便困難或疼痛、心跳不規則、四肢水腫、皮膚起紅疹或青紫色的瘀傷、皮膚發紅或發癢、呼吸困難、突然發冷、胸口疼痛、眼睛或皮膚變黃、發熱或咳嗽、視覺模糊或有雙重影像。通常這些副作用發生的機率較低，但是如果發生時，可能是藥物造成的不良反應，或者是劑量需要調整，應該盡快通知醫師。

☞懷孕及哺乳

此藥可經由胎盤到達胎兒體內。根據動物實驗顯示，此藥可能會造成胎兒的生長缺陷以及其他的不良作用。服藥期間如果發現已懷孕，應該盡快通知醫師，同時仍舊需要繼續服藥，以免突然停藥而導致病況惡化，更加重對胎兒的危險性。醫師會視情況，決定繼續服藥或改用其他的藥物取代。

此藥會經母乳到達新生兒體內，為了避免造成嬰兒的不良作用，餵奶的母親最好能使用其他的乳製品，以取代母乳。

☞忘記用藥

如果忘記服藥的話，應該在記得時，立即服用，並將當天未用完的劑量，依照等分的時間間隔使用完。但是，如果距離下次用藥的時間太近，就應該捨棄此次的藥物，恢復到下次正常用藥的時間，千萬不可一次使用雙倍的劑量。

Carisoprodol（卡利索普杜）

商品名（台灣）

Carisoma®（英・Halewood）
Chinchen®（派頓）
Hirarin®（黃氏）
Relax®（回春堂）
Tonful®（永信）

商品名（美國）

Soma®（Wallace）

☞藥物作用

本藥爲一種「肌肉鬆弛劑」，可以使運動導致的肌肉扭傷或拉傷得到鬆弛，達到充分的休息與康復。此藥通常用於較嚴重的肌肉受傷，並且常與止痛劑合用。

☞用法

服用此藥時，最好與食物或一大杯開水一起服用，以減輕藥物對胃的刺激。有必要時，此藥的藥片可以壓碎服用。

☞注意事項

此藥會讓人產生想睡覺的感覺，尤其是剛開始服藥期間。因此，除非已經適應了此藥，否則當開車或操作危險機械時，應該格外小心。酒精會增加此藥思睡的副作用，應當避免飲用或限制酒量。

如果懷孕或哺乳嬰兒，對藥物過敏，或者有肝臟疾病、腎臟病等等，醫師需要針對這些情況謹慎用藥，因此在使用此藥之前，應該事先通知醫師。

安眠藥、肌肉鬆弛劑、鎮靜劑、抗過敏藥、抗抑鬱藥、止痛藥等，都有可能增加此藥思睡的副作用，同時服用時，應當特別注意增加思睡的相乘效果。

經過一陣子服藥後，不可以一時覺得症狀已經減輕，或者不感覺疼痛就突然增大運動量，如此一來容易使肌肉造成更進一步的損傷。應該讓肌肉能得到充分的休息，可能的話可配合物理治療，而達到完全的康復。

剛開始服用此藥時，可能會產生頭暈目眩的感覺，尤其是突然站立或坐起時，不過如果能夠緩慢地站立或坐起，應該會減少此一現象。

服用此藥一段時間後，不可突然地停止服藥。突然停藥有可能會造成腹痛、失眠、頭痛、惡心及發冷。如果要停藥，應當遵循醫師的指示，漸漸地減少服用的劑量，然後停藥。

☞副作用

此藥常見的副作用爲：打嗝、肌肉顫抖、思睡、胃腸不適、惡心、視覺模糊、嘔吐、緊張不安、臉部潮紅、頭痛、頭暈目眩等等。這些副作用，通常在服用藥物一陣子後，應該會漸漸消失。不過，如果這些副作用強到困擾你的程度，或者經過一段時間後，還不能完全消除，就應該通知醫師。

此藥較嚴重的副作用爲：小便困難、皮膚發紅、肌肉抽筋、呼吸困難、發癢或水腫、暈倒、精神沮喪等等。通常這些副作用發生的機率較低，但是如果有以上的症狀發生時，此可能是藥物造成的不良反應，或者是劑量需要調整，應該盡快通知醫師。

☞懷孕及哺乳

目前爲止，尚無資料顯示此藥會對胎兒造成不良作用，然而，仍須更廣泛的醫學數據，對此藥做進一步的評估。懷孕時，應該和醫師討論此藥可能對胎兒的影響，他會衡量身體的狀況，決定是否應該服藥。

此藥會經由母乳吸收入嬰兒體內，可能會造成新生兒過度的安睡和胃腸的刺激，餵奶的母親應該考慮使用其他乳製品以取代母乳。

☞忘記用藥

如果忘記服藥，時間不超過一小時，應該立即服用。但是，如果超過一小時，就應該捨棄此次藥物，恢復到下次正常服藥時間，千萬不可一次服用雙倍的劑量。

Cefaclor(西華克樂)

商品名(台灣)

Celor®(政和)
Cero®(信東)
Keflor®(禮來)
Kerfenmycin®(永信)
Rolfec®(臺裕)
Swiflor®(瑞士)
Tyflor®(東洋)
U-Clor®(聯邦)

商品名(美國)

Ceclor®(Lilly)

☞藥物作用

本藥爲「頭苞子菌」類的抗生素，主要的作用是能破壞細菌的細胞壁，使細菌不能正常地生長和繁殖，最後導致細菌的死亡。此藥可用於某些細菌所引起的感染，如咽喉炎、中耳炎、扁桃腺炎、肺炎、尿道感染，和皮膚感染等等。此藥對於濾過性病毒，以及黴菌或真菌所造成的感染無效。

☞用法

爲了增強吸收，使用本藥時，最好在空腹時候服用，譬如飯前一小時，或飯後兩小時。如果覺得此藥對胃的刺激過大，會造成不舒服，則可與食物一起或飯後服用。必要時，此藥的膠囊可打開來服用。當使用液體藥物時，每次在使用之前，應先將藥瓶輕微搖動，使藥物能夠均勻分散，並使用有刻度的量杯或藥管，以量取正確藥量。

☞注意事項

本藥的化學結構與盤尼西林類的抗生素極爲相似，如果對盤尼西林類的抗生素過敏的話，對此藥也有可能會產生過敏，因此最好不要服用此藥。常用的盤尼西林類的抗生素包括Amoxicillin，Ampicillin，Augmentin，Penicillin VK等等。

服用此藥時，必須依照醫師指示服完所有處方的藥物(大約7至14天)，即使覺得感染的症狀已經完全消除，仍須服完所有處方，以免萬一細菌沒有完全消除，而造成感染復發或將來細菌產生抗藥性。

如果懷孕，對藥物過敏(尤其是盤尼西林類抗生素)，或者有腸胃道的毛病，如腸炎、腎臟病、潰瘍性結腸炎等等，醫師需要針對這些情況謹慎用藥，因此在使用此藥之前，應該事先通知醫師。

爲了達到最佳的滅菌效果，此藥必須在血中達到固定的濃度，因此最好每天在相等的時間間隔下服藥。如果一天服藥3次，則應該每8個小時服用一次，一天服藥兩次，則應該每12個小時服用一次，不可忘記服用。

服用此藥後，可能會降低口服避孕藥的作用，因此最好能同時使用其他的避孕方法，譬如使用保險套等來避孕。

對於糖尿病患者而言，此藥可能會干擾某類尿液血糖測量的結果，因此在服用此藥之前，應該請教醫師，如何正確地測量血糖或者適當地調整糖尿病藥物的劑量或飲食。

在極少數的情況下，服用此藥一陣子後，如有拉肚子時，可能是抗生素破壞了胃腸內細菌的平衡所引起的，不可自行服用止瀉藥物，如果使用了錯誤的藥物，可能會使腹瀉更惡化，應該請教醫師，由他做適當的治療。

本藥爲醫師針對病情所下的處方，下次如果有類似的感染，雖然產生的症狀相同，但也許造成感染的病菌不同，服用此藥不見得有效，更有可能會延誤病情。因此必須經由醫師診斷及指示服藥，同時不可將此藥留給他人使用。

☞副作用

此藥常見的副作用爲：拉肚子、胃腸不適、惡心、嘔吐、頭暈等等。這些副作用，通常在服藥一陣子後，應該會漸漸地消失。不過，如果這些副作用強到困擾你的程度，或者經過一段時間後，還不能完全清除，就應該通知醫師。

此藥較嚴重的副作用爲：皮膚水腫、皮膚發紅、血壓下降、呼吸困難、陰道搔癢、喉嚨痛、發燒、發癢、腹部抽痛、嚴重的拉肚子等等。通常這些副作用發生的機率較低，但是如果發生時，可能是藥物造成的不良反應，或者是劑量需要調整，應該盡快通知醫師。

☞懷孕及哺乳

一般來講，此藥用於孕婦是安全的，但是，仍須更廣泛的醫學資料加以證明其安全性，所以懷孕時，最好還是通知醫師。

少量的藥物會經由母乳到達嬰兒體內，可能會影響嬰兒腸內細菌的平衡、造成嬰兒拉肚子或腸胃不舒服，也有可能會造成過敏反應。因此，餵奶的母親最好使用其他的乳製品以取代母乳。如果要親自餵奶，就應該密切注意嬰兒的反應。

☞忘記用藥

如果忘記服藥，應該在記得時，立即服用。但是如果距離下次服藥的時間太近，而且一天服藥兩次，就應該先服用所遺忘的藥物，然後等約5至6小時後，再服用下次的劑量。如果一天服藥3次以上，應該先服用所遺忘的藥物，然後等約3小時後，再恢復到下次正常服藥的時間。無論任何情況下，不可一次服用雙倍的劑量。

Cefadroxil(西華卓西)

商品名(台灣)

Cefagen®(華興)
Cefaxil®(生達)
Cefu®(永豐)
Cendmycin®(景德)
Cephos®(義・CT)
Duracef®(必治妥)
Ibidroxyl®(義・生化)
Infaxil®(元宙)
Likodin®(瑞士)
Lonfadroxil®(聯邦)
Sedral®(萬有)
Ucefa®(優良)
Unidroxyl®(聯邦)
Urocef®(韓・東信)
Wincef®(溫士頓)

商品名(美國)

Duricef®(Mead J.)

☞藥物作用

本藥爲一種「頭苞子菌」類的抗生素，它主要的作用是能破壞細菌的細胞壁，使細菌不能正常生長和繁殖，因而導致細菌的死亡。此藥可用於某些細菌所引起的感染，如咽喉炎、扁桃腺炎、尿道感染，和皮膚感染等等。此藥對於濾過性病毒，及黴菌或真菌所造成的感染無效。

☞用法

此藥通常是一天服用一到兩次，爲了增強吸收，最好在空腹的時候服用，譬如飯前一小時，或飯後兩小時。但是，如果覺得此藥對胃的刺激過大，會造成胃部的不舒服，與食物或牛奶一起服用亦無大礙。如有必要時，可將此藥的膠囊打開來服用。如果使用液體藥物時，每次在使用之前，應先將藥瓶輕微搖動，使藥物能夠均勻分散，並使用有刻度的量杯或藥管，以量取正確的藥量。

☞注意事項

因為本藥的化學結構與盤尼西林類的抗生素極為相似，如果對盤尼西林類的抗生素過敏的話，對此藥也可能會產生過敏，因此最好不要服用此藥。常用的盤尼西林類抗生素，包括Amoxicillin，Ampicillin，Augmentin，Penicillin VK等等。

當服用此藥時，必須依照醫師的指示服完所有處方的藥物(大約7至10天)，即使覺得感染的症狀已經完全消除，仍須服用完所有的處方，以免萬一細菌沒有完全消除，而重新復發或將來細菌產生抗藥性。

如果懷孕，對藥物過敏(尤其是盤尼西林類抗生素)，或者有腸胃道的毛病，如腸炎、腎臟病、潰瘍性結腸炎等等，醫師需要針對這些情況謹慎用藥，因此在使用此藥之前，應該事先通知醫師。

為了達到最佳的滅菌效果，此藥必須在血中達到固定的濃度，因此最好每天在相等的時間間隔下服藥。如一天服藥一次，則可選擇在每天早晨或午餐飯前服藥；如果一天服藥兩次，則應該每12個小時使用一次，不可忘記服藥。

服用此藥後，可能會降低口服避孕藥的作用，因此最好能同時使用其他有效的避孕方法，譬如使用保險套等來避孕。

對於糖尿病的病患而言，此藥可能會干擾某類尿液血糖測量的結果，因此在服用此藥之前，應該請教醫師，如何正確地測量血糖，或者如何適當調整糖尿病藥物的劑量或飲食。

在極少數的情況下，當服用此藥一陣子後，如有拉肚子現象時，此可能是抗生素破壞了胃腸內細菌的平衡所引起的，因此不該自行服用止瀉藥物，如果使用了錯誤的藥物，有可能會使腹瀉的現象更惡化，應該請教醫師，由他做適當的治療。

本藥為醫師針對病情所下的處方，如果下次有類似的感染，雖然產生的症狀相同，也許造成感染的病菌不同，服用此藥不見得有效，更有可能會延誤治病的時間及病況。因此必須依照醫師的指示服藥，更不可將此留給他人使用。

☞副作用

此藥常見的副作用為：拉肚子、胃腸不適、惡心、嘔吐、頭暈等等。這些副作用，通常在服用藥物一陣子後，應該會漸漸消失；不過，如果強到困擾你的程度，或者經過一段時間後，還不能完全消除，就應該通知醫師。

此藥較嚴重的副作用為：皮膚水腫、皮膚發紅、血壓下降、呼吸困難、陰道搔癢、喉嚨痛、發燒、發癢、腹部抽痛、嚴重的拉肚子。通常這些副作用發生的機率較低，但是如果發生時，可能由於藥物造成的不良反應，或者是劑量需要調整，應該盡快通知醫師。

☞懷孕及哺乳

一般來講，此藥用於孕婦是安全的。但是，仍須更廣泛的醫學資料證明其安全性，懷孕時，最好還是通知醫師。

少量的藥物會經由母乳到達嬰兒體內，可能會影響嬰兒腸內細菌的平衡，造成嬰兒拉肚子或腸胃不舒服，也有可能會造成過敏反應。因此，餵奶的母親最好使用其他的乳製品以取代母乳。如果要親自餵奶，就應該密切注意嬰兒的反應。

☞忘記用藥

如果忘記服藥，應該在記得時，立即服用。但是，如果距離下次服藥的時間太近，而又一天服藥一次，就應該先服用所遺忘的藥物，然後等約10至12小時後，再服用下次的劑量；如果一天服藥兩次，應該先服用所遺忘的藥物，然後等約5至6小時後，再服用下次的劑量；倘若一天服藥3次以上，應該先服用所遺忘的藥物，然後等約3小時後，再恢復到下次正常服藥時間。無論任何情況下，不可一次服用雙倍的劑量。

Cefuroxime(希福辛)

商品名(台灣)

Zinnat®(葛蘭素)

商品名(美國)

Ceftin®(Allen)

☞藥物作用

本藥爲一種「頭苞子菌」類的抗生素，它主要的作用是能破壞細菌的細胞壁，使細菌不能正常地生長和繁殖，因而導致細菌的死亡。此藥可用於某些細菌所引起的感染，如咽喉炎、中耳炎、扁桃腺炎、支氣管炎、尿道感染，和皮膚感染等等。此藥對於濾過性病毒，和黴菌或真菌所造成的感染無效。

☞用法

此藥通常一天使用兩次，因此可安排於早晨或晚上，各服用一次。如果覺得此藥會造成胃部不舒服的話，可將其與食物或餅乾等一起服用。必要的時候，此藥的藥片可以壓碎服用，但是此藥含有苦味，可於服用前將其與果汁或冰淇淋等混合服用。

☞注意事項

本藥的化學結構與盤尼西林類的抗生素極爲相似，如果對盤尼西林類的抗生素過敏的話，對此藥也有可能會產生過敏，最好不要服用此藥。常用的盤尼西林類抗生素，包括Amoxicillin，Ampicillin，Augmentin，Penicillin VK等等。

服用此藥時， 必須依照醫師的指示用完所有的處方(大約7至14天)，即使覺得感染的症狀已經完全消除，仍須服用完所有處方，以免萬一細菌沒有完全消除，而造成復發或將來細菌產生抗藥性。

如果懷孕，對藥物過敏(尤其是盤尼西林類抗生素)，或者有胃腸道的毛病，如腸炎、腎臟病、潰瘍性結腸炎等等，醫師需要針對這些情況更為謹慎用藥，在使用此藥之前，應該事先通知醫師。

為了達到最佳的滅菌效果，此藥必須在血中達到固定的濃度，因此最好每天在相等的時間間隔下服藥。如一天服藥兩次，則應該每12個小時服用一次，不可忘記。

服用此藥後，有可能會降低口服避孕藥的作用，最好能同時使用其他避孕方法，譬如使用保險套等來避孕。

對於糖尿病病患而言，此藥可能會干擾某類尿液血糖測量的結果，因此在服用此藥之前，應該請教醫師，如何正確地測量血糖，或者如何適當地調整糖尿病藥物的劑量或飲食。

在極少數的情況下，服用此藥一陣子後，如有拉肚子的現象時，此可能是抗生素破壞了胃腸內細菌的平衡所引起的，因此不該自行服用止瀉藥物，如果使用了錯誤的藥物，有可能會使腹瀉更惡化。應該請教醫師，由他做適當的治療。

本藥為醫師針對病情所下的處方，如下次有類似的感染，雖然產生的症狀相同，但也許造成感染的病菌不同，服用此藥不見得有效，更有可能會延誤病情。因此必須經由醫師診斷及指示服藥，更不可將此藥留給他人使用。

☞副作用

此藥常見的副作用為：拉肚子、胃腸不適、惡心、嘔吐、頭暈。這些副作用，通常在服用藥物一陣子後，應該會漸漸消失。不過，如果這些副作用強到困擾你的程度，或者經過一段時間後，還不能完全消除，就應該通知醫師。

此藥較嚴重的副作用為：皮膚水腫、皮膚發紅、血壓下降、呼吸困難、陰道搔癢、喉嚨痛、發燒、發癢、腹部抽痛、嚴重的拉肚子。通常這些副作用發生的機率較低，但是如果發生時，此可能是藥物造成的不良反應，或者是劑量需要調整，應該盡快地通知醫師。

☞懷孕及哺乳

一般來講，此藥用於孕婦是安全的。但是，由於仍須更廣泛的醫學資料證明其安全性，當懷孕時，最好還是通知醫師。

少量的藥物會經由母乳到達嬰兒體內，可能會影響嬰兒腸內細菌的平衡，造成嬰兒拉肚子或腸胃不舒服，也有可能會造成過敏。因此，餵奶的母親最好使用其他的乳製品以取代母乳。如果要親自餵奶，就應該密切注意嬰兒的反應。

☞忘記用藥

如果忘記服藥，應該在記得時，立即服用。但是，如果距離下次服藥的時間太近，而又一天服藥兩次，就應該先服用所遺忘的藥物，然後等約5至6小時後，再服用下次的劑量。如果一天服藥3次以上，應該先服用所遺忘的藥物，然後等約3小時後，再恢復到下次正常服藥的時間，不可一次服用雙倍的劑量。

Cephalexin(賜福力欣)

商品名(台灣)

Casemycin®(大豐)
Cefalox®(永豐)
Ceflexin®(榮民)
Cephalin®(中化)
Cephamycin®(吉利)
Cephanmycin®(永信)
Cephaxin®(西德有機)
Cephslexin®(新東)
Ceporex®(葛蘭素)
Cpmycin®(華盛頓)
Felexin®(塞・Remedica)
Ibilex®(義・生化)
Ikodin®(瑞士)
Kanfuyen®(政德)
Keflex®(禮來)
Keflexin®(新東)
Kefolan®(南光)
Kidolex®(景德)
Liphalexin®(利達)
Lofaxin®(政德)
Lonflex®(聯邦)
Lopilexin®(必治妥)
Melex®(明治)
Newkefor®(新喜)
Ohlexin®(日・Ohta)
Ospexin®(澳・Biochemie)
Ospexin®(奧・生化)
Refexin®(瑞安)
Ronflow®(順生)
Salitex®(萬有)
Sawalexin®(日・Sawai)
Servispor®(汽巴嘉基)
Sinflex®(杏輝)
Sinlex®(信東)
Syncl SR®(日・Asahi)
Ulex®(優良)
Winlex®(溫士頓)

商品名(美國)

Biocef®(E.I)
Keflex®(Dista)
Keftab®(Dista)

☞藥物作用

本藥為一種「頭苞子菌」類的抗生素，它主要的作用是能破壞細菌的細胞壁，使細菌不能正常生長和繁殖，最後導致細菌的死亡。此藥可用於某些細菌所引起的感染，如呼吸道感染、中耳炎、骨骼發炎、胃腸道感染、尿道感染，和皮膚感染等等。此藥對於濾過性病毒，和黴菌或真菌所造成的感染無效。

☞用法

爲了增強藥物的吸收，最好在空腹的時候服用，譬如飯前一小時，或飯後兩小時。但是，如果覺得此藥對胃部的刺激過大，會造成胃部的不舒服，與食物或牛奶一起服用亦無多大的妨害。必要時可將此藥的膠囊打開來，或者將藥片壓碎服用。如果使用液體藥物時，每次在使用之前，應先將藥瓶輕微搖動，使藥物均勻分散，並使用有刻度的量杯或藥管，以量取正確的藥量。

☞注意事項

本藥的化學結構與盤尼西林類的抗生素極爲相似，如果對盤尼西林類的抗生素過敏的話，對此藥也可能會產生過敏，最好不要服用此藥。常用的盤尼西林類抗生素，包括Amoxicillin，Ampicillin，Augmentin，Penicillin VK等等。

服用此藥時，必須依照醫師的指示服完所有的處方(大約7至14天)，即使覺得感染的症狀已經完全消除，仍須服完所有處方的份量，以免細菌沒有完全消除，造成感染復發或細菌產生抗藥性。

如果懷孕，對藥物過敏(尤其是盤尼西林類抗生素)，或者有腸胃道的毛病，如腸炎、腎臟病、潰瘍性結腸炎等等，醫師需要針對這些情況謹慎用藥，因此在使用此藥之前，應該事先通知醫師。

爲了達到最佳滅菌效果，此藥必須在血中達到固定的濃度，因此最好每天在相等的時間間隔下服藥。如果一天服藥3次，則應該每8個小時服用一次；一天服藥4次，則應該每6小時服用一次；不過，如果一天服藥4次，而晚上起床服藥又有困難的話，則可將白天的時間做等量的分隔，然後再按此一間隔時間服用。

服用此藥後，有可能會降低口服避孕藥的作用，最好同時使用其他的避孕方法，譬如使用保險套等來避孕。

對於糖尿病病患而言，此藥可能會干擾某類尿液血糖測量的結果，因此在服用此藥之前，應該請教醫師，如何正確地測量血糖，或者如何適當調整糖尿病藥物的劑量或飲食。

在極少數的情況下，服用此藥一陣子後，如有拉肚子的現象時，可能是抗生素破壞了胃腸內細菌的平衡所引起的，不能自行服用止瀉藥物，如果使用了錯誤的藥物，有可能會使腹瀉更爲惡化，應該請教醫師，由他做適當的治療。

本藥爲醫師針對病情所下的處方，如果下次有類似感染，雖然症狀相同，但也許造成感染的病菌不同，服用此藥不見得有效，更有可能會延誤病情。因此必須經由醫師診斷及指示服藥，更不可將此藥留給他人使用。

☞副作用

此藥常見的副作用爲：拉肚子、腸胃不適、惡心、嘔吐、頭暈。這些副作用，通常在服用藥物一陣子後，應該會漸漸地消失。不過，如果這些副作用強到困擾你的程度，或者經過一段時間後，還不能完全消除，就應該通知醫師。

此藥較嚴重的副作用爲：皮膚水腫、皮膚發紅、血壓下降、呼吸困難、陰道搔癢、喉嚨痛、發燒、發癢、腹部抽痛、嚴重的拉肚子。通常這些副作用發生的機率較低，但是如果發生時，可能是藥物造成的不良反應，或者是劑量需要調整，應該盡快通知醫師。

☞懷孕及哺乳

一般來講，此藥用於孕婦是安全的。但是，仍須更廣泛的醫學資料證明其安全性，所以懷孕時，最好還是通知醫師。

少量的藥物會經由母乳到達嬰兒體內，可能會影響嬰兒腸內細菌的平衡，造成嬰兒拉肚子或腸胃不舒服，也有可能造成過敏反應。因此，餵奶的母親最好使用其他的乳製品以取代母乳。如果要親自餵奶，就應該密切注意嬰兒的反應。

☞忘記用藥

如果忘記服藥，應該在記得時，立即服用。但是，如果距離下次服藥的時間太近，而且是一天服藥兩次的話，就應該先服用所遺忘的藥物，然後等約5至6小時後，再服用下次的劑量；如果一天服藥3次以上，應該先服用所遺忘的藥物，然後等約3小時後，再恢復到下次正常服藥的時間，不可一次服用雙倍的劑量。

Cephradine(西華定)

商品名(台灣)

Anifradine®(日・Choseido)
Askacef®(美・SKB)
Cefadin®(生達)
Cefamid®(義・Gibipharma)
Cefradine®(日・Sawai)
Cekodin®(瑞士)
Citicef®(義・CT)
Eskacef®(美・SKB)
Lacef®(臺裕)
Lisacef®(義・Lisapharma)
Megacef®(韓・Dong)
Nakacef®(南光)
Recef®(瑞安)
Sefree®(汎生)
Sephros®(永信)
Unifradine®(聯邦)
U-Save®(優良)
Velosef®(必治妥)

商品名(美國)

Velosef®(Apothecon)

☞藥物作用

本藥為一種「頭苞子菌」類的抗生素,主要的作用是能破壞細菌的細胞壁,使細菌不能正常地生長和繁殖,最後導致細菌的死亡。此藥可用於某些細菌所引起的感染,如咽喉炎、中耳炎、扁桃腺炎、尿道感染,和皮膚感染等等。此藥對於濾過性病毒,和黴菌或真菌所造成的感染無效。

☞用法

為了增強藥物的吸收,最好在空腹時服用,譬如飯前一小時,或飯後兩小時。但是,如果覺得此藥對胃部的刺激過大,會造成胃部不舒服,與食物或牛奶一起服用亦無大礙。必要時可將膠囊打開來或者將藥片壓碎服用;如果是使用液體藥物時,每次在使用前,應先將藥瓶輕微搖動,使藥物能夠均勻分散,並用有刻度的量杯或藥管,以量取正確的藥量。

☞注意事項

本藥的化學結構與盤尼西林類的抗生素極爲相似，如果對盤尼西林類的抗生素過敏的話，對此藥也有可能產生過敏，最好不要服用此藥。常用的盤尼西林類抗生素，包括Amoxicillin，Ampicillin，Augmentin，Penicillin VK等等。

服用此藥時，必須依照醫師的指示服用完所有處方的藥物(大約7至14天)，即使覺得感染已經完全消除，仍須服用完所有處方的份量，以免萬一細菌沒有完全消除，而造成感染復發或將來細菌產生抗藥性。

如果懷孕，對藥物過敏(尤其是盤尼西林類抗生素)，或者有腎臟病、腸胃道的毛病，如腸炎、潰瘍性結腸炎等等，醫師需要針對這些情況謹慎用藥，因此使用此藥前，應該事先通知醫師。

爲了達到最佳的滅菌效果，此藥必須在血中達到固定的濃度，因此最好每天在相等的時間間隔下服藥。如果一天服藥3次，則應該每8個小時服用一次；一天服藥兩次，則應該每12個小時用一次，不可忘記服用。

服用此藥後，有可能會降低口服避孕藥的作用，最好能同時使用其他避孕方法，譬如使用保險套等來避孕。

對於糖尿病患而言，此藥可能會干擾某類尿液血糖測量的結果，因此在服用此藥之前，應該請教醫師，如何正確地測量血糖，或者如何適當地調整糖尿病藥物的劑量或飲食。

在極少數的情況下，服用此藥一陣子後，如有拉肚子的現象時，此可能是抗生素破壞了胃腸內細菌的平衡所引起的，因此不能自行服用止瀉藥物，如果使用了錯誤的藥物，有可能會使腹瀉更爲惡化，應該請教醫師，由他做適當的治療。

本藥爲醫師針對病情所下的處方，如果下次有類似的感染，雖然產生的症狀相同，但也許造成感染的病菌不同，服用此藥不見得有效，更有可能會延誤病情。因此必須經由醫師診斷及指示服藥，更不可將此藥留給他人使用。

☞副作用

此藥常見的副作用爲：拉肚子、腸胃不適、噁心、嘔吐、頭暈，這些副作用，通常在服藥一陣子後，由於身體漸漸地習慣了此一藥物的作用，應該會漸漸地消失。不過，如果這些副作用強到困擾你的程度，或者經過一段時間後，還不能完全消除，就應該通知醫師。

此藥較嚴重的副作用爲：皮膚水腫、皮膚發紅、血壓下降、呼吸困難、陰道搔癢、喉嚨痛、發燒、發癢、腹部抽痛、嚴重的拉肚子。通常這些副作用發生的機率較低，但是如果發生時，可能是藥物造成的不良反應，或者是劑量需要調整，應該盡快通知醫師。

☞懷孕及哺乳

一般來講，此藥用於孕婦是安全的。但是，仍須更廣泛的醫學資料證明其安全性，所以懷孕時，最好還是通知醫師。

少量的藥物會經由母乳到達嬰兒體內，可能會影響嬰兒腸內細菌的平衡，造成拉肚子或腸胃不舒服，也有可能會造成過敏。因此，餵奶的母親最好使用其他的乳製品以取代母乳。如果要親自餵奶，就應該密切注意嬰兒的反應。

☞忘記用藥

如果忘記服藥，應該在記得時立即服用。但是，如果距離下次服藥的時間太近，而又是一天服藥兩次的話，就應該先服用所遺忘的藥物，然後等約5至6小時後，再服用下次的劑量；如果一天服藥3次以上，應該先服用所遺忘的藥物，然後等約3小時後，再恢復到下次正常服藥的時間，不可一次服用雙倍的劑量。

Chloral Hydrate(水合三氯乙醛)

商品名(台灣)

此藥未在台銷售。

商品名(美國)

Noctec®(Squibb)

☞藥物作用

本藥為一種短期使用的「安眠及鎮靜劑」。它能幫助失眠的人安睡，可以幫助病人消除手術前後所造成的緊張不安，同時可以用來治療戒酒的人，戒酒後所產生情緒的緊張或不安。

☞用法

此藥應該在睡前服用。通常此藥在15分鐘內，就能產生想睡覺的感覺，大約服用一小時後便能安然入睡。使用此膠囊時，最好能整顆與水一起服用；如果有吞嚥困難時，可將膠囊打開服用；如使用的是液體藥物時，應該先將藥物用水或果汁混合後，再服用。

本藥另外有肛門栓劑，其使用的方法請參見頁5。

☞注意事項

此藥的作用相當得快，通常在15至30分鐘內就能安睡，因此，應該在睡前才服用，並且在服藥後，應該避免從事需要注意力集中或操作危險的機械。

如果懷孕，對藥物過敏，或者有心臟疾病、肝臟疾病、胃炎、腎臟病等等，醫師需要針對這些情況謹慎用藥，因此在使用前，應該先通知醫師。

此藥以短期使用爲主，如果長期服用，可能會造成成癮性或依賴性；同時對身體的作用，也可能會隨著使用次數的增加，而漸漸地減弱，最後導致不斷地增加劑量才能達到安睡效果。

長期大量服用此藥後，不能突然停藥，因爲突然停藥有可能會產生焦慮、肌肉顫抖、虛弱、頭暈、惡心、嘔吐、失眠、視覺模糊等等的戒斷症狀。應該遵循醫師的指示，漸漸地降低服藥的劑量或次數，然後再停藥。

此藥具有極大的思睡作用，即使前晚服用此藥，思睡的副作用也可能會持續到第二天。除非已經適應了，否則第二天開車或操作危險機械時，應該格外小心謹慎。酒精會增加此藥思睡的副作用，應當避免服用任何含有酒精的飲料。

安眠藥、肌肉鬆弛劑、鎮靜劑、抗過敏藥、抗抑鬱藥、止痛藥、感冒藥等等，這些都有可能會增加此藥思睡的副作用。同時服用這些藥物時，應當特別注意彼此增加思睡的相乘效果。

無論失眠的原因是心理或身體狀況所引起的，如果連續服用此藥超過10天以上，就代表失眠的病況較爲嚴重，或者身體的狀況需要進一步的診斷，應該盡快通知醫師。服用此藥幾個星期以後，如果覺得藥效沒有以前好時，不可自行增加服藥劑量。因爲此藥具有成癮性，長期大量服用會上癮。應該通知醫師，他也許會考慮改換其他藥物取代。

使用肛門栓劑時，如果覺得過於柔軟，不易插入肛門內，可先將栓劑連同包裝紙放入冰箱內冷凍一陣子，或在使用前先用冷水沖淋兩三分鐘，然後將包裝紙撕開。並在栓劑頂端用水稍微濕潤一下，應該有助於肛門的插入。

☞副作用

此藥常見的副作用爲：白天想睡覺、腸胃不適、排氣增加、惡心、頭痛等等，這些副作用，通常在服用藥物一陣子後，身體漸漸習慣了此一藥物，這些症狀應該會漸漸消失。不過，如果這些副作用強到困擾你的程度，或者經過一段時間後，還不能完全消除，就應該通知醫師。

此藥較嚴重的副作用爲：心跳變慢、幻覺、皮膚或眼睛發黃、皮膚發紅發癢、呼吸困難、極度疲倦、精神恍惚等等，通常這些副作用發生的機率較低，但是如果有症狀發生時，可能是藥物造成的不良反應，或者是劑量需要調整，應該盡快通知醫師。

☞懷孕及哺乳

此藥對懷孕初期孕婦的影響，並無完全的資料。但由於此藥可經由胎盤到達胎兒體內，孕婦如果在懷孕後期長期大量服用的話，可能會造成胎兒上癮，出生後產生緊張不安、顫抖、哭鬧不安等等戒斷症狀。當懷孕時，最好能通知醫生，他會衡量狀況，決定是否應該服藥。

此藥會經由母乳到達嬰兒體內，可能會造成新生兒過度安睡。餵奶的母親，最好使用其他的乳製品以取代母乳。如果要親自餵奶，就應該密切注意嬰兒的反應。

☞忘記用藥

此藥只有在失眠，而且覺得有需要的時候才服用。如果當天晚上忘記服藥，時間不超過一小時，可立即服用，但是如果睡著了，或是第二天早晨才記起來的話，就應該捨棄所遺忘的藥物。如果第二天晚上仍然失眠時，只可服用一次的藥物，千萬不可服用加倍的劑量。

Chlordiazepoxide(氯二氮平)

商品名(台灣)

Adjust®(東洲)
Anaten®(福元)
Angelin®(尼斯可)
Antin®(三東)
Balance®(山之內)
Dertin®(永吉)
Dipoxido®(強生)
E-Chun®(南都)
Honcalm®(應元)
Libitim®(成大)
Libmin®(井田)
Librium®(羅氏)
Libtin®(好漢賓)
Libuiu®(應元)
Libulin®(永信)
Livarium®(中央)
Lumrin®(順生)
Metobrim®(國際)
Pinrijin®(元澤)
Poxide®(金馬)
Ribrin®(杏輝)
Rinul®(居禮)
Riprim®(民德)
Rotouzin®(十全)
Sedarium®(信東)
Sugent®(民大)
Suil®(永新)
Swunderpin®(杏林)
Taee®(強生)
Zunchin®(道濟)

商品名(美國)

Libritabs®(Roche)
Librium®(Roche)

☞藥物作用

本藥爲一種短期使用的「抗焦慮」藥，可用於解除精神的焦慮及緊張，以及緩和戒酒者因爲戒酒所引起的顫抖、情緒不安和激動。

☞用法

本藥通常是一天服用1到4次，由於此藥不受食物的影響，因此空腹或者與食物一起服用均可。必要時候，此藥的膠囊可打開，藥片可以壓碎服用。

☞注意事項

此藥會產生想睡覺及頭暈的感覺，尤其是剛開始服藥的期間，除非已經適應了此藥，當開車或操作危險機械時，應該格外小心謹慎。酒精會增加此藥思睡的副作用，應當避免服用或限制酒量。

如果懷孕，對藥物過敏，經常飲用大量的酒，或者有肝臟疾病、肺氣腫、青光眼、重症肌無力症、氣喘、腎臟病、癲癇、嚴重的精神沮喪等等，醫師需要針對這些情況謹慎用藥，因此使用此藥之前，應該先通知醫師。

安眠藥、肌肉鬆弛劑、鎮靜劑、抗過敏藥、感冒藥、抗抑鬱藥、止痛藥等，這些藥物都可能會增加此藥思睡的副作用，同時服用時，應當特別注意其思睡的相乘效果。

長期大量服用此藥的話，可能會造成成癮性或依賴性，因此應該完全遵照醫師的指示服藥，千萬不可服用超過醫師所處方的劑量或使用的時間。經過一段時間服藥後，此藥的作用可能會漸漸減弱，當此一現象發生時，應該徵求醫師的指示，他也許會考慮改用其他藥物，但是千萬不可自行增加服藥的劑量。

老年人對此藥頭暈及運動失調的副作用較一般人敏感，因此服用此藥後，走路、爬樓梯，或運動時應該格外小心謹慎，以免摔倒而導致骨折。

經過3至4個月服用此藥後，不能突然停藥，因爲突然停藥有可能會導致戒斷症狀的發生。如果要停藥的話，應該遵循醫師的指示，漸漸降低服藥的劑量或次數，然後再停藥。

在服藥期間有便秘發生的話，就應該多食用蔬菜或水果等來幫助消化，並且在許可下，多做運動或飲用多量的水分。服用此藥後也許會產生口渴的現象，但是如果能夠含一塊冰塊或糖果的話，應該可減少此一副作用。

剛開始服用此藥時，可能會產生頭昏眼花的感覺，尤其是突然站立或坐起時，不過如果能夠緩慢站立或坐起，應該會減少此一現象。

☞副作用

此藥常見的副作用爲：口乾、小便困難、下痢、思睡、便秘、疲倦、惡心、發抖、視覺模糊、嘔吐、頭痛、頭暈目眩等，這些副作用，通常在服用藥物一陣子後，應該會漸漸消失。不過，如果這些副作用強到困擾你的程度，或者經過一段時間後，還不能完全消除，就應該通知醫師。

此藥較嚴重的副作用爲：手腳及眼睛有不能自主的運動、幻覺、皮膚有不正常的瘀傷或塊狀的青紫色、皮膚起紅疹或發癢、眼睛及皮膚發黃、發冷及喉嚨疼痛、發燒、極端疲倦、精神不尋常的興奮、精神恍惚或沮喪。通常這些副作用發生的機率較低，但是如果發生時，可能是藥物造成的不良反應，或者是劑量需要調整，應該盡快通知醫師。

☞懷孕及哺乳

孕婦於懷孕的前三個月服用此藥，有造成胎兒缺陷的可能。同時此藥具有成癮性，孕婦於懷孕的最後六個月服用此藥，有可能會造成新生兒緊張不安、睡眠不穩定、顫抖等的戒斷症狀；於懷孕的最後一個星期服用此藥，則可能造成嬰兒出生後過度安眠、心跳減慢及呼吸困難等現象。因此，除了有絕對的需要，並且經由醫師同意外，孕婦應該避免服用此藥。

此藥會經由母乳到達嬰兒體內，有可能會造成新生兒過度的安睡、心跳減慢，及呼吸困難。餵奶的母親應該考慮使用其他的乳製品以取代母乳。

☞忘記用藥

如果忘記服藥，時間不超過一小時，就應該立即服用；如果時間超過一小時，就應該捨棄此次的藥物，恢復到下次正常服藥的時間，千萬不可一次服用雙倍的劑量。

Chlorpromazine(氯普麻)

商品名(台灣)

Anrimin®(好漢賓)
Antomin®(東洲)
Chlormazine®(利達)
Chlorzine®(正氏)
Chlorzine®(回春堂)
Clodnin®(明德)
Coliman®(培力)
Comtrazine®(漢堡)
Contomim®(武田)
Fuazine-S®(強生)
Hatomazin®(恆信)
Newtamin®(中菱)
Pantin®(美西)
Promazine®(金馬)
Reizer®(福元)
Sintomin®(信東)
Solargin®(人人)
Winhoamin®(中央)
Winsumin®(強生)
Wintermin®(鹽野義)

商品名(美國)

Thorazine®(SKF)

☞藥物作用

本藥為一種「止吐」及治療「精神病」的藥物，可以抑制腦部的嘔吐中心，可以防止手術後或癌症化學治療後所引起的惡心及嘔吐。它可以平衡腦部某些化學物質，以控制精神病人嚴重的精神失常，如情緒緊張、精神恍惚或幻想等等。此藥另一個作用，就是可用來治療不間歇的打嗝。

☞用法

本藥最好與食物一起服用以減輕對胃部的刺激，但是切忌與酒精類飲料一起服用。使用制酸劑時，最好與此藥相隔至少一小時。本藥分為普通藥片及持續型釋放膠囊兩種，如有必要時，此藥之藥片可以壓碎服用，但是持續型膠囊應整粒吞服，不可咀嚼或壓碎服用。

☞注意事項

此藥會造成極大的思睡副作用，除非已經適應了，否則開車或操作危險機械時，應該格外小心謹慎。另外，酒精會增加此藥思睡的副作用，應當避免或限制酒量。

如果懷孕，對藥物過敏，經常飲用大量的酒，或者有支氣管炎、心臟疾病、血液方面的疾病、肝臟疾病、青光眼、前列腺腫大、氣喘、排尿困難、癲癇病等等，醫師需要針對這些情況謹慎用藥，因此在使用之前，應該先通知醫師。

安眠藥、肌肉鬆弛劑、鎮靜劑、抗過敏藥、感冒藥、抗抑鬱藥、止痛藥等等，這些藥物都有可能會增加此藥思睡的副作用，同時服用這些藥物時，應當特別注意彼此增加思睡的相乘效果。

長期大量服用此藥後，不能突然停藥，因爲突然停藥有可能會產生心跳過快、失眠、頭痛、惡心、嘔吐、顫抖，並有可能使病症惡化。應該遵循醫師的指示，漸漸降低服用劑量或次數，然後再停藥。

長期大量服用本藥後，可能會增加皮膚對陽光的敏感性，如果在陽光下曝曬太久，有可能會導致皮膚顏色加深，因此應盡量避免陽光的直接曝曬，並穿著長袖衣物，以保護皮膚。此藥也會使眼睛對陽光敏感，如果能於陽光下戴太陽眼鏡，應該會使眼睛感覺較爲舒適。

此藥會降低身體正常的排汗及散熱的能力，應該避免在陽光下及過熱的地方太久，同時，洗澡時也應該避免水溫太熱，以免散熱不良及血壓下降而造成暈倒。

長期服藥後，如果頭部、臉部，或頸部產生重複而且不能控制的運動，就應當盡快通知醫師。

制酸劑以及止瀉劑可能會降低此藥的作用，因此服用制酸劑、止瀉劑時，應該與此藥至少相隔約一兩小時。

在服藥期間，有便秘發生的話，就應該多食用蔬菜或水果等幫助消化，並且在許可下，多做運動或飲用多量的水分。服用此藥後會有口渴現象，可含一塊冰或吃一塊糖以減少此一副作用。

此藥會改變尿液的顏色，產生紅棕或粉紅的顏色，這是正常的現象，不需要因此而停止或中斷服藥。

如果服用此藥是要治療精神方面的疾病，可能需要經過幾個星期的時間才可達到療效，不可因爲頭一兩星期覺得沒有藥效而自行停藥。

如果服用的是糖漿，應該避免藥物接觸到衣物或皮膚，以免造成皮膚的刺激及紅腫。

☞副作用

此藥常見的副作用爲：不安、月經不規則、口乾、拉肚子、便秘、疲倦、視覺模糊、想睡覺、鼻塞、顫抖等等，這些副作用，通常在服用藥物一陣子後，應該會漸漸消失。不過，如果這些副作用強到困擾你的程度，或者經過一段時間後，還不能完全消除，就應該通知醫師。

此藥較嚴重的副作用爲：心絞痛、心跳突然加快、皮膚出現不正常的瘀傷、皮膚或眼睛發黃、呼吸困難、咽喉痠痛、臉部或四肢不能自主地運動等。通常這些副作用發生的機率較低，但是如果發生時，可能是藥物造成的不良反應，或者是劑量需要調整，應該盡快地通知醫師。

懷孕及哺乳

雖然此藥曾被用來治療孕婦的惡心、嘔吐，但是其安全性並未完全建立。曾有資料指出，孕婦於接近生產前服用此藥，有可能會造成血壓突然下降而危害到胎兒的安全，同時也可能會造成新生兒黃疸及肌肉顫抖等現象；不過，也有資料指出在短期低劑量使用的情況下，孕婦服用此藥是安全的。懷孕期間如果要服用此藥的話，必須確實遵照醫師的指示服用。

此藥會經由母乳吸收入嬰兒體內，可能會造成新生兒過度的安睡和不正常的肌肉運動，因此，餵奶的母親應該考慮使用其他乳製品，以取代母乳。

☞忘記用藥

如果忘記服藥的話，應該在記得時，立即使用。並將當天未用完的劑量，依照相等的時間間隔使用完。但是，如果距離下次用藥的時間太近，就應該捨棄此次的藥物，恢復到下次正常用藥的時間，千萬不可一次使用雙倍的劑量。

Chlorthalidone(氯薩利酮)

商品名(台灣)

Hygroton®(汽巴嘉基)

商品名(美國)

Hygroton®(Rorer)
Thalitone®(Horus)

☞藥物作用

本藥爲一種「利尿劑」，可以用來預防高血壓、消除水腫，以及預防充血性心衰竭。如果體內含過多的水分，將會增加血管內部壓力，造成水腫或高血壓，甚至心臟因爲長久的負荷，而產生衰竭。此藥的作用，就是能夠幫腎臟，將體內多餘的水分，經由尿液排出，而達到治療目的。

☞用法

此藥通常一天服用一次或隔天服用一次。由於是一種利尿劑，如果在睡前服用的話，可能會因夜晚起床小便而干擾睡眠，同時爲了避免藥物可能對胃部的刺激，最理想的服藥時間，應該是用完早餐以後。如有必要時此藥的藥片可以壓碎服用。

☞注意事項

如果使用此藥的目的，是用來治療高血壓的話，本藥只能控制血壓，並不能治癒高血壓。服用此藥後，必須經過幾個星期的時間，才能將血壓慢慢降下來。爲了達到完全的降壓效果，必須每天固定服用此藥，即使血壓已經控制穩定，也不可忘記或不服藥。

如果懷孕，對藥物過敏(尤其是對磺胺藥過敏)，或者有肝臟疾病、紅斑性狼瘡、腎臟病、痛風、糖尿病等等，醫師需要針對這些情況謹慎用藥，因此在使用此藥之前，應該先通知醫師。

市面上許多治療過敏、鼻塞、咳嗽、感冒，以及減肥的成藥中，經常含有會使血壓升高的成分。因此，爲了避免造成血壓突然地升高，當服用此類藥物之前，應該先諮詢醫師或藥師。

此藥會增加小便的次數，如果在夜晚服用的話，可能會因爲多次起床小便而影響到正常的睡眠時間。因此，最後一次服藥的時間，最好安排於晚上6點以前。

長期服用此藥後，會使體內的鉀離子含量降低，造成口渴、虛弱、肌肉無力或抽筋、心跳不規則等等。因此，醫師可能會要求患者多吃含鉀量高的食物，如香蕉、橘子水等等，或者直接服用含鉀的藥物以補充。如果長期服用此藥，應該詢問醫師如何補充鉀離子。

食用低鹽食物，可以增加本藥降血壓的效果，因此，應該遵循醫師的指示，控制食物中鹽的含量。

剛開始服用此藥的時候，小便的次數及數量都會增加，也許會有極端疲倦的感覺，通常此一現象在幾天後應該會漸漸地減少。如果此一現象經過一陣子後仍然不能消除，就應該通知醫師。

此藥可能會引起頭暈目眩，尤其是早上剛起床的時候。如果能緩慢地起身或站立，應該可以減緩此一現象。另外，爲了避免此一副作用，應該避免站立太久、避免飲用大量的酒、不要在太陽下做太激烈的運動，以及洗太熱的熱水澡等等。

本藥會增加皮膚對陽光的敏感性，如果在陽光下曝曬太久，有可能會導致皮膚的灼傷或過敏，和造成脫水，因此應該盡量避免陽光直接曝曬，同時穿著長袖衣物，以保護皮膚。

此藥可能會使血糖升高，因此糖尿病患者，應該更密切測量自己尿液或血液中糖的含量。若要拔牙或動手術時，應該事先通知醫師有服用此藥。

☞副作用

此藥常見的副作用爲：皮膚對光的敏感度增加、性欲降低、拉肚子、胃口降低、腸胃不適、頭暈目眩，這些副作用，通常在服用藥物一陣子後，應該會漸漸消失。不過，如果這些副作用強到困擾你的程度，或者經過一段時間後，還不能完全消除，就應該通知醫師。

此藥較嚴重的副作用爲：心跳不正常、皮膚起紅疹或有不正常流血、皮膚發紅、肌肉抽筋或疼痛、情緒或精神狀況改變、發熱或發冷、發癢、極端虛弱、腹痛、精神恍惚。通常這些副作用發生的機率較低，但是如果發生時，可能是藥物造成的不良反應，或者是劑量需要調整。應該盡快地通知醫師。

☞懷孕及哺乳

目前爲止，尙無動物實驗顯示此藥會造成胎兒生長缺陷或損傷。然而，由於此藥會經由胎盤到達胎兒體內，可能會造成胎兒出生後黃疸、貧血、低血糖或血液凝固方面的問題。因此，除非經由醫師許可外，孕婦應該避免服用此藥。

少量藥物會經由母乳到達嬰兒體內，爲了避免藥物可能造成對新生兒的不良影響，餵奶的母親應該考慮使用其他的乳製品以取代母乳。

☞忘記用藥

如果忘記服藥，應該在記得時，立即服用。但是，如果距離下次服藥的時間太近，就應該捨棄此次的藥物，恢復到下次正常服藥時間，千萬不可一次服用雙倍的劑量。

Cholestyramine(可利特拉明)

商品名(台灣)

Cholemin®(皇佳)　Cholestamin®(濟生)　Semide®(順生)
Choles®(世達)　Questran®(必治妥)

商品名(美國)

Questran®(Bristol)

☞藥物作用

本藥爲一種降低「膽固醇」的藥物。如果有太多的膽固醇或脂肪積聚血管中，會使血管阻塞，血液不能順暢地在血管中流通。由於血液不流通，將會使血液運送氧氣的能力降低，造成體內氧氣的缺乏，而導致許多病變，如高血壓、心臟病、心絞痛、腦中風等等，本藥亦可用來紓解黃疸所引起的皮膚搔癢。

☞用法

使用此藥之前，應先將此粉狀的藥物與大約100至200cc.的水或果汁混合，然後於飯前或與食物一起服用。此藥在沒有食物的情況下使用效果較差，因此，應該避免在空腹的時候使用。爲了避免此藥會哽住喉嚨，絕對不可直接將此粉狀藥物吞服入胃。

☞注意事項

在服用此藥的前一小時，或者是服用此藥後的4個小時內，應該避免服用其他的藥物，因爲此藥可能會於腸胃吸附其他的藥物，而造成其他藥物的藥效降低。

如果懷孕，對藥物過敏，或者有不正常流血的症狀、心臟病、甲狀腺疾病、便秘、胃潰瘍、痔瘡、腎臟疾病、膽結石或膽囊疾病等等，醫師需要針對這些情況更謹慎，因此在使用此藥之前，應該事先通知醫師。

本藥為一種粉狀的顆粒，使用時不可直接倒入口中服用，因為這樣對老人極易發生哽塞或窒息。在服用時，應該先倒入約120cc.的開水或果汁中，攪拌均勻，然後再服用。

此藥只能用來控制膽固醇過高，並不能根治此一病症。為了更有效降低膽固醇，除了定期服藥外，仍舊需要遵循醫師的指示，食用低脂肪的食物、做適當的運動，及減輕體重等等，才能達到穩定膽固醇的效果。

長時間服用此藥後，除了醫師許可外，不可突然停止服藥。突然的停藥，有可能會造成膽固醇突然升高。另外，由於此藥會吸附其他的藥物，使其藥效降低。突然停止使用此藥後，其他的藥物因為喪失了此藥的吸附作用，其效力可能會異常地升高，甚至可能會因藥效過強而造成危險。

膽固醇過高、高血壓、糖尿病、過度的肥胖、吸煙等等，這些都是造成血管硬化，導致中風及心臟病發作的主要因素。因此應該遵循醫師的指示，戒煙酒，食用低鹽量、低脂肪的食物，以及使用適當的藥物以控制高血壓、糖尿病、及膽固醇過高等等。

此藥可能會造成便秘，或者使便秘更嚴重，如果有此現象發生時，除了醫師特別禁止外，可飲用多量的水分，及食用含多纖維的食物。如果便秘情況繼續惡化的話，就應該通知醫師，他會進一步評估是否要停藥，或者要求服用一些幫助排便的藥物。

在服用藥物期間，醫師會定期要求驗血以測量肝功能是否正常，以及體內膽固醇的含量以適當地調整服藥劑量。患者應該依照醫師的指示，定期到醫院或診所做血液的檢驗。

在拔牙或動手術之前，應該事先通知醫師有服用此藥。

☞副作用

此藥常見的副作用為：打嗝、拉肚子、胃痛、消化不良、胸口灼熱、噁心、腹脹、嘔吐、頭痛、頭暈。這些副作用，通常在服用藥物一陣子後，應該會漸漸消失。不過，如果這些副作用強到困擾你的程度，或者經過一段時間後，還不能完全消除，就應該通知醫師。

此藥較嚴重的副作用爲：嘔吐、糞便變黑、嚴重的便秘、嚴重的腹痛或惡心。通常這些副作用發生的機率較低，但是如果發生時，可能是藥物造成的不良反應，或者是劑量需要調整，應該盡快地通知醫師。

☞懷孕及哺乳

一般來講，此藥並不會吸收入孕婦的血液中，對胎兒的影響應該是有限的。不過，由於此藥會吸收孕婦體內油溶性的維他命，譬如維他命A、D、E、K與葉酸。如果孕婦長期使用此藥的話，可能會造成胎兒維他命的補給不足，導致對胎兒的不良影響。如果服藥期間懷孕，最好還是遵照醫師的指示服藥。

此藥並不會經由母乳到達新生兒體內，對嬰兒來講是極安全的。但是，此藥會降低母乳中維他命的含量，餵奶的母親最好使用其他乳製品，以取代母乳。

☞忘記用藥

如果忘記服藥，應該在記得時，立即服用。但是，如果距離下次服藥的時間太近，就應該捨棄此次的藥物，恢復到下次正常服藥的時間，千萬不可一次服用雙倍的劑量。

Cimetidine(希美得定)

商品名(台灣)

Acinil®(丹・GEA)
Agastrin®(景德)
Apo-Cimetidine®(加・Apotex)
C.M.T®(寶齡富錦)
Ciketin®(聯邦)
Cimedin®(信東)
Cimedine®(永豐)
Cimetin®(強生)
Cimetine®(派頓)
Citamet®(元宙)
Citidine®(元宙)
Citius®(西・Prodes)
Civigen®(健康)
Ciweitin®(信東)
Ciwei®(華興)
Ciwidine®(好漢賓)
Ciyanlin®(三東)
Cowemin®(井田)
Da Con Wei®(中美)
Derziqu®(明大)
Funwihu®(成大)
Gastomet®(培力)
Gastrodin®(優良)
Gawei®(優生)
Iscan®(信隆)
Megato®(政德)
N-Way®(明德)
Paoweian®(正和)
Pawegon®(永勝)
Stogamet®(瑞士)
Suweilin®(新東)
Swega®(黃氏)
Tacreton®(中央)
Tagadin®(東洋)
Tagamet®(美・SKB)
Tagatidine®(明德)
Tagawei®(優生)
Taget®(壽元)
Tawemet®(金田)
Tigawet®(合誠)
Weisu®(世達)
Wergen®(永吉)
Wetidine®(林化學)
Wintidine®(溫士頓)

商品名(美國)

Tagamet®(SKF)
Tagamet HB®(SKF)

☞藥物作用

本藥為一種「抑制胃酸分泌」的藥物。胃潰瘍的發生，往往是由於胃分泌過量的胃酸，導致胃部或食道因為胃酸的刺激而產生潰爛的現象。此藥能抑制胃酸的分泌，漸少胃部的刺激，而使胃潰瘍得以漸漸康復。

☞用法

本藥可空腹或與食物一起服用，但是，如果能於飯後服用的話，則可達到最好的效果。此藥通常一天服用1到4次，如果一天服藥一次，可安排於睡前給藥；一天服藥兩次，可安排於早餐後和睡前給藥；一天服藥3到4次，則可安排於三餐飯後和睡前給藥。必要時，此藥的藥片可以壓碎服用，不過由於含有苦味，最好將其與果汁或冰淇淋混合服用。如使用的是液體藥物時，每次在使用之前，應先將藥瓶輕微搖動，使藥物能均勻分散，並使用有刻度的量杯或藥管，以量取正確的藥量。

☞注意事項

服用此藥後，可能會產生輕微頭暈目眩，尤其是在剛開始服藥期間。因此，在尚未完全適應此藥之前，當開車或操作危險機械時，必須小心謹慎。

如果懷孕或對藥物過敏，醫師會針對這些情況謹慎用藥，因此在使用此藥之前，應該事先通知醫師。另外，由於此藥會經肝臟分解，由腎臟排出，因此如果有肝臟或腎臟方面的問題，應該事先通知醫師。

市面上許多治療頭痛、關節痛，和肌肉痛等止痛藥物，對於胃部會產生極大的刺激，也許會使胃潰瘍更爲惡化。因此在使用此類藥物之前，應該詢問醫師或藥師，何種藥物對胃部最不會造成傷害。

服用此藥期間，最好能戒煙酒，因爲這些都有可能會妨礙潰瘍的康復。同時也應該避免服用辛辣等刺激胃壁的食物。

通常在服用此藥一兩個星期後，胃潰瘍的症狀，應該會得到相當程度的改善，但是不可因爲覺得潰瘍已經痊癒，或者胃不痛就停止服藥。應該依照醫師指示完成整個服藥的過程，對於某些程度的潰瘍，也許需要6至8個星期的時間才可完全痊癒。

爲了更有效治療胃痛或胃潰瘍，醫師也許會要求同時服用另外一種制酸劑。但是制酸劑會降低此藥的療效，因此同時使用此兩種藥物時，兩者使用的時間至少應該相隔一至兩小時。

此藥可能會與Warfarin(一種抗凝血藥物)產生不良反應。由於此藥會阻礙Warfarin於肝臟的代謝及排出體外，有可能造成該藥物在體內的積聚，因而皮膚產生青紫色的瘀傷或斑點，甚至造成流血的現象。使用的劑量愈高或時間愈久，造成此藥物的不良作用就愈大。使用此藥的期間，如果同時服用上述抗凝血的藥物，就應該通知醫師，他也許會考慮改換另外一種胃潰瘍藥以取代本藥。另外，由於此藥會干擾許多藥物的作用，因此服用任何藥物之前，無論是成藥或處方藥，最好能夠事先徵求醫師或藥師的意見。

☞副作用

此藥常見的副作用爲：肌肉或關節痛、拉肚子、噁心、想睡覺、嘔吐、頭痛、頭暈。這些副作用，通常在服用藥物一陣子後，應該會漸漸地消失。不過，如果這些副作用強到困擾你的程度，或者經過一段時間後，還不能完全消除，就應該通知醫師。

此藥較嚴重的副作用爲：心跳突然加快、幻覺、皮膚出現不正常青紫色瘀傷、皮膚發紅、乳房脹痛、性欲降低、掉髮、喉嚨痠痛或發燒、發腫、發癢等等。通常這些副作用發生的機率較低，但是如果發生時，可能是藥物造成的不良反應，或者劑量需要調整，應該盡快地通知醫師。

☞懷孕及哺乳

根據動物實驗顯示，在正常劑量下，此藥尙不至於造成胎兒損傷，然而動物實驗的結果並不完全與人類的反應相同。因此懷孕應該通知醫師，他會根據狀況，決定是否應該服藥。

少量的藥物會經由母乳到達嬰兒體內，但是目前爲止，尙無報告顯示會造成嬰兒的不良反應。不過，此藥有可能會減少嬰兒胃酸的分泌以及與嬰兒所服用藥物產生相互作用，因此餵奶的母親在使用期間，最好使用其他乳製品，以取代母乳。

☞忘記用藥

如果是定期服用此藥，應該在記得時，立即服用。但是，如果距離下次服藥的時間太近，就應該捨棄此次的藥物，恢復到下次正常服藥的時間，千萬不可一次服用雙倍的劑量。

Ciprofloxacin(塞普弗沙辛)

商品名(台灣)

Ciprocin®(信東)
Ciproxin®(拜耳)
Suxen®(永信)

商品名(美國)

Cipro®(Miles)

☞藥物作用

本藥為一種"Quinolone"(崑)類的抗生素，主要的作用是能破壞細菌遺傳基因所須的一種物質，使細菌不能正常地生長和繁殖，最後導致細菌的死亡。此藥為一種強力及廣效的抗生素，可用於某些細菌所引起的感染，如呼吸道、骨骼、關節、尿道、眼睛感染、皮膚感染，以及肺炎和細菌所引起的腹瀉等等。

☞用法

本藥可空腹或與食物一起服用，不過為了增強藥物的吸收，使用本藥時，最好在空腹的時候，譬如飯前一小時，或飯後兩小時。服用此藥後，應該飲用一大杯水，以減輕藥物可能對腎臟的副作用。如果同時使用制酸劑時，應該與此藥至少相隔兩小時的時間。必要時，此藥的藥片可以壓碎服用。

☞注意事項

服用此藥後，可能會產生輕微頭暈目眩，尤其在剛開始服藥期間。因此，在尚未完全適應此藥之前，當開車或操作危險機械時，必須小心謹慎。

如果懷孕，對藥物過敏，或者有肝臟疾病、腎臟病、腦部病變、腸道發炎，如結腸炎、癲癇症等等，醫師需要針對這些情況謹慎用藥，因此在使用此藥之前，應該事先通知醫師。

服用此藥時，必須依照醫師的指示服完所有的處方(大約7至14天)，即使覺得症狀已經完全消除，仍須服用完所有的處方，以免感染復發，或將來細菌產生抗藥性。

本藥爲醫師針對病情所下的處方，如果下次有類似的感染，雖然產生的症狀相同，也許感染的病菌不同，服用此藥不見得有效，更有可能會延誤病情。因此必須經由醫師的診斷及指示服藥，更不可將此藥留給他人使用。

爲了達到最佳的滅菌效果，此藥必須在血中達到固定的濃度，因此最好每天在相等的時間間隔下服藥。如一天服藥兩次，則每12個小時用一次，譬如早晨7點及晚上7點各服用一次，不可忘記。

服用此藥後，應該避免飲用咖啡或茶。因爲這類飲料可能會加強此藥所導致的失眠、神經緊張、心跳增加及焦慮等等副作用。

本藥會增加皮膚對陽光的敏感性，如果在陽光下曝曬太久，有可能會導致灼傷或過敏，應該盡量避免陽光直接曝曬，並同時穿著長袖類衣物，以保護皮膚。

服用此藥一陣子後，如有拉肚子時，此可能是抗生素破壞了腸胃內細菌平衡所引起的，因此不該自行服用止瀉藥物，如果使用了錯誤藥物，有可能會使腹瀉更惡化。應該請教醫師，由他做適當的治療。

此藥可能會與其他藥物產生不良作用，因此同時服用時，無論服用的是成藥或處方藥，最好先徵求醫師或藥師的意見。

爲了降低藥物產生腎結石的副作用，除了醫師特別指示外，每天必須服用大約8杯(每杯約250cc.)的開水。制酸劑、綜合維他命、含鐵或礦物質等製劑，可能會降低此藥的吸收，服用此類藥物時，應該至少與此藥相隔約兩小時的時間。

此藥爲一種強而廣效的抗生素，女性長期服用此藥後，可能會殺死陰道內某類的細菌，造成其他真菌類或黴菌過度的繁殖，間接地影響到陰道內微生物生態的平衡，可能會造成陰道的搔癢，如果有此現象發生時，就應該通知醫師。

☞副作用

此藥常見的副作用爲：拉肚子、腸胃不適或疼痛、惡心、想睡覺或失眠、嘔吐、精神緊張、頭痛、頭暈目眩，這些副作用，通常在服用藥物一陣子後，應該會漸漸消失。不過，如果這些副作用強到困擾你的程度，或者經過一段時間後，還不能完全消除，就應該通知醫師。

此藥較嚴重的副作用爲：皮膚發紅、呼吸困難、迷幻、發癢、精神恍惚、緊張易怒、顫抖。通常這些副作用發生的機率較低，但是如果發生時，可能是藥物造成的不良反應，或者是劑量需要調整，應該盡快通知醫師。

☞懷孕及哺乳

根據動物實驗顯示，在正常劑量下，此藥尚不至於造成胎兒畸形，然而在高劑量情況下，則有可能會造成胎兒體重減輕，或影響胎兒骨關節方面的發育，以及降低懷孕的成功率。因此，除了有絕對需要並經由醫師許可外，懷孕婦女應該避免服用此藥。

少量的藥物會經由母乳到達嬰兒體內，爲了避免藥物可能造成新生兒的不良副作用，餵奶的母親應該使用其他的乳製品以取代母乳。

☞忘記用藥

如果忘記服藥或點眼藥水時，應該在記得時，立即使用。但是，如果距離下次用藥的時間太近，就應該捨棄此次的藥物，恢復到下次正常用藥的時間，千萬不可一次使用雙倍劑量。

Cisapride(希塞菩)

商品名(台灣)

Asamox®(順生)
Cisa®(信東)
Prepulsid®(亞培)

商品名(美國)

Propulsid®(Janssen)

☞藥物作用

此藥爲一種「促進腸胃蠕動」的藥物，能增加食道內肌肉的收縮及蠕動，避免胃內的強性胃酸回流入食道，所造成的食道刺激及腐蝕發炎，解除由於食道受胃酸的刺激所產生的胸口灼熱及疼痛的現象。此藥也可增加胃部肌肉的蠕動，促進胃內食物的消化吸收，以及幫助食物排出胃內，因此又可作爲治療胃腸消化不良及解除便秘的藥物使用。

☞用法

此藥通常於飯前15分鐘及睡覺前服用，必要時此藥的藥片可以壓碎服用。如果使用的是液體藥物時，每次在使用前，應先將藥瓶輕微搖動使藥物能均勻分散，並使用有刻度的量杯或藥管，以量取正確藥量。

☞注意事項

本藥雖然不怎麼會造成思睡，但是如果與酒一起服用的話，會增加酒精的思睡作用。

如果懷孕，對藥物過敏，或者有心跳不正常、胃部或腸道流血、腸道阻塞或穿孔等等，醫師需要針對這些情況謹慎用藥，因此在使用此藥之前，應該先通知醫師。

本藥用於治療回流性食道炎或嚴重的便秘時，也許需要經過幾個星期時間，才能完全達到藥物的作用。因此不能因爲一時覺得藥物無效而放棄服用。同時，此藥必須定期服用才能達到最好的效果，應該確實依照醫師指示服用。

此藥會增加食物或藥物排出胃內，因此許多藥物在體內未完全被吸收前，可能就已經隨著食物被排出體外，造成劑量不夠或藥效降低的情況。不過，此藥也可能會增加某些藥物的吸收，造成藥效增加的作用。因此爲了避免造成藥物過量或不足的情況，要同時服用其他藥物時，最好與此藥相隔約兩個小時。

此藥的主要作用是加強胃腸的蠕動。如果有腸道阻塞、胃腸道流血，或者腸道穿孔等等病症的話，可能會引起腸道過度蠕動而造成危險性。如果有上述病症，就應該停用此藥並且盡快通知醫師。

此藥可能會與其他藥物產生不良的作用。譬如，如果與Ketoconazole或Itraconazole(抗黴菌藥物)一起合用的話，由於此兩者會減緩本藥在體內的代謝及排出體外能力，間接增加本藥在體內的濃度，甚至會造成劑量過高或產生嚴重心律不整。如果用藥期間同時服用上述其中一種藥物的話，就應該立即通知醫師。另外，當服用其他藥物時，無論所服用的是成藥或是處方藥，最好也能事先徵求醫師或藥師的意見。

此藥最好在飯前15分鐘及睡前服用。同時應該依照醫師的指示服用，即使症狀減輕或消失了，仍舊需要繼續依照指示服用。

☞副作用

此藥常見的副作用爲：拉肚子、便秘、咳嗽、惡心、腹部不舒服、鼻塞、頭痛等等。這些副作用，通常在服用藥物一陣子後，應該會漸漸消失。不過，如果這些副作用強到困擾你的程度，或者經過一段時間後，還不能完全消除，就應該通知醫師。

此藥較嚴重的副作用爲：手腳肌肉不能自行控制地運動、心跳突然加快、胸口疼痛、視覺改變、嚴重的腹痛等等，通常這些副作用發生的機率較低，但是如果發生時，可能是藥物造成的不良反應，或者是劑量需要調整，應該盡快通知醫師。

☞懷孕及哺乳

此藥對孕婦的影響，並無很完備的資料，但是根據動物實驗顯示，在高劑量下，此藥可能會造成胎兒出生後體重過輕或降低動物新生兒的存活率。因此，除了治療的優點勝於對胎兒的危險性，並且經由醫師的同意外，孕婦應該避免服用此藥。

大約母親血液濃度1/20的藥物，會經由母乳到達嬰兒體內。餵奶的母親若要用母乳餵食新生兒，就應該密切注意嬰兒的反應或者使用其他的乳製品，以取代母乳。

☞忘記用藥

此藥通常是飯前及睡覺前服用，如果忘記服藥，只要是在飯前，就應該立即服用。但是，如果距離下次服藥的時間太近，就應該捨棄此次的藥物，恢復到下次正常服藥的時間，千萬不可一次服用雙倍的劑量。

Clarithromycin(開羅理黴素)

商品名(台灣)

Klaricid®(亞伯)

商品名(美國)

Biaxin®(Abbott)

☞藥物作用

本藥爲一種類似「紅黴素」的抗生素。它主要的作用是能抑制細菌蛋白質的產生，使細菌不能正常地生長與繁殖，因而造成細菌的死亡。此藥可以用於某些細菌所引起的支氣管炎、咽喉炎、鼻竇炎及皮膚感染等等，但對濾過性病毒，以及黴菌或真菌所造成的感染無效。

☞用法

本藥不受食物的影響，因此，空腹或與食物一起服用均可。如有必要時，此藥的藥片可以壓碎服用。

☞注意事項

當服用此藥時，必須依照醫師的指示用完所有的處方(大約7至14天)，即使覺得症狀已經完全消除，仍須用完所有處方，以免萬一細菌沒有完全消除，而造成感染復發或將來細菌產生抗藥性。

如果懷孕，對藥物過敏(尤其是對紅黴素過敏)，或者有腎臟病、腸道發炎(如結腸炎)等等，醫師需要針對這些情況謹慎用藥，因此在使用此藥之前，應該事先通知醫師。

本藥爲醫師針對病情所下的處方，下次如果有類似的感染，雖然產生的症狀相同，但也許造成感染的病菌不同，服用此藥不見得有效，更有可能會延誤病情。因此必須經醫師診斷及指示服藥，同時不可將此藥留給他人使用。

本藥與紅黴素屬於同一類的抗生素，如果對紅黴素過敏的話，對此藥也有可能會產生過敏，因此最好不要服用此藥。萬一服用此藥後產生過敏反應，譬如呼吸困難、皮膚發紅或發癢等等，就應該立即通知醫師。

此藥可能會與其他藥物產生不良的作用，譬如，如果與Astemizole或Terfenadine(過敏藥物)，以及Cisapride(胃腸藥)一起合用的話，則可能會產生嚴重心律不整。假使要與上述的藥物一起合用的話，就應該事先通知醫師，或許他會考慮用其他的藥物取代。

在極少數情況下，服用此藥一陣子後，如有拉肚子的現象時，此可能是抗生素破壞了胃腸內細菌的平衡所引起的，因此不該自行服用止瀉藥物，如果使用了錯誤的藥物，有可能會使腹瀉更惡化。應該請教醫師，由他做適當的治療。

爲了達到最佳的滅菌效果，此藥必須在血中達到固定的濃度，因此最好每天在相等的時間間隔下服藥。此藥通常是一天服用兩次，因此可安排於每天早晨及晚上飯前一小時或飯後兩小時各服用一次。

☞副作用

此藥常見的副作用爲：味覺改變、拉肚子、胃腸不適或疼痛、惡心、嘔吐、頭痛。這些副作用，通常在服用藥物一陣子後，應該會漸漸消失。不過，如果這些副作用強到困擾你的程度，或者經過一段時間後，還不能完全消除，就應該通知醫師。

此藥較嚴重的副作用爲：皮膚有青紫色的瘀傷、皮膚起紅疹、皮膚發癢、呼吸困難、持續性的拉肚子、眼睛或皮膚發黃、陰道發癢等等，通常這些副作用發生的機率較低，但是如果發生時，此可能是藥物造成的不良反應，或者是劑量需要調整，應該盡快通知醫師。

☞懷孕及哺乳

此藥對孕婦的影響，並無很完備的資料，但根據動物實驗顯示，此藥對成長中的胎兒可能會造成生長減緩或其他不良的作用。因此，除非無其他的藥物可取代並經由醫師同意外，孕婦應該避免服用此藥。

目前爲止尚不知此藥是否會經由母乳到達嬰兒體內。如果要餵哺新生兒，就應該密切注意是否有拉肚子或其他不良副作用發生的可能，或者可使用其他的乳製品，以取代母乳。

☞忘記用藥

如果忘記服藥，應該在記得時，立即服用。但是，如果距離下次服藥的時間太近，就應該先服用所遺忘的藥物，約等5至6小時後服用另一次藥物，然後恢復到下次正常服藥的時間。

Clemastine(克雷滿汀)

商品名(台灣)

Alagyl®(日・澤井)	Fuluminol®(日・Tastum)	Lepotin®(合誠)
Anhistan®(日・日臟)	Fumartin®(日・Torri)	Min's®(回春堂)
Clemin®(皇佳)	Hishimeel®(日・菱山)	Oucemin®(應元)
Cletin®(世紀)	Histaverin®(北陸)	Xolamin®(日・三晃)
Darvine®(衛達)	Inbestan®(日・Maruko)	Zemin®(汎生)

商品名(美國)

Tavist®(Sandoz)

☞藥物作用

本藥爲一種屬於「抗組織胺類」抗過敏藥，它主要使用於各類過敏反應所引起的皮膚發紅及發癢的現象，以及花粉過敏或傷風感冒所引起的流鼻水、打噴嚏、眼睛發紅及眼睛發癢等等。

☞用法

使用此藥片時，最好能將此藥物與一杯開水或食物一起服用，以減輕對胃部的刺激。但是如果有吞嚥的困難時，則可將藥片壓碎服用。

☞注意事項

此藥會造成極大的思睡副作用，除非已經適應了此藥的作用，當開車或操作危險機械時，應該格外小心謹慎。酒精會增加此藥思睡的副作用，應當避免或限制酒量。

如果懷孕，對藥物過敏，或者有心臟疾病、甲狀腺機能亢進、青光眼、前列腺腫大、氣喘、排尿困難等等，醫師需要針對這些情況謹慎用藥，因此在使用此藥之前，應該事先通知醫師。

安眠藥、肌肉鬆弛劑、鎮靜劑、抗過敏藥、感冒藥、抗抑鬱藥、止痛藥等等，這些藥物都有可能會增加此藥思睡的副作用。同時服用這些藥物時，應當特別注意其彼此增加思睡的相乘效果。

本藥會增加皮膚對陽光的敏感性，如果在陽光下曝曬太久，有可能會導致皮膚的過敏或灼傷，應該盡量避免陽光直接曝曬，同時穿著長袖衣物，以保護皮膚。

在做皮膚過敏反應的測試之前，應該事先通知醫師服用此藥。因為此藥的抗過敏作用，可能會干擾測試的結果。

小孩及老年人對此藥較一般人敏感。老年人較易引起虛幻、排尿困難、頭暈、口舌乾燥、低血壓等等。小孩與老年人亦可能會引起噩夢、不正常的興奮及情緒不安等等。

如果在服藥期間有便秘發生，就應該多食用蔬菜或水果等幫助消化的食物，並且在許可下，多做運動或多飲用水分。服用此藥後，也許會產生口渴的現象，但是如果能夠含一塊冰塊或糖果在嘴內的話，應該可以減少此一副作用。

☞副作用

此藥常見的副作用為：口乾、心跳增快、皮膚對陽光敏感、耳鳴、流汗增加、胃口降低、胃腸不適、做噩夢、排尿困難、視覺模糊、精神恍惚、精神緊張及不正常的興奮、輕微的思睡、頭暈，這些副作用，通常在服用藥物一陣子後，應該會漸漸消失；不過，如果這些副作用強到困擾你的程度，或者經過一段時間後，還不能完全消除，應該通知醫師。

此藥較嚴重的副作用為：幻覺、失眠、皮膚起紅疹或有青紫色的瘀傷、呼吸困難、恍惚或沮喪、突然發燒、眼睛及皮膚發黃、發冷或喉嚨痛、極端疲倦、精神極度興奮。通常這些副作用發生的機率較低，但是如果發生時，此可能是藥物造成的不良反應，或者是劑量需要調整，應該盡快通知醫師。

☞懷孕及哺乳

根據動物實驗顯示，在正常劑量下，此藥尚不至於造成胎兒的缺陷。然而此藥對孕婦影響的醫學數據有限，其安全性未完全建立。當懷孕時，應該與醫師討論此藥可能對胎兒的影響，他會衡量狀況，決定是否應該服藥。孕婦於懷孕的最後三個月，應該避免服用此藥，因爲新生兒及早產兒可能會對此藥產生不良反應。

少量的藥物會經母乳到達嬰兒體內，可能會造成新生兒過度的興奮、緊張不安及睡眠不正常。因此，餵奶的母親應該使用其他的乳製品，以取代母乳。

☞忘記用藥

如果使用此藥是按照正常規定的時間服用，應該在記得時，立即服用。但是，如果距離下次服藥的時間太近，就應該捨棄此次的藥物，恢復到下次正常服藥的時間，千萬不可一次服用雙倍的劑量。

Clindamycin(克林達黴素)

商品名(台灣)

B.B®(瑞士)
Cledomycin®(羅得)
Cleocin T®(普強)
Cleocin®(普強)
Clincin®(南光)
Clincin®(東洋)
Kingdacin®(濟生)
Tidact®(永信)
Ulecin®(聯邦)
Vicin®(瑞安)

商品名(美國)

Cleocin®(Upjohn)

☞藥物作用

本藥為一種抗生素。它主要的作用是能控制細菌蛋白質的產生，使細菌不能正常地生長與繁殖，最後造成細菌的死亡。此藥可以用於某些細菌所引起的骨骼關節、骨盆、腹腔和皮膚的感染，以及肺炎和敗血症等等。本藥的外用擦劑可以用來治療青春痘。

☞用法

使用此藥物時，最好能與一杯開水或食物一起服用，以減輕對胃部的刺激。如果有吞嚥困難時，則可將膠囊打開並與食物一起使用；假如使用的是液體口服藥物時，每次在使用之前，應先將藥瓶輕微搖動使藥物均勻分散，並使用有刻度的量杯或藥管以量取正確的藥量；假若使用的是外用藥水時，所塗抹的藥物份量應該適當，要不然過多的藥物可能會使皮膚過於乾燥，或引起皮膚過分刺激。

☞注意事項

此藥較嚴重的副作用，就是可能會引起腸道的刺激，進而造成結腸炎，甚至有可能致死。結腸炎的症狀是腹瀉、帶血狀的下痢、胃部絞痛等等。由於有此副作用，因此應該保留作為較嚴重，並且已知是何種病菌所造成的感染，而不該用來治療一般的感冒或其他較輕微細菌所造成的感染。對此類較輕微的細菌感染，應該優先考慮用其他較適用的抗生素治療。如果服用此藥後，有下痢或胃腸絞痛現象時，應該盡快地通知醫師。

如果懷孕，對藥物過敏，或者有肝臟疾病、胃腸道的毛病(如腸炎)、腎臟病、潰瘍性結腸炎等等，醫師需要針對這些情況謹慎用藥，因此使用此藥之前，應該先通知醫師。

當服用此藥時，必須照醫師的指示用完所有醫師的處方，即使覺得症狀已經完全消除，仍舊需要用完所有的處方，以免感染復發，或將來細菌可能產生抗藥性。

為了達到最佳的滅菌效果，此藥必須在血中達到固定的濃度，因此最好每天在相等的時間間隔下服藥。譬如一天服藥4次，則每6個小時服用一次；一天服藥兩次，則每12個小時用一次，不可忘記。

如果使用此藥的目的在治療粉刺，通常此藥需要經過幾個星期，甚至長達3個月時間，才能完全達到作用。因此不能一時覺得無效而放棄服用。當使用外用擦劑超過6星期以上，而粉刺或青春痘仍然沒有改進時，就應該通知醫師。此藥必須定期服用才有最好的效果，因此必須完全遵守醫師的指示服藥。

如果服用此藥後有拉肚子現象時，不該自行服用止瀉藥物。因為如果使用了錯誤的藥物，可能會使腹瀉的現象更為惡化。同時此腹瀉現象有可能是藥物具某一危險性副作用的象徵。應該盡快地通知醫師，做進一步的觀察與治療。

當使用外用擦劑前，應該用清水及中性的肥皂將皮膚徹底地清洗乾淨，然後用紙巾將皮膚擦乾。由於此藥含有酒精，為了避免酒精對剛清洗的皮膚造成刺激，應該等到皮膚清洗後30分鐘，才塗用此藥。另外由於此藥的擦劑含有酒精，當使用此一製劑時，應該避免接觸到眼睛或皮膚破損的地方，以免造成過度刺激。如果不留意而接觸到此藥時，可用大量的清水，將此藥清洗乾淨。

同時使用兩種以上的外用擦劑時，為了避免對皮膚造成過度的刺激，以及增加個別藥物的吸收，兩藥物塗抹的時間，至少應該相隔一兩小時。在塗用此藥期間，除了醫師特別禁止外，如果要使用化妝品的話，應該以水性的化妝品爲主，同時要盡量少用。

☞副作用

此藥常見的副作用爲：拉肚子、惡心、腹痛、嘔吐，這些副作用，通常在使用藥物一陣子後，應該會漸漸地消失；不過，如果強到困擾你的程度，或者過一段時間後，還不能完全消除，就應該通知醫師。

此藥較嚴重的副作用爲：皮膚起紅色的斑點或青紫色的瘀傷、皮膚發紅、突然的發燒或喉嚨痛、陰道或肛門搔癢、發癢、嚴重的腹痛或拉肚子。通常這些副作用發生的機率較低，但是如果發生時，此可能是藥物造成的不良反應，或者是劑量需要調整。應該盡快地通知醫師。

☞懷孕及哺乳

此藥會經由胎盤到達胎兒體內，但是目前爲止，尚無資料顯示會對胎兒造成不良作用，孕婦使用此藥一般來講是安全的。不過，在使用之前，最好還是徵求醫師的同意。

少量的藥物會經由母乳到達嬰兒體內，但是目前爲止，尚無報告顯示會造成嬰兒的不良反應。不過，由於含藥物的奶水可能會影響新生兒腸內細菌的平衡，以及造成嬰兒腸道的刺激，餵奶的母親最好使用其他的乳製品以取代母乳。

☞忘記用藥

如果是使用口服藥，應該在記得時，立即服用。並將當天未服完的劑量，依照等分的時間間隔服用完。如果是使用外用擦劑，就應該完全捨棄所遺忘的藥物，恢復到下次正常用藥的時間，千萬不可使用雙倍的劑量。

Clomiphen(可洛米芬)

商品名(台灣)

Citophene®(培力)
Clomid®(鹽野義)
Clomifen®(皇佳)
Clonin®(瑞士)
Clophen®(派頓)
Duinum®(塞・Medo)
Fertilan®(塞・Codal)
Focel®(世紀)
Getchild®(安主)
Hetel®(明大)
Kyliformon®(希・Kylifar)
Lomifen®(新豐)
Ova-Mit®(塞・Remedica)
Prole®(華興)
Serophene®(義・Tava)
Surole®(生達)

商品名(美國)

Clomid®(Merrell Dow)
Milophene®(Milex)
Serophene®(Serono)

☞藥物作用

此藥爲一種「治療不孕症」的藥物。其主要作用是能改變婦女體內女性荷爾蒙的平衡，促進卵巢的排卵，以及增加母體受孕的機會。本藥亦可用於男性精子產量不夠所引起的不孕症，不過，在此所介紹的主要是以女性患者使用爲主。

☞用法

此藥不受食物的影響，因此空腹或與食物一起服用均可。不論是早上或晚上服用，最好養成每天在固定時間服藥的習慣，以減少忘記服用。對患有不孕症的婦女而言，此藥通常需要連續服用5天，如果醫師告知在第五天才開始服用此藥時，此通常以經血來臨的第一天算起，然後數到第五天才開始服藥，連續服用5天或醫師所指示的天數。必要時，此藥的藥片可以壓碎服用。

☞注意事項

此藥會引起頭暈目眩及視覺模糊的副作用，尤其是剛開始服藥期間，因此除非已經適應了此藥的作用，當開車或操作危險機械時，應該格外小心謹慎。

如果懷孕，對藥物過敏，或者子宮或卵巢內有囊腫或腫瘤、血液凝結方面的問題、肝臟疾病、陰道不正常流血、嚴重的精神沮喪等等，醫師需要針對這些情況謹慎用藥，因此在使用此藥之前，應該事先通知醫師。

使用此藥的時候，應當遵照醫師的指示詳細地記錄基礎體溫，以準確地測知排卵的時間，並適當地安排夫婦結合的時機。準確的結合時機是導致成功受孕的主要因素，因此應該詳細地聽從醫師的指示。

服用此藥後，可能會造成卵巢釋放多粒的卵子，因此有產生雙胞胎，甚至於多胞胎的可能。在服藥的期間，如果發現已懷孕，就應該立即停止服用，並且盡快地通知醫師。

通常在第一次服用藥物後，如果沒有成功受孕的話，則接下來使用此藥成功受孕的機會，會隨著使用次數而減低。醫師通常在連續使用此藥3次後，會停止使用，並且重新評估狀況而改用其他的方式治療。

如果在服藥期間，有視覺改變的狀況，如視覺模糊、怕光、雙重影像、無法看到視覺外圍的形象、視覺不夠清晰明亮等等。如果有上述症狀發生的話，就應該盡快地通知醫師，他也許會要求眼科醫師對眼睛做進一步的診斷。

☞副作用

此藥常見的副作用爲：失眠、身體突然的發熱、惡心、視覺模糊、腹部不舒服、腹脹、嘔吐、精神緊張、頭痛、頭暈等等，這些副作用，通常在服用藥物一陣子後，應該會漸漸地消失；不過，如果強到困擾你的程度，或者經過一段時間後，還不能完全消除，就應該通知醫師。

此藥較嚴重的副作用爲：子宮不正常的流血、皮膚發紅、乳房腫脹、疲倦、骨盆疼痛、視覺改變、精神沮喪、頭髮脫落等等。通常這些副作用發生的機率較低，但是如果發生時，可能是藥物造成身體的不良反應，或者是劑量需要調整，應該盡快通知醫師。

☞懷孕及哺乳

孕婦禁止使用此藥。許多報告指出此藥會造成胎兒多方面的缺陷，因此在服藥期間，如果發現已懷孕，就應該立即停止服用，並且盡快地通知醫師。

目前爲止尚不知此藥是否會經由母乳到達嬰兒體內，不過由於此藥可能會抑制母乳的產生，以及爲了避免藥物可能對新生兒造成影響，在使用此藥的期間，最好能改用其他的乳製品以取代母乳。

☞忘記用藥

如果忘記服藥，應該在記得時，立即服用。但是，如果距離下次服藥的時間太近，就應該一次服用雙倍的劑量，然後恢復到下次正常服藥的時間；如果遺忘超過兩次劑量，就應該參考醫師的意見。

Clonazepam(可那氮平)

商品名(台灣)

Rivotril®(羅氏)

商品名(美國)

Klonopin®(Roche)

☞藥物作用

本藥為一治療「癲癇」的藥物。癲癇的發生，主要是由於腦部神經不正常放電所引起，它通常是周期性的。癲癇的種類分為許多種，本藥主要作用於「小發作」癲癇。此類病人主要的症狀常為極短暫的失去知覺或注意力、視覺短暫的直視前方、眼睛或面部輕微抽動等等，它通常發生於小孩的機會較多。此藥可單獨使用或與其他的抗癲癇藥物一起合用。

☞用法

此藥不受食物的影響，空腹或與食物一起服用均可。如果怕藥物會刺激胃部，可將其與少許的食物或一整杯的水一起服用。必要的時候，此藥的藥片可以壓碎服用。使用此藥時，應該完全地遵守醫師的指示服用。

☞注意事項

此藥會讓患者產生想睡覺及頭暈的感覺，尤其是剛開始服藥的期間。因此，除非已經適應了此藥的作用，當開車或操作危險機械時，應該格外小心謹慎。酒精會增加此藥思睡的副作用，應當避免服用或限制所服用的酒量。

如果懷孕，對藥物過敏，經常飲用大量的酒，或者有肝臟疾病、肺氣腫、青光眼、重症肌無力症、氣喘、腎臟病、癲癇、嚴重的精神沮喪等等，醫師需要針對這些情況謹慎用藥。因此，在使用此藥之前，應該事先通知醫師。

安眠藥、肌肉鬆弛劑、鎮靜劑、抗過敏藥、感冒藥、抗抑鬱藥、止痛藥等等，這些藥物都有可能會增加此藥思睡的副作用。同時服用這些藥物時，應當特別注意彼此增加思睡的相乘效果。

長期大量服用此藥的話，可能會造成對此藥的成癮性或依賴性，因此應該完全遵照醫師的指示服藥，千萬不可服用超過醫師所處方的劑量或使用的時間。

經過一段時間服藥後，此藥對身體的作用可能會漸漸減弱，因此，如果覺得癲癇的次數增加時，就應該通知醫師，他也許會考慮改用其他藥物，但是千萬不可自行增加服藥的劑量。

老年人對此藥的頭暈及運動失調副作用較一般人敏感，因此當老年人服用此藥後，走路、爬樓梯，或運動時應該格外小心，以免摔倒而導致骨折。

服用此藥經過3至4個月後，不能突然停藥，因爲突然停藥有可能會導致戒斷症狀的發生。如果要停藥的話，應該遵循醫師的指示，漸漸地降低服藥的劑量或次數，然後再停藥。

如果在服藥期間有便秘發生的話，就應該多食用蔬菜或水果等幫助消化的食物，並且在許可下，多做運動或飲用多量的水分。服用此藥後也許會產生口渴現象，但是如果能含一塊冰塊或糖果的話，應該可以減少此副作用。

剛開始服用此藥時，可能會產生頭昏眼花的感覺，尤其是當突然站立或坐起時；不過如果能夠緩慢地站立或坐起，應該會減少此一現象。

如果小孩使用此藥，應該記錄他平時一切不尋常的行爲、情緒，以及癲癇的發作；同時，也應該要求學校的老師做相同的紀錄。因爲這一切的資料，都有助於醫師評估小孩的病情，以便做適當的調整及治療。

在服藥期間，應該定期拜訪醫師，他需要依照身體的狀況以及藥效，適當地調整所使用的劑量。

☞副作用

此藥常見的副作用爲：口乾、小便困難、下痢、思睡、便秘、疲倦、惡心、發抖、視覺模糊、嘔吐、頭痛、頭暈目眩等，這些副作用，通常在服用藥物一陣子後，應該會漸漸地消失；不過，如果強到困擾你的程度，或者經過一段時間後，還不能完全消除，就應該通知醫師。

此藥較嚴重的副作用為：手腳及眼睛有不能自主的運動、幻覺、皮膚有不正常的瘀傷或塊狀的青紫色、皮膚起紅疹或發癢、眼睛及皮膚發黃、發冷及喉嚨疼痛、發燒、極端的疲倦、精神不尋常的興奮、精神恍惚或沮喪。通常這些副作用發生的機率較低，但是如果發生時，可能是藥物造成的不良反應，或者是劑量需要調整，應該盡快地通知醫師。

☞懷孕及哺乳

此藥對孕婦的影響並無一定的結論。曾有報告指出，此藥會造成胎兒的缺陷；但也有報告指出，此可能與母親本身的癲癇症有關。由於此藥對於預防癲癇發作相當重要，而且絕大部分的孕婦都會產生正常的嬰兒，如果停止服藥，有可能會導致母體及胎兒更大的危險，利弊得失之間，醫師可能會要求繼續服藥，而將藥物的劑量及副作用調到最低。如果懷孕，就應該通知醫師，並且嚴格地遵守醫師的指示服藥。

此藥會經母乳到達嬰兒體內，有可能會造成新生兒過度的安睡，餵奶的母親應該考慮使用其他的乳製品以取代母乳。

☞忘記用藥

如果忘記服藥的話，應該在記得時，立即使用。並將當天未用完的劑量，依照等量的時間間隔使用完。但是，如果距離下次用藥的時間太近，就應該捨棄此次的藥物，恢復到下次正常用藥的時間，千萬不可一次使用雙倍的劑量。

Clonidine(降達)

商品名(台灣)

Cares®(世紀)
Catapres®(百靈佳)
Clodin®(永信)
Clonidine®(多家藥廠)
Dixarit®(百靈佳)
Hypolax®(瑞人)
Kochanin®(壽元)
Pinsanidine®(陽生)
Tinya®(居禮)
Winpress®(溫士頓)
Yes®(南光)

商品名(美國)

Catapres®(B.I)
Catapres TTS®(B.I)

☞藥物作用

本藥為一種「降血壓」藥。它主要的作用是在壓制腦部負責血管收縮的管制中心，間接地使血管舒張，使血液更流暢，而達到降血壓的目的。此藥通常用於治療輕度到中度的高血壓，它可以單獨使用或與其他的抗血壓藥一起合用。本藥亦可用於預防偏頭痛的發生。

☞用法

此藥的口服藥片通常是一天服用一到兩次。如果一天服藥兩次，則可安排於早餐後以及睡前服用。於早餐後服藥的目的，主要是減輕藥物對胃腸的刺激，睡前服藥的目的，主要是減輕藥物造成頭暈目眩的副作用。如果一天服藥一次，則可安排於睡前服藥。如果有必要時，此藥的錠劑可以壓碎服用。

此藥的貼劑可以貼於胸部或上手臂無毛髮或皮膚完整無破損的部位。通常一張貼劑可以使用7天，如果貼劑在7天之內就已鬆脫時，可使用隨藥附贈的貼布加蓋在貼劑上，使它不至於脫落。當洗澡或游泳時，不需要將貼劑撕起。為了避免皮膚刺激而造成敏感，每次在更換貼劑時，應該輪流更換皮膚的部位，不可在上一次使用的部位繼續使用，也不可以擅自調整劑量，或用剪刀修改此一貼劑(貼劑在台尚未銷售)。

☞注意事項

服用此藥後可能會降低精神的敏覺性及造成思睡的可能。因此當開車或操作危險機械時，應該格外地小心謹慎。酒精會加深此藥的思睡作用，服用此藥後應該避免喝酒。

如果懷孕，對藥物過敏，或者有心臟疾病、腎臟病、腦部血管病變、精神沮喪等，醫師需要針對這些情況謹慎用藥，因此在使用之前，應該先通知醫師。

本藥只能控制血壓的升高，並不能完全治癒。服用此藥後，血壓可能要經過幾個星期時間才能漸漸降低到理想的程度。必須持續地服用此藥，才能有效地控制住血壓。當血壓恢復正常後，仍須繼續服用此藥，並且不能突然停藥，突然停藥有可能會造成頭痛、神經緊張不安、血壓急遽升高等等，如有必要停藥時，應該遵循醫師的指示，漸漸地降低劑量後再停藥。

在服用此藥之前，應該事先請教醫師或護士如何測量脈搏，如果覺得脈搏跳動較平常爲慢或者低於50，就應該通知醫師。爲了達到理想降血壓的作用，應該遵循醫師的指示，服用低鹽類、低脂肪的食物，戒煙酒，同時盡可能地依照醫師指示做適當的運動。

如果使用的是貼劑，它通常會附有使用說明書。在使用此藥物之前應該詳細閱讀。如有任何疑問時，應該請教藥師或醫師。使用完貼劑後，應該將兩端對摺，使含藥效的表面互相黏合在一起，因爲即使使用過的貼劑仍然含有藥物成分，小孩拿來玩可能會造成極大的傷害與危險。

飲酒、長期站立、過度運動，及氣溫過熱等等，都有可能會增加此藥降低血壓的效果，因此應該盡量避免，以免血壓過度下降，而造成頭暈甚至暈倒。

服用此藥後，如果覺得口乾，在嘴內含一塊冰塊或嚼一片口香糖，應該會紓解此一現象。通常口渴的現象在服藥一陣子後會自然消失。如果覺得眼睛乾燥的話，可使用人工淚水。在服藥期間，若有便秘發生的話，就應該多食用蔬菜或水果等幫助消化的食物，並且在身體的許可下，多做運動或多飲用水分。

在拔牙或動手術之前，應該事先通知醫師有服用此藥。因爲此藥在手術當中，可能會造成心臟及血壓方面的問題，他也許會建議在手術的前幾天，漸漸地停止使用。

市面上許多治療過敏、鼻塞、咳嗽、感冒，以及減肥的成藥中，經常含有使血壓升高的成分。因此，爲了避免造成血壓突然升高，在服用此類藥物之前，應該事先諮詢醫師或藥師的意見。

☞副作用

此藥常見的副作用爲：口乾、便秘、胃口降低、疲倦、眼睛發癢或有刺激感、噁心、想睡覺、嘔吐、精神緊張、頭暈目眩等。這些副作用，通常在服用藥物一陣子後，應該會漸漸地消失。不過，如果強到困擾你的程度，或者經過一段時間後，還不能完全消除，就應該通知醫師。

此藥較嚴重的副作用爲：皮膚發紅或發癢(藥用貼劑)、心跳過慢、呼吸困難、腳部水腫、過度疲倦、精神狀況改變等。通常這些副作用發生的機率較低，但是如果發生時，此可能是藥物造成的不良反應，或者是劑量需要調整，應該盡快通知醫師。

☞懷孕及哺乳

由於此藥對人體實驗的數據有限，然而根據動物實驗顯示，此藥有可能會造成胎兒的損傷，但是還不至於會造成胎兒缺陷。當懷孕時，應該通知醫師，他會衡量狀況，決定是否應該服藥。

少量的藥物會經由母乳到達嬰兒體內，但是目前爲止，尚無報告顯示會造成嬰兒的不良反應。不過，餵奶的母親在使用此藥之前，應該徵求醫師的意見，或者使用其他的乳製品，以取代母乳。

☞忘記用藥

如果忘記服藥，應該在記得時，立即服用。但是，如果距離下次服藥的時間太近，就應該捨棄此次的藥物，恢復到下次正常服藥的時間，千萬不可一次服用雙倍的劑量。如果一張貼劑使用超過7天以上，應該立刻更換一張新的貼劑，然後恢復到下次正常用藥的時間。如果連續遺忘服用口服藥片兩次以上，或遺忘更換貼劑超過3天以上，因而導致血壓突然升高就應該通知醫師。

Clorazepate(氯查配特)

商品名(台灣)

Clozene®(衛達)
Mendon®(大日本)
Tranxene®(亞培)
Tranxilium®(法・Clin-Midy)

商品名(美國)

Tranxene-SD®(Abbott)
Tranxene-T®(Abbott)

☞藥物作用

本藥爲一種短期使用的「抗焦慮藥」。它可用於解除焦慮及緊張，以及緩和戒酒患者因爲戒酒所引起的顫抖及情緒不安和激動。本藥亦可與其他的抗癲癇藥物一起合用，以治療癲癇的發作。

☞用法

此藥不受食物的影響，空腹服用或與食物一起服用均可。如果覺得此藥會刺激胃部，可將其與少許食物或一整杯水一起服用。必要的時候，此藥的藥片可以壓碎服用。使用此藥時，應該完全遵守醫師的指示服用。

☞注意事項

此藥會產生想睡覺及頭暈的感覺，尤其是剛開始服藥期間，因此除非已經適應了此藥的作用，當開車或操作危險機械時，應該格外小心謹慎。酒精會增加此藥思睡的副作用，應當避免服用或限制酒量。

如果懷孕，對藥物過敏，經常飲用大量的酒，或者有肝臟疾病、肺氣腫、青光眼、重症肌無力症、氣喘、腎臟病、癲癇、嚴重的精神沮喪等等，醫師需要針對這些情況謹慎用藥，因此在使用此藥之前，應該先通知醫師。

安眠藥、肌肉鬆弛劑、鎮靜劑、抗過敏藥、感冒藥、抗抑鬱藥、止痛藥等等，這些藥物都有可能會增加此藥思睡的副作用。同時服用這些藥物時，應當特別注意其彼此增加思睡的相乘效果。

長期大量服用此藥的話，可能會造成成癮性或依賴性，因此應該完全遵照醫師的指示服用，千萬不可服用超過醫師處方的劑量或使用的時間。

經過一段時間服藥後，此藥的作用可能會漸漸減弱，當此現象發生時，應該徵求醫師的指示，醫師也許會考慮改用其他藥物取代，千萬不可自行增加服藥劑量。

老年人對此藥造成的頭暈及運動失調的副作用，較一般人敏感，因此當老年人服用此藥後，走路、爬樓梯或運動時，應該格外小心謹慎，以免摔倒而導致骨折。

經過兩三個月服用此藥後，不能突然停藥，因爲突然停藥有可能會導致戒斷症狀的發生。如果要停藥的話，應該遵循醫師的指示，漸漸降低服藥的劑量或次數，然後再停藥。

如果在服藥期間有便秘發生的話，就應該多食用蔬菜或水果等幫助消化的食物，並且在許可下，多做運動或飲用多量的水分。服用此藥後也許會產生口渴的現象，但是如果能夠含一塊冰塊或糖果的話，應該可以減少此一副作用。

剛開始服用此藥時，可能會產生頭昏眼花的感覺，尤其是突然站立或坐起時，不過如果能夠緩慢地站立或坐起，應該會減少此一現象。

☞副作用

此藥常見的副作用爲：口乾、小便困難、下痢、思睡、便秘、疲倦、惡心、發抖、視覺模糊、嘔吐、頭痛、頭暈目眩等。這些副作用，通常在服用藥物一陣子後，應該會漸漸消失。不過，如果這些副作用強到困擾你的程度，或者經過一段時間後，還不能完全消除，就應該通知醫師。

此藥較嚴重的副作用爲：手腳及眼睛有不能自主的運動、幻覺、皮膚有不正常的瘀傷或塊狀的青紫色、皮膚起紅疹或發癢、眼睛及皮膚發黃、發冷及喉嚨疼痛、發燒、極端的疲倦、精神不尋常的興奮、精神恍惚或沮喪等。通常這些副作用發生的機率較低，但是如果發生時，可能是藥物造成的不良反應，或者是劑量需要調整，應該盡快通知醫師。

☞懷孕及哺乳

婦女於懷孕的前三個月服用此藥，有造成胎兒缺陷的可能。由於此藥具有成癮性，孕婦於最後的6個月服用此藥，有可能會造成新生兒出生後緊張不安、顫抖等症狀。孕婦於懷孕的最後一星期服用此藥，則有可能造成嬰兒過度安眠、心跳減慢及呼吸困難等現象。因此，除非絕對必要，並且經醫師同意外，孕婦應該避免服用此藥。

此藥會經由母乳到達嬰兒體內，造成新生兒過度的安睡及呼吸困難。餵奶的母親應該考慮使用其他的乳製品以取代母乳。

☞忘記用藥

如果忘記服藥，時間不超過一小時，就應該立即服用；如果超過一小時，應該捨棄此次的藥物，恢復到下次正常服藥的時間，千萬不可一次服用雙倍的劑量。

Clotrimazole(克催瑪汝)

商品名(台灣)

Camazole®(瑞安)
Canesten®(瑞華)
Clomazole®(榮民)
Clotrisan®(丹・Scanpharm)
Clotry®(國嘉)
Fastin Vaginal®(皇家)
Fucodine®(內外)
Fungesten®(德・GMBH)
Kanezin®(瑞士)
Myco-Hermal®(德・Hermal)
Rapital®(韓・Chung Gei)
Saniten®(比・Sanico)

商品名(美國)

Femcare®(Schering)
Gyne-Lotrimin®(Schering)
Lotrimin®(Schering)
Mycelex®(Miles)

☞藥物作用

本藥爲一種外用抗生素,可以用來治療某些真菌、酵母菌或黴菌感染所造成的陰部搔癢、皮膚汗斑、體癬以及香港腳等。本藥的口含劑亦可用來治療因爲黴菌感染所造成的口腔炎等。

☞用法

當使用外用擦劑或乳劑時,應該將藥物均勻地塗抹於患部及其周圍皮膚,並輕輕加以按摩,同時於塗藥前後要清洗雙手。當使用陰道軟膏或陰道片時,最好能在睡前,並且能在躺著的情況下給藥。給藥後,除了清洗雙手外,應該盡量躺在床上避免四處走動。如使用的是口含片時,不可將藥物直接吞服入胃或在嘴內咀嚼,而應該將藥物含在口中約15至30分鐘,使藥物能夠充分溶解吸收,然後再吞服入胃。

☞注意事項

使用外用擦劑或乳劑時，其使用步驟如下：

1. 先將雙手清洗乾淨。
2. 然後用肥皂及清水將患部清洗乾淨。
3. 用乾淨的紙巾輕拍患部，直到患部幾乎全乾爲止。
4. 將藥物均勻塗抹於患部及其周圍皮膚，並輕輕地加以按摩。
5. 最後再將手部清洗乾淨。

當使用陰道軟膏或藥片(陰道栓劑)時，其使用步驟請參見頁111。

使用陰道栓劑時，如果藥廠沒有隨藥附贈的長條狀夾藥管，其使用的步驟也請參見頁111。

在使用陰道軟膏或藥片之前，除非醫師特別指示外，不需要事前清洗陰道。在月經期間，也應該繼續使用藥物，不可間斷。在使用藥物後不應該清洗陰道，以免降低藥效。

在使用陰道軟膏或藥片期間，如果有發燒、腹痛及陰道產生惡臭，就應該通知醫師。如果經過一段時間或者使用完藥物後，症狀仍然沒有改善，也應該通知醫師。藥物治療失敗的原因也許是所能殺害的微生物，並不是造成病況的同一類病菌。

在使用陰道軟膏或藥片期間，應該避免行房，如果有必要時，應該要求先生使用保險套，以免將病菌傳染給他。如果沒使用保險套，病菌在夫妻間來回傳染，要完全治癒此一病症的機會是非常渺茫的。

在使用完陰道藥物後，爲了避免汙染到衣物，最好能使用衛生棉。但是應該避免使用插入式的衛生棉條，以免藥物吸著在棉條上而減低了作用。

使用此藥時，雖然不見得能立即見效，但必須依照醫師的指示用完所有的處方。另一方面，如果覺得感染的症狀已經完全消除，仍舊需要使用完所有處方的份量，以免感染復發或將來細菌會產生抗藥性。

如果使用的目的在治療皮膚的感染，良好的衛生習慣可以預防及避免皮膚再次感染的機會，應當經常清洗皮膚接觸過的浴巾、床單、衣物等等，以增進早日康復。

本藥爲醫師針對病情所下的處方，下次再有類似的感染，雖然產生的症狀相同，但也許造成感染的病菌不同，服用此藥不見得有效，更有可能會延誤病情。因此必須經醫師診斷及指示用藥，更不可將藥物留給他人使用。

☞副作用

此藥常見的副作用為：皮膚發紅、搔癢及輕微刺痛（外用軟膏）、陰道輕微的發癢灼熱或刺痛、造成性伴侶器官的刺激及灼熱感（陰道錠劑或栓劑）、噁心、嘔吐、頭痛（口含片）。這些副作用，通常在服用藥物一陣子後，應該會漸漸消失。不過，如果這些副作用強到困擾你的程度，或者經過一段時間後，這些症狀還不能完全消除，就應該通知醫師。

此藥較嚴重的副作用為：皮膚脫皮、嚴重的刺痛、皮膚發腫（外用軟膏）。陰道有分泌物產生、陰道起水泡或脫皮、腹部抽痛、小便疼痛（陰道錠劑或栓劑）。通常這些副作用發生的機率較低，但是如果發生時，可能是藥物造成的不良反應，或者是劑量需要調整，應該盡快通知醫師。

☞懷孕及哺乳

一般來講，孕婦服用此藥是最安全的，但是動物實驗顯示，在極大的劑量下，仍有可能會造成胎兒的不良反應。因此，懷孕婦女在使用此藥之前，應該徵求醫師的同意。由於外用軟膏及陰道劑型經由皮膚吸收入體內的劑量相當有限，因此，孕婦使用此類劑型可以說是安全的。不過，當使用軟膏或陰道片時，醫師可能會要求不要使用施放藥物的藥管，而改用手將藥片放入陰道內。

此藥經由口服吸收進入母親血液循環的份量極為有限，經由母乳到達嬰兒體內的更是微乎其微。因此，餵奶的母親使用母乳餵哺嬰兒，可以說是安全的。

☞忘記用藥

如果忘記用藥，應該在記得時，立即使用。但是，如果距離下次用藥的時間太近，就應該捨棄此次藥物，恢復到下次正常用藥的時間，千萬不可一次使用雙倍的劑量。

Colchicine（秋水仙素）

商品名（台灣）

Colcin®（皇佳） Colicine®（合誠） Tunfon®（回春堂）
Colcine®（應元） Conicine®（華興）

商品名（美國）

Colchicine®（Abbott）

☞藥物作用

本藥爲一種短期治療「急性痛風」的藥物。痛風的發生，主要是由於體內產生過多的尿酸結晶體，當結晶體聚集到關節部位時，會刺激關節部位而造成患部的疼痛。此藥的作用，就是能影響尿酸形成過程中的幾個步驟以及消除急性痛風發生時的發炎反應，因此可以用來消除急性痛風發作時所引起的發腫及疼痛。

☞用法

爲了避免對胃部的刺激，此藥最好與食物或者是飯後服用。如有必要時，此藥的藥片可以壓碎與食物或水一起服用。此藥主要是用來解除急性痛風的發作，因此，應該在急性痛風發作時立即使用，以達到最好的效果。

☞注意事項

飲用大量的酒會增加體內尿酸的含量，使痛風更爲惡化，並且也有可能會降低本藥的作用。因此，服藥時，應該避免喝酒。

如果懷孕，對藥物過敏，或者有心臟病、血液疾病、肝臟疾病、胃腸道的不正常、腎臟病等等，醫師需要針對這些情況謹慎用藥，在使用此藥之前，應該事先通知醫師。

本藥可以紓解痛風所引起的疼痛，但它並不是一種止痛劑。因此不應該用來治療其他病症所引起的疼痛，如頭痛、牙痛、肌肉痛等等。

如果已懷孕，應該告訴醫師。根據醫學報告顯示，此藥會對胎兒造成不良的影響，產後的婦女最好使用其他的乳製品以取代母乳。

服用此藥後，如果皮膚起紅疹、皮膚瘀血、喉嚨痛、噁心、腹瀉、嘔吐或有不正常的流血時，就應該停止服藥，並且立即通知醫師，因爲此可以顯示劑量也許過高。

如果只是在急性痛風發生時才服用此藥，應當在痛風一發作時，立即服用此藥，而在痛風解除後，立即停止服藥；如果平常使用此藥，在預防痛風的發作，就應當在急性痛風所造成的疼痛解除後，立即降低至原來所使用的劑量。在治療急性痛風時，服用此藥後一有噁心、嘔吐、腹部疼痛以及拉肚子的現象時，就應該停止用藥，因爲此代表藥物的劑量過高。如果症狀嚴重，就應該通知醫師。

此藥會改變尿液檢驗的結果。因此，做尿液檢驗前，應當事先通知醫師或檢驗師有服用此藥。

☞副作用

此藥常見的副作用爲：打嗝、便秘、胃口降低、胃腸不適、疲倦、輕微的噁心嘔吐、輕微的腹痛、頭痛、頭暈等等。這些副作用，通常在服藥一陣子後應該會漸漸消失。不過，如果這些副作用強到困擾你的程度，或者經過一段時間後，還不能完全消除，就應該通知醫師。

此藥較嚴重的副作用爲：皮膚起紅疹、瘀血、耳鳴、喉嚨痛、腹瀉、糞便含暗黑色的血塊、嚴重的噁心嘔吐，或有不正常的流血等等。通常這些副作用發生的機率較低，但是如果發生時，此可能是藥物造成的不良反應，或者是劑量需要調整，應該盡快通知醫師。

☞懷孕及哺乳

此藥並不適用於懷孕婦女，因爲人體及動物實驗同時證實，此藥會造成胎兒的缺損，服用此藥期間應該避免懷孕。萬一發現已懷孕，應該立即通知醫師。目前爲止，尚不知此藥是否會經由母乳到達嬰兒體內，在決定親自餵奶前，最好能夠徵求醫師的意見，或者使用其他的乳製品以取代母乳。

☞忘記用藥

如果使用此藥主要在治療急性痛風，應該在記得服藥時，立即服用。但是，如果距離下次服藥的時間太近，就應該捨棄此次藥物，恢復到下次正常服藥時間，千萬不可一次服用雙倍的劑量。如果此藥用於預防痛風的發生，忘記服藥時，應該完全捨棄此次的藥物，恢復到下次正常服藥的時間，千萬不可一次服用雙倍的劑量。

Cyclobenzaprin(肌肉鬆弛劑)

商品名(台灣)

此藥尚未在台銷售。

商品名(美國)

Flexeril®(MSD)

☞藥物作用

本藥為一種「肌肉鬆弛劑」,可以鬆弛運動所導致的肌肉扭傷或拉傷,使肌肉充分地休息與康復。此藥通常用於較嚴重的肌肉受傷,並且常與止痛劑一起合用。

☞用法

此藥不受食物的影響,空腹或與食物一起服用均可。如果覺得此藥會刺激胃部,可與少許的食物或一杯水一起服用。必要時,可以將此藥的藥片壓碎服用。使用此藥時,應該完全遵守醫師的指示服用。

☞注意事項

此藥會產生想睡覺及視覺模糊的感覺,尤其是剛開始服藥期間,除非已經適應了此藥的作用,當開車或操作危險機械時,應該格外小心。酒精會增加此藥思睡的副作用,應當避免服用或限制用量。

如果懷孕或哺乳嬰兒,對藥物過敏,或者有心臟血管疾病、甲狀腺機能亢進、青光眼、排尿困難等等,醫師需要針對這些情況謹慎用藥,因此在使用之前,應該先通知醫師。

安眠藥、肌肉鬆弛劑、鎮靜劑、抗過敏藥、抗抑鬱藥、止痛藥等等，這些藥物都有可能會增加此藥思睡的副作用。同時服用這些藥物時，應當特別注意彼此增加思睡的相乘效果。

此藥可以使扭傷的肌肉得到鬆弛，加速肌肉的休息與康復。但是經過一陣子服藥後，不可以因爲一時覺得症狀已經減輕，或者不感覺疼痛就突然地增大運動量，如此一來則容易使肌肉造成更進一步的損傷。應該讓肌肉得到充分的休息，有可能的話在物理治療的配合下，得到完全的康復。

本藥以短期使用爲主，其使用的時間通常以不超過兩至三星期爲限。因爲臨床數據顯示，一般的肌肉扭傷應該在兩至三星期，即可得到完全的康復。使用藥物超出此期限並不見得能得到更大的效果。

剛開始服用此藥時，可能會產生頭暈目眩的感覺，尤其是突然站立或坐起時；不過，如果能夠緩慢地站立或坐起，應該會減少此一現象。

服用此藥後也許會產生口渴的現象，但是如果能夠含一塊冰塊或糖果的話，應該可以減少此一副作用。

☞副作用

此藥常見的副作用爲：口乾、失眠、拉肚子、思睡、便秘、流汗、胃口降低、消化不良、疲倦、惡心嘔吐、視覺模糊、腹痛、頭暈等等。這些副作用，通常在服用藥物一陣子後，應該會漸漸地消失。不過，如果這些副作用強到困擾你的程度，或者經過一段時間後，還不能完全消除，就應該通知醫師。

此藥較嚴重的副作用爲：手腳發麻、小便困難、心跳加快、幻覺、皮膚或眼睛發黃、皮膚發癢、沮喪、精神恍惚、臉部或舌頭腫脹、頭痛等等，通常這些副作用發生的機率較低，但是如果發生時，可能是藥物造成的不良反應，或者是劑量需要調整，應該盡快通知醫師。

☞懷孕及哺乳

根據動物實驗顯示，在正常劑量下，此藥尙不至於造成胎兒的損傷，然而動物實驗的結果並不一定完全與人類的反應相同，當懷孕時，應該與醫師討論此藥可能對胎兒的影響，他會衡量狀況，決定是否應該服藥。

目前爲止，尙不知此藥是否會經由母乳到達嬰兒體內，爲了避免藥物可能對新生兒造成影響，餵奶的母親，應該密切注意嬰兒的反應或考慮使用其他的乳製品，以取代母乳。

☞忘記用藥

如果忘記服藥的話，應該在記得時，立即使用。並將當天未用完的劑量，依照等分的時間間隔使用完。但是，如果距離下次用藥的時間太近，就應該捨棄此次的藥物，恢復到下次正常用藥的時間，千萬不可一次使用雙倍的劑量。

Cyclosporin（新體睦）

商品名（台灣）

Sandimmune®（山德士）

商品名（美國）

Sandimmune®（Sandoz）

☞藥物作用

本藥爲一種「抗排斥反應」的藥物。當接受外來的器官，如肝臟、腎臟及心臟等器官的移植後，身體內的「免疫系統」會認爲這些器官是一種外來物，而加以抵抗排斥。此藥的作用就是能消除免疫系統所產生的排斥反應，使身體能夠接納外來的器官。此藥亦可用來預防骨髓移植後，身體所產生的排斥反應。

☞用法

此藥通常一天服用一次，以空腹服用的效果最佳。不過，如果覺得此藥會刺激胃部，可將此藥的膠囊與少許食物或一杯水一起服用。不論是早上或晚上服用，最好養成每天在固定時間服藥的習慣，以減少忘記服藥的可能。如果使用的是液體藥物，應該使用藥廠提供的滴管，以正確地量取藥量。由於此藥含有油味，並且塑膠杯會吸收此藥的有效成分，因此可將此藥與室溫下的牛奶、巧克力或橘子水在玻璃杯內混合服用，並且在服用後，要充分潤濕杯子，以避免殘留在杯內的藥物，造成藥量的不準確，並確保所有的藥物吸收入體內。

☞注意事項

此藥會降低身體免疫的能力，增加被細菌感染的機會，因此應當隨時保持身體的清潔衛生，盡量減少接觸感冒或其他具有感染性的病人，並且隨時保持傷口的清潔。

如果懷孕，對藥物過敏，或者有肝臟疾病、胃腸道方面的問題、高血壓、腎臟病、痛風等等，醫師需要針對這些情況謹慎用藥，因此在用藥之前，應該事先通知醫師。

由於身體的狀況，可能需要服用此藥相當長的一段時間，也有可能終身都需要服用此藥，因此不可在未經醫師的許可下停止服用。

服用此藥一段時間後，醫師可能需要定時檢驗此藥在身體的含量，然後適當地調整劑量。這是因為此藥在身體的吸收並不穩定，過多的劑量可能會造成肝臟或腎臟的毒性，過低的劑量又有可能會造成身體的排斥反應，因此，應當遵循醫師的指示，定期到醫院或診所做檢驗。

長期使用此藥後，可能會造成牙齦腫脹、脆弱易流血、發炎，以及牙周病的發生。不過如果能用牙線或牙刷經常保持牙齒的清潔衛生、定期經由牙醫的洗牙、以及經常地按摩牙齦的部位，應該可以將此一副作用減輕到最低的程度。

服藥期間，甚至停藥的幾星期後，如果有需要注射任何疫苗，必須先通知醫師，因為此藥會降低身體的抵抗能力，當注射疫苗時，反而有可能會增加身體被病菌感染的機會。

服用此藥的時候，最好能養成每天在固定時候服藥的習慣，此不但能避免忘記服藥；同時，藥物能在身體保持固定的濃度，而達到最好的藥效。

☞副作用

此藥常見的副作用為：拉肚子、食慾不振、噁心、腳抽筋、嘔吐、臉部潮紅、頭痛等等。這些副作用，通常在服用藥物一陣子後，應該會漸漸地消失。不過，如果這些副作用強到困擾你的程度，或者經過一段時間後，還不能完全消除，就應該通知醫師。

此藥較嚴重的副作用為：手腳發麻、毛髮增生、牙齦腫大、皮膚出現青紫色的瘀傷、皮膚或眼睛變黃、乳房增大、喉嚨痛及發燒、痙攣發作、顫抖等等。

通常這些副作用發生的機率較低，但是如果發生時，可能是藥物造成的不良反應，或者是劑量需要調整，應該盡快通知醫師。

☞懷孕及哺乳

根據動物實驗顯示，在正常劑量下，此藥尚不至於造成胎兒的生長缺陷。然而在高於人類2至5倍的劑量下，則可能會造成對胎盤及胎兒的毒性、減緩胎兒骨骼的發育成長，以及使胎兒體重減輕。當懷孕時，應該通知醫師，他會衡量狀況，決定是否應該服藥。

此藥會經由母乳到達嬰兒體內，爲了避免藥物可能對新生兒造成影響，餵奶的母親應該使用其他的乳製品，以取代母乳。

☞忘記用藥

如果一天服藥一次，而忘記服藥時間又不超過12小時時，就應該立即服用；但是，如果超出正常服藥的時間12個小時以上，就應該捨棄此次藥物，恢復到下次正常服藥的時間，千萬不可一次服用雙倍的劑量。如果遺忘兩次以上的劑量，就應該通知醫師。

Cyproheptadine(塞浦希)

商品名(台灣)

Antisemin®(優良)
Appitamine®(信元)
Ceriatin®(世紀)
Chilieanzin®(壽元)
Contreac®(佑寧)
Cyhepdin®(正和)
Cyllermin®(中化)
Cypro®(回春堂)
Cypro®(皇佳)
Cyprodin®(明德)
Cypromin®(瑞士)
Cytadin®(生達)
Dariactin®(金馬)
Decamin®(信元)
Dechimin®(永新)
Earmin®(優生)
Feri®(應元)
Fulimin®(安主)
Huavine®(華興)
Hunmin®(皇佳)
Kinsulin®(金馬)
Komian®(西華)
Konabin®(美西)
Nekomin®(內外)
Pandehol®(吉利)
Pelion®(居禮)
Perian®(久保)
Periatin®(美・Merck)
Pilian®(永信)
Piminton®(派頓)
Polyactin®(利達)
Poritin®(政德)
Prozin®(新豐)
Serodin®(美時)
Setomin®(金塔)
Showmin®(信東)

商品名(美國)

Periactin®(Merck)

☞藥物作用

本藥爲一種抗組織胺的「抗過敏」藥，主要用於許多過敏反應所引起的皮膚發紅、發癢的現象，以及其他過敏反應，如花粉過敏，及傷風感冒所引起的流鼻水、打噴嚏、眼睛發紅和眼睛發癢等等。本藥亦能當作促進幼兒食慾及增加體重的藥物使用。

☞用法

此藥不受食物的影響，空腹或與食物一起服用均可。如果覺得此藥會刺激胃部，可將其與少許的食物或一杯水一起服用。必要時，可以將此藥的藥片壓碎服用。如果使用的是液體藥物，因爲其含有極大的苦味，因此在服用的時候，應該使用有刻度的量杯或藥管，以量取正確的藥量，並且與果汁、汽水或冰淇淋等混合後服用。

☞注意事項

此藥會造成極大的思睡副作用，除非已經適應了此藥的作用，當開車或操作危險機械時，應該格外小心謹慎。酒精會增加此藥思睡的副作用，應當避免或限制用量。

如果懷孕，對藥物過敏，或者有心臟疾病、甲狀腺機能亢進、青光眼、前列腺腫大、氣喘、排尿困難等等，醫師需要針對這些情況謹慎用藥，因此在使用此藥之前，應該事先通知醫師。

安眠藥、肌肉鬆弛劑、鎮靜劑、抗過敏藥、感冒藥、抗抑鬱藥、止痛藥等等，這些藥物都有可能會增加此藥思睡的副作用。同時服用這些藥物時，應當特別注意彼此增加思睡的相乘效果。

本藥會增加身體對陽光的敏感性，如果在陽光下曝曬太久，有可能會導致皮膚的過敏或灼傷，因此應該盡量避免陽光直接曝曬，同時穿著長袖衣物，以保護皮膚。

在做皮膚過敏反應測試之前，應該事先通知醫師有服用此藥。因爲此藥的抗過敏作用，可能會干擾測試結果。小孩及老年人對此藥較一般人敏感。老年人較易引起虛幻、排尿困難、頭暈、口乾舌燥、低血壓等等。小孩與老年人亦可能會引起噩夢、不正常的興奮，及情緒不安等等。

服藥期間如果有便秘發生的話，就應該多食用蔬菜或水果等幫助消化的食物，並且在許可下，多做運動或飲用多量水分。服用此藥後也許會產生口渴現象，但是如果能夠含一塊冰塊或糖果的話，應該可以減少此一副作用。

☞副作用

此藥常見的副作用爲：口乾、心跳增快、皮膚對陽光敏感、耳鳴、思睡、流汗增加、胃口及體重增加、胃腸不適、做噩夢、排尿困難、視覺模糊、精神恍惚、精神緊張及不正常的興奮、頭暈，這些副作用，通常在服用藥物一陣子後，應該會漸漸消失。不過，如果這些副作用強到困擾你的程度，或者經過一段時間後，還不能完全消除，就應該通知醫師。

此藥較嚴重的副作用爲：幻覺、失眠、皮膚起紅疹或有青紫色的瘀傷、呼吸困難、精神恍惚或沮喪、突然發燒、眼睛及皮膚發黃、發冷或喉嚨痛、極端疲倦、精神極度興奮。通常這些副作用發生的機率較低，但是如果發生時，可能是藥物造成的不良反應，或者是劑量需要調整，應該盡快通知醫師。

☞懷孕及哺乳

根據動物實驗顯示，此藥造成胎兒損傷或者缺陷的機會並不大，一般來講孕婦服用此藥是安全的。由於動物實驗的結果並不一定完全與人類的反應相同，當懷孕時，應該與醫師討論此藥可能對胎兒的影響，他會衡量狀況，決定是否應該服藥。孕婦於懷孕的最後三個月期間，應該避免服用此藥，因爲新生兒可能會對此藥產生不良反應。

目前爲止，尙不知此藥是否會經由母乳到達嬰兒體內，如果要親自餵奶，就應該密切觀察嬰兒是否有過度的興奮、緊張不安及睡眠不正常等現象；或者可使用其他的乳製品，以取代母乳。

☞忘記用藥

如果忘記服藥，應該在記得時，立即服用。但是，如果距離下次服藥的時間太近，就應該捨棄此次藥物，恢復到下次正常服藥的時間，千萬不可一次服用雙倍的劑量。

Desipramine(抗憂鬱藥)

商品名(台灣)

Norpramin®(美‧Lakeside)

商品名(美國)

Norpramin®(Merrell Dow)

☞藥物作用

本藥爲一種「抗憂鬱」的藥物。身體病變所引起的憂鬱或沮喪，是由於人體腦部負責神經傳導的化學物質，失去平衡所造成的。此藥的作用就是能使腦內此類的化學物質，恢復到正常的含量，因而達到治療的目的，使病人的心情漸漸恢復開朗自信。此藥亦可當作毒癮病人戒毒時的輔助藥物。

☞用法

此藥不受食物的影響，空腹或與食物一起服用均可。如果覺得此藥會刺激胃部，可與少許食物或一杯水一起服用。必要時，可將此藥片壓碎或膠囊打開來與食物或水混合服用。

☞注意事項

服用此藥會產生想睡覺的感覺，尤其是剛開始服藥期間，除非已經適應了此藥的作用，當開車或操作危險機械時，應該格外小心謹慎。酒精會增加此藥思睡的作用，應當避免飲用或限制酒量。

如果懷孕或哺乳嬰兒，對藥物過敏，經常飲用大量酒，或者有心臟病、甲狀腺機能亢進、肝臟疾病、青光眼、前列腺腫大、氣喘、排尿困難、腎臟病、精神病、癲癇等等，醫師需要針對這些情況謹慎用藥，因此在使用此藥之前，應該事先通知醫師。

安眠藥、肌肉鬆弛劑、鎮靜劑、抗過敏藥、感冒藥、抗抑鬱藥、止痛藥等等，這些藥物都有可能會增加此藥的思睡作用。同時服用這些藥物時，應當特別注意彼此增加思睡的相乘效果。

剛開始服用此藥的時候，必須經過幾星期的時間，才能完全達到藥物的作用。因此不能因爲一時覺得藥物無效而放棄服用。同時，此藥必須定期服用才能達到最好的效果，也不能因爲一時覺得症狀已經改善而停止服用。

使用此藥期間，也許醫師需要定期評估藥效反應，以便適當調整劑量，因此必須遵守醫師的指示，定期到醫院或診所做檢查。

長期大量服用此藥後，不能突然地停藥，因爲突然停藥有可能會產生戒斷症狀，如頭痛、惡心、極端不舒服等等，應該遵循醫師的指示，漸漸降低劑量或次數，然後再停。

在拔牙或動手術之前，應該事先通知醫師有服用此藥。因爲在手術期間所使用的麻醉藥或肌肉鬆弛劑等，也許會與此藥產生不良作用，如血壓降低或呼吸抑制等等。本藥會增加皮膚對陽光的敏感性，如果在陽光下曝曬太久，有可能會導致皮膚過敏或灼傷，因此應該盡量避免陽光直接曝曬，並穿著長袖衣物，以保護皮膚。

服用此藥後，如果突然起立或坐起，也許會覺得頭暈目眩，不過如果能夠減慢起立的速度，應該能改善此一現象。假若服用此藥會覺得口渴，放一塊冰塊或者含一顆糖果在嘴內，應該能改善此一現象。

許多藥物會對此藥產生相互作用，可能會降低或增強彼此的藥效，而產生不良的作用。因此，無論服用的是成藥，或者是處方藥，最好能養成在服藥前先諮詢醫師或藥師的良好習慣。

☞副作用

此藥常見的副作用爲：口乾、失眠、拉肚子、思睡、疲倦、胸口灼熱、惡心、過量的流汗、頭痛、頭暈等。這些副作用，通常在服用藥物一陣子後應該會漸漸地消失。不過，如果這些副作用強到困擾你的程度，或者經過一段時間後，還不能完全消除，就應該通知醫師。

此藥較嚴重的副作用爲：手腳及頭部不正常的抖動、手腳僵硬、小便困難、心跳不正常、皮膚有不正常的瘀傷或塊狀的青紫色、皮膚起紅疹或發癢、呼吸困難、神經緊張不安、眼痛、眼睛及皮膚發黃、發燒、發冷及喉嚨疼痛、極端的疲倦、視覺模糊、精神恍惚。通常這些副作用發生的機率較低，但是如果發生時，可能是藥物造成的不良反應，或者是劑量需要調整，應該盡快通知醫師。

☞懷孕及哺乳

此藥會經由胎盤進入胎兒體內，可能會影響胎兒的正常發育，尤其是前三個月懷孕期間的可能性最高。同時，孕婦於生產前一個月服用此藥的話，可能會影響胎兒呼吸、心臟及排尿系統方面的問題。因此，除了有絕對需要，並且經醫師的同意外，孕婦應該避免服用此藥。

少量的藥物會經由母乳到達嬰兒體內，可能會造成新生兒過度的安睡，餵奶的母親應該考慮使用其他乳製品，以取代母乳。

☞忘記用藥

如果一天服用兩次以上的劑量，當忘記服藥時，應該在記得時，立即服用。並將當天未服完的劑量，依照等分的時間間隔服用完。但是，如果距離用藥的時間太近，就應該捨棄此次的藥物，恢復到下次正常用藥的時間，千萬不可一次使用雙倍的劑量。假如一天服用一次，而且在晚上服用的話，當忘記用藥時，應該在記得時，立即使用。但是，如果第二天才記起來，就應該捨棄所遺忘的藥物，然後恢復到正常用藥的時間，千萬不可使用雙倍的劑量。

Dexamethasone(的剎美剎松)

商品名(台灣)

Bucokon®(厚生)
Canalon®(信隆)
Deca®(世達)
Decadlin®(元澤)
Decadron®(默克)
Decalin®(正和)
Decalon®(優生)
Decan®(永信)
Decanon®(濟生)
Decans®(中美)
Decaron®(西華)
Decarone®(永新)
Decason®(信東)
Decasone®(佑寧)
Decon®(葡萄王)
Decone®(杏輝)
Decoron®(永勝)
Decoton®(新喜)
Decotong®(國際)
Dekesu®(富生)
Demeson®(福元)
Deson®(合誠)
Dexadon®(新東)
Dexan®(華興)
Dexaron®(中國新藥)
Dexasolen®(美時)
Dexason®(利達)
Dexasone®(久保)
Dexasone®(信東)
Dexazone®(強生)
Dexmesone®(景德)
Dexone®(正氏)
Dexsone®(回春堂)
Dica®(杏林)
Dicosheun®(順生)
Dorison®(皇佳)
Medesone®(內外)
Methasone®(榮民)
Mexasone®(新豐)
Oradexon®(歐嘉隆)
Rocolone®(十全)
Shuayan®(元宙)
Sulinin®(光南)
Sundron®(吉立)
Teanlang®(井田)
Ucalon®(成大)
Unisone®(合誠)

商品名(美國)

Decadron®(MSD)
Dexameth®(Major)
Dexone®(Reid-Rowell)
Hexadrol®(Organon)

☞藥物作用

本藥為一種「類固醇」的藥物。它的作用類似腎上腺皮質所分泌的一種荷爾蒙，可以增加體內的抗體細胞，以消滅病菌或外來物質的侵犯，增強身體的抵抗力。此藥有多種用途，可用來消除許多疾病所造成的發炎，如風濕性關節炎、痛風、皮膚發炎等等。它可用來治療嚴重的氣喘、過敏反應(如皮膚過敏)、血液方面的疾病、休克，和作爲癌症治療的輔助藥物等等。

☞用法

此藥通常是一天服藥一至兩次。由於體內分泌固醇類荷爾蒙，主要是在早晨分泌，同時此藥對胃部的刺激大，因此如果一天服藥一次，最理想的服藥時間應該是早餐後；如果一天服藥次數超過兩次以上，則第一顆藥物應在早餐後服用，另外的藥物則可做等量的時間間隔給藥，譬如一天服藥兩次，則每12個小時給藥一次。必要時，此藥的藥片可以壓碎服用。如果使用的是液體時，應該使用有刻度的量杯或藥管，以量取正確的藥量。

☞注意事項

此類(固醇類)藥物就是俗稱的「美國仙丹」。由於此藥能增強抵抗能力，使虛弱病體，立即感覺到康復及舒暢，因此常爲一些病人視爲仙丹良藥，而達到危險濫用的程度。此藥確實是一種強有效的藥物，但是除了特殊的疾病外，應該以短期使用爲主，並且應該經醫師的指示使用。長期大量濫用此藥的話，容易使抵抗病菌及傷害的能力降低，並且容易產生青光眼、白內障、骨質疏鬆、精神異常、血壓升高、臉部及身體水腫等等的不良副作用。

如果懷孕或餵哺嬰兒，對藥物過敏，或者有心臟疾病、甲狀腺機能不足、全身性黴菌感染、肝臟疾病、肺結核、青光眼、重症肌無力症、胃潰瘍、骨質疏鬆、高血壓、腎臟病、潰瘍性結腸炎、糖尿病等等，醫師需要針對這些情況謹慎用藥，因此在使用此藥之前，應該先通知醫師。

長期服用此藥會降低對病菌的抵抗能力，如果有痲疹或水痘等疾病時，應該通知醫師。同時，此藥會降低對外來傷害的反應力，如果有較大的外傷或需要進行較大的外科手術或拔牙前，應該通知醫師，醫師也許需要調整劑量。

如果服用此藥超過一至兩星期，不可未經醫師的許可就突然停藥。突然停藥有可能會產生腹痛、背痛、眩暈、疲乏、發燒、肌肉或關節痛、惡心或嘔吐、呼吸困難等等。醫師也許會要求經過一段時間，漸漸降低服用的劑量，或者增長服藥的間隔，然後再停藥。

服用此藥時，除醫師允許外，不能注射疫苗，因爲此藥會使疫苗失去效力。如果使用的是活性疫苗，由於此疫苗是經過減弱的病毒所造成的，也有可能會遭到病毒的感染。

長期服用此藥可能會有體重增加、水腫、青光眼、白內障產生。因此必須定期到醫院接受眼睛、血液、X光、血壓、體重及身高的檢查。此一身體檢查對小孩尤其重要，因爲此藥有可能會干擾小孩將來骨骼的生長及發育。

此藥可能會使糖尿病患者血糖升高，因此糖尿病患應該經常測試血糖含量，如果血糖升高的話，就應該通知醫師，他可能需要調整所服用的劑量或飲食。

服用此藥一陣子後，醫師也許需要定期依照身體狀況以及藥效，適當調整劑量。因此應該依照醫師指示定期到醫院或診所做檢查。另外，在服藥期間，醫師也許會要求定期測量體重，如果體重有不正常的增加，也應該通知醫師。

如果使用此藥超過一星期以上，當出門在外時，應該隨身攜帶醫療識別卡，卡上應該詳細記載病況，及服用的劑量。以免萬一受傷時，醫師可以立即了解病情，適當的處置或補充所需的藥量。

如果預備要懷孕或已經懷孕，或者現在用母乳餵嬰兒，就應該通知醫師。因爲此藥可能會造成胎兒或嬰兒，生長及發育方面的問題。

此藥對胃部具有刺激作用，如果患有胃潰瘍，或者同時服用一些對胃腸有刺激作用的藥物，如阿斯匹靈、治療關節炎等藥物的話，在使用這些藥物時，應該同時服用餅乾、食物或牛奶等，以減少藥物的刺激作用。同時酒精會增加胃部的刺激作用，應當避免服用或限制酒量。

☞副作用

此藥常見的副作用爲：胃口增加、胃腸不適、緊張不安、失眠、膚色變暗或變淺、消化不良、臉部潮紅、頭痛、頭暈目眩等，通常在服用藥物一陣子後，這些症狀應該會漸漸消失。不過，如果這些副作用強到困擾你的程度，或者經過一段時間後，還不能完全消除，就應該通知醫師。

此藥較嚴重的副作用爲：手腳及胸背骨骼痛、手腳及臉部有紫紅色的條紋、手腳水腫、心跳不正常、皮膚起紅疹、肌肉抽筋疼痛、連續的腹痛或惡心、嘔吐、虛弱無力、月經不順、精神恍惚或緊張不安、糞便變黑或吐血、臉部水腫變圓。通常這些副作用發生的機率較低，但是如果發生時，此可能是藥物造成的不良反應，或者是劑量需要調整，應該盡快通知醫師。

☞懷孕及哺乳

此藥對孕婦的影響，沒有很充裕的資料。根據動物實驗顯示，懷孕期間長期或大量服用此藥，可能會影響胎兒的正常發育，並且有造成缺陷的可能，尤其是懷孕前三個月的可能性最高。因此，除了醫師認爲有絕對需要，孕婦應該避免服用此藥。

此藥會經由母乳到達嬰兒體內，可能會影響新生兒的生長及腎上腺的正常功能，餵奶的母親應該改用其他的乳製品以取代母乳。

☞忘記用藥

如果一天服藥一次，應該在當天記得時，立即服用；如果等到第二天才記得，就應該捨棄所遺忘的藥物，只服用第二天的藥物，不可一次服用雙倍的劑量。如果一天服藥超過兩次，應該在記得時，立即使用。並將當天未用完的劑量，依照等分的時間間隔用完。如果距離下次用藥的時間太近，可以一次服用雙倍的劑量，然後恢復到下次正常服藥的時間。

Diazepam(待爾靜)

商品名(台灣)

Balidium®(中央)
Baogin®(寶齡富錦)
Bayu®(應元)
Colsin®(福元)
Comfort®(瑞人)
Cozepam®(北進)
Dean®(永吉)
Derginpin®(元澤)
Diapine®(強生)
Diazezin®(金田)
Dupin®(中化)
Editin®(永新)
Hua Pam®(華興)
Jinlun®(井田)
Jinpinfan®(美時)
Neo Zine®(瑞士)
Richian®(金馬)
Sedonin®(新豐)
Servizepam®(瑞士・Cimex)
Talium®(厚生)
Tening®(政和)
Thinin®(優生)
Toufong®(成大)
Tranzepam®(居禮)
Tzuchunan®(好漢賓)
Union®(佑寧)
Valium®(羅氏)
Vancolin®(內外)
Vanconin®(榮民)
Vandrin®(久保)
Vanine®(國際新藥)
Vatin®(杏林)
Walin®(世紀)
Winii®(溫士頓)
Zalpam®(杏輝)

商品名(美國)

Valium®(Roche)
Valrelease®(Roche)

☞藥物作用

本藥為一種短期使用的「抗焦慮藥」。它可解除精神焦慮及緊張，緩和戒酒患者因為戒酒所引起的顫抖和情緒不安、激動。本藥亦可用於消除病患手術前所引起的緊張不安，以及用來紓解肌肉因為某些病變所引起的痙攣和僵硬。本藥亦可與其他抗癲癇藥合用，以治療癲癇的發作。

☞用法

本藥不受食物的影響，因此空腹或與食物一起服用均可。本藥分為普通藥片及持續型釋放膠囊兩種，必要時，此藥藥片可以壓碎服用，但是持續型膠囊(尚未在台銷售)應該整粒吞服，不可咀嚼或打開來服用。連續使用4星期以上後，如要停藥時，須經醫師許可，不可自行停止服藥。

☞注意事項

此藥會產生想睡覺及頭暈的感覺，尤其是剛開始服藥的期間，因此除非已經適應了此藥的作用，當開車或操作危險機械時，應該格外小心。酒精會增加此藥思睡的副作用，應當避免服用或限制酒量。

如果懷孕，對藥物過敏，經常飲用大量的酒，或者有肝臟疾病、肺氣腫、青光眼、重症肌無力症、氣喘、腎臟病、嚴重的精神沮喪等等，醫師需要針對這些情況謹慎用藥，在使用此藥前，應該先通知醫師。

安眠藥、肌肉鬆弛劑、鎮靜劑、抗過敏藥、感冒藥、抗抑鬱藥、止痛藥等等，這些藥物都有可能增加此藥思睡的副作用。同時服用這些藥物時，應當特別注意增加思睡的相乘效果。

長期大量服用此藥，可能會造成成癮性或者依賴性，因此應該完全遵照醫師的指示服藥，千萬不可服用超過醫師處方的劑量或使用的時間。

經過一段時間服藥後，此藥對身體的作用可能會漸漸減弱，當此一現象發生時，應該徵求醫師指示，他也許會考慮改用其他藥物，但是千萬不可自行增加劑量。

老年人對此藥頭暈及運動失調的副作用較一般人敏感，因此服用此藥後，走路、爬樓梯或運動時應該格外小心，以免摔倒而導致骨折。

服用此藥3至4個月後，不能突然停藥，因爲突然停藥有可能會產生戒斷症狀。如果要停藥的話，應該遵循醫師的指示，漸漸降低服藥的劑量或次數，然後再停藥。

服藥期間有便秘發生的話，就應該多食用蔬菜或水果等等幫助消化的食物，並且許可下，多做運動或多飲用水分。服用此藥後，也許會產生口渴的現象，但是如果能夠含一塊冰塊或糖果的話，應該可以減少此一副作用。

剛開始服用此藥時，可能會產生頭昏眼花的感覺，尤其是突然站立或坐起時，不過如果能夠緩慢地站立或坐起，應該會減少此一現象。

☞副作用

此藥常見的副作用爲：口乾、小便困難、下痢、思睡、便秘、惡心、發抖、視覺模糊、嘔吐、頭痛、頭暈目眩等。這些副作用，通常在服用藥物一陣子後，應該會漸漸消失。不過，如果這些副作用強到困擾你的程度，或者經過一段時間後，還不能完全消除，就應該通知醫師。

此藥較嚴重的副作用爲：手腳及眼睛有不能自主的運動、幻覺、不尋常的興奮、有不正常的瘀傷或塊狀的青紫色、皮膚起紅疹或發癢、眼睛及皮膚發黃、發冷及喉嚨疼痛、發燒、極端的疲倦、精神恍惚或沮喪，通常這些副作用發生的機率較低，但是如果發生時，此可能是藥物造成的不良反應，或者是劑量需要調整，應該盡快通知醫師。

☞懷孕及哺乳

此藥對孕婦的影響沒有定論。但有資料指出，此藥有造成胎兒缺陷的可能，尤其是前三個月懷孕期間的可能性最高，同時此藥具有成癮性，孕婦於最後六個月服此藥，有可能會造成新生兒緊張不安、顫抖等戒斷症狀。孕婦於懷孕的最後一星期服用此藥，則有可能造成嬰兒過度安眠、心跳減慢及呼吸困難等現象。因此，除非有絕對需要，並且經由醫師同意外，孕婦應該避免服用此藥。

對餵奶的母親而言，此藥會經由母乳到達嬰兒體內，造成新生兒過度的安睡。同時，嬰兒對此藥的代謝作用較成年人爲慢，藥物長久在體內累積，將造成不良影響。餵奶的母親應該考慮使用其他的乳製品以取代母乳。

☞忘記用藥

如果忘記服藥的話，應該在記得時，立即使用。但是，如果距離下次用藥的時間太近，就應該捨棄此次藥物，恢復到下次正常的用藥時間，千萬不可一次使用雙倍的劑量。

Diclofenac(待克菲那)

商品名(台灣)

Anterin®(富生)
Blesin®(日・Sawai)
Cataflam®(瑞華)
Chilton®(內外)
Clofen®(政德)
Clofon®(永豐)
Clonac®(金馬)
Dicens®(寶齡富錦)
Diclofen®(華興)
Diclof®(成大)
Dicloren®(衛達)
Dicloton®(西華)
Dicok®(明大)
Dien®(世達)
Difena®(生達)
Flogofenac®(義・Ecobi)
Formax®(西德有機)
Futon®(杏林)
Metatuhon®(居禮)
Moren®(皇佳)
Neriodin®(日・Teikoku)
Painstop®(瑞士)
Prophenatin®(日・菱山)
Remethan®(塞・Remedica)
Roitoin®(強生)
Siofulin®(壽元)
Staren®(南光)
Sumofen®(明德)
Valtarin®(中國新藥)
Venton®(利達)
Volen®(溫士頓)
Voltar®(元澤)
Voltaren®(汽巴加基)
Volton®(安主)
Voren®(永信)
Votonnin®(黃氏)
Yuren®(優生)

商品名(美國)

Voltaren®(Geigy)

☞藥物作用

本藥爲一種「非固醇類止痛及抗發炎」藥物。其主要作用，就是能阻止體內「前列腺素」的產生，此一化學物質通常是造成關節疼痛及發炎的主因，因此可以解除風濕性關節炎、骨關節炎所引起的關節僵硬、疼痛、發炎以及發腫現象。此藥同時可以當作止痛藥使用，可以消除多種輕微到中度的疼痛，如頭痛、牙疼、月經痛，以及肌肉扭傷所引起的疼痛等。

☞用法

爲了減輕對胃部的刺激，此藥最好與食物或飯後服用，並同時飲用一杯水。在服用藥物後30分鐘內，最好不要立即躺下，以免藥物對上消化道的直接刺激。本藥分爲普通藥片及持續型釋放錠劑兩種，如有必要時，此藥藥片可以壓碎服用，但是持續錠應該整顆吞服，不可咀嚼或壓碎服用。

☞注意事項

服用此藥後，可能會產生輕微頭暈目眩及視覺模糊，並且可能會感覺疲乏。因此，在尙未完全適應此藥之前，開車或操作危險機械時，應該格外小心。

如果懷孕或餵哺嬰兒，對藥物過敏，或者有血液凝固方面的問題、肝臟疾病、紅斑性狼瘡、胃出血、胃潰瘍、高血壓、充血性心衰竭、腎臟病、糖尿病等等，醫師需要針對這些情況謹慎用藥，因此在使用此藥之前，應該先通知醫師。

長期服用此藥對胃的刺激非常大，應該隨時留意是否有胃出血或胃潰瘍發生。如果有暗黑色條紋或塊狀糞便時，此爲內出血的徵兆，應該通知醫師做進一步的檢查。

服用阿斯匹靈或酒精會增加此藥對胃腸的刺激，因此應該盡量避免與此藥一起合用。同時一些抗關節炎藥物，或者抗凝血劑也會增加胃腸的刺激及降低血液凝固的能力，如果長期與此藥一起合用，有造成胃出血的可能。當同時使用這些藥物時，應該事先得到醫師的許可。

如果服用此藥的目的在治療關節炎，通常在服藥後一個星期內，關節四肢的症狀，應該有所改善，通常此藥至少必須經過兩至三星期的時間，才能完全達到最大作用。另外，此藥只能改善關節炎的症狀，並不能治癒關節炎，必須長期按時服用，才能達到最好的效果，也不能因爲一時覺得症狀已經改善而停止服藥。

此藥會抑制血液的凝固而使流血的時間增長，因此在拔牙或動手術之前，應該先通知醫師。通常在手術前的幾天，醫師會要求停止服用此藥，以免手術進行當中造成過量流血。

此藥有可能會增加水分在身體內的滯留，間接地有可能會使血壓升高，或增加心臟的工作量。因此應該隨時留意四肢，如果發現有腫脹情況時就應該通知醫師。

老年人對此藥所引起胃腸的副作用，如胃潰瘍、胃出血等等，較一般人敏感。同時，由於老年人的腎臟功能較一般人爲差，藥物經由腎臟排出體外的能力也相對降低，最後有可能導致藥物的積聚，引起腎臟及肝臟的毒性。因此醫師可能會要求此類病人服用較一般人低的劑量，甚至到減半的程度。因此在使用此藥時，應該完全遵照醫師指示劑量服用。

☞副作用

此藥常見的副作用爲：下痢、便秘、胃腸不適或疼痛、消化不良、疲倦、胸口灼熱、腹部脹氣、輕微的思睡、頭痛、頭暈目眩等。這些副作用，通常在服用藥物一陣子後，應該會漸漸消失。不過，如果這些副作用強到困擾你的程度，或者經過一段時間後，還不能完全消除，就應該通知醫師。

此藥較嚴重的副作用爲：心跳不正常、皮膚起紅疹或發癢、吐血或含暗黑色物質、含有帶黑色糞便、呼吸困難、氣喘、胸痛、發冷及喉嚨痠痛、發熱、腹痛或胃痛、嚴重的頭痛等。通常這些副作用發生的機率較低，但是如果發生時，此可能是藥物造成的不良反應，或者是劑量需要調整，應該盡快通知醫師。

☞懷孕及哺乳

目前尙無資料顯示此藥會造成胎兒生長缺陷，但是懷孕婦女最好不要服用此藥。因爲根據動物實驗顯示，懷孕後期尤其是最後三個月服用此藥的話，可能會造成胎兒心臟血管及血液方面的問題。同時，此藥有可能會增長懷孕及生產的時間以及其他生產過程中的問題。

少量的藥物會經由母乳到達新生兒體內，有可能會造成血液循環及心臟血管方面的問題。餵奶的母親應該考慮用其他乳製品以取代母乳。

☞忘記用藥

如果此藥是按照正常規定的時間服用，應該在記得時，立即服用。但是，如果距離下次服藥的時間太近，就應該捨棄此次的藥物，恢復到下次正常服藥的時間，千萬不可一次服用雙倍的劑量。

Dicloxacillin(得克西林)

商品名(台灣)

Dacocillin®(中國化學)
Diclocin®(永豐)
Diclocil®(景德)
Ziefmycin®(永信)

商品名(美國)

Dycill®(SKB)
Dynapen®(Apothecon)
Pathocil®(Wyeth-Ayerst)

☞藥物作用

本藥爲一種「盤尼西林」類的抗生素，主要作用是能破壞細菌的細胞壁，抑制細菌的生長，以治療某些細菌所引起的感染，如肺炎、鼻竇炎、敗血症、上呼吸道感染以及皮膚感染等等。

☞用法

爲了增強藥物的吸收，本藥最好在空腹的時候服用，譬如飯前一小時，或飯後兩小時。必要時，此藥的膠囊可以打開來服用。如果使用的是液體藥物時，每次在使用之前，應先將藥瓶輕微搖動使藥物能均勻分散，並用有刻度的量杯或藥管以量取正確的藥量。服用此藥時，不可將其與果汁、汽水一起服用，以免此類酸性飲料在胃腸內破壞藥物的結構，造成藥效降低。

☞注意事項

服用此藥時，必須依照醫師指示服完所有的處方(通常是7至14天)，即使覺得感染的症狀已經完全消除，仍須服用完所有的份量，以免感染復發，或細菌產生抗藥性。

如果懷孕或餵哺嬰兒，對藥物過敏(尤其是盤尼西林類抗生素)，對花粉或任何東西過敏，或者有腎臟病、氣喘、胃腸道的毛病(如腸炎、潰瘍性結腸炎)等等，醫師需要針對這些情況謹慎用藥。因此在使用此藥之前，應該先通知醫師。

服用此藥後，可能會降低口服避孕藥的作用，因此服用此藥時，最好能同時使用其他有效的避孕方法，譬如使用保險套等來避孕。此藥會干擾糖尿病患者尿液血糖測量的結果，如果要依照此測量結果來改變飲食或劑量時，應該事先徵求醫師的意見。

如果是服用液體藥物的話，必須在新鮮的情況下使用才會有效，其有效期通常爲兩個星期。通常藥師會在藥瓶上標明有效日期，如果過期的話，就不該使用。另外，也應該將此藥放於冰箱冷藏室(但不是冷凍室)內以保持新鮮。

本藥與「盤尼西林」屬於同一類的抗生素，如果對盤尼西林過敏，對此藥也有可能會產生過敏，最好不要服用此藥。萬一服用後產生過敏反應，如呼吸困難、皮膚發紅或發癢等等，就應該立即通知醫師。

本藥爲醫師針對病情所下的處方，如果下次有類似的感染，雖然產生的症狀相同，但也許引起感染的病菌不同，服用此藥不見得會有效，更有可能會延誤病情。因此必須經由醫師的診斷及指示服藥，更不可將此藥留給他人使用。

爲了達到最佳的滅菌效果，此藥必須在血中達到固定的濃度，因此最好每天在相等的時間間隔下服藥。如一天服藥4次，則應該每6個小時服用一次，並且不可忘記服藥。

在極少數的情況下，服用此藥一陣子後，可能會產生拉肚子現象。此可能是抗生素破壞了胃腸內細菌的平衡所引起的。千萬不能自行服用止瀉藥，如果使用了錯誤的藥物，有可能會使腹瀉的情況更爲惡化，應該請教醫師，由他做適當的治療。

☞副作用

此藥常見的副作用爲：拉肚子、胃腸不適、胸口灼熱、惡心、嘔吐、頭暈。這些副作用，通常在服用藥物一陣子後，應該會漸漸消失。不過，如果這些副作用強到困擾你的程度，或者經過一段時間後，還不能完全消除，就應該通知醫師。

此藥較嚴重的副作用為：皮膚水腫、皮膚發紅、血壓下降、呼吸困難、喉嚨痛、發燒、發癢、腹部抽痛、嚴重的拉肚子。通常這些副作用發生的機率較低，但是如果發生時，可能是藥物造成的不良反應，或者是劑量需要調整，應該盡快通知醫師。

☞懷孕及哺乳

一般來講，此藥用於孕婦是安全的。但是，仍須更廣泛的醫學資料加以證明其安全性，懷孕時，最好還是通知醫師。

對於餵奶的母親來說，少量的藥物會經由母乳到達嬰兒體內，可能會影響腸內細菌的平衡，造成嬰兒拉肚子或腸胃不舒服，也有可能會造成過敏反應。因此，最好使用其他的乳製品，以取代母乳。

☞忘記用藥

如果忘記服藥，應該在記得時，立刻服用。但是，如果距離下次服藥的時間太近，而又是一天服藥兩次的話，就應該先服用所遺忘的藥物，然後等5至6小時後，再服用下次的劑量。如果一天服藥3次以上，應該先服用所遺忘的藥物，然後等兩三小時後，才服用下次的劑量，或者是服用雙倍的劑量，然後再恢復到另一次正常服藥的時間。

Dicyclomine(待克明)

商品名(台灣)

Bental®(人人)
Bentyl®(鹽野義)
Cenpyl®(永吉)
Co Lo Cha®(根達)
Coochil®(井田)
Diclamin®(王子)
Dicymine®(正氏)
Dicymine®(晟德)
Dipyron®(杏林)
Formulex®(加・ICN)
Howei Plus®(西德有機)
Kurinti®(順生)
Lututin®(陽生)
Painlax®(瑞人)
Resporimin®(日・Tsuruhara)
Swemine®(中一)
Swityl®(瑞士)
Toliwei®(富生)
Tontyl®(派頓)
Vantyl®(汎生)
Wintyl®(溫士頓)

商品名(美國)

Bemote®(Everett)
Bentyl®(Lakeside)
Byclomine®(Major)
Di-Spaz®(Vortech)
Dilomine®(Kay)

☞藥物作用

本藥爲一種「抗胃腸痙攣」的藥物。它主要的作用是可以直接緩和胃腸道肌肉因爲不正常所造成的痙攣，使這些部位的肌肉放鬆，而達到減輕疼痛、不舒服，或其他併發症的發生。此藥常用來紓解情緒或壓力過大所導致胃腸痙攣的不適症狀，如胃痛、胃不舒服、腹瀉、便秘以及排氣增加等等。

☞用法

此藥通常是一天服用4次，除了醫生特別的指示外，可安排於飯前30分鐘及睡前各服一次。爲了減輕此藥對胃部的刺激，服用此藥時最好能同時飲用一杯水。由於制酸劑可能會影響此藥的吸收作用，當同時使用制酸劑時，應該與此藥至少相隔一小時。

☞注意事項

此藥可能會造成思睡、頭昏、眼花或視覺模糊。尤其是剛開始服藥期間，除非已經適應了此藥，當開車或操作危險機械時，應該格外小心。

如果懷孕，對藥物過敏，或者有心臟疾病、回流性食道炎、青光眼、前列腺腫大、重症肌無力、排尿困難、潰瘍性結腸炎等等，醫師需要針對這些情況謹慎用藥，因此在使用此藥之前，應該事先通知醫師。

安眠藥、肌肉鬆弛劑、鎮靜劑、抗過敏藥、感冒藥、抗抑鬱藥、止痛藥等等，這些藥物都有可能會增加此藥思睡的副作用。同時服用這些藥物時，應當特別注意彼此增加思睡的相乘效果。

使用此藥後，可能會使眼睛較怕光。因此應該避免在強光或太陽底下站立太久。另外，如果能戴太陽眼鏡的話，應該會使眼睛感到較爲舒服。如果在服藥的期間，有便秘發生的話，應該多食用蔬菜或水果等幫助消化的食物，並且在身體許可下，多做運動或多飲用水分。

此藥會抑制排汗，及阻止體內熱量排出體外。因此，應該避免在過熱的氣候下運動太久、洗過熱的澡。同時，爲了避免因中暑而暈倒，應該避免在太陽下或過熱的地方待太久。

制酸劑或抗腹瀉藥可能會干擾此藥的吸收，與此類藥物一起服用時，至少應該與此藥相隔一小時以上。

如果服用此藥會覺得口渴，含一塊冰塊或者一顆糖果，應該能改善此一口渴的現象。

要拔牙或動手術前，應該先通知醫師有服用此藥。

☞副作用

此藥常見的副作用爲：小便困難、思睡、便秘、流汗減少、疲倦、眼睛怕光、惡心、視眼模糊、嘔吐、頭痛、頭暈目眩等。這些副作用，通常在服用藥物一陣子後，應該會漸漸消失。不過，如果這些副作用強到困擾你的程度，或者經過一段時間後，還不能完全消除，就應該通知醫師。

此藥較嚴重的副作用爲：心跳過快、皮膚起紅疹、呼吸困難、迷幻、眼睛痛、視覺改變、不正常的興奮或緊張不安、精神恍惚、頭暈等。通常這些副作用發生的機率較低，但是如果發生時，可能是藥物造成的不良反應，或者是劑量需要調整，應該盡快通知醫師。

☞懷孕及哺乳

一般來講，在正常劑量下，孕婦服用此藥是安全的。但仍須更廣泛的醫學數據對此藥做進一步的評估。懷孕時，最好與醫師討論此藥可能對胎兒的影響，他會衡量情況決定是否應該服藥。

服用此藥的母親禁止用母乳餵哺嬰兒。少量的藥物會經由母乳到達嬰兒體內，嬰兒服用了含藥物的母乳，有可能會產生呼吸困難甚至窒息。另外，此藥也會降低乳汁的分泌，因此餵奶的母親應該改用其他的乳製品以取代母乳。

☞忘記用藥

如果忘記服藥，應該在記得時，立即服用。但是，如果距離下次服藥的時間太近，就應該捨棄此次的藥物，恢復到下次正常服藥的時間，千萬不可一次服藥雙倍的劑量。

Diflunisal(待福索)

商品名(台灣)

Difluine®(井田)
Difuton®(新豐)
Dolobid®(美・Merck)
Guerton®(中美)
Ilacen®(西・Rorer)
Ilacen®(中化)
Senta®(政德)

商品名(美國)

Dolobid®(MSD)

☞藥物作用

本藥為一種「非固醇類止痛及抗發炎」的藥物。其主要作用是能阻止體內「前列腺素」的產生，此一化學物質通常是造成關節疼痛以及發炎的主要原因，因此可以用來解除風濕性關節炎，以及骨關節炎所引起的關節僵硬、疼痛、發炎以及發腫的現象。此藥同時可以當作止痛藥使用，可以消除多種輕微到中度的疼痛，如頭痛、牙疼、月經痛，以及肌肉扭傷所引起的疼痛等。

☞用法

為了減輕對胃的刺激，此藥最好與食物或飯後服用，並同時飲用一杯水。在用完藥物後30分鐘內，最好不要立即躺下，以免藥物對上消化道的直接刺激。服用此藥片時，應該整顆吞服，不可咀嚼或壓碎服用。

☞注意事項

服用此藥後，可能會產生輕微頭暈目眩及視覺模糊，並且可能會產生疲乏的感覺。因此，在尚未完全適應此藥之前，當開車或操作危險機械時應該格外地小心。

如果懷孕或餵哺嬰兒，對藥物過敏，或者有血液凝固方面的問題、肝臟疾病、紅斑性狼瘡、胃出血、胃潰瘍、高血壓、充血性心衰竭、腎臟病、糖尿病等等，醫師需要針對這些情況謹慎用藥，在使用此藥之前，應該事先通知醫師。

長期服用此藥對胃的刺激非常大，應該隨時留意是否有胃出血或胃潰瘍發生。如果有暗黑色條紋或塊狀的糞便時，此爲內出血的徵兆，應該通知醫師做進一步的檢查。

服用阿斯匹靈或酒精會增加此藥對胃腸的刺激作用，應該盡量避免與此藥一起合用。同時一些抗關節炎的藥物，或者抗凝血劑也會增加胃腸的刺激作用及降低血液凝固的能力，如果長期與此藥一起合用，有造成胃出血的可能。當同時使用這些藥物時，應該事先得到醫師的許可。

如果服用此藥的目的在治療關節炎，通常在服藥後一個星期內，四肢關節的症狀，應該有所改善，但是此藥至少必須經過兩至三個星期，才能達到最大療效。由於此藥只能改善關節炎的症狀，並不能完全治癒，所以必須長期服用，才能達到最好的效果，也不能因爲一時覺得症狀已經改善而停止服藥。

此藥可能會增加水分在體內滯留，間接地會使血壓升高，或增加心臟的工作量。因此應該隨時留意四肢，如果發現有腫脹時就應該通知醫師。

老年人對此藥所引起胃腸的副作用，如胃潰瘍、胃出血等等，較一般人敏感。同時，老年人的腎臟功能較一般人爲差，藥物經由腎臟排出體外的能力也相對降低，最後有可能會導致藥物的積聚，而引起腎臟及肝臟的毒性。醫師可能會要求此類病人服用較一般人低的劑量，甚至到減半的程度。因此在使用此藥時，應該完全遵照醫師所指示的劑量服用。

此藥會抑制血液凝固使流血的時間增長，因此在拔牙或動手術之前，應該先通知醫師，通常在手術前幾天，醫師會要求停止服用此藥，以免手術進行中造成過量的流血。

☞副作用

此藥常見的副作用爲：下痢、失眠、便秘、胃腸不適或疼痛、消化不良、疲倦、胸口灼熱、惡心、腹部脹氣、嘔吐、輕微的思睡、嘴巴痠痛或乾燥、頭痛、頭暈目眩等。這些副作用，通常在服用藥物一陣子後，應該會漸漸消失。

不過，如果這些副作用強到困擾你的程度，或者經過一段時間後，不能完全消除，就應該通知醫師。

此藥較嚴重的副作用為：心跳不正常、皮膚起紅疹或發癢、吐血或含暗黑色的物質、含有帶黑色的糞便、呼吸困難、氣喘、胸痛、發冷及喉嚨痠痛、發熱、腹痛或胃痛、嚴重的頭痛。通常這些副作用發生的機率較低，但是如果發生時，可能是藥物造成的不良反應，或者是劑量需要調整，應該盡快通知醫師。

☞懷孕及哺乳

目前尚無資料顯示此藥會造成胎兒缺陷，但是懷孕婦女最好不要服用此藥。因為根據動物實驗顯示，懷孕後期尤其是最後三個月服用此藥的話，可能會造成胎兒心臟及血液凝結方面的問題。同時，此藥可能會增長懷孕及生產的時間以及其他生產過程中的問題。

少量的藥物會經由母乳到達新生兒體內，造成血液循環及心臟血管方面的問題。餵奶的母親應該考慮用其他乳製品以取代母乳。

☞忘記用藥

如果忘記服藥，應該在記得時，立即服用。但是，如果一天服藥一次，而距離下次服藥的時間少於8小時；如果一天服藥兩次以上，而距離下次服藥的時間少於4小時，就應該捨棄此次的藥物，恢復到下次正常服藥的時間，但是不可以一次服用雙倍的劑量。

Digoxin(長葉毛地黄)

商品名(台灣)

Digon®(金馬)
Digosin®(中外)
Lanoxin®(寶威)
Lifusin®(永信)

商品名(美國)

Lanoxicaps®(Burroughs Wellcome)
Lanoxin®(Burroughs Wellcome)

☞藥物作用

本藥為一種「心臟藥」。它主要的作用，就是能夠增強心臟收縮的能力，心臟的收縮力加強，可以使心臟內更多的血液壓縮回流到身體，減輕心臟過多的水分而導致的心衰竭。本藥亦能有效地調節心跳，使心跳的速率達到正常。

☞用法

為了增強藥物的吸收，使用本藥時，最好在空腹時服用，譬如飯前一小時，或飯後兩小時。此藥通常是一天服用一次，不論是早上或是晚上服用，最好養成每天在固定時間服藥的習慣，以減少忘記服藥。使用液體藥物時，每次在使用前，應該使用有刻度的量杯或藥管，以量取正確的藥量。

☞注意事項

服用此藥前，應該事先請教醫師如何測量脈搏，如果覺得脈搏跳動得過快或太慢，就應該通知醫師。

如果懷孕，對藥物過敏，或者有心臟疾病、甲狀腺疾病、肝臟疾病、腎臟病，或者最近曾經服用幫助排尿的藥物等等，醫師需要針對這些情況謹慎用藥，在使用此藥之前，應該先通知醫師。

服藥後，除非經醫師的同意，不可突然地停藥，突然停藥有可能使心臟的情況轉爲惡化。必要時，醫師也許會要求漸漸降低服藥的次數或劑量，然後再停藥。

服用此藥後，醫師需要定期測量心電圖，及評估藥效，因此必須遵從醫師的指示，定期到醫院做檢查。

許多感冒、咳嗽，及抗過敏類的成藥中，含有刺激心臟的藥物成分，可能會加重心臟的負荷而造成危險。購買此類藥物時，應該先請教醫師或藥師是否含有此一成分。

服藥一陣子後，如果有下痢、惡心、嘔吐，或心臟跳動速率太慢的現象時，這可能是劑量過大所產生的副作用，應該盡早通知醫師。如果覺得有呼吸困難、或者是腳部或關節有水腫的現象時，這可能是劑量過低所產生的副作用，也應該盡早通知醫師。

此藥對某些人可能會造成思睡或注意力不集中，除非已經習慣了此藥的作用，當操作危險機械或開車時，應該格外地小心。

使用準確的劑量對病況相當重要，服用此藥一段時間後，除經醫師同意外，最好不要換別種廠牌的藥品。不同廠牌的藥品，雖然劑量或成分相同，但是由於各藥廠品管的能力，及生產過程中使用的添加物不同，都有可能會影響此藥的吸收，所產生的濃度及藥效也不見得會相同。

出門旅行時，應該攜帶足夠的藥量。在拔牙或動手術之前，應該事先通知醫師有服用此種藥物。

☞副作用

此藥常見的副作用爲：拉肚子、胃口降低、疲倦、想睡覺、輕微的惡心、頭痛等等。這些副作用，通常在服用藥物一陣子後，應該會漸漸消失。不過，如果這些副作用強到困擾你的程度，或者經過一段時間後，還不能完全消除，就應該通知醫師。

此藥較嚴重的副作用爲：心跳突然加快、心跳變慢、幻覺、乳房腫大、惡心、視覺模糊或有黃色的光圈、嘔吐、精神沮喪、精神恍惚、嚴重的腹痛。通常這些副作用發生的機率較低，但是如果發生時，此可能是藥物造成的不良反應，或者是劑量需要調整，應該盡快通知醫師。

☞懷孕及哺乳

目前尚無資料顯示此藥會對胎兒造成不良作用，但仍須更廣泛的醫學數據對此藥做進一步的評估。懷孕時應該通知醫師，他會衡量狀況，決定是否應該服藥。少量的藥物會經由母乳到達嬰兒體內，餵奶的母親應該隨時注意嬰兒的反應，或者使用其他乳製品，以取代母乳。

☞忘記用藥

如果一天服藥一次，假設忘記服藥而距離下次服藥的時間超過12小時以上，就應該立即服藥；但是如果時間低於12小時，就應該捨棄此次藥物，恢復到下次正常服藥的時間，不可一次服用雙倍的劑量。如果忘記服藥超過兩次以上，就應該參考醫師的意見。

Diltiazem(迪太贊)

商品名(台灣)

Aerisin®(元宙)
Altiazem®(義・Luso)
Angeltension®(世達)
Cardil®(芬・Orion)
Cardizem Retard®(瑞典・Pharmacia)
Cartil®(信元)
Coroherser®(日・Nihon)
Dilazem®(衛達)
Dilem®(紐・Douglas)
Diltahexal®(德・Haxel)
Diltelan S.R®(愛・Elan)
Diltisser®(中化)
Hagen®(國嘉)
Herbesser®(田邊)
Herzen®(乖乖)
Hesor®(優生)
Latiazem®(強生)
Miocardie®(日・Nissin)
Nakasser®(南光)
Pertiazem®(皇佳)
Seresnatt®(日・Towa)
Silzem®(信隆)
Suboshin®(中美)
Tiaves®(日・R.P.R)
Tildiem®(法・Synthelabo)
Youtiazem®(日・陽進堂)

商品名(美國)

Cardizem CD®(Marion)
Cardizem SR®(Marion)
Cardizem®(Marion)
Dilacor XR®(Rorer)

☞藥物作用

本藥為一種「鈣離子阻斷劑」的降血壓及預防心絞痛藥物。此藥的作用是能使血管擴張，讓更多的血液能夠順暢通過血管而達到降血壓的目的。本藥亦可擴張心臟內的血管，使心臟能夠得到更多的血液和氧氣，解除心臟因為缺氧而造成壞死，導致心絞痛的發生。

☞用法

本藥分為錠劑及膠囊兩種。此藥的普通型藥片，通常是一天服用4次，可安排於每餐飯前或睡覺前各一次。必要時，此藥的藥片可以壓碎與食物或水一起服用。此藥的長效型膠囊，通常是一天服用一至兩次。如果一天服藥一次可在早餐前服用；如一天服用兩次，則可在早餐及晚餐飯前各一次。服用此長效型膠囊時，應該吞服整粒的藥物，不可在嘴內咀嚼或打開來服用。

☞注意事項

本藥同時具有預防心絞痛及降血壓的作用。如果服用此藥是預防心絞痛，就必須定期服用才有預防效果，若是在心絞痛發作時才服用此藥是無效的，必須使用其他的藥物來紓解心絞痛的急性發作。

如果懷孕，對藥物過敏，或者有心臟疾病、肝臟疾病、充血性心衰竭、腎臟病等等，醫師需要針對這些情況謹慎用藥，因此在使用此藥之前，應該先通知醫師。

服用此藥後，可能會產生頭昏眼花，尤其是剛開始服藥期間。因此，在尚未完全適應此藥之前，當開車或操作危險機械時，必須小心謹慎。

本藥只能控制血壓升高，並不能治癒此一病症，可能需要終生服用此藥以控制血壓。剛開始服用此藥後，血壓可能需要經過幾個星期才能漸漸降到理想程度；並且，經過一段時間藥物治療後，即使血壓已恢復正常，仍舊需要持續地服藥，才能有效控制血壓。

經過一段時間藥物治療後，即使覺得血壓已恢復正常，亦不可間斷，或者是突然停止服藥。突然停止服藥有可能會使血壓升高，甚至造成心臟病發生。如須停藥，應該得到醫師許可，並且在醫師指示下，將藥物漸漸地降低然後再停。

服用此藥之前，應該事先請教醫護人員如何測量脈搏。如果覺得脈搏跳動較平常慢或者低於50，就應該通知醫師。為了達到理想降血壓的作用，應該遵循醫師的指示，服用低鹽類、低脂肪的食物，戒煙酒，並且盡可能依照醫師指示做適當運動。

剛開始服用此藥時，可能會產生頭暈目眩的感覺，尤其是突然站立或坐起時，不過如果能夠緩慢地站立或坐起，應該會減少此一現象。

如果使用此藥的目的在預防心絞痛，在經過一陣子服藥後，不可因爲心絞痛不再發作而突然增大運動量。應該先與醫師商討何種運動較適合體能，或多大的運動量，才不會造成心臟過度的負荷，而造成心絞痛再次發生。

在拔牙或動手術之前，應該事先通知醫師有服用此藥。

剛開始服用此藥時，也許會有頭痛的感覺，但是經過一段時間服藥後，此現象應該會漸漸消除。如果經過一段較長的時間，仍然覺得頭痛，就應該通知醫師。服用此藥一段時間後，可能會造成牙齦腫大、發炎或者流血，如果能經常用牙線或牙刷維護正常衛生習慣，並且常按摩牙齦，應該能減少一現象的發生。

市面上許多治療過敏、鼻塞、咳嗽、感冒，以及減肥的成藥中，經常會含有使血壓升高的成分。爲了避免造成血壓突然升高，在服用此類藥物之前，應該先諮詢醫師或藥師的意見。

☞副作用

此藥常見的副作用爲：口乾、下痢、思睡、便秘、疲倦、惡心、臉部發紅發熱、頭痛、頭暈目眩等。這些副作用，通常在服用藥物一陣子後，應該會漸漸消失。不過，如果這些副作用強到困擾你的程度，或者經過一段時間後，還不能完全消除，就應該通知醫師。

此藥較嚴重的副作用爲：心跳過快、心跳過慢(低於50)、皮膚起紅疹、呼吸困難、胸口疼痛、腳部水腫等。通常這些副作用發生的機率較低，但是如果發生時，可能是藥物的不良反應，或者是劑量需要調整，應該盡快通知醫師。

☞懷孕及哺乳

此藥對孕婦的影響，並無很完備的資料，但是根據動物實驗顯示，在高劑量下，此藥可能會影響胎兒的骨骼發育，以及延長懷孕的時間，劑量高發生的機率就更高。當懷孕時，應該通知醫師，他會衡量狀況，決定是否應該服藥。

少量的藥物會經由母乳到達嬰兒體內，爲了避免藥物可能對新生兒造成影響，餵奶的母親，應該考慮使用其他的乳製品以取代母乳。

☞忘記用藥

如果忘記服藥，應該在記得時，立即服用。如果一天服藥一次，而距離下次服藥的時間少於12小時；或一天服藥兩次，而距離下次服藥的時間少於6小時；或一天服藥3次，而距離下次服藥的時間少於3小時，就應該捨棄此次的藥物，恢復到下次正常服藥的時間，千萬不可一次服用雙倍的劑量。

Diphenhydramine(二苯胺明)

商品名(台灣)

Benadryl®(派德)
Benamine®(榮民)
Benaron®(大亞)
Binna®(漁人)
Cona®(康福)
Diamine®(康福)
Dramine®(金馬)
Hitus®(福元)
Honramin®(應元)
Hydramine®(福元)
Kocopin®(恆安)
Menna®(強生)
Mianin®(金塔)
Minsutol®(根達)
Nice Sleep®(葡萄王)
PEL®(明德)
Pimilin®(龍德)
Ramin®(應元)
Ramin®(豐田)
Venamine®(信隆)
Venan®(永豐)
Venarin®(威力)
Vena®(田邊)
Venillin®(回春堂)
Venna®(永豐)

商品名(美國)

Banophen®(Major)
Belix®(Halsey)
Benadryl®(Parke-Davis)
Benylin®(Parke-Davis)
Gonahist®(Goldline)
Hydramine®(Goldline)
Nordry®(Vortech)
Nytol®(Block)
Sleep-eze®(Whitehall)
Sominex®(Beecham)

☞藥物作用

本藥爲一種抗組織胺類的「抗過敏」藥，主要使用於過敏反應所引起的皮膚發紅及發癢的現象，以及其他過敏反應，如花粉過敏或傷風感冒引起的流鼻水、打噴嚏、眼睛發紅及眼睛發癢等等。本藥的外用擦劑亦可清除皮膚因爲日曬、化學刺激或昆蟲咬傷所引起的過敏反應，如皮膚紅腫及發癢等。此藥並可用來治療暈車、止咳，以及當作安眠藥使用。

☞用法

爲了減輕藥物對胃部的刺激，此藥最好與食物或飯後服用。如有必要時，此藥的膠囊或藥片可打開來或壓碎服用。如果此藥是作爲暈車或暈船使用，應該在出發前30分鐘服用；如果使用此藥是幫助睡眠，則應該在睡前30分鐘服用。

☞注意事項

此藥會造成極大的思睡，除非已經適應了此藥的作用，當開車或操作危險機械時，應該格外小心謹慎。酒精會增加此藥的思睡作用，應當避免或限制飲酒。如果懷孕，對藥物過敏，或者有心臟疾病、甲狀腺機能亢進、青光眼、前列腺腫大、氣喘、排尿困難等等，醫師需要針對這些情況謹慎用藥，在使用此藥之前，應該事先通知醫師。

安眠藥、肌肉鬆弛劑、鎮靜劑、抗過敏藥、感冒藥、抗抑鬱藥、止痛藥等等，這些藥物都有可能會增加此藥思睡的副作用。同時服用這些藥物時，應當特別注意彼此增加思睡的相乘效果。

在做皮膚過敏反應測試之前，應該先通知醫師有服用此藥。因爲此藥的抗過敏作用，可能會干擾皮膚過敏的測試結果。

本藥會增加皮膚對陽光的敏感性，如果在陽光下曝曬太久，有可能會導致皮膚過敏或灼傷，應該盡量避免陽光直接曝曬，並穿著長袖衣物，以保護皮膚。

小孩及老年人對此藥較一般人敏感，可能會引起噩夢、不正常的興奮，及情緒不安等等。老年人較易引起虛幻、排尿困難、頭暈、口舌乾燥、低血壓等等。

服藥期間有便秘發生的話，就應該多食用蔬菜或水果等幫助消化的食物，並且在許可下，多做運動或多飲用水分。服用此藥後也許會產生口渴，但是只要含一塊冰塊或糖果的話，應該可以減少此一副作用。

☞副作用

此藥常見的副作用爲：口乾、心跳增快、皮膚對陽光敏感、耳鳴、思睡、流汗增加、胃口降低、胃腸不適、做噩夢、排尿困難、視覺模糊、精神恍惚、精神緊張及不正常的興奮、頭暈等。這些副作用，通常在服用藥物一陣子後，應該會漸漸消失。不過，如果這些副作用強到困擾你的程度，或者經過一段時間後，還不能完全消除，就應該通知醫師。

此藥較嚴重的副作用爲：幻覺、失眠、皮膚起紅疹或有青紫色瘀傷、呼吸困難、精神恍惚或沮喪、突然發燒、眼睛及皮膚發黃、發冷或喉嚨痛、極端疲倦、精神極度興奮等。通常這些副作用發生的機率較低，但是如果發生時，可能是藥物造成的不良反應，或者是劑量需要調整，應該盡快通知醫師。

☞懷孕及哺乳

根據動物實驗顯示，在正常劑量下，此藥尙不至於造成胎兒缺陷，然而動物實驗的結果並不一定完全與人類的反應相同，當懷孕時，應該與醫師討論此藥可以能對胎兒的影響，他會衡量狀況，決定是否應該服藥。於懷孕的最後三個月，應該避免服用此藥，因爲新生兒可能會對此藥產生不良反應。

少量的藥物會經由母乳到達嬰兒體內，可能會造成新生兒過度的興奮、緊張不安及睡眠不正常，同時，此藥可能會降低母乳的產生。因此，餵奶的母親應該使用其他的乳製品，以取代母乳。

☞忘記用藥

如果忘記服藥，應該在記得時，立即服用。但是，如果距離下次服藥的時間太近，就應該捨棄此次藥物，恢復到下次正常服藥的時間，千萬不可一次服用雙倍的劑量。

Diphenoxylate/Atropine（抗腹瀉藥）

商品名（台灣）

此藥未在台銷售。

商品名（美國）

Logen®（Goldline）
Lomoil®（Searle）
Lomanate®（多家藥廠）
Lonox®（Geneva）

☞藥物作用

本藥爲兩種成分組合而成的一種「抗腹瀉」藥物。Diphenoxylate的主要作用是能夠舒緩胃腸肌肉的蠕動，達到止瀉的作用。Atropine加入此一合成藥物的目的，主要是防止前者，被一些不良分子濫用。

☞用法

本藥不受食物的影響，空腹或與食物一起服用均可。此藥通常只有在拉肚子的時候才用，不過在使用時，每次間隔至少應該超過3小時，一天使用的次數，不可超過8次。另外也不可超過醫師處方的劑量或次數。如有必要時，此藥的藥片可壓碎服用。如果使用的是液體藥物，每次在使用之前，應該用有刻度的量杯或藥管，以量取正確的藥量。

☞注意事項

服用此藥後，可能會產生視覺模糊及想睡覺的副作用，尤其在剛開始服藥期間。因此，在尚未完全適應此藥之前，當開車或操作危險機械時，最好能夠小心謹慎。酒精會增加此藥思睡的副作用，應當避免或限制酒量。

如果懷孕或餵哺嬰兒，對藥物過敏，或者有支氣管炎、甲狀腺疾病、肝臟疾病、青光眼、前列腺腫大、重症肌無力症、氣喘、排尿困難、腎臟病、膽囊疾病或膽結石等等，醫師需要針對這些情況謹慎用藥，因此在使用此藥之前，應該事先通知醫師。

安眠藥、肌肉鬆弛劑、鎮靜劑、抗過敏藥、感冒藥、抗抑鬱藥、止痛藥等等，這些藥物都有可能會增加此藥思睡的副作用。同時服用這些藥物時，應當特別注意彼此增加思睡的相乘效果。

服用此藥後，也許會產生口渴的現象，但是如果能夠含一塊冰塊、多喝開水，或含一塊糖果在嘴內的話，應該可以減少此一副作用。

造成服瀉原因有很多，如果使用此藥的目的在治療急性腹瀉，在經過兩天的治療後，或者是治療慢性腹瀉，而經過10天後症狀還無法改善，就應該通知醫師，他會對腹瀉的原因做進一步的診斷及治療。同時，在使用本藥的過程中，如果有發燒、腹部膨脹、腹痛或者是便中帶血的情況發生時，也應該立即通知醫師。

服用此藥期間，應該完全遵守醫師指示的劑量，以及使用的時間服藥。長期或超出醫師所指示的劑量服用此藥的話，有可能會導致藥物上癮，以及產生呼吸抑制及心跳加快。

經過長期大量腹瀉後，應該隨時注意補充排泄掉的水分，此對幼兒及老年人尤其重要，以免水分過量的流失，造成脫水或腎臟及血液循環等等後遺症。一般身體缺乏水分的象徵爲：口乾、口渴、皮膚起皺紋、小便量減少、頭暈目眩等等。

小孩對此藥的作用會產生較敏感的反應，如呼吸困難、過度的興奮、血壓升高、發燒、皮膚發紅等等。因此低於兩歲的小孩，應當禁止服用此藥。對於兩歲以上的小孩則應該經由醫師診斷及治療，並且完全遵照醫師的指示服藥。老年人對此藥造成呼吸困難的副作用，也較一般人敏感，在使用此藥時應該小心謹慎，如有呼吸困難的情況發生時，應當立即通知醫師。

通常胃腸有一些正常繁殖的細菌。但是，如果長期服用強而廣效抗生素的話，將使一些細菌被殺死，而使另外一些細菌或微生物過量的繁殖，最後導致腹瀉。如果在使用抗生素期間產生腹瀉的話，使用本藥不見得有效，反而使細菌的毒素在腸內停留更久，使腹瀉的情況轉爲嚴重。應當由醫師處方使用另外一種藥物，以治療此類的腹瀉。

☞副作用

此藥常見的副作用爲：手腳發麻、口乾、小便困難、眼睛模糊、想睡覺、頭痛、頭暈目眩等。這些副作用，通常在服用藥物一陣子後，應該會漸漸消失。不過，如果這些副作用強到困擾你的程度，或者經過一段時間後，還不能完全消除，就應該通知醫師。

此藥較嚴重的副作用爲：心跳過快、皮膚潮紅或乾燥、呼吸困難、過度緊張不安。通常這些副作用發生的機率較低，但是如果發生時，可能是藥物造成的不良反應，或者是劑量需要調整，應該盡快通知醫師。

☞懷孕及哺乳

此藥對孕婦的影響，並無很完備的資料。動物實驗顯示，在正常劑量下，此藥尚不至於造成胎兒的生長缺陷；不過在高劑量下，則可能會造成胎兒成長緩慢，以及生殖力降低的情況。當懷孕時，最好能通知醫師，他會先衡量狀況，如果情況允許的話，可能會以短期或者較低劑量讓孕婦服用。

此藥會經由母乳到達嬰兒體內，可能會造成新生兒過度的安睡，餵奶的母親，應該使用其他的乳製品以取代母乳。

☞忘記用藥

此藥在治療「急性腹瀉」時，只有在覺得需要的時候服用。如果是按照一定時間服用此藥以治療「慢性腹瀉」，在服藥期間仍然有腹瀉的症狀，應該在記得服藥時，立即服用，並將當天未服完的劑量，依照等分的時間間隔服用完。如果在服藥期間腹瀉的症狀已經停止，就應該捨棄此次藥物，恢復到下次正常服藥的時間，千萬不可一次服用雙倍的劑量。

Dipivefrin(青光眼藥)

商品名(台灣)

Propine®(愛・Allergan)

商品名(美國)

Propine®(Allergan)

☞藥物作用

本藥爲一種治療「青光眼」的藥物。青光眼主要是由於眼球內部液體不正常的增加，或者是液體堵塞不能流出，迫使眼球內部的壓力隨之增加，最後壓迫到視覺神經使視野所看到的物體變形，如果不治療的話，有造成瞎眼的可能。本藥的作用，就是能減少眼球內液體的產生，以及增加液體的流出，能夠間接降低眼內壓，而達到治療青光眼的目的。

☞用法

此藥通常是一天使用兩次，使用此眼藥水的步驟請參見頁93 。

☞注意事項

剛點完此眼藥水後，視覺可能會短暫的模糊不清，除非已經完全適應了此藥的作用，當開車或操作危險機械時，應該格外小心謹慎。

如果懷孕，對藥物過敏，或者有心率或心跳不正常、心臟血管方面的疾病、氣喘、高血壓等等，醫師需要針對這些情況謹慎用藥，因此在使用此藥之前，應該事先通知醫師。

此藥只能用來控制青光眼，並不能根治它。即使覺得眼睛的狀況良好，仍然需要繼續使用，停止用藥有可能會使青光眼情況惡化。

在點眼藥之前，應該先用肥皂將手徹底清洗乾淨。爲了避免汙染整瓶藥水，應該避免將藥瓶的前端接觸到手部或眼睛。用完藥水後，亦不可用紙巾或布擦拭或者用水清洗藥瓶的前端，應該盡快將藥瓶蓋住。

使用此眼藥水後，可能會使眼睛變得較怕光。因此應該盡量避免在強光或者是太陽底下站立太久。另外，如果能戴太陽眼鏡的話，應該會使眼睛感到較爲舒服。

在使用完此藥後，不將藥瓶蓋好，不但藥水容易遭到細菌感染，同時由於藥物接觸到空氣及光線後，藥水的顏色也容易變暗，並且可能會降低效力。因此，當使用完藥物後，一定要將瓶蓋蓋好，並將藥瓶安置於室溫避免陽光及溫度過高的地方。雖然此藥爲眼藥水，但是亦不能超出醫師指示的劑量或次數。過多的藥物有可能會被吸收入體內，經由血液到達身體其他部位，因而造成副作用。

使用此藥幾天後，如果仍有視覺模糊或眼睛痛等青光眼的症狀，就應該通知醫師。在使用一陣子後，應該定期到診所或醫院做檢查。醫師會根據藥效做進一步診治或劑量調整。

在拔牙或動手術之前，應該事先通知醫師有使用此藥。

☞副作用

在正常劑量下，此藥造成副作用的機率並不是很高，只有在剛開始點眼藥水的時候，可能會造成灼熱感、流眼淚、眼睛不舒服、眼睛怕光、眼睛輕微的刺痛等等，但是經過幾分鐘後，此現象應該會消失。不過，如果症狀嚴重到不能忍受的程度，或者有血壓升高、心跳加快等等情況的話，就應該盡快通知醫師。

☞懷孕及哺乳

動物實驗顯示，在正常劑量下，此藥並不會造成胎兒缺陷。不過，由於動物實驗的結果與人體的反應並不一定相同；另外，雖然此藥爲眼藥水，但是仍然能經由眼睛的吸收而到達母親的血液循環，如果使用劑量過大或過於頻繁，仍有可能造成對胎兒的影響。如果懷孕，就應該密切遵守醫師的指示用藥。

目前爲止，尚不知此藥是否會經由母乳到達嬰兒體內；不過，在正常劑量下，尚無任何數據顯示會造成嬰兒的不良藥物反應。當要餵哺嬰兒前，最好能夠通知醫師或密切注意藥物可能對嬰兒的反應，如果有不良作用產生，就應該改用其他乳製品以取代母乳。

☞忘記用藥

如果忘記用藥，應該在記得時，立即使用。但是，如果距離下次用藥的時間太近，就應該捨棄此次藥物，恢復到下次正常用藥的時間，千萬不可一次使用雙倍的劑量。

Dipyridamole(待匹力達)

商品名(台灣)

Anginal®(山之內)
Carditonin®(榮民)
Cleridium®(法・Laphal)
Dipyridan®(比・Rorer)
Efosin®(國嘉)
Esesinpin®(葡萄王)
Parotin®(優生)
Pensaline®(世達)
Perdamol®(杏輝)
Perisin®(永新)
Peritin®(元宙)
Persantin®(百靈佳)
Persine®(強生)
Pesadin®(皇佳)
Potosintin®(中美)
Rupenol®(日・Koba)
Sandel®(衛達)
Santinin®(濟生)
Solantin®(中化)
Suzin®(優生)
Uginin®(優良)
Vasonin®(人生)
Vasotin®(中央)
Yousincin®(壽元)

商品名(美國)

Persantine®(B.I)

☞藥物作用

本藥爲一種「防止血液凝固」及「預防心絞痛發作」的藥物。此藥有防止血液凝固的作用，因此可以用來預防手術後凝固的小血塊經由血液循環到達心臟，造成心臟微血管阻塞，導致心臟缺氧而壞死。本藥亦爲一種預防心絞痛的藥物。心絞痛的發生主要是由於心臟血管的收縮，使負責攜帶氧氣的血液不能順暢流入心臟，更由於氧氣的缺乏，造成心臟細胞的壞死及疼痛。本藥的作用，就是能使心臟的血管放鬆，讓更多的氧氣經由血液流入心臟，預防心絞痛的發作。

☞用法

本藥最好在飯前一小時服用，同時並飲用一杯水，以幫助吞嚥及減少藥物可能對胃部的刺激。如有必要時，此藥的藥片可以壓碎服用。如果無法忍受此藥對胃部的刺激，亦可與食物或牛奶一起服用。

☞注意事項

服用此藥後，可能會產生輕微頭暈目眩的副作用，尤其在剛開始服藥期間。因此在尚未完全適應此藥之前，當開車或操作危險機械時，必須小心謹慎。

如果懷孕，對藥物過敏，或者有心臟疾病、血液凝固方面的問題、低血壓、肝臟疾病等等，醫師需要針對這些情況謹慎用藥，因此在使用此藥之前，應該事先通知醫師。

此藥會抑制血液的凝固而使流血的時間增長，因此在拔牙或動手術之前，應該事先通知醫師，以免手術進行中造成過量的流血。

此藥的作用，主要是用於預防心絞痛的發生，並不是用來當作心絞痛急性發作時的藥物使用。如果感覺到心臟疼痛時，應該使用另外一種醫師的處方藥物，如硝基甘油(Nitroglycerin)等，來做急救。

爲了更有效預防血液凝固，醫師也許會要求同時服用阿斯匹靈或其他抗凝血的藥物。由於兩種藥物一起使用，可能會使流血的機會相對地增高。爲了降低此一危險性，應該完全遵照醫師的指示劑量服用。如果購買成藥時，應該詳細詢問藥師所購買的藥物是否含有阿斯匹靈或其他抗凝血的成分，以免造成藥物過量的危險。

經過一段時間藥物治療後，即使覺得心臟已經恢復正常，亦不可間斷或者突然停止服藥。突然停藥有可能使心臟的情況惡化。如有停藥的必要時，應該事先得到醫師的許可，並且在指示下漸漸降低服藥的次數或劑量，然後再停藥。

☞副作用

此藥常見的副作用爲：面部潮紅、胃部輕微的抽痛、惡心嘔吐、虛弱、頭痛、頭暈等等，這些副作用，通常在服用藥物一陣子後，應該會漸漸消失。不過，如果這些副作用強到困擾你的程度，或者經過一段時間後，還不能完全消除，就應該通知醫師。

此藥較嚴重的副作用爲：皮膚起紅疹、胸口疼痛、暈倒。通常這些副作用發生的機率較低，但是如果發生時，此可能是藥物造成的不良反應，或者是劑量需要調整。應該盡快通知醫師。

☞懷孕及哺乳

根據動物實驗顯示，在正常劑量下，此藥尚不至於造成胎兒的生長缺陷。然而，仍須更廣泛的醫學數據，對此藥做進一步的評估。此藥可能會造成生產時流血的時間加長，應該避免在懷孕的最後一個月或產前服用此藥。當懷孕時，最好能通知醫師，他會衡量狀況，決定是否服藥。

少量的藥物會經由母乳到達嬰兒體內，餵奶的母親應該密切注意嬰兒的反應，或者使用其他的乳製品，以取代母乳。

☞忘記用藥

如果忘記服藥，應該在記得時，立即服用。但是，如果距離下次服藥的時間只有4小時，就應該捨棄此次藥物，恢復到下次正常服藥的時間，千萬不可一次服用雙倍的劑量。

Disopyramide(待索匹拉邁)

商品名(台灣)

Modiparil®(荷・Modipack)
Norpace®(希爾)
Rythmodan®(英・Roussel)

商品名(美國)

Norpace CR®(Searle)
Norpace®(Searle)

☞藥物作用

本藥為一種治療「心律不整」的藥物。心臟如果跳動太快,將導致血液不易回流入心臟,心臟也不能將血液充分壓縮到身體各器官;同時,過分運動的心臟亦容易造成疲乏,導致心臟更進一步的病變。此藥的作用,就是能降低過快的心跳,使心臟能夠達到正常韻律的跳動,進而更有效率地將心臟血液壓縮到身體各個部位,並且使心臟能達到適度的休息。

☞用法

本藥最好能在飯前一小時,或飯後兩小時服用。並同時飲用一杯水,以幫助吞嚥及減少此藥可能對胃部的刺激。如果無法忍受此藥對胃部的刺激,亦可與食物或牛奶一起服用。必要時,此藥之普通型膠囊可以打開來服用,但是持續型膠囊則須整粒吞服,不可咀嚼或打開來服用。

☞注意事項

此藥可能會造成頭暈目眩的副作用，除非已經習慣了此藥對身體的作用，當操作危險機械或開車時，應該格外小心謹慎。

如果懷孕，對藥物過敏，或者有心臟疾病、青光眼、前列腺腫大、重症肌無力症、排尿困難、腎臟病等等，醫師需要針對這些情況謹慎用藥，因此在使用之前，應該事先通知醫師。

服用此藥後，醫師需要定期測量心電圖、評估藥效，患者必須遵從醫師指示，定期到醫院做檢查。服藥後，除非經醫師同意，不可突然停藥。突然停藥有可能會使心臟的情況惡化。如有必要停藥時，醫師也許會要求漸漸降低服藥的次數或劑量，然後才停藥。

此藥會造成口乾、排尿困難、視覺模糊及便秘等副作用。如果這些副作用嚴重到不能忍受的程度，就應當通知醫師，但是在未得到醫師的許可前，不能自行停止服藥。

爲了避免忘記服藥，最好能養成每天在固定時間服藥的習慣。同時，爲了達到最佳藥效，此藥必須在血中達到固定的濃度，因此最好能將一天24小時分爲相等的時間間隔給藥。如果一天服藥4次，最好分隔爲每6個小時給藥一次，並且不可忘記服藥。

此藥會降低身體正常的排汗及散熱的能力。因此，應當避免在陽光下或過熱的地方站立太久，或從事過於激烈的運動。

在拔牙或動手術之前，應該事先通知醫師有服用此種藥物。

許多感冒、咳嗽，及抗過敏類的成藥中，含有刺激心臟的藥物成分，可能會加重心臟的負荷造成危險。購買此類藥物時，應該事先請教醫師或藥師是否含有此一成分。

此藥會使糖尿病患者的血糖降低，血糖過低的症狀是焦慮不安、脈搏加快、發冷、皮膚發白、頭痛、飢餓、惡心、流汗及虛弱等。如果有此症狀時，應該立即飲用桔子水或食用含糖的食物，然後盡快通知醫師。

☞副作用

此藥常見的副作用爲：口乾、小便困難、尿急、便秘、胃口降低、腹脹痛。這些副作用，通常在服用藥物一陣子後，應該會漸漸消失。不過，如果這些副作用強到困擾你的程度，或者經過一段時間後，還不能完全消除，就應該通知醫師。

此藥較嚴重的副作用爲：心跳過快或過慢、皮膚或眼睛發黃、呼吸困難、突然發燒或喉嚨痛、胸口痛、眼睛痛、腳部水腫、精神恍惚、嚴重的頭暈目眩。通常這些副作用發生的機率較低，但是如果發生時，可能是藥物造成的不良反應，或者是劑量需要調整，應該盡快通知醫師。

☞懷孕及哺乳

目前爲止，尚無資料顯示此藥會造成胎兒的缺陷，然而，曾有報告顯示，此藥可能會增加懷孕婦女子宮的收縮，因此，當懷孕時，除了有絕對必要並經由醫師同意外，孕婦應該避免服用此藥。

此藥可能會經由母乳到達嬰兒體內，但是尚無醫療報告顯示會對餵奶的嬰兒造成不良的影響，餵奶的母親應該密切注意嬰兒的反應，或者使用其他的乳製品，以取代母乳。

☞忘記用藥

如果忘記服藥，應該在記得時，立即服用。但是，如果距離下次服藥的時間只有3小時(長效釋放型藥物爲6小時)，就應該捨棄此次藥物，恢復到下次正常服藥的時間，千萬不可一次服用雙倍的劑量。

Docusate(Dioctyl Sodium Sulfosuccinate；糞便軟化劑)

商品名(台灣)

Constijohn®(強生)
Dacoton®(元宙)
Sofen®(景德)
Sumwanpen®(信東)

商品名(美國)

Colace®(Mead Johnson)
D-S-S®(Warner)
Diocto®(多家藥廠)
Disonate®(Lannett)
DOK®(Major)
Pro-Sof®(Vangard)
Regulax®(Republic)
Regutol®(Schering)
Surfak®(Koechst-Roussel)

☞藥物作用

此藥為一種「糞便軟化劑」。它能幫助大腸內的水分與乾燥硬堅的糞便混合，以加速腸內水分被糞便吸收，然後膨脹為一團鬆軟的塊狀。此一塊狀物因為體積膨脹，因此能夠間接刺激腸道肌肉蠕動，不需要使用極大的力氣下，就能把糞便排出。

☞用法

本藥不受食物影響，因此空腹或與食物一起服用均可。如果使用的是液體藥物時，為了減輕苦味，可將其與半杯果汁或牛奶一起服用。當使用此膠囊時，應該整粒吞服，不可將膠囊打開來服用。

☞注意事項

通常6歲以下的小孩，不能充分表達便秘的症狀與不適，為了避免遺漏潛在的病症，避免藥物對小孩可能造成的副作用。除非經由醫師的診斷及處方外，不該擅自給小孩服用此一藥物。

如果懷孕，對藥物過敏，或者有心臟疾病、吞嚥困難、肛門流血、腸道阻塞、糖尿病等等，醫師需要針對這些情況謹慎用藥，因此在使用此藥之前，應該事先通知醫師。

除非特殊情況及醫師許可外，爲了避免長期服藥造成濫用及依賴性，導致腸道肌肉、腸道神經及腸道組織的損害，而失掉了其正常的功能，此藥應以短期使用爲主。平常爲了避免便秘，應該多食用蔬菜或水果等幫助消化的食物，並且在許可下，多做運動或飲用多量的水。

此藥的作用較溫和，通常需要一至兩天，才能達到藥物的作用，某些人甚至要3至5天的時間，才可達到排便的目的。爲了達到軟化糞便的作用，在使用此藥期間，每天至少飲用6至8杯(每杯約250cc.)的開水或飲料。

在服藥期間，如果覺得藥物沒有達到紓解便秘的作用、肛門有流血的現象，或者是藥效過強而導致水分過分流失及電解質失衡的狀況，如身體抽筋疼痛、全身無力、頭暈等狀況時，就應該通知醫師。

此藥會干擾許多藥物的吸收作用。因此，要同時服用其他藥物時，應該與此藥至少相隔約兩小時的時間。

使用此藥，應該以短暫紓解便秘爲主，除非醫師特別的指示外，使用時間應該不超出一兩星期。當排便恢復規則後，就應該停止使用。

☞副作用

在正常劑量下，此藥可以說是沒有副作用。不過在極少的情況下，可能會造成喉嚨的刺激(液體藥物)、胃腸不適、輕微的胃痛等等。這些副作用，通常在服用藥物一陣子後，應該會漸漸消失。不過，如果這些副作用強到困擾你的程度，或者皮膚產生發紅或發癢的情況，此可能是藥物的過敏反應，應該盡快通知醫師。

☞懷孕及哺乳

一般來講，在正常劑量下，孕婦服用此藥是安全的。不過，由於此藥的安全性，仍然需要更廣泛的醫學數據做進一步的評估，服用此藥前，最好還是參考醫師的意見。

目前爲止，尚不知此藥是否會經由母乳到達嬰兒體內，但是尚無醫療報告顯示，會對餵奶的嬰兒造成不良影響，爲了愼重起見，決定親自餵奶前，最好能夠徵求醫師的意見。

☞忘記用藥

如果忘記服藥，應該在記得時，立即服用。但是，如果距離下次服藥的時間太近，就應該捨棄此次藥物，恢復到下次正常服藥的時間，千萬不可一次服用雙倍的劑量。

Doxazosin（治高血壓或前列腺肥大的藥物）

商品名（台灣）

Doxaben®（輝瑞）

商品名（美國）

Cardura®（Roerig）

☞藥物作用

本藥可以用來治療「高血壓」，及「前列腺肥大」所引起的小便困難。其主要的作用是能夠使血管的肌肉鬆弛擴張，使更多的血液能在血管內順暢流通，而達到降血壓的目的。此藥也能夠使膀胱及前列腺附近的平滑肌鬆弛，由於尿道不會被這些平滑肌所壓迫，因此能夠間接地鬆弛擴張開來，最後使尿液能夠順利排出，而解除尿急及頻尿的感覺。

☞用法

本藥不受食物影響，因此，空腹或與食物一起食用均可。此藥通常一天服用一次，如果是第一次服用此藥，可能會造成血壓過低，而產生頭暈目眩的感覺。因此，第一次服藥時，最好能安排於睡前服藥，並且在服藥後立即躺下，以減少頭暈目眩的可能。必要時，此藥的藥片可以壓碎服用。

☞注意事項

本藥只能控制高血壓或前列腺肥大，並不能根治此一疾病，而且可能一生都需要服用此藥。服用此藥後，高血壓或者是前列腺肥大可能要經過幾個星期才能漸漸達到控制效果。因此必須持續地服用此藥，才能有效控制住病情。

如果懷孕，對藥物過敏，或者有肝臟疾病、腎臟病、精神沮喪等等，醫師需要針對情況謹慎用藥，因此在使用此藥之前，應該先通知醫師。

如果在服藥期間，有便秘發生的話，就應該多食用蔬菜或水果等幫助消化的食物，並且在醫師許可下，多做運動或飲用多量的水。

剛開始服用此藥時，可能會產生頭暈目眩，因此醫師可能會要求從較低的劑量開始服用，然後再漸漸地增加劑量，直到完全適應並控制住血壓為止。剛開始服藥期間，應該完全遵守醫師指示服藥，並且在未完全適應此藥之前，當開車或操作危險機械時，必須了解此藥可能造成頭暈目眩，應該特別小心謹慎。

剛開始服用此藥時，可能會產生頭暈目眩的感覺，尤其是突然站立或坐起時，不過如果能夠緩慢站立或坐起，應該會減少此一現象。飲酒、長期站立、過度運動、氣溫過熱，和洗太熱的澡等等，都有可能增加此藥降低血壓的效果，而產生頭暈，甚至暈倒的可能，應該盡量避免此類因素。

市面上許多治療過敏、鼻塞、咳嗽、感冒，以及減肥的成藥中，經常含有使血壓升高的成分，為了避免血壓突然升高，在服用此類藥物前，應該事先諮詢醫師或藥師的意見。

經過一段時間藥物治療後，即使覺得血壓已恢復正常，亦不可間斷或者突然停止服藥。突然停止服藥有可能會使血壓突然升高的危險。如需要停藥，應該得到醫師的許可，並且在醫師指示下，將藥物漸漸地降低然後再停藥。

如果使用此藥的目的在治療高血壓，為了達到理想降血壓的作用，應該遵循醫師指示食用低鹽類、低脂肪的食物，戒煙酒，並且盡可能依照醫師指示做適當的運動。

要拔牙或動手術之前，應該事先通知醫師有服用此藥。

☞副作用

此藥常用的副作用為：口乾、耳鳴、肌肉無力、拉肚子、便秘、胃口不佳、眼睛乾燥、眼睛痛、惡心、虛弱無力、視覺模糊、想睡覺、精神沮喪、精神緊張、鼻塞、頭痛、頭暈等等。這些副作用，通常在服用藥物一陣子後，應該會逐漸消失；不過，如果這些副作用強到困擾你的程度，或者經過一段時間後，還不能完全消除，就應該通知醫師。

此藥較嚴重的副作用爲：手腳腫脹、心跳加快、皮膚起紅疹、呼吸困難、昏倒、胸口疼痛等等。通常這些副作用發生的機率較低，但是如果發生時，可能是藥物造成的不良反應，或者是劑量需要調整，應該盡快通知醫師。

☞懷孕及哺乳

根據動物實驗顯示，在正常劑量下，此藥尙不至於造成胎兒的生長缺陷。但是此藥對人體實驗的數據有限，因此當懷孕時，最好能通知醫師，他會衡量狀況，決定是否服藥。

目前爲止，尙不知此藥是否會經由母乳到達嬰兒體內，如果決定親自餵奶，就應該事先得到醫師的許可，或者使用其他的乳製品，以取代母乳。

☞忘記用藥

如果忘記服藥，應該在記得時，立即服用。但是，如果距離下次服藥的時間太近，就應該捨棄此藥物，而恢復到下次正常服藥的時間，千萬不可一次服用雙倍劑量。如果因爲遺忘兩次以上的劑量而導致血壓升高，應該通知醫師。

Doxepin（抗憂鬱藥）

商品名（台灣）

Sinequan®（輝瑞）
Quitaxon®（德・保齡）

商品名（美國）

Sinequan®（Roerig）

☞藥物作用

本藥爲一種「抗憂鬱」藥物。病變所引起的憂鬱或沮喪，是由於腦部負責神經傳導的化學物質失去平衡所造成的。此藥的作用就是能使此類化學物質，恢復到正常的含量，達到治療的目的，使病人的心情漸漸恢復到開朗與自信。此藥亦可治療頭痛，或其他病變所引起慢性痛的輔助藥物。

☞用法

本藥不受食物影響，因此空腹或與食物一起服用均可。如有必要時，可將此藥的膠囊打開來服用。

☞注意事項

此藥會產生想睡覺的感覺，尤其是剛開始服藥期間，除非已經適應了此藥的作用，當開車或操作危險機械時，應該格外小心謹慎。酒精會增加此藥思睡的副作用，應當避免飲用或限制用量。

如果懷孕或哺乳嬰兒，對藥物過敏，經常飲用大量的酒，或者有心臟病、甲狀腺機能亢進、肝臟疾病、青光眼、前列腺腫大、氣喘、排尿困難、腎臟病、精神病、癲癇等等，醫師需要針對這些情況謹慎用藥，在使用此藥之前，應該事先通知醫師。

剛開始服用此藥的時候，必須經過幾個星期的時間，才能完全達到藥物的作用。因此不要因爲一時覺得藥物無效而放棄服用。同時，此藥必須定期服用才能達到最好的藥效，也不能因爲一時覺得症狀已經改善而停止服藥。

使用此藥期間，醫師需要定期評估藥效反應，以便適當調整服藥劑量，因此應該遵守醫師指示，定期到醫院或診所做檢查。

長期大量服用此藥後，不能突然地停藥，因爲突然停藥有可能會產生戒斷症狀，如頭痛、惡心、極端不舒服等等。如有必要停藥時，應該遵循醫師指示，漸漸降低劑量或次數，然後再停藥。

在拔牙或動手術之前，應該事先通知醫師有服用此藥。手術期間所使用的麻醉藥或肌肉鬆弛劑，也許會與此藥產生不良作用，譬如血壓降低或呼吸抑制等等。

本藥會增加皮膚對陽光的敏感性，如果在陽光下曝曬太久，有可能會導致皮膚過敏或灼傷，因此應該盡量避免陽光直接曝曬，並穿著長袖衣物，以保護皮膚。

服用此藥後，如果突然起立或坐起，也許會覺得頭暈目眩，不過如果能夠減慢速度，應該能改善此一現象。如果服用此藥會覺得口渴，含一塊冰塊或糖果在嘴內，應該能改善此一現象。

許多藥物會與此藥產生相互作用，也許會對身體產生不良影響，或者互相增強或降低藥效。因此，無論將來服用的是成藥或者是處方藥，最好能養成在服藥前先諮詢醫師或藥師的習慣。

☞副作用

此藥常見的副作用爲：口乾、下痢、失眠、思睡、疲倦、胸口灼熱、惡心、過量的流汗、頭痛、頭暈等。這些副作用，通常在服用藥物一陣子後，應該會漸漸地消失；不過，如果這些副作用強到困擾你的程度，或者經過一段時間後，還不能完全消除，就應該通知醫師。

此藥較嚴重的副作用爲：手腳及頭部不正常抖動、手腳僵硬、小便困難、心跳不正常、皮膚出現不正常的瘀傷或塊狀的青紫色、皮膚起紅疹或發癢、呼吸困難、神經緊張不安、眼痛、眼睛及皮膚發黃、發冷及喉嚨疼痛、發燒、視覺模糊、極端疲倦、精神恍惚等。通常這些副作用發生的機率較低，但是如果發生時，可能是藥物造成的不良反應，或者是劑量需要調整。應該盡快通知醫師。

☞懷孕及哺乳

根據動物實驗顯示，在正常劑量下，此藥尚不至於造成胎兒的生長缺陷。不過，由於動物實驗並不完全等於人類的反應；同時，孕婦於生產前服用此藥的話，有可能會影響新生兒呼吸、心臟及排尿方面的問題。因此當懷孕時最好能通知醫師，他會衡量身體的狀況，決定是否服藥。

少量的藥物會經由母乳到達嬰兒體內，可能會造成新生兒過度的安睡或呼吸困難，餵奶的母親應該考慮使用其他乳製品，以取代母乳。

☞忘記用藥

如果一天使用此藥物一次，應該在記得時，立即服用；如果等到第二天才記起來，就應該捨棄遺忘的藥物，恢復到正常用藥的時間，千萬不能使用雙倍劑量。如果一天使用兩次或兩次以上，應該在記得時，立即服用；並將當天未服完的劑量，依照相等的時間間隔服用完；但是，如果距離下次服藥的時間太近，就應該捨棄此次藥物，恢復到下次正常服藥的時間，千萬不可服用雙倍的劑量。

Doxycycline(去氧烴四環素)

商品名(台灣)

Bassado®(義・Chemica)
Biistor SR®(西德有機)
Biostar®(義・Ausonia)
D.X Cap.®(利達)
Diocimex®(瑞士・Cimex)
Doinmycin®(中化)
Doryx®(澳・Faulding)
Doxaclicin®(日・菱山)
Doxidima®(義・Inters)
Doxylets®(葡・SMB)
Doxymycin®(永信)
Doxynin®(瑞士)
Gram-Val®(義・Polifarma)
Granudoxy®(法・Leurquin)
Grodoxin®(瑞士・Grossman)
Liviatin®(西・Juste)
Medomycin®(塞・Medo)
Monodoxin®(義・Grosara)
Philco-cycline®(義・Biotrading)
Probracin®(汎生)
Remycin®(塞・Remedica)
Servidoxyne®(瑞士・SVP)
Vibamycin®(瑞士)
Vibramycin®(輝瑞)
Withamycin®(溫士頓)

商品名(美國)

Doryx®(Doryx)
Doxy®(Pfizer)
Doxychel®(Rachelle)
Vibra-Tab®(Pfizer)
Vibramycin®(Pfizer)

☞藥物作用

本藥爲一種「四環素類」的抗生素。它主要的作用是能夠抑制細菌蛋白質的產生，使細菌不能正常地生長與繁殖，最後導致細菌死亡。此藥可以治療某些細菌所引起的感染，如中耳炎、支氣管炎、皮膚感染、尿道感染、角膜炎、肺炎、咽喉炎、胃腸道感染、鼻竇炎，以及梅毒等等。

☞用法

爲了增強藥物的吸收，本藥最好在空腹的時後服用，譬如飯前一小時，或飯後兩小時。但是，如果覺得對胃部的刺激過大，造成不舒服，與食物一起服用，亦無多大妨害。如有必要時，可將此藥的膠囊打開或藥片壓碎來使用。如果使用液體藥物時，每次在使用之前，應該用有刻度的量杯或藥管，以量取正確的藥量。

☞注意事項

本藥會增加皮膚對陽光的敏感性，如果在陽光下曝曬太久，有可能會導致皮膚過敏或灼傷，應該避免陽光直接曝曬，並穿著長袖衣物，以保護皮膚。

如果懷孕，用母乳餵哺嬰兒，對藥物過敏，或者有肝臟疾病、腎臟病等等，醫師需要針對這些情況謹慎用藥，在使用此藥前，應該先通知醫師。

乳製品、制酸劑、治療貧血用的鐵製劑，或者是含鐵、鈣的綜合維他命等等，這些都有可能會降低此藥的吸收，當服用此類藥物或食物時，至少應該相隔約兩三小時的時間。

如果使用此藥的過期製劑，可能會對腎臟造成極大毒性，因此在使用此藥前，應該詳細檢查有效日期，如果過期了，就不該使用。在用完藥物之後，最好也能將未用完的藥物丟棄。

服用此藥時，必須依照醫師指示服用完所有的處方，即使覺得症狀已經完全消除，仍舊要服完所有的處方，以免感染復發，或細菌產生抗藥性。

爲了達到最佳滅菌效果，此藥必須在血中達到固定的濃度，因此最好每天在相等的時間間隔下服藥。如果一天服藥兩次，則應該每12個小時服用一次，譬如早晨7點及晚上7點各服藥一次，不應該忘記服用。

此藥會使小孩的牙齒呈灰暗色及造成牙齒外層琺瑯質的發育不全。因此懷孕的婦女、餵奶的母親，以及年齡少於8歲的小孩不可服用此藥。

服用此藥後，有可能會降低口服避孕藥的作用，當服用此藥時，最好能使用其他有效的避孕方法，譬如使用保險套等來避孕。此藥會干擾糖尿病患者尿液血糖測量的結果，如果要依照此測量結果來改變飲食或劑量時，應該事先徵求醫師的意見。

服用此藥一陣子後，如有拉肚子現象時，可能是抗生素破壞了胃腸內細菌的平衡所引起的，不該擅自服用止瀉藥物，如果使用了錯誤的藥物，有可能會使腹瀉惡化，應該請教醫師由他做適當的治療。

此藥爲一種廣效的抗生素，女性長期服用此藥後，可能會殺死陰道內某些種類的細菌，造成其他真菌或黴菌類微生物過度的繁殖，間接影響到陰道內的生態平衡，最後可能會造成陰道搔癢。有此現象發生時，應該通知醫師。

☞副作用

此藥常見的副作用爲：皮膚對陽光敏感、胃腸不適、陰道或肛門搔癢、噁心、嘔吐、頭暈目眩等。這些副作用，通常在服用藥物一陣子後，應該會漸漸地消失。不過如果這些副作用強到困擾你的程度，或者經過一段時間後，還不能完全消除，就應該通知醫師。

此藥較嚴重的副作用爲：口渴、皮膚變暗、頻尿及尿量增加等。通常這些副作用發生的機率較低，但是如果發生時，可能是藥物造成的不良反應，或者是劑量需要調整，應該盡快通知醫師。

☞懷孕及哺乳

此藥會影響胎兒骨骼及牙齒的發育，並且可能會使胎兒將來的牙齒呈現灰暗色，以及造成牙齒外層琺瑯質的發育不全。因此，除了有絕對需要，並經由醫師許可外，懷孕婦女應該避免服用此藥。

此藥會經由母乳到達嬰兒體內，可能會影響新生兒骨骼及牙齒的發育，和造成嘴部真菌等微生物的感染。餵奶的母親應該停止用母乳餵哺嬰兒，而改用其他的乳製品以取代母乳。

☞忘記用藥

如果忘記服藥，應該在記得時，立即服用。但是，如果距離下次服藥的時間太近，同時又是一天服藥一次的話，就應該先服用所遺忘的藥物，然後等約10至12小時後，再服用下次劑量。如果一天服藥兩次，應該先服用所遺忘的藥物，然後約等5至6小時後，再服用下次的劑量。如果一天服藥3次以上，應該先服用所遺忘的藥物，然後等約兩三小時後，再恢復到下次服藥的時間。

Enalapril(降血壓、預防充血性心衰竭藥)

商品名(台灣)

Renitec®(美・Merck)

商品名(美國)

Vasotec®(Merck)

☞藥物作用

本藥爲一種「ACE抑制劑」的降血壓和以及預防「充血性心衰竭」的藥物。此藥可壓制血管內某種會使血管收縮的化學物質，由於此種化學物被壓制，血管便能適當地擴張，使更多的血液能在血管內順暢地流通，而達到降血壓的目的。過多的血液長久滯留在心臟，可能會使心臟的工作量增加，最後心臟不能負荷而導致衰竭。本藥可使血管擴張，積壓於心臟的血液便可回流入身體的各個部位，間接地預防充血性心衰竭的發生。

☞用法

本藥不受食物的影響，因此空腹或與食物一起服用均可，如有必要時，此藥的藥片可以壓碎服用。此藥通常是一天服用一至兩次，如果一天服藥一次，最好在早上服用；如果一天服藥兩次，則早晚各服用一次。酒精可能會增加此藥造成頭暈或目眩，因此，服用此藥時，應該避免喝酒。

☞注意事項

服用此藥後，可能會產生輕微頭暈目眩的副作用，尤其在剛開始服藥的期間。因此，在尚未完全適應此藥之前，當開車或操作危險機械時，必須小心謹慎。

如果懷孕，對藥物過敏，或者有心臟疾病、肝臟疾病、紅斑性狼瘡、腎臟病、糖尿病等等，醫師需要針對這些情況更爲謹慎的用藥，因此在用此藥之前，應該事先通知醫師。

本藥只能控制血壓，並不能完全治癒此病症，患者可能需要終生服用此藥。開始服用此藥後，血壓可能需要經過幾個星期的時間，才能漸漸降到理想的程度。經過一段時間藥物治療後，即使血壓已恢復正常，仍舊需要持續地服用此藥，才能有效控制住血壓。

爲了達到理想的降血壓，應該遵循醫師的指示，食用低鹽類、低脂肪食物，戒煙酒，並且盡可能依照醫師的指示做適當的運動。

爲了避免忘記服藥，最好養成每天在固定時間服藥的習慣，並且經過一段時間服藥後，不可突然停止服藥，突然的停藥，有可能會造成血壓升高，甚至會導致心臟方面的問題，應該得到醫師的許可，並且在醫師指示下，將劑量漸漸地降低然後停藥。

此藥只能用來控制高血壓或心衰竭，並不能根治此病症，因此必須長期服用此一藥物，才能適當地控制病情。如果使用此藥主要是用於心衰竭，就應該避免做太激烈的運動，並且在使用前應該先請教醫師，何種活動或運動量最適合。

剛開始服用此藥時，可能會產生頭暈目眩的感覺，尤其是突然站立或坐起時，不過如果能夠緩慢地站立或坐起，應該會減少此一現象。飲酒、洗太熱的澡、太陽下站立太久、流太多的汗等等，這些因素有可能會增加此藥降低血壓的效果，因此應該盡量避免，以免血壓過度下降，而造成頭暈目眩甚至暈倒。

許多治過敏、感冒、氣喘，及咳嗽的成藥中，經常會含有使血壓升高的成分。因此爲了避免血壓突然升高，在使用此類藥物前，應該先徵求醫師或藥師的意見。

此藥可能會與Allopurinol(治療慢性痛風的藥物)產生過敏反應，而造成不舒服、頭痛、發燒、關節痛、肌肉痛、皮膚起紅疹、心跳過快、低血壓等等症狀。如果又同時服用利尿劑或者有腎臟毛病的話，更容易發生副作用。因此如果與上述藥物合用的話，就應該通知醫師，或許醫師會考慮改換其他的藥物取代。

☞副作用

此藥常見的副作用爲：口乾、下痢、味覺降低、咳嗽、疲倦、惡心、頭痛。這些副作用，通常在服用藥物一陣子後，應該會漸漸消失。不過，如果這些副作用強到困擾你的程度，或者經過一段時間後，還不能完全消除，就應該通知醫師。

此藥較嚴重的副作用爲：心跳增快、四肢關節疼痛、皮膚產生紅疹、血壓太低而暈倒、呼吸及吞嚥困難、突然發熱或發冷、胸部疼痛、腹部疼痛及惡心嘔吐、臉部或四肢腫大。通常這些副作用發生的機率較低，但是如果發生時，可能是藥物造成的不良反應，或者是劑量需要調整，應該盡快通知醫師。

☞懷孕及哺乳

此藥可經由胎盤進入胎兒體內，此類ACE抑制劑可能會影響到胎兒腎臟以及頭骨正常的發育，使血壓降低，甚至可能造成胎兒死亡，尤其是懷孕最後六個月的可能性最高。當發現懷孕時，應該停止服藥，並立即通知醫師。

此藥會經由母乳到達嬰兒體內，爲了避免藥物可能對新生兒的影響，餵奶的母親最好使用其他製品，以取代母乳。

☞忘記用藥

如果忘記服藥，應該在記得時，立即服用。但是，如果一天服藥一次，而距離下次服藥的時間少於8小時，就應該捨棄此次藥物，恢復到下次正常用藥的時間，千萬不可一次使用雙倍的劑量。如果一天服藥兩次，而距離下次服藥的時間只有4小時，應該立即服藥，然後等到5至6小時後，才服用另一次的藥物，最後再恢復到下次正常服藥的時間。

Enoxacin（因諾沙信）

商品名（台灣）

Flumark®（大日本）

商品名（美國）

Penetrex®（Rorer）

☞藥物作用

本藥為一種“Quinolone”（萉）的抗生素，它能夠破壞細菌遺傳基因所需的一種物質，使細菌不能正常生長和繁殖，最後導致細菌的死亡。此藥為一種強力及廣效的抗生素，可用於某些細菌所引起的感染，如咽喉炎、扁桃腺炎、支氣管炎、肺炎、膀胱炎、尿道炎，以及中耳炎等等。

☞用法

本藥可空腹或與食物一起服用，不過為了增強藥物的吸收，最好能在空腹時服用，譬如飯前一小時，或飯後兩小時。服用此藥後，應該飲用一大杯水，以減輕藥物對腎臟的副作用。如果同時使用制酸劑時，最好與此藥至少相隔兩小時。如有必要時，此藥的藥片可以壓碎服用。

☞注意事項

服用此藥後，可能會產生輕微的頭暈目眩。因此當開車或操作危險機械時，必須小心謹慎。

如果懷孕，對藥物過敏，或者有肝臟疾病、腎臟病、腦部病變、腸道發炎（如結腸炎）、癲癇症等等。醫師需要針對這些情況謹慎用藥，因此在使用此藥前，應該先通知醫師。

此藥爲一種廣效的抗生素，女性長期服用此藥後，可能會殺死陰道內的某類細菌，而造成其他真菌或黴菌類微生物過度的繁殖，間接影響到陰道內的生態平衡，最後可能會造成陰道搔癢。如果有此現象發生時，應該通知醫師。

當服用此藥時，必須依照醫師的指示用完所有的處方(大約7至14天)，即使覺得症狀已經完全消除，仍須服完所有的份量，以免感染復發，或細菌產生抗藥性。

本藥爲針對病情所下的處方，下次如果有類似的感染，雖然產生的症狀相同，但也許感染的病菌不同，服用此藥不見得有效，更有可能會延誤病情。因此必須經由醫師診斷及指示服藥，更不可將此藥留給他人使用。

爲了達到最佳的滅菌效果，此藥必須在血中達到固定的濃度，因此最好每天在相等的時間間隔下服藥。如一天服藥兩次，則每12個小時用一次，譬如早晨7點及晚上7點各服藥一次，不可忘記。

當懷孕時，應該通知醫師，因爲此藥對胎兒可能會造成不良的影響。服用此藥後，應該避免飲用咖啡或茶，因爲此類飲料可能會加強失眠、神經緊張、心跳增加及焦慮等等副作用。

本藥會增加皮膚對陽光的敏感性，如果在陽光下曝曬太久，有可能導致皮膚灼傷或敏感，應該避免陽光直接曝曬，並穿著長袖衣物，以保護皮膚。

此藥可能會與其他藥物產生不良作用，當服用其他藥物時，無論服用的是成藥或是處方藥，最好能夠事先徵求醫師或是藥師的意見。

爲了降低腎結石，除了醫師特別指示外，必須每天服用大約8杯(每杯約250cc.)的開水。制酸劑、綜合維他命、含鐵或其他礦物質可能會降低此藥在體內的吸收，當服用此類藥物時，應該與此藥至少相隔約兩小時。

此藥可能會與Theophylline(治療氣喘的藥物)產生不良反應。此藥會阻止Theophylline的代謝及排出體外，有可能會造成該氣喘藥在體內的積聚，甚至有可能會造成過量或中毒現象，如惡心嘔吐、焦慮、心跳加快、肌肉扭曲或痙攣發作等等。使用此藥期間如果同時服用上述的氣喘藥物，就應該通知醫師，他也許會考慮改換其他的抗生素以取代本藥。

☞副作用

此藥常見的副作用為：味覺改變、拉肚子、胃口不佳、胃腸不適或疼痛、消化不良、惡心、想睡覺或失眠、嘔吐、精神緊張、頭痛、頭暈目眩等。這些副作用，通常在服用藥物一陣子後，應該會漸漸消失。不過，如果這些副作用強到困擾你的程度，或者經過一段時間後，還不能完全消除，就應該通知醫師。

此藥較嚴重的副作用為：失眠、皮膚發紅、皮膚發癢、耳鳴、呼吸困難、迷幻、陰道發癢、精神恍惚、緊張易怒、顫抖等。通常這些副作用發生的機率較低，但是如果發生時，可能是藥物造成的不良反應，或者是劑量需要調整，應該盡快通知醫師。

☞懷孕及哺乳

根據動物實驗顯示，在正常劑量下，此藥尚不至於造成胎兒的畸形，然而在高劑量下，則有可能會造成胎兒體重減輕或影響胎兒骨關節方面的發育，以及降低懷孕率。因此，除了有絕對的需要並經由醫師的許可外，懷孕婦女應該避免服用此藥。

目前為止，尚不知此藥是否會經由母乳到達嬰兒體內，為了避免藥物可能造成新生兒的不良副作用，餵奶的母親應該使用其他的乳製品以取代母乳。

☞忘記用藥

如果忘記服藥，應該在記得時，立即服用。但是，如果距離下次服藥的時間太近，就應該捨棄此次藥物，恢復到下次正常服藥的時間，千萬不可一次服用雙倍的劑量。

Erythromycin(紅黴素)

商品名(台灣)

Delason-S®(中國新藥)
E.M®(仁興)
E-Mycin®(普強)
Eromycin®(西德有機)
Ery-B®(景德)
Eryc®(派德)
Eryhexal®(德・Hexal)
Erymycin-L®(中化)
Erymycin®(榮民)
EryPed®(亞培)
Eryprocin®(義・萊克)
Erysone®(元宙)
Erysrocin®(亞培)
Erystac®(景德)
Erython®(衛達)
Erythrocin®(亞培)
Erytrarco®(瑞士・雅克)
ES mycin®(華盛頓)
Hylomycin®(瑞士)
Ilomycin®(永昌)
Ilosone®(禮來)
Nyslosone®(尼斯可)
Proterytrin®(義・Proter)
Ritesone®(元宙)
Ritromin®(瑞士・科發)
R-Mycin®(國際新藥)
Robimycin®(勞敏士)
Servitrocin®(瑞士・Cimex)
Stiemycin®(史帝富)
Sunthrocin®(吉立)
Ulosina®(優良)
Urycin®(優良)

商品名(美國)

E.E.S®(Abbott)
E-Base®(Barr)
E-Mycin®(Boots)
Eryc®(Parke-Davis)
EryPed®(Abbott)
Ery-Tab®(Abbott)
Ilosone®(Dista)
PCE®(Abbott)
Robimycin®(Robins)

☞藥物作用

此藥爲一種抗生素，就是俗稱的紅黴素。它主要的作用是能夠抑制細菌蛋白質的產生，使細菌不能正常地生長與繁殖，最後導致細菌的死亡。此藥可用於許多種細菌所引起的感染，如肺炎、胃腸道感染、支氣管炎、咽喉炎、鼻竇炎、尿道感染、急性中耳炎，及皮膚感染等等。此藥對於濾過性病毒，及黴菌或真菌所造成的感染無效。

☞用法

爲了增強藥物的吸收，最好能在空腹時候服用，譬如飯前一小時，或飯後兩小時。但是，如果覺得此藥對胃部的刺激過大，造成胃部不舒服，與食物一起或飯後服用亦無多大的妨害。本藥分爲普通藥片及膠囊，以及持續型釋放膠囊或腸衣錠，如有必要時，此藥之普通藥片及膠囊可以壓碎或打開來服用，但是持續型膠囊及腸衣錠應該整粒吞服，不可以打開來或壓碎服用。如果是服用液體藥物的話，應該將此藥放於冷藏室(但不是冷凍室)內以保持藥物的新鮮。並且，每次使用前，該將藥瓶充分搖動，使藥物能夠均勻分散，並且使用有刻度的量杯或藥管，以量取正確的藥量。

☞注意事項

爲了達到最佳的滅菌效果，此藥必須在血中達到固定的濃度，因此最好每天在相等的時間間隔下服藥。如一天服藥4次，則應該每6個小時服用一次；一天服藥3次，則應該每8個小時用一次，並且不可忘記。

如果懷孕，對藥物過敏(尤其是對紅黴素過敏)，或者有心律不整、肝臟疾病、黃膽病、腸道發炎，如結腸炎等等。醫師需要針對這些情況謹慎用藥，因此在使用此藥前，應該先通知醫師。

服用此藥時，必須依照醫師的指示服完所有的處方(大約7至14天)，即使覺得感染的症狀已經完全消除，仍須用完所有的份量，以免萬一細菌沒有完全消除，造成感染復發或細菌產生抗藥性。

此藥可能會與其他藥物產生不良作用，譬如，如果與Astemizole或Terfenadine過敏藥物合用的話，則可能會產生嚴重心律不整。因此當服用其他藥物時，無論所服用的是成藥或是處方藥，最好能夠事先徵求醫師或是藥師的意見。

在極少數情況下，服用此藥一段時間後，如有拉肚子現象時，此可能是抗生素破壞了胃腸內細菌的平衡所引起的，不該擅自服用止瀉藥物，因爲如果使用了錯誤的藥物，有可能會使腹瀉更惡化。應該請教醫師，由他做適當的治療。

本藥爲針對病情所下的處方，如果下次有類似的感染，雖然症狀相同，但也許造成感染的病菌不同，服用此藥不見得有效，更有可能會延誤病情。因此必須依照醫師的指示服藥，更不可將此藥留給他人使用。

☞副作用

此藥常見的副作用爲：拉肚子、胃口降低、疲倦、惡心嘔吐、腹部輕微抽痛等等。這些副作用，通常在服用藥物一陣子後，應該會漸漸消失。不過，如果這些副作用強到困擾你的程度，或者經過一段時間後，還不能完全消除，就應該通知醫師。

此藥較嚴重的副作用爲：皮膚或眼睛發黃、皮膚起紅疹或產生紅色條紋、尿液變暗、陰道搔癢、發燒、聽覺降低等等。通常這些副作用發生的機率較低，但是如果發生時，可能是藥物造成的不良反應，或者是劑量需要調整，應該盡快通知醫師。

☞懷孕及哺乳

一般來講，紅黴素用於懷孕婦女是安全的，只有Erythromycin Estrolate成分的紅黴素，可能會造成孕婦輕微的肝臟發炎，當使用此藥前，最好詢問醫師或藥師使用的是那一類的紅黴素。

雖然少量的藥物會經由母乳到達新生兒體內，但是尚無醫療報告顯示會對餵奶的嬰兒造成不良的影響，不過在餵奶前，最好還是徵求醫師的意見。

☞忘記用藥

如果忘記服藥，應該在記得時，立即服用。但是，如果距離下次服藥的時間太近，而若一天服藥兩次，就應該先服用所遺忘的藥物，然後等約5至6小時後，再服用下次劑量。如果一天服藥3次以上，應該先服用所遺忘的藥物，然後等約兩三小時後，再恢復到下次正常服藥的時間。

Estradiol(氫偶素)

商品名(台灣)

Estraderm TTS®(汽巴嘉基)
Estrade®(信元)
Estra®(政德)
Esumin®(優生)
Ovarmon®(永豐)

商品名(美國)

Estrace®(Mead Johnson)
Estraderm®(Ciba)

☞藥物作用

本藥爲一種女性荷爾蒙，主要是用來治療中年女性停經後的症狀，如頭痛、失眠、性欲改變、熱潮紅、心悸、腰痠背痛、突然全身發熱或流汗、陰部發癢、注意力不集中及情緒不穩定等等。並可用來預防停經後，荷爾蒙不平衡導致的鈣質缺乏，造成骨質疏鬆，而產生骨骼破碎或斷裂的危險。此藥也可以當作輔助藥物使用，以治療女性的乳癌、或男性的前列腺癌，以及女性荷爾蒙不平衡而導致的陰道出血。

☞用法

爲了避免對胃部的刺激，此藥最好與食物一起或飯後服用。必要時，此藥的藥片可以壓碎與食物或水一起服用。本藥的貼劑通常是一周使用兩次，亦即每3至4天就更換一次，連續使用3個星期，然後再停止一個星期。

使用貼劑的步驟如下：

1. 將貼劑從包裝內取出，並將外膜撕開，此時應該避免接觸到黏膠的部位，並在外膜撕開後立即使用。

2. 將貼劑貼於四肢的肢幹、臀部，或腹部較少毛髮及清潔乾燥的部位，應該避免將貼劑貼於乳房、手腕、腰部及皮膚破損部位。
3. 用手掌將貼劑壓緊約10至20秒，並檢查貼劑的四周是否緊貼於皮膚上，以確保貼藥不會脫落。此貼劑不會受到洗澡或沐浴的影響，萬一貼劑脫落，可將舊有的貼劑重新貼上，或者更換另一片，不論採用何種方法，仍須依照原來的時間表，更換藥物。爲了避免對皮膚過度刺激，使用同一貼劑的部位至少需要相隔一星期的時間。

☞注意事項

使用此藥後，可能會產生頭昏的感覺，尤其在剛開始服藥的期間。因此，在尚未完全適應此藥之前，當開車或操作危險機械時，必須格外小心謹慎。

如果懷孕，對藥物過敏，或者有不正常陰道流血、子宮內膜異位症、子宮腫瘤、血液凝結方面的問題、乳癌、肝臟疾病、膽結石或膽囊疾病等等，醫師需要針對這些情況謹慎用藥，因此在使用此藥前，應該事先通知醫師。

本藥通常附有使用說明書，在使用此藥前，應該詳細加以閱讀，有任何疑問時可請教藥師或醫師。

使用完貼劑後，應該將貼劑的兩端對摺，使含藥效的表面互相黏合在一起，因爲即使用過的貼劑仍然含有藥效的成分，小孩拿來玩可能會造成傷害與危險。

抽煙會增加此藥造成高血壓、腦中風、血液凝固、心臟病等等的問題。抽煙的數量愈多，或者病人的年齡愈大，造成此副作用的機會就愈高。因此使用本藥的婦女，最好能夠戒煙，或者至少降低抽煙的數量。

本藥會增加皮膚對陽光的敏感性，如果在陽光下曝曬太久，有可能會導致皮膚過敏或灼傷，因此應該盡量避免陽光直接曝曬，並穿著長袖衣物，以保護外在的皮膚。

使用準確的劑量對病況相當重要，當服用此藥一段長時間後，除經醫師同意外，最好不要換別種廠牌的藥品。不同廠牌的藥品，雖然標示的劑量或者成分相同，但是由於品管能力，以及生產過程中所使用添加物的不同，都有可能會影響此藥在體內的吸收，因此在體內所產生的濃度及藥效也不見得會相同。

此藥有造成乳癌及子宮內膜癌的可能，在使用前，應該請教醫師如何檢查乳房，如果發覺乳房有任何的腫塊，或陰道有不正常的出血時，應該即刻通知醫師，並且最好每年定期做一次，包括血壓、乳房、陰道內診、陰道抹片等在內的身體檢查。

☞副作用

此藥常見的副作用為：拉肚子、食慾降低、噁心、腹脹、腹痛、嘔吐、頭痛、頭暈、皮膚刺激或發紅(貼劑)等。這些副作用，通常在使用藥物一陣子後，應該漸漸消失。不過，如果這些副作用強到困擾你的程度，或者經過一段時間後，還不能完全消除，就應該通知醫師。

此藥較嚴重的副作用為：皮膚或眼睛發黃、乳房有腫塊、乳房疼痛、兩次月經間有微量或者突然大量的出血、腳部水腫、經期過長或經血過多等。通常這些副作用發生的機率較低，但是如果發生時，此可能是藥物造成的不良反應，或者是劑量需要調整，應該盡快通知醫師。

☞懷孕及哺乳

此藥不適用於懷孕婦女。許多報告顯示，懷孕期間服用此藥，可能會造成男性胎兒出生後，尿道及生殖器方面的問題，以及成年後產生睪丸癌的機會，對於女性胎兒則會增加其成年後產生陰道及子宮頸癌的可能。如果在服藥期間懷孕，就應該立即停止使用此藥，並且盡快通知醫師。

此藥會抑制母乳產生，另外，由於少量的藥物會經由母乳到達嬰兒體內，可能會對新生兒產生影響，因此餵奶的母親應該考慮使用其他的乳製品，以取代母乳。

☞忘記用藥

如果忘了使用貼劑，應該在記得時，立即使用，然後將使用的日期記錄下來，再重新調整用藥的時間表。如果忘記服藥，應該在記得時，立即用藥。但是如果距離下次服藥的時間太近，就應該捨棄此次藥物，恢復到下次正常用藥的時間，千萬不可一次使用雙倍的劑量。

Estrogens(Conjugated Estrogens，伊得蒙)

商品名(台灣)

Azumon®(成大)　Equigyne®(比・Thissen)　Lovegen®(皇佳)
Conest®(正和)　Estromon®(生達)　Premarin®(美・Ayerst)
Conjuestrogen®(東洋)　Eyzu®(井田)　Romeda®(日・Mochida)

商品名(美國)

Premarin®(Wyeth-Ayerst)

☞藥物作用

本藥爲一種女性荷爾蒙，主要是用來治療中年女性停經後的症狀，如頭痛、失眠、性欲改變、熱潮紅、心悸、腰痠背痛、突然全身發熱或流汗、陰部發癢、注意力不集中及情緒不穩定等等。它並可用來預防停經後，因爲荷爾蒙不平衡導致骨質疏鬆，造成骨骼破碎或斷裂的危險。此藥也可以當作輔助藥物使用，以治療女性的乳癌、或男性的前列線癌，以及女性荷爾蒙不平衡而導致的陰道出血。

☞用法

此藥分爲錠劑、陰道軟膏。爲了避免對胃部的刺激，服用此藥時最好與食物一起或者是飯後服用。此藥用於停經症狀，通常是一天服用一次，連續服用3個星期，然後停止服用一個星期；但是對於癌症的治療，則可能需要一天服用3次，連續服用3個月。使用此藥時，應該完全依照醫師的指示。

使用陰道軟膏時，其使用的步驟如下：

1. 將陰道軟膏充填入隨藥附贈的藥管內，直到藥管所標示的部位。

2. 仰躺在床上，兩腿膝蓋往上舉，並向外側張開。
3. 輕輕將藥管深入陰部，並將藥物壓入內部。
4. 將藥管輕輕地拔出，然後用肥皂及溫水沖洗乾淨。
5. 將手清洗乾淨以免病菌的汙染。

☞注意事項

使用此藥後，可能會產生頭暈的感覺，尤其在剛開始服藥期間。因此，在尚未完全適應此藥前，當開車或操作危險機械時，必須格外小心謹慎。

如果懷孕，對藥物過敏，或者有不正常陰道流血、子宮內膜異位症、子宮腫瘤、血液凝結方面的問題、乳癌、肝臟疾病、膽結石或膽囊疾病等等，醫師需要針對這些情況謹慎用藥，因此在使用此藥前，應該先通知醫師。

本藥通常附有使用說明書，在使用前，應該詳細加以閱讀，如果有疑問時可請教藥師或醫師。

使用準確的劑量對病況相當重要，當服用此藥一段長時間後，除經醫師同意外，最好不要換別種廠牌的藥品。不同廠牌的藥品，雖然標示的劑量或成分相同，但是由於品管的能力，以及生產過程中所使用的添加物不同，有可能會影響此藥在體內的吸收，其在體內所產生的濃度及藥效也不見得會相同。

本藥會增加皮膚對陽光的敏感性，如果在陽光下曝曬太久，有可能會導致皮膚過敏或灼傷，應該盡量避免陽光直接曝曬，並穿著長袖衣物，以保護皮膚。

抽煙會增加此藥造成血液以及心臟方面的問題，抽煙的數量愈多，或者病人的年齡愈大，造成此一副作用的機會就愈高，因此使用本藥婦女，最好能夠戒煙，或者至少降低抽煙的數量。

此藥有造成乳癌及子宮內膜癌的可能，在使用前，應該請教醫師如何檢查乳房，如果發覺乳房有任何腫塊，及陰道有不正常的出血時，應該即刻通知醫師，並且最好每年定期做一次包括血壓、乳房、陰道內診、陰道抹片等在內的身體檢查。

☞副作用

此藥常見的副作用爲：拉肚子、食慾降低、惡心、腹脹、腹痛、嘔吐、頭痛、頭暈等。這些副作用，通常在服用藥物一陣子後，應該會漸漸消失。不過，如果這些副作用強到困擾你的程度，或者經過一段時間後，還不能完全消除，就應該通知醫師。

此藥較嚴重的副作用爲：皮膚或眼睛發黃、乳房疼痛、兩次月經間有微量或者突然大量的出血、腳部水腫、經期過長或經血過多等。通常這些副作用發生的機率較低，但是如果發生時，此可能是藥物造成的不良反應，或者是劑量需要調整，應該盡快通知醫師。

☞懷孕及哺乳

此藥不適用於懷孕婦女。許多報告顯示，懷孕期間服用此藥，可能會造成男性胎兒出生後，尿道及生殖器方面的問題和成年後產生睪丸癌的機會，對於女性胎兒則會增加其成年後產生陰道癌及子宮頸癌的可能。如果在服藥期間懷孕，就應該立即停止使用此藥，並且盡快地通知醫師。

此藥會抑制母乳的產生，另外由於少量的藥物會經由母乳到達嬰兒體內，可能會對新生兒產生影響，餵奶的母親應該考慮使用其他的乳製品，以取代母乳。

☞忘記用藥

如果使用的是錠劑或陰道軟膏，應該在記得時，立即使用。但是，如果距離下次用藥的時間太近，就應該捨棄此次藥物，恢復到下次正常用藥的時間，千萬不可一次使用雙倍的劑量。

Ethambutol(醫肺妥)

商品名(台灣)

Ambutol®(景德)
Ebutol®(科研)
Ebutol®(榮民)
Epbutol®(優生)
Etibi®(義・Chimico)
Myambutol®(氰胺)
Myrazin®(中化)
Riotol®(龍杏)
Servambutol®(瑞士・Cimex)
Winbutol®(溫士頓)

商品名(美國)

Myambutol®(Lederle)

☞藥物作用

本藥為一種「抗肺結核」的藥物。它通常需要與其他的抗結核藥物一起合用，以達到藥物最低的副作用及最有效的治療效果。

☞用法

為了減輕對胃部的刺激，此藥最好與食物或飯後服用。此藥通常是一天服用一次，並且大都是在早晨服用。當服用此藥時，最好養成每天在固定時間服藥的習慣，以減少忘記。如有必要時，此藥的藥片可以壓碎與食物或水一起服用。

☞注意事項

當服用此藥時，必須依照醫師指示用完所有的處方。治療肺結核必須長期服藥才能見效，通常服藥的時間是6個月到兩年，因此在經過一段時間治療後，即使覺得感染症狀已經完全消除，仍舊需要服完所有的份量，以免萬一病菌沒有完全消除，而造成感染復發或病菌產生抗藥性。

如果懷孕，對藥物過敏，或者有肝臟疾病、眼睛方面的毛病、腎臟病、痛風、視神經炎等等，醫師需要針對這些情況謹慎用藥，因此在使用此藥前，應該先通知醫師。

長期服用此藥最值得關注及較嚴重的副作用，就是藥物可能對視覺方面的影響。因此在服藥期間，醫師可能會要求定期測量視覺功能是否正常，應該依照醫師的指示，定期到醫院或診所做此檢驗。另外，如果在服藥期間，有任何視覺方面的改變，如視覺模糊、眼睛痛、顏色改變等等，就應該盡快通知醫師。

如果同時服用制酸劑，尤其是含鋁類的制酸劑時，由於此類的制酸劑會降低此藥的吸收作用，因此在服用兩藥物時，彼此服用的時間至少應該錯開約兩小時。

此一藥物爲醫師針對肺結核的處方，如果他人有類似的症狀，所造成感染的病菌不見得會相同，服用此藥不見得有效，更有可能會延誤病情。因此必須經由醫師的診斷及指示服藥，更不可將此藥留給他人使用。

由於一般藥局不見得存此藥物，當出門旅行或度假時，在出發前應該事先檢查是否攜帶足夠的藥量，以免藥物用完或補充不及造成病情惡化。

☞副作用

此藥常見的副作用爲：胃口降低、胃痛、惡心、嘔吐、精神恍惚、頭痛等等。這些副作用，通常在服用藥物一陣子後，應該會漸漸消失。不過，如果這些副作用強到困擾你的程度，或者經過一段時間後，這些症狀還不能完全消除，就應該通知醫師。

此藥較嚴重的副作用爲：幻覺、皮膚出現不正常的瘀傷、皮膚起紅疹或發腫、雙腳發麻、眼睛痛、無法看紅色或綠色、視覺改變、視覺模糊、極度疲倦、關節痛等等。通常這些副作用發生的機率較低，但是如果發生時，此可能是藥物造成的不良反應，或者是劑量需要調整，應該盡快通知醫師。

☞懷孕及哺乳

目前爲止，此藥對孕婦實驗的數據並不完備，但是根據動物實驗顯示，在極高劑量下，此藥可能會影響胎兒的發育造成缺陷。由於肺結核屬於傳染病的一種，其對社會會造成深遠影響，醫師也許會要求繼續使用此藥，但是他可能會合併幾種較安全的藥物，以降低此藥可能對胎兒的影響。

此藥會經由母乳到達嬰兒體內，爲了避免造成新生兒的不良作用，服藥期間，應該停止餵食母乳，而改用其他的乳製品來取代。

☞忘記用藥

如果忘記服藥，應該在記得時，立即服用。但是，如果距離下次服藥的時間太近，就應該捨棄此次藥物，恢復到下次正常服藥的時間，千萬不可一次服用雙倍的劑量。

Etodolac(艾特多雷克)

商品名(台灣)

Lonine®(東洋)

商品名(美國)

Lodine®(Wyeth-Ayerst)

☞藥物作用

本藥爲一種「非固醇類止痛及抗發炎」的藥物。其主要作用，就是能阻止體內「前列腺素」的產生，此一化學物質通常是造成關節疼痛以及發炎的主要原因，因此可以用來解除風濕性關節炎，以及骨關節炎所引起的關節僵硬、疼痛、發炎和發腫的現象。此藥同時可以當作止痛藥使用，可以消除輕微到中度的疼痛，如頭痛、牙痛、月經痛，以及肌肉扭傷所引起的疼痛等等。

☞用法

爲了減輕對胃部的刺激，此藥最好與食物或飯後服用，並同時飲用一杯水。在服用完藥物後30分鐘內，最好不要立即躺下，以免對上消化道直接刺激。如有必要時，此藥的藥片可以壓碎，膠囊可以打開來與食物或水一起服用。

☞注意事項

服用此藥後，可能會產生輕微頭暈目眩及視覺模糊，並且可能會產生疲乏的感覺。因此，在尚未完全適應此藥前，當開車或操作危險機械時應該格外地小心謹慎。

如果懷孕或餵哺嬰兒，對藥物過敏，或者有心臟疾病、血液凝固方面的問題、胃出血、胃潰瘍、腎臟病等等，醫師需要針對這些情況謹慎用藥，因此在使用此藥前，應該先通知醫師。

長期服用此藥對胃部的刺激非常大，因此應該隨時留意是否有胃出血或胃潰瘍發生。如果有暗黑色條紋或塊狀的糞便時，此爲內出血的徵兆，應該通知醫師做進一步的檢查。

服用阿斯匹靈或飲酒會增加此藥對胃腸的刺激作用，應該盡量避免與此藥合用。另外一些抗關節炎的藥物，或者抗凝血劑也會增加胃腸的刺激作用及降低血液凝固的能力，如果長期與此藥合用，有造成胃出血的可能。因此同時使用這些藥物時，應該事先得到醫師的許可。

如果服用此藥的目的在治療關節炎，通常在服藥後一個星期之內，四肢關節的症狀，應該會有所改善，但是通常此藥至少必須經過兩至三個星期的時間，才能完全達到最大的作用。另外，由於此藥只能改善關節炎的症狀，並不能完全治癒關節炎，必須長期服用，才能達到最好的效果，也不能因爲一時覺得症狀已經改善而停止服藥。

此藥會抑制血液的凝固使流血的時間增長，因此在拔牙或動手術之前，應該先通知醫師，通常在手術前幾天，醫師會要求停止服用此藥，以免手術進行中造成過量流血的現象。

此藥會使眼睛對陽光更爲敏感，而造成眼睛的不舒服。因此在陽光下，如果能戴太陽眼鏡或者避免直接暴露在太陽下，應該會使眼睛感覺較爲舒適。

此藥有可能會增加水分在體內的滯留，間接地使血壓升高，或增加心臟的工作量。因此應該隨時留意四肢，如果發現有腫脹的情況時就應該通知醫師。

老年人對此藥所引起胃腸的副作用，如胃潰瘍、胃出血等等，較一般人敏感。同時，由於老年人的腎臟功能較一般人差，藥物經由腎臟排出體外的能力也相對降低，最後有可能會導致藥物的積聚，而引起腎臟及肝臟的毒性。醫師可能會要求此類病人服用較一般人低的劑量，甚至到減半的程度。因此在使用此藥時，應該完全遵照醫師指示的劑量服用。

☞副作用

此藥常見的副作用爲：拉肚子、胃脹、胃腸不適、排氣增多、惡心、虛弱無力、頭痛、頭暈等。這些副作用，通常在服用藥物一陣子後，應該會漸漸消失。不過，如果這些副作用強到困擾你的程度，或者經過一段時間後，還不能完全消除，就應該通知醫師。

此藥較嚴重的副作用爲：小便尿急或疼痛、皮膚發紅或發癢、耳鳴、呼吸困難、胃部疼痛、胸痛、糞便中帶暗黑色的血塊、視覺模糊、腳部水腫。通常這些副作用發生的機率較低，但是如果發生時，可能是藥物造成的不良反應，或者是劑量需要調整，應該盡快通知醫師。

☞懷孕及哺乳

此藥對孕婦的影響，並無很完備的資料。但是動物實驗顯示，此藥可能會造成動物四肢趾骨的病變，不過，目前爲止還無法明確證實是否與此藥有關。此藥也有可能會造成胎兒心臟及血管方面的問題、增長懷孕及生產時間，以及其他生產過程中的問題，除非治療優點勝於對胎兒的危險性，並經由醫師同意外，孕婦應該避免服用此藥。

少量的藥物會經由母乳到達新生兒體內，可能會造成新生兒血液循環及心臟血管方面的問題，餵奶的母親應該考慮用其他乳製品以取代母乳。

☞忘記用藥

如果忘記服藥，應該在記得時，立即服用。但是，如果一天服藥一次，而距離下次服藥的時間少於8小時；若一天服藥兩次以上，而距離下次服藥的時間少於4小時，就應該捨棄此次藥物，恢復到下次正常服藥的時間，但是不可以一次服用雙倍的劑量。

Famotidine(發模梯定)

商品名(台灣)

Fadin®(生達)
Famodine®(南光)
Famox®(紐・Pacific)
Gasafe®(回春堂)
Gaster®(山之內)
Quimadine®(中化)
Supertidine®(榮民)
Suwefue®(合誠)
Voker®(永信)
Weimok®(衛達)

商品名(美國)

Pepcid AC®(Merck)
Pepcid®(Merck)

☞藥物作用

本藥為一種「抑制胃酸分泌」的藥物。胃潰瘍的發生，往往是由於胃分泌過量的胃酸，導致胃或食道因為胃酸的刺激而產生疼痛，甚至達到潰爛的現象。此藥的作用，即是能抑制胃酸的分泌，減少對胃的刺激，降低胃痛的感覺，並使胃潰瘍得以漸漸康復。

☞用法

本藥可空腹或與食物一起服用，但是如果能於飯後服用的話，則可達到最好的效果。此藥通常是一天服用一到兩次，如果一天服藥一次，可安排於睡前給藥；如一天服藥兩次，則可安排於早餐後和睡前服用。如有必要時，此藥的藥片可以壓碎與食物或水一起服用。如使用的是液體藥物時，每次在使用前，應該先將藥瓶輕微搖動，使藥物能均勻分散，並使用有刻度的量杯或藥管，以量取正確的藥量。

☞注意事項

服用此藥後，可能會產生輕微的頭暈目眩，尤其在剛開始服藥期間。因此在尚未完全適應此藥之前，當開車或操作危險機械時，必須小心謹慎。

如果懷孕，對藥物過敏，或者有肝臟疾病、腎臟病等等，醫師會針對這些情況謹慎用藥，因此使用此藥之前，應該先通知醫師。

市面上許多治療頭痛、關節病，以及肌肉痛等止痛藥物，對於胃會產生極大的刺激，也許會使胃潰瘍的程度惡化。因此在選擇購買止痛藥物之前，應該詢問醫師或藥師，何種藥物對胃最不會造成傷害。

服用此藥期間，最好能戒煙酒，因爲煙酒都有可能會妨礙潰瘍的康復。同時也應該避免食用辛辣等刺激胃壁的食物。

通常在服用此藥一至兩星期後，胃潰瘍的症狀，應該會得到相當程度的改善，但是千萬不可因爲一時覺得潰瘍已經痊癒，或者覺得胃不痛就停止服藥。應該依照醫師的指示，完成整個服藥的過程。對於某些程度的潰瘍，也許需要長達6至8個星期的時間，才可痊癒。

此藥會干擾許多藥物的作用，因此服用此藥之前，最好能事先告訴醫師有服用那些藥物。

爲了要更迅速治療胃痛或胃潰瘍，醫師也許會要求同時服用另外一種制酸劑。但是由於制酸劑會降低此藥的作用，同時服用此兩種藥物時，彼此至少應該相隔一至兩小時。

☞副作用

此藥常見的副作用爲：口乾、失眠、皮膚乾燥、耳鳴、肌肉或關節痛、味覺改變、拉肚子、便秘、食慾降低、疲倦、噁心、想睡覺、腹痛、嘔吐、頭痛、頭暈等等。這些副作用，通常在服用藥物一陣子後，應該會漸漸消失。不過，如果這些副作用強到達困擾你的程度，或者經過一段時間後，還不能完全消除，就應該通知醫師。

此藥較嚴重的副作用爲：心跳突然加快、幻覺、皮膚發紅、呼吸困難、掉髮、焦慮不安、發腫、發癢、精神沮喪、精神恍惚等等。通常這些副作用發生的機率較低，但是如果發生時，可能是藥物造成的不良反應，或者是劑量需要調整，應該盡快通知醫師。

☞懷孕及哺乳

目前爲止，尚無醫療報告顯示此藥會對胎兒造成不良影響；但是動物實驗顯示，此藥可能會通過胎盤到達胎兒體內，因此懷孕時，最好還是通知醫師，他會衡量狀況，決定是否服藥。

少量的藥物會經由母乳到達嬰兒體內，但是目前爲止，尚無報告顯示會造成嬰兒的不良反應。不過，爲了避免藥物可能對新生兒產生影響，餵奶的母親應該密切注意嬰兒的反應或使用其他乳製品，以取代母乳。

☞忘記用藥

如果忘記服藥，應該在記得時，立即服用。但是，如果距離下次服藥的時間太近，就應該捨棄此次藥物，恢復到下次正常服藥的時間，千萬不可一次服用雙倍的劑量。

Felodipine(降血壓、預防心絞痛藥)

商品名(台灣)

Plendil®(瑞典・Astra)

商品名(美國)

Plendil®(Astra-Merck)

☞藥物作用

本藥為一種「鈣離子阻斷劑」的降血壓及預防心絞痛藥物。此藥的作用是能使血管擴張,讓更多的血液能夠順暢流通而達到降血壓的目的。本藥亦可擴張心臟內的血管,使能夠得到更多的血液和氧氣,解除因為缺氧而造成心臟壞死,所導致的心絞痛。

☞用法

本藥可以空腹或與食物一起服用。但是如果覺得藥物對胃的刺激過大,造成胃的不舒服,可以將其與食物一起服用。但是應該避免與葡萄柚汁一起服用,以免增加藥物的吸收造成藥物過量的危險。此藥為持續型釋放藥片,在服用此藥時,應該吞服整顆的藥物,不可在嘴咀嚼或壓碎服用。此藥通常是一天服用一次,不論是早上或是晚上服用,最好養成每天在固定時間服藥的習慣,以減少忘記服用。

☞注意事項

本藥同時具有預防心絞痛及降血壓的作用。如果服用此藥是預防心絞痛發作，就必須定期服用才有預防效果；若是在心絞痛發作後才服用是無效的，而必須另外使用紓解心絞痛急性發作的藥物。

如果懷孕，對藥物過敏，或者有心臟疾病、心律不整、充血性心衰竭、腦中風、低血壓、腎臟病、肝臟疾病等等，醫師需要針對這些情況謹慎用藥，因此在使用此藥前，應該先通知醫師。

服用此藥後，可能會產生頭昏眼花的感覺，尤其在剛開始服藥期間。因此在尚未完全適應此藥前，當開車或操作危險機械時，必須小心謹慎。

本藥只能控制血壓的升高，並不能治癒此一病症，甚至可能需要終生服用此藥。剛開始服用此藥後，血壓可能需要經過幾個星期的時間才能漸漸降到理想的程度；並且，經過一段時間藥物治療後，即使血壓已恢復正常，仍舊需要持續地服用此藥，才能有效控制住血壓。

經過一段時間藥物治療後，即使覺得血壓已恢復正常，亦不可間斷，或者是突然停止服藥。突然停藥有可能會使血壓升高甚至造成心臟病發作。如需要停藥，應該得到醫師的許可，並且在他指示下，漸漸降低藥物，然後再停藥。

在服用此藥前，應該事先請教醫護人員如何測量脈搏。如果覺得脈搏跳動較平常慢或者低於50，就應該通知醫師。

爲了達到理想降血壓的作用，應該遵循醫師指示，服用低鹽類、低脂肪的食物，戒煙酒，並且盡可能做適當的運動。

剛開始服用此藥時，可能會產生頭暈目眩的感覺，尤其是當突然站立或坐起時，不過如果能夠緩慢站立或坐起，應該會減少此一現象。

如果使用此藥的目的在預防心絞痛的發作，在經過一陣子服藥後，不可因爲不再發作而突然增大運動量。應該與醫師商討何種運動或多大的運動量較適合，才不會造成心臟過度的負荷，而造成心絞痛再次發生。

在拔牙或動手術前，應該先通知醫師有服用此藥。

服用此藥經過一段時間後，可能會造成牙齦腫大、發炎或者流血。如果能經常用牙線或牙刷維護牙齒的正常衛生習慣，並且經常按摩牙齦，應該能減少此一現象的發生。

剛開始服用此藥時，也許會有頭痛的感覺，但是經過一段時間服藥後，此現象應該會漸漸消除。如果經過一段長時間，仍然覺得頭痛，就應該通知醫師。

許多治療過敏、感冒、氣喘，及咳嗽的藥物中，經常會含有使血壓升高的成分。因此，爲了避免血壓突然升高，在使用此類藥物前，應該事先徵求醫師或藥師的意見。

☞副作用

此藥常見的副作用爲：口乾、下痢、便秘、疲倦、惡心、臉部發紅或發熱、頭痛、頭暈目眩等。這些副作用，通常在服用藥物一陣子後，應該會漸漸消失。不過，如果這些副作用強到困擾你的程度，或者經過一段時間後，還不能完全消除，就應該通知醫師。

此藥較嚴重的副作用爲：心跳過快或心跳過慢(低於50)、皮膚起紅疹、呼吸困難、胸口疼痛、腳部水腫等。通常這些副作用發生的機率較低，但是如果發生時，可能是藥物造成的不良反應，或者是劑量需要調整，應該盡快通知醫師。

☞懷孕及哺乳

此藥對孕婦的影響，並無很完全的資料，但是根據動物實驗顯示，在高劑量情況下，可能會造成胎兒的生長缺陷，延長懷孕的時間，以及影響胎兒骨骼的發育，劑量愈高，發生的機率就愈高。懷孕時，應該通知醫師，他會衡量狀況，決定是否應該服藥。

目前爲止，尙不知此藥是否會經由母乳到達嬰兒體內，爲了避免藥物可能對新生兒影響，餵奶的母親，應該考慮使用其他的乳製品，以取代母乳。

☞忘記用藥

如果忘記服藥，應該在記得時，立即服用。但是，如果距離下次服藥的時間太近，就應該捨棄此次藥物，恢復到下次正常服藥的時間，千萬不可一次服用雙倍的劑量。

Fenoprofen(芬諾普芬)

商品名(台灣)

Fenopron®(禮來)
Noprofen®(信東)

商品名(美國)

Nalfon®(Dista)

☞藥物作用

本藥爲一種「非固醇類止痛及抗發炎」的藥物。其主要作用，就是能阻止體內一種「前列腺素」的產生，此一化學物質是造成關節疼痛以及發炎腫脹的主要原因，因此可以解除風濕性關節炎，以及骨關節炎所引起的關節僵硬、疼痛、發炎和發腫的現象。此藥同時可以當作止痛藥使用，它可以消除多種輕微到中度的疼痛，如頭痛、牙疼、月經痛，以及肌肉扭傷所引起的疼痛等。

☞用法

爲了減輕對胃的刺激，此藥最好與食物或飯後服用，並同時飲用一杯水。在服用完藥物後30分鐘內，最好不要立即躺下，以免藥物對上消化道的直接刺激。如有必要時，此藥的藥片可以壓碎與食物或水一起服用。

☞注意事項

服用此藥後，可能會產生輕微頭暈目眩及視覺模糊，並且可能會產生疲乏的感覺。因此，在尚未完全適應此藥前，當開車或操作危險機械時，應該格外地小心謹慎。

如果懷孕或餵哺嬰兒，對藥物過敏，或者有血液凝固方面的問題、肝臟疾病、紅斑性狼瘡、胃出血、胃潰瘍、氣喘病、高血壓、充血性心衰竭、腎臟病、糖尿病等等，醫師需要針對這些情況謹慎用藥，因此在使用此藥之前，應該事先通知醫師。

長期服用此藥對胃的刺激非常大，因此應該隨時留意是否有胃出血或胃潰瘍的發生。如果有暗黑色條紋或塊狀的糞便時，此爲內出血徵兆，應該通知醫師做進一步的檢查。

服用阿斯匹靈或飲酒會增加此藥對胃腸的刺激作用，應該盡量避免與此藥合用。另外一些抗關節炎的藥物，或者抗凝血劑也會增加胃腸的刺激作用及降低血液凝固能力，如果長期與此藥合用，有造成胃出血的可能。因此同時使用這些藥物時，應該事先得到醫師許可。

如果服用此藥的目的在治療關節炎，通常在服藥後一星期內，四肢關節的症狀，應該有所改善，但是通常此藥至少必須經過兩至三個星期的時間，才能達到最大作用。另外，由於此藥只能改善關節炎的症狀，並不能根治，必須長期按時服用，才能達到最好的治療效果，也不能因爲一時覺得症狀已經改善而停止服藥。

此藥會抑制血液的凝固而使流血的時間增長，因此在拔牙或動手術之前，應該事先通知醫師，通常在手術前幾天，醫師會要求停止服用此藥，以免手術中造成過量流血的現象。

此藥有可能會增加水分在體內滯留，間接地有可能會使血壓升高，或增加心臟的工作量。因此應該隨時留意四肢，如果發現有腫脹情況，就應該通知醫師。

老年人對此藥所引起的胃腸副作用，如胃潰瘍、胃出血等等較一般人敏感。同時，由於老年人的腎臟功能較差，藥物經由腎臟排出體外的能力也相對降低，最後有可能會導致藥物積聚，而引起腎臟及肝臟的毒性。醫師可能會要求此類病人服用較一般人低的劑量，甚至減半。因此在使用此藥時，應該完全遵照醫師指示的劑量服用。

☞副作用

此藥常用的副作用爲：心跳加快、下痢、失眠、胃口增加或降低、便秘、流汗增加、胃腸不適、消化不良、疲倦、胸口灼熱、惡心、腹部脹氣、嘔吐、精神緊張、輕微的思睡、嘴巴痠痛或乾燥、頭痛、頭暈目眩等。這些副作用，通常在服用藥物一陣子後，應該會漸漸消失。不過，如果這些副作用強到困擾你的程度，或者經過一段時間後，還不能完全消除，就應該通知醫師。

此藥較嚴重的副作用爲：心跳不正常、皮膚起紅疹或發癢、吐血或含暗黑色的物質、含有帶黑色的糞便、呼吸困難、氣喘、胸痛、發冷及喉嚨痠痛、發熱、腹痛或胃痛、嚴重的頭痛等。通常這些副作用發生的機率較低，但是如果發生時，可能是藥物造成的不良反應，或者是劑量需要調整，應該盡快通知醫師。

☞懷孕及哺乳

目前爲止，尚無資料顯示此藥會造成胎兒生長缺陷，但是懷孕婦女最好不要服用此藥。孕婦於懷孕後期尤其是最後三個月服用此藥的話，可能會造成胎兒心臟血管及血液凝結方面的問題。同時，此藥可能會增長孕婦懷孕及生產的時間以及其他生產過程中的問題。

少量的藥物會經由母乳到達新生兒體內，可能會造成新生兒血液循環及心臟血管方面的問題。餵奶的母親應該考慮使用其他的乳製品以取代母乳。

☞忘記用藥

如果忘記服藥，應該在記得時，立即服用。但是如果一天服藥一次，而距離下次服藥的時間少於8小時；如一天服藥兩次以上，而距離下次服藥的時間少於4小時，就應該捨棄此次藥物，恢復到下次正常服藥的時間，但是不可以一次服用雙倍的劑量。

Ferrous Sulfate(硫酸亞鉄)

商品名(台灣)

Fer-In-Sol®(美・Mead Johnson)
Ferro-Sanol®(德・Sanol)
Ferrostatin®(日・Zoki)
Ferroucontin®(英・Napp)
Fespan®(美・SKB)

商品名(美國)

Feosol®(SKB)
Fergon®(Winthrop)
Fer-In-Sol®(Mead Johnson)
Slow FE®(Ciba)

☞藥物作用

本藥爲一種「鐵質的補充劑」。鐵在身體內,占有極重要的份量,它是構成體內紅血球不可缺乏的一種物質。紅血球可以幫助肺部,運送氧氣到身體各個組織器官,缺鐵所造成的紅血球缺乏,將會導致貧血。

☞用法

爲了減輕對胃的刺激,此藥最好與食物或飯後服用,並同時飲用一杯水。將藥物放入口中後,最好將藥物放於舌頭後方,以免汙染到牙齒使牙齒變色。服用此藥片時,應該整顆吞服,不可在嘴內咀嚼或壓碎服用。

☞注意事項

服用過量藥劑有可能會造成身體極大的傷害,因此在服用此藥時應該完全遵照醫師的指示服用。服用此藥後,醫師會經常檢查血液以評估此藥的效果,以適當調整藥物劑量。因此應該依照醫師的指示定期到醫院做血液檢查。

如果懷孕或餵哺嬰兒，對藥物過敏，經常飲用大量的酒，或者有肝臟疾病、胃潰瘍、腎臟病、腸道發炎等等，醫師需要針對這些情況謹慎用藥，因此在使用此藥之前，應該事先通知醫師。

根據統計，此藥是造成小孩誤食而產生意外的前幾種藥物。3至4顆成年人的劑量，即有可能會造成小孩極大的傷害甚至造成生命的危險，因此應該將此藥存放在小孩接觸不到的地方。如果小孩不幸誤食了此藥，應該立即與醫院聯絡，並且盡速送急診治療。

此藥會使糞便產生深綠或黑色，這是由於未被吸收的亞鐵離子造成的，這一現象通常是無害的。但是如果經常感覺胃痛，或者糞便經常含有黑色條紋狀的細絲或塊狀，這可能是藥物對胃腸過度的刺激造成胃出血的徵兆。應該立即通知醫師，並且做進一步的檢查。

此藥會干擾糞便帶血的檢驗，如果需要做此種檢驗時，應該事先通知醫師或檢驗師。

如果在服藥期間有便秘發生的話，就應該多食用蔬菜或水果等幫助消化的食物，並且在許可下，多做運動或多飲用水。

蛋類、乳類、咖啡、茶，以及制酸劑等，會干擾此藥的吸收，因此應該在服用此藥一小時以前，或者服藥後的兩小時，避免服用此類的食物或藥物。

☞副作用

此藥常見的副作用爲：尿液變暗、拉肚子、便秘、胸口灼熱、噁心、嘔吐等等。這些副作用，通常在服用藥物一陣子後，應該會漸漸消失。不過，如果這些副作用強到困擾你的程度，或者經過一段時間後，還不能完全消除，就應該通知醫師。

此藥較嚴重的副作用爲：大便含紅色或暗黑色的物質、皮膚發紅、發癢、極端的疲倦、腹痛、嚴重的噁心嘔吐或腹痛。通常這些副作用發生的機率較低，但是如果發生時，可能是藥物造成的不良反應，或者是劑量需要調整，應該盡快通知醫師。

☞懷孕及哺乳

目前爲止，尚無資料顯示此藥會造成胎兒的傷害。不過仍須更廣泛的醫學資料證明其安全性。使用藥物前，最好還是通知醫師。

到現在爲止，也尚無醫療報告顯示會對餵奶的嬰兒造成不良的影響，但是爲了慎重起見，決定親自餵奶前，最好能夠徵求醫師的意見。

☞忘記用藥

如果忘記服藥，應該在記得時，立即服用。但是，如果距離下次服藥的時間太近，就應該捨棄此次藥物，恢復到下次正常服藥的時間，千萬不可一次服用雙倍的劑量。

Finasteride(控制前列腺藥)

商品名(台灣)

Proscar®(美・Merck)

商品名(美國)

Proscar®(MSD)

☞藥物作用

本藥爲一種「控制前列腺腫大」的藥物。通常年齡超過50歲的人，由於前列腺漸漸腫大，而會壓迫到尿道，最後導致尿道內的小便不易流出，產生尿意及頻尿的感覺。此藥主要的作用就是能抑制引起前列腺腫大的一種化學物質，間接地使尿道不受前列腺擠壓，而達到幫助排尿的目的。此藥對於尿道感染或其他尿道或膀胱病症所引起的小便困難，則無治療的效果。

☞用法

爲了增強本藥的吸收作用，最好在空腹時服用，譬如飯前一小時，或飯後兩小時。此藥通常是一天服用一次，不論是早上或是晚上服用，同時最好養成每天在固定時間服藥的習慣，以減少忘記。如有必要時，此藥的藥片可以壓碎服用。

☞注意事項

此藥必須經過6至12個月的時間，才能完全達到藥物的作用，因此不能因爲一時覺得藥物無效而放棄服用。另外，此藥只能控制前列腺腫大，並不能根治，必須持續服用此藥，甚至可能需要服用一輩子，才能適當控制前列腺腫大。

經過一陣子服藥後，也不能因爲一時覺得症狀已經改善而停止服用。

如果對藥物過敏、配偶懷孕、或者自己有肝臟疾病等等，醫師需要針對這些情況謹慎用藥，因此在使用此藥之前，應該事先通知醫師。

在服藥期間，如果配偶懷孕的話，當從事性行爲時，應該使用保險套，以免藥物經精液傳送到對方體內，造成肚內男性胎兒生殖器的成長及發展受到不良的影響。另外，也應該避免讓婦女接觸到藥品，尤其是已經破碎或斷裂的藥片，以免藥物粉末吸入母體內，而影響到胎兒的安全。

造成排尿困難的因素有很多，此藥主要是治療男性荷爾蒙引起前列腺腫大而造成的排尿困難，對於其他因素所造成的排尿困難，應該用其他的方法治療。在用藥之前，醫師應該會徹底檢查身體以排除尿道感染、前列腺癌、膀胱張力不足、尿道狹窄，以及神經系統疾病等所引起的排尿不足。

許多治療過敏、感冒、氣喘，及咳嗽的成藥中，通常含有使血管或尿道收縮的成分，可能會導致或者惡化尿道阻塞的情況，以及降低此藥防止前列腺腫大的效力，因此在使用此類藥物前，應該先徵求醫師或藥師的意見，並且盡可能避免服用。同時，也應該避免在晚上飲用咖啡或茶，以免造成夜間尿急必須起床的困擾。

☞副作用

在正常劑量下，此藥造成副作用的機率並不是很高，一些較值得注意的副作用爲性欲降低、射精量降低，以及性能力降低等等。如果症狀嚴重到不能忍受程度的話，就應該通知醫師。

☞懷孕及哺乳

此藥爲一種專治男性前列腺腫大的藥物，婦女及小孩不能使用。孕婦接觸到此藥的話，可能會對男性胎兒的生殖器造成不良的影響。由於藥物可經由男性精液到達婦女體內，如果婦女有孕在身，在從事性行爲時，應該要求先生使用保險套。

此藥爲男性使用藥物，哺乳的婦女不該使用此藥。

☞忘記用藥

如果忘記服藥，應該在記得時，立即服用。但是，如果距離下次服藥的時間太近，就應該捨棄此次藥物，恢復到正常服藥的時間，千萬不可一次服用雙倍的劑量。如果忘記服藥超過兩天以上，就應該通知醫師。

Fluconazole(氟可那唑)

商品名(台灣)

Azol-Flucon®(中化)
Diflucan®(輝瑞)
Fukole®(永信)

商品名(美國)

Diflucan®(Roerig)

☞藥物作用

本藥爲一種「抗黴菌」的抗生素。它能用於黴菌所造成的感染，如肺炎、腦膜炎、尿道感染、腹膜炎，及黴菌性口炎(鵝口瘡)等等。

☞用法

爲了增強藥物的吸收，最好在空腹的時候服用本藥，譬如飯前一小時，或飯後兩小時。但是如果覺得此藥對胃的刺激過大，造成胃的不舒服，可安排與食物一起或飯後服用。如有必要時，此藥的藥片可以壓碎服用。如果是服用液體藥物的話，必須在新鮮的情況下才會有效，其有效期通常爲兩個星期。藥師通常會在藥瓶上標明有效日期，如果藥物過期的話，就不該再使用。另外，也應該將此液體藥物放於冰箱冷藏室內，以保持藥物的新鮮。每次在使用前，應該先將藥瓶輕微搖動，使藥物能夠均勻分散，並使用有刻度的量杯或藥管，以量取正確的藥量。

☞注意事項

服用此藥時，必須依照醫師的指示服完所有的處方。對於某類黴菌或真菌的感染，也許需要長達數月才可徹底根治。經過一段時間治療後，即使覺得感染症狀已經完全消除，仍須用完所有的處方的份量，以免萬一病菌沒有完全消除，而造成感染復發或病菌產生抗藥性。

如果懷孕，對藥物過敏，經常飲用大量的酒，或者有肝臟疾病、腎臟病等等，醫師需要針對這些情況謹慎用藥，因此在使用此藥之前，應該事先通知醫師。

良好的衛生習慣可以預防皮膚再次感染，應當經常清洗接觸過的浴巾、床單、衣物等等，以促進早日康復。

爲了達到最佳的滅菌效果，此藥必須在血中達到固定的濃度，因此最好每天在相等的時間間隔下服藥。最好每天在固定的時間服藥，如一天服藥一次，可安排在早晨7點；如一天服藥兩次，則每12個小時服藥一次，則可安排早晨7點及晚上7點各一次。

服用此藥後，有可能會降低口服避孕藥的作用，因此當服用此藥時最好能同時使用其他的避孕方法，譬如使用保險套等來避孕。

此藥可能會與其他藥物產生不良作用，譬如與Astemizole或Terfenadine合用的話，則可能會產生嚴重心律不整。因此當服用其他藥物時，無論所服用的是成藥或是處方藥，最好能夠事先徵求醫師或藥師的意見。

本藥爲醫師針對病情所下的處方，下次如果有類似的感染，雖然產生的症狀相同，但也許造成感染的病菌不同，服用此藥不見得有效，更有可能會延誤病情。因此必須經由醫師診斷及指示服藥，更不可將此藥留給他人使用。

☞副作用

此藥常見的副作用爲：味覺改變、拉肚子、胃口降低、胃腸不適、惡心嘔吐、頭痛、頭暈等等。這些副作用，通常在服用藥物一陣子後應該會漸漸消失。不過，如果這些副作用強到困擾你的程度，或者經過一段時間後，還不能完全消除，就應該通知醫師。

此藥較嚴重的副作用爲：小便變暗、皮膚起紅疹或產生紅色條紋、皮膚或眼睛發黃、極度疲倦、糞便顏色變白、嚴重的惡心嘔吐。通常這些副作用發生的機率較低，但是如果發生時，可能是藥物造成的不良反應，或者是劑量需要調整，應該盡快通知醫師。

☞懷孕及哺乳

此藥對孕婦的影響，並無很完全的資料。但是根據動物實驗顯示，在高劑量下，此藥可能會影響胎兒的骨骼發育，甚至有造成流產的可能。因此，除了藥物治療的優點勝於對胎兒的危險性，並且經由醫師同意外，孕婦應該避免服用此藥。

此藥可經由母乳到達新生兒體內。由於此藥在奶水與母親血液中的濃度幾乎相同，為了避免造成嬰兒的不良作用，餵奶的母親應該使用乳製品，以取代母乳。

☞忘記用藥

如果忘記服藥，應該在記得時，立即服用。但是，如果距離下次服藥的時間太近，就應該捨棄此次藥物，恢復到下次正常服藥的時間，千萬不可一次服用雙倍的劑量。

Fluoxetine(富魯歐西汀)

商品名(台灣)

Prozac®(禮來)

商品名(美國)

Prozac®(Dista)

☞藥物作用

本藥為「治療憂鬱症」的藥物。它可以治療因為腦部某類化學物質不平衡所引起的憂鬱。此類憂鬱症通常會引起食慾改變、睡眠失常、疲乏、性欲減退、感覺罪惡或無力感，甚至可能會有自殺傾向。此藥不能治療日常生活挫折所引起的憂鬱。

☞用法

此藥通常一天服用一到兩次，如一天服藥一次，最好安排於早上服藥；如一天服藥兩次，則可安排於早上及下午3至4點的時候(如感覺到有思睡的副作用，則第二次的藥物可安排於晚上服用)。本藥須長期服用，才可達到最佳的效果，因此，須養成每天在固定時間服藥的習慣，以減少忘記。如有必要時，可將此藥膠囊打開來與食物或果汁混合服用。

☞注意事項

此藥需要4至8個星期時間，才能漸漸達到完全藥效。因此不可以因為頭一兩個星期，覺得沒有藥效而停止服用藥物。

如果懷孕，對藥物過敏，或者有肝臟疾病、腎臟病、糖尿病、癲癇症等等，醫師需要針對情況謹慎用藥。因此在用此藥之前，應該事先通知醫師。

此藥有可能會造成頭暈或思睡的可能，操作危險機械時，應該格外小心謹慎。安眠藥、肌肉鬆弛劑、鎮靜劑、抗過敏藥、抗抑鬱藥、精神病藥，及止痛藥等等，這些藥物都有可能會增加此藥思睡的副作用。同時服用這些藥物時，應當特別注意彼此增加思睡的效果。

此藥可能會干擾其他藥物的作用，因此服用其他藥物時，無論所服用的是成藥或是處方藥，最好事先徵求醫師或是藥師的意見。

使用此藥期間，醫師需要定期評估藥效反應，以便適當調整劑量，因此需要遵守醫師的指示，定期到醫院或診所做檢查。

服藥時，應該遵照醫師的指示服用，不可服用過多的劑量。如果覺得需要較大的劑量才可以改善症狀時，不可擅自增加劑量，而必須事先徵得醫師的同意。同時，如果經過一段時間治療後覺得病症已經改善時，也不可以自行停止服藥，停藥有可能會使病況惡化，如果要停藥，也要事先徵得醫師同意。

服用此藥後，如果皮膚有發癢或發紅，或有蕁麻疹出現時，就應該盡快通知醫師。

服用此藥後，如果感覺到口乾時，嚼一塊糖果或冰塊，應該能減輕此一現象。但是如果此一現象超過兩個星期以上，就應該請教醫師。在服藥期間，有便秘發生的話，就應該多食用蔬菜或水果等幫助消化的食物，並且在許可下，多做運動或飲用多量的水。

剛開始服用此藥時，可能會產生頭暈目眩的感覺，尤其是突然站立或坐起時，不過如果能夠緩慢站立或坐起，應該會減少此一現象。不過，如果此一現象繼續存在，就應該請教醫師。

☞副作用

此藥常見的副作用爲：口乾、心跳過快或不規則、失眠、味覺改變、性欲降低、拉肚子、注意力不集中、便秘、咳嗽、流汗增加、面部潮紅、視覺改變、想睡覺、腹脹氣、嘔吐、緊張不安、鼻塞、顫抖、頭痛、頭暈目眩等。這些副作用，通常在服用藥物一陣子後，應該會漸漸消失。不過，如果這些副作用強到困擾你的程度，或者經過一段時間後，還不能完全清除，就應該通知醫師。

此藥較嚴重的副作用爲：不尋常的興奮、皮膚發紅或發癢、呼吸困難、發熱或發冷、腳部水腫、嘔吐、緊張不安、嚴重的惡心等。通常這些副作用發生的機率較低，但是如果發生時，此可能是藥物造成的不良反應，或者是劑量需要調整，應該盡快通知醫師。

☞懷孕及哺乳

根據動物實驗顯示，在正常劑量下，此藥尚不至於造成胎兒的缺陷。然而動物實驗的結果並不一定完全與人類的反應相同，當懷孕時，應該與醫師討論此藥可能對胎兒的影響，他會衡量狀況，決定是否應該服藥。

此藥會經母乳到達嬰兒體內。曾有案例顯示，嬰兒食用含此一藥物的奶水而產生睡眠不穩定、愛哭、嘔吐及拉肚子的現象。餵哺嬰兒時，最好使用其他的乳製品以取代母乳。

☞忘記用藥

如果忘記服藥，應該在記得時，立即服用。但是，如果距離下次服藥的時間太近，就應該捨棄此次藥物，恢復到下次正常服藥的時間，千萬不可一次服用雙倍的劑量。

Flurazepam(氟路洛)

商品名(台灣)

Dalmadorm®(羅氏)
Flunox®(義・B.B)
Lisumen®(新東)
Manlsun®(中美)
Remdue®(義・Biomedica)
Staurodorm®(德・Dolorgiet)

商品名(美國)

Dalmane®(Roche)

☞藥物作用

本藥爲一種「鎮靜類的安眠藥」,可以短期使用於失眠症或消除睡眠不安穩的狀態,使能睡得更安靜與祥和。此藥並可以消除病人手術前的緊張,以及手術後疼痛所引起的失眠。

☞用法

此藥主要是幫助睡眠,通常在15至45分鐘內即可發生藥效,因此最好能安排於睡覺前半個小時內使用。如有必要時,可將此藥的膠囊打開來與食物與果汁混合使用。因爲制酸劑可能會干擾此藥的吸收,因此在使用此藥的時候,應該避免與制酸劑一起飲用。此藥只有在失眠,而且有需要的時候才服用。

☞注意事項

此藥的安眠作用對某些人可能會持續到第二天的清晨,因此除非已經完全適應了此藥的作用,當開車或操作危險機械時,應該格外小心謹慎。酒精會增加此藥的思睡作用,應當避免飲用或限制酒量。

如果懷孕，對藥物過敏，經常飲用大量的酒，或者有肝臟疾病、肺氣腫、青光眼、重症肌無力症、氣喘、腎臟病、癲癇、嚴重的精神沮喪等等，醫師需要針對這些情況謹慎用藥，因此在使用此藥前，應該事先通知醫師。

失眠或是其他的狀況，如手術前後等等，需要服用安眠藥的情況通常是短期的，它的期限通常是兩至三天，最多應該不超過3個星期。如果連續使用此藥超過10天以上，失眠就可能是身體其他潛在的原因所引起的，應該盡快通知醫師做進一步的診斷。

此藥以短期使用為主，如果長期藉藥物幫助安眠，可能會造成成癮性或者是依賴性，同時藥物的作用也可能會漸漸減弱，最後必須不斷增加劑量才能達到安眠的效果。

安眠藥、肌肉鬆弛劑、鎮靜劑、抗過敏藥、感冒藥、抗抑鬱藥、止痛藥等等，這些藥物都有可能會增加此藥思睡的副作用。同時服用這些藥物時，應當特別注意彼此增加思睡的相乘效果。

老年人對此藥頭暈及運動失調的副作用較一般人敏感，因此服用此藥後，走路、爬樓梯，或運動時應該格外小心，以免摔倒而導致骨折。

服用此藥後經過3至4個月，不能突然停藥，因為突然停藥有可能會產生戒斷症狀。如果要停藥的話，應該遵循醫師的指示，漸漸降低服用的劑量或次數，然後再停藥。

如果在服藥期間有便秘發生的話，就應該多食用蔬菜或水果等幫助消化的食物，並且在許可下，多做運動或飲用多量的水分。服用此藥後也許會產生口渴的現象，但是如果能夠含一塊冰塊或糖果的話，應該可以減少此一副作用。

剛開始服用此藥時，可能會產生頭昏眼花的感覺，尤其是突然站立或坐起時，不過如果能夠緩慢站立或坐起，應該會減少此一現象。

☞副作用

此藥常見的副作用為：口乾、小便困難、下痢、思睡、便秘、疲倦、惡心、發抖、視覺模糊、嘔吐、頭痛、頭暈目眩等。這些副作用，通常在服用藥物一陣子後，應該會漸漸消失。不過，如果這些副作用強到困擾你的程度，或者經過一段時間後，還不能完全消除，就應該通知醫師。

此藥較嚴重的副作用為：手腳及眼睛有不能自主的運動、幻覺、不尋常的興奮、有不正常的瘀傷或塊狀的青紫色、皮膚起紅疹或發癢、眼睛及皮膚發黃、發燒、發冷及喉嚨疼痛、極端疲倦、精神恍惚或沮喪等。通常這些副作用發生的機率較低，但是如果發生時，此可能是藥物造成的不良反應，或者劑量需要調整，應該盡快通知醫師。

☞懷孕及哺乳

孕婦應該避免服用此藥。婦女於懷孕的前三個月服用此藥，有造成胎兒缺陷的可能，同時此藥具有成癮性，孕婦於最後的6個月服用此藥，有可能會造成新生兒緊張不安、顫抖等症狀。孕婦於懷孕的最後一個星期服用此藥，則有可能造成嬰兒過度安眠、心跳減慢及呼吸困難等現象。因此除了有絕對需要並且經由醫師同意外，孕婦應該避免服用此藥。

此藥會經由母乳到達嬰兒體內，有可能會造成新生兒過度的安睡。餵奶的母親應該考慮使用其他的乳製品以取代母乳。

☞忘記用藥

此藥只有在失眠，而且有需要的時候才服用。如果在當天晚上忘記服藥，時間不超過一小時，就應該立即服用；但是如果睡著了，或是等到第二天早晨才記起來的話，就應該捨棄所遺忘的藥物；如果在第二天晚上失眠時，可服用另一次的藥物，千萬不可服用加倍的劑量。

Flurbiprofen(夫比普洛芬)

商品名(台灣)

Anazin®(十全)
Ansaid®(加・普強)
Butaparl®(日・Sawai)
Flufen®(衛達)
Flurgifene®(乖乖)
Flurozin®(塞・Remedica)
Forphen®(永信)
Froben®(日・Kaken)
Fukon®(國嘉)
Furofen®(美時)
Lefenine®(政和)
Painil®(瑞士)
Stayban®(元宙)
Sulan®(內外)
Tonlisu®(新東)

商品名(美國)

Ansaid®(Upjohn)

☞藥物作用

本藥爲一種「非固醇類止痛及抗發炎」的藥物。其主要的作用，就是能阻止體內「前列腺素」的產生，此一化學物質通常是造成關節疼痛以及發炎腫脹的主要原因，因此可以解除風濕性關節炎，和骨關節炎所引起的關節僵硬、疼痛、發炎以及發腫的現象。此藥同時可以當作止痛藥使用，可以消除多種輕微到中度的疼痛，如頭痛、牙疼、月經痛，以及肌肉扭傷所引起的疼痛等。

☞用法

爲了減輕對胃的刺激，此藥最好與食物或飯後服用，並飲用一杯水。在服完藥物30分鐘內，最好不要立即躺下，以免藥物對上消化道的直接刺激。如有必要時，此藥的藥片可以壓碎與食物或水一起服用。

☞注意事項

服用此藥後，可能會產生輕微頭暈目眩及視覺模糊的副作用，並且可能會產生疲乏的感覺。因此，在尚未完全適應此藥之前，當開車或操作危險機械時應該格外地小心謹慎。

如果懷孕或餵哺嬰兒，對藥物過敏，或者有血液凝固方面的問題、肝臟疾病、紅斑性狼瘡、胃出血、胃潰瘍、氣喘病、高血壓、充血性心衰竭、腎臟病、糖尿病等等，醫師需要針對這些情況謹慎用藥，因此，在使用此藥前，應該事先通知醫師。

長期服用此藥對胃的刺激非常大，應該隨時留意是否有胃出血，或胃潰瘍發生。如果有暗黑色條紋或塊狀的糞便時，此爲內出血的徵兆，應該通知醫師做進一步的檢查。

服用阿斯匹靈或飲酒會增加此藥對胃腸的刺激作用，應該盡量避免與此藥一起合用。另外一些抗關節炎的藥物，或抗凝血劑也會增加胃腸的刺激作用、降低血液凝固的能力，如果長期與此藥一起合用，有造成胃出血的可能。因此，當同時使用這些藥物時，應該事先得到醫師的許可。

如果服用此藥的目的在治療關節炎，通常在服藥後的一個星期之內，四肢的症狀，應該有所改善，但是一般此藥至少必須經過兩至三個星期的時間，才能達到最大的作用。另外，此藥只能改善關節炎的症狀，並不能完全治癒，必須長期服用，才能達成最好的效果，也不能因爲一時覺得症狀已經改善而停止服藥。

此藥會抑制血液凝固而使流血的時間增長，因此在拔牙或動手術之前，應該事先通知醫師，通常在手術前幾天，醫師會要求停止服用此藥，以免手術進行當中造成過量流血的現象。

此藥可能會增加水分在體內的滯留，間接地會使血壓升高，或增加心臟的工作量。因此應該隨時留意四肢，如果發現有腫脹的情況時就應該通知醫師。

老年人對此藥所引起的胃腸副作用，如胃潰瘍、胃出血等較一般人敏感。同時，由於老年人的腎臟功能較一般人爲差，藥物經由腎臟排出體外的能力也相對降低，最後可能會導致藥物的積聚，而引起腎臟及肝臟的毒性。醫師可能會要求此類的病人服用較一般人低的劑量，甚至到達減半的程度。因此在使用此藥時，應該完全遵照醫師所指示的劑量服用。

☞副作用

此藥常見的副作用為：心跳加快、下痢、失眠、胃口增加或降低、便秘、胃腸不適或疼痛、消化不良、胸口灼熱、噁心、腹部脹氣、嘔吐、精神緊張、輕微的思睡、臉部潮紅、頭痛、頭暈目眩等。這些副作用，通常在服用藥物一陣子後，應該會漸漸消失。不過，如果這些副作用強到困擾你的程度，或者經過一段時間後，還不能完全消除，就應該通知醫師。

此藥較嚴重的副作用為：心跳不正常、皮膚起紅疹或發癢、吐血或含暗黑色的物質、含有帶黑色的糞便、呼吸困難、氣喘、胸痛、發熱、發冷及喉嚨痠痛、腹痛或胃痛、嚴重的頭痛等。通常這些副作用發生的機率較低，但是如果發生時，可能是藥物產生的不良反應，或者是劑量需要調整，應該盡快通知醫師。

☞懷孕及哺乳

目前為止，尚無資料顯示此藥會造成胎兒生長缺陷，但是懷孕婦女最好不要服用此藥。孕婦於懷孕後期尤其是最後三個月服用此藥的話，可能會造成胎兒心臟血管及血液凝結方面的問題。同時，此藥可能會增長孕婦懷孕及生產的時間以及其他生產過程中的問題。

少量的藥物會經由母乳到達新生兒體內，可能會造成新生兒血液循環及心臟血管方面的問題。餵奶的母親應該考慮使用其他乳製品以取代母乳。

☞忘記用藥

如果忘記服藥，應該在記得時，立即服用。但是，如果一天服藥一次，而距離下次服藥的時間少於8小時；或一天服藥兩次以上，而距離下次服藥的時間少於4小時，就應該捨棄此次藥物，恢復到下次正常服藥的時間，但是不可以一次服用雙倍的劑量。

Fosinopril(降血壓、預防充血性心衰竭藥)

商品名(台灣)

Monopril®(必治妥)

商品名(美國)

Monopril®(Mead Johnson)

☞藥物作用

本藥爲一種「ACE抑制劑」的降血壓和「預防充血性心衰竭」藥物。此藥可壓制血管內某種會使血管收縮的化學物質，由於此種化學物被壓制，血管便能適當地擴張，使更多的血液能在血管內順暢地流通，而達到降血壓的目的。過多的血液長久滯留在心臟，可能會使心臟的工作量增加，最後心臟不能負荷而導致衰竭。本藥可使血管擴張，積壓於心臟的血液便可以回流入身體的各個部位，因此可以間接地預防充血性心衰竭的發生。

☞用法

本藥在飯前服用可達到最好的藥效，但是，如果覺得此藥對胃部的刺激過大，造成胃部的不舒服，與食物一起服用，亦無多大的妨害。此藥通常是一天服用一至兩次，如果一天服藥一次，最好在早上服用；如果一天服藥兩次，則早晚各服用一次，不論是早上或晚上服用，最好能養成每天在固定時間服藥的習慣，以減少忘記。酒精可能會增加此藥造成頭暈目眩，因此，服用此藥時，應該避免喝酒。如有必要時，此藥的藥片可以壓碎服用。

☞注意事項

服用此藥後，可能會產生輕微頭暈目眩的副作用，尤其在剛開始服藥的期間。因此，在尚未完全適應此藥之前，當開車或操作危險機械時，必須小心謹慎。

如果懷孕，對藥物過敏，或者有心臟疾病、肝臟疾病、紅斑性狼瘡、腎臟病、糖尿病等等，醫師需要針對情況謹慎用藥，因此在使用此藥前，應該事先通知醫師。

當服用此藥後，血壓可能要經過幾個星期才會漸漸降低到理想的程度。在經過一段時間藥物治療後，即使血壓已恢復正常，亦不可間斷，甚至可能一生都需要服用此藥以控制血壓。

爲了達到理想降血壓的作用，應該遵循醫師指示，服用低鹽類、低脂肪食物，戒煙酒，並且盡可能依照醫師的指示做適當的運動。

爲了避免忘記服藥，最好養成每天在固定時間服藥的習慣，並且在經由一段時間服藥後，不可突然停止服藥，突然停藥，有可能會造成血壓升高，甚至會造成心臟方面的問題。如有必要停藥時，應該得到醫師的許可，並且在醫師指示下，將劑量漸漸降低然後停藥。

此藥只能用來控制高血壓或心衰竭，並不能根治此一病症，必須長期服用此一藥物，才能控制病情。如果此藥主要是用於心衰竭，就應該避免太激烈的運動，並且在使用此藥之前事先請教醫師，何種活動或運動量最適合身體的狀況。

剛開始服用此藥時，可能會產生頭暈目眩的感覺，尤其是當突然站立或坐起時，不過如果能夠緩慢地站立或坐起，應該會減少此一現象。飲酒、洗太熱的澡、太陽下站立太久、流太多的汗等等，都有可能會增加此藥血壓降低的效果，應該盡量避免，以免血壓過度下降，而造成頭暈目眩，甚至暈倒。

市面上許多治療過敏、鼻塞、咳嗽、感冒，以及減肥的成藥中，經常含有會使血壓升高的成分。因此，爲了避免造成血壓突然升高，在服用此類藥物前，應該事先諮詢醫師或藥師的意見。

在很少的情況下，此藥可能會造成臉部、嘴唇、手腳等等水腫，甚至有可能喉嚨或舌頭因爲腫脹而影響到正常呼吸，如果有此情況發生時，應該立即通知醫師。

☞副作用

此藥常見的副作用為：口乾、下痢、味覺降低、咳嗽、疲倦、噁心、頭痛等。這些副作用，通常在服用藥物一陣子後，應該會漸漸消失。不過，如果這些副作用強到困擾你的程度，或者經過一段時間後，還不能完全消除，就應該通知醫師。

此藥較嚴重的副作用為：心跳不正常的增快、四肢關節疼痛、皮膚產生紅疹、血壓太低而產生暈倒、呼吸及吞嚥困難、突然的發熱或發冷、胸部疼痛、腹部疼痛及噁心嘔吐、臉部或四肢腫大等。通常這些副作用發生的機率較低，但是如果發生時，可能是藥物造成的不良反應，或者是劑量需要調整，應該盡快通知醫師。

☞懷孕及哺乳

此藥可經由胎盤進入胎兒體內，根據動物實驗顯示，在高劑量下，可能會影響到胎兒腎臟以及頭骨正常的發育，並會使血壓降低，甚至造成胎兒死亡，尤其是懷孕最後六個月的可能性最高。當發現已懷孕時，應該停止服藥，並立即通知醫師。

此藥經由母乳到達嬰兒體內，為了避免藥物可能造成對新生兒的影響，餵奶的母親在使用此藥之前，應該徵求醫師的意見，或使用其他乳製品，以取代母乳。

☞忘記用藥

如果忘記服藥，應該在記得時，立即服用。但是，如果一天服藥一次，而距離下次服藥的時間少於8小時；或一天服藥兩次，而距離下次服藥的時間少於4小時，就應該捨棄此次藥物，恢復到下次正常服藥的時間，千萬不可一次使用雙倍的劑量。

Furosemide(服樂泄麥)

商品名(台灣)

Anfuramide®(日・Kako)
Deaqua®(優良)
Diurecide®(元澤)
Diusix®(北進)
F.S®(利達)
Flopin®(久保)
Furix®(韓・Il. Yang)
Furoscan®(丹・Scanpharm)
Furosely®(美時)
Furosix®(居禮)
Fursede®(明德)
Fusemide®(福元)
Huromide®(合誠)
Lasemid®(信東)
Lasidin®(金馬)
Lasix®(赫司特)
Lised®(中化)
Liside®(金馬)
Lysix®(大豐)
Paiderton®(內外)
Rasitol®(永信)
Rosis®(榮民)
Schentese®(好漢賓)
Seridon®(皇佳)
Solmatin®(世紀)
Tochun®(陽生)
Ureside®(中菱)
Uretropic®(杏林)

商品名(美國)

Lasix®(Hoechst-Roussel)

☞藥物作用

本藥為強力的「利尿劑」，可以用來預防高血壓、消除水腫，及預防充血性心衰竭。如果體內含過多的水分，此多餘的水分將會增加血管內部的壓力，造成身體水腫或高血壓，導致心臟因為長久的負荷，而產生衰竭。此藥的作用，就是能幫助腎臟，將體內多餘的水分，經由尿液排出，而達到治療的目的。

☞用法

此藥通常是一天服用一次，由於是一種強力的利尿劑，如果在睡前服用的話，可能會因起床小便而干擾睡眠。並且為了避免藥物造成對胃的刺激，最理想的服藥時間，應該是用完早餐後。如果一天服藥超過一次以上時，最後一次服藥的時間，以不超過晚上6點爲準。如有必要時，此藥的藥片可以壓碎服用。

☞注意事項

服用此藥後，可能會產生頭暈目眩的副作用，尤其剛開始服藥期間。因此，在尚未完全適應此藥之前，當開車或操作危險機械時，必須小心謹慎。此一頭暈目眩的感覺，通常發生於突然站立或坐起時，不過如果能夠緩慢地站立或坐起，應該會減少此一現象。

如果懷孕，對藥物過敏，或者有肝臟疾病、腎臟疾病、痛風、糖尿病、聽覺障礙等，醫師需要針對這些情況謹慎用藥，因此在使用此藥之前，應該事先通知醫師。由於嚴重的惡心或拉肚子會造成體內水分或電解質大量的流失，如果又服用此一強力利尿劑的話，將會使體內水分及電解質流失的情況更爲嚴重。因此有任何疾病造成嘔吐或下痢時，也應該通知醫師。

本藥爲一強力的利尿劑，如果服用超過正常的劑量，會使體內的水分及電解質大量的流失，最後有可能會破壞身體的正常功能。因此必須遵循醫師的指示，正確地服用此藥。

此藥會增加小便的次數，如果在夜晚服用的話，可能會因起床小便而影響到正常的睡眠。因此最後一次服藥的時間，最好能安排於晚上6點以前。

市面上許多治療過敏、鼻塞、咳嗽、感冒，以及減肥的成藥中，經常含有會使血壓升高的成分。因此，爲了避免血壓突然升高，當服用此類藥物之前，應該事先諮詢醫師或藥師的意見。

爲了達到理想降血壓的作用，應該遵循醫師的指示，食用低鹽類、低脂肪的食物，戒煙酒，並且盡可能依照醫師的指示做適當的運動。

長期服用此藥後，會使體內的鉀離子含量降低，造成口渴、虛弱、肌肉無力或抽筋、心跳不規則等等。醫師可能會要求多吃含鉀量高的食物，如香蕉、橘子水等等，或者直接服用含鉀的藥物，以補充鉀離子。如果長期服用此藥，應該詢問醫師如何補充鉀離子。

剛開始服用此藥的時候，小便的次數及數量都會增加，並且也許會有極端疲倦的感覺，通常此一現象在幾天後應該會漸漸減少。但是如果此一現象經過一陣子後仍然不能消除，就應該通知醫師。

此藥可能會引起頭暈目眩，尤其是早上剛起床的時候。但是如果能緩慢地起身或站立，應該可以減緩此一現象。另外，爲了避免此一副作用，應該避免站立太久、避免飲用大量的酒、不要在太陽下做太激烈的運動，以及洗太熱的熱水浴等等。

此藥可能會使血糖升高，因此患有糖尿病的人，應該更密切測量尿液或血液中糖的含量。

本藥會增加皮膚對陽光的敏感性，如果在陽光下曝曬太久，有可能會導致皮膚灼傷或過敏，應該避免陽光直接曝曬，並穿著長袖衣物，以保護皮膚。

在拔牙或動手術之前，應該事先通知醫師有服用此藥。

☞副作用

此藥常見的副作用爲：皮膚對光敏感、拉肚子、胃口降低、胃腸不適、視覺模糊、頭痛、頭暈目眩。這些副作用，通常在服用藥物一陣子後，應該會漸漸消失。不過，如果這些副作用強到困擾你的程度，或者經過一段時間後，還不能完全消除，就應該通知醫師。

此藥較嚴重的副作用爲：皮膚起紅疹、皮膚發紅、眼睛或皮膚變黃、所見到的物體顏色變黃、關節痛、糞便變黑等。通常這些副作用發生的機率較低，但是如果發生時，可能是藥物造成的不良反應，或者是劑量需要調整，應該盡快通知醫師。

☞懷孕及哺乳

此藥對孕婦的影響，並無很完備的資料，但是根據動物實驗顯示，在高於人類幾倍劑量的情況下，可能會造成動物胎兒的損害，甚至造成流產。因此，除了有絕對需要，並且經過醫師同意外，孕婦應該避免服用此藥。

此藥會經由母乳到達嬰兒體內，爲了避免藥物造成新生兒的不良影響，餵奶的母親，應該使用其他的乳製品，以取代母乳。

☞忘記用藥

如果忘記服藥，應該在記得時，立即服用。但是，如果距離下次服藥的時間太近，就應該捨棄此次藥物，恢復到下次正常服藥的時間，千萬不可一次服用雙倍的劑量。

Gemfibrozil(健菲布脂)

商品名(台灣)

Clearol®(華興)　Gemd®(永信)　Lopid®(派德)
Gemnpid®(中化)　Gembit®(乖乖)　Uragem®(優良)

商品名(美國)

Lopid®(Parke-Davis)

☞藥物作用

本藥為「降低膽固醇」的藥物。如果身體有太多的膽固醇或脂肪積聚於血管中，將會使血管阻塞，血液不能順暢地在血管中流通。由於血液不流通，將使血管內的壓力增加，導致高血壓，甚至造成腦血管破裂而中風。由於血液不流通，也會使血液運送氧氣的能力降低，由於心臟氧氣的缺乏，最終可能會導致心臟病或心絞痛的發生。

☞用法

此藥通常時一天服用兩次，為了達到最佳的藥效，在服藥的時候，最好能安排於早餐及晚餐前半小時服用。使用此膠囊，最好整粒與水一起服用，但如有吞嚥困難時，則可打開膠囊服用。

☞注意事項

服用此藥後，可能會產生輕微頭昏及視覺模糊的副作用，尤其在剛開始服藥期間。因此，在尚未完全適應此藥之前，當開車或操作危險機械時，必須小心謹慎。

如果懷孕，對藥物過敏，或者有肝臟疾病、腎臟病、膽結石或膽囊疾病等等，醫師需要針對這些情況謹慎用藥，因此在使用此藥前，應該事先通知醫師。

膽固醇過高、高血壓、糖尿病、過度肥胖、吸煙等等，都是造成血管硬化，導致中風及心臟病發作的主要因素。應該遵循醫師的指示，戒煙、食用低鹽量低脂肪的食物及使用適當的藥物以控制高血壓、糖尿病和膽固醇過高等等。

此藥只能用來控制膽固醇過高，並不能根治此一病症。為了更有效降低膽固醇，除了定期服用藥物之外，仍舊需要遵循醫師指示，食用低脂肪的食物、做適當的運動，及減輕體重等等，才能達到長期穩定膽固醇的效果。

服用此藥一陣子後，除了得到醫師的許可外，千萬不可突然停止服藥。突然停藥，有可能會造成膽固醇突然升高，間接地造成其他後遺症的發生。

此藥可能會增加體內糖分的濃度，如果有糖尿病的話，應該在服藥前通知醫師，他也許會考慮提高糖尿病藥物的份量。此藥最值得關注的副作用，就是藥物可能對肝臟的影響。由於酒精可能會增加此藥對肝臟的損傷，因此在服用此藥期間，應該盡量減少飲酒。

在服用藥物期間，醫師會定期要求驗血，以測量肝功能是否正常，以及體內膽固醇的含量，以適當地調整劑量。患者應該依照醫師的指示，定期到醫院或診所做血液的檢驗。

☞副作用

此藥常見的副作用為：皮膚發紅、拉肚子、胃痛、胸口灼熱、排氣增多、惡心、虛弱、嘔吐等。這些副作用，通常在服用藥物一陣子後，應該會漸漸消失。不過，如果這些副作用強到困擾你的程度，或者經過一段時間後，這些症狀還不能完全消除，就應該通知醫師。

此藥較嚴重的副作用為：肌肉痛、咳嗽或聲音嘶啞、突然的發熱或發冷、背部下方疼痛、極端的疲倦、嘔吐、嚴重的腹痛或惡心等。通常這些副作用發生的機率較低，但是如果有上述的症狀發生時，此可能是藥物造成身體的不良反應，或者是劑量需要調整，應該盡快通知醫師。

☞懷孕及哺乳

此藥對孕婦的影響，並無很完備的資料，但是根據動物實驗顯示，在高劑量下，此藥會造成動物胎兒體重減輕、減慢發育、體型變小等等。因此，除了有絕對的需要並且經醫師的同意外，孕婦應該避免服用此藥。

目前爲止，尚不知此藥是否會經由母乳到達嬰兒體內，不過由於大部分的藥物可經由奶水排出，並且服用此藥也有發生癌症的可能。餵奶的母親在服用此藥後，不要用母乳餵哺嬰兒，而應該使用其他的乳製品取代。

☞忘記用藥

如果忘記服藥，應該在記得時，立即服用。但是，如果距離下次服藥的時間太近，就應該捨棄此次藥物，恢復到下次正常服藥的時間，但是千萬不可一次服用雙倍的劑量。

Gentamicin(見大黴素)

商品名(台灣)

Garamycin®(美・先靈)
Genoptic®(愛・Allergan)
Genta®(溫士頓)
Gentacin®(中化)
Genticin®(英・Nicholas)
Gentocin®(西德有機)
Larkmycin®(利達)
U-Gencin®(優良)

商品名(美國)

Garamycin®(Schering)
Genoptic®(Allergan)
Gentacidin®(Ciba)
Gentak®(Akorn)

☞藥物作用

本藥為一種「抗生素」，主要的作用是能阻礙細菌蛋白質的合成與複製，使細菌不能正常地生長和繁殖，最後導致細菌的死亡。此藥為一種強力及廣效的抗生素，可用於某些細菌所引起的眼睛感染，如結膜炎、角膜炎、眼球炎等等。

☞用法

此藥的眼藥水通常是每4到8個小時使用一次，而眼藥膏通常一天使用2到4次。使用此眼藥水的步驟請參見頁93。

使用此眼藥膏的步驟如下：

1. 將雙手徹底清洗乾淨並且擦乾。
2. 將藥管握在手中約兩三分鐘，使藥膏稍微溫熱易於擠出。
3. 身體平躺或頭向後仰，眼睛往上直視。
4. 用手將下眼皮的部分往下或往外拉，使它成為小型的袋狀，然後再將大約0.5到1公分長的藥膏，沿著此一袋狀內部塗抹上去。此時應該避免藥瓶頂端接觸到眼睛或皮膚。

5. 點完藥膏後，輕輕將眼睛閉起約一兩分鐘，此時應將眼球向四方各處轉動，使藥物能夠充分被吸收及適當地分布。
6. 用乾淨的紙巾將多餘的眼藥膏擦去，並且立即將瓶蓋蓋好。然後將手清洗乾淨，以避免病菌再次感染到眼睛。
7. 如果要繼續點用另外一種眼藥膏時，至少應該等約10分鐘的時間，以避免影響此藥的吸收。

☞注意事項

當使用此眼藥水或藥膏後的幾分鐘，也許會造成短暫的視線模糊。因此，在眼睛尚未完全適應之前，當開車或操作危險機械時，必須小心謹慎。

如果同時需要使用兩種以上的眼藥時，除了醫師另外指示外，應該將兩次用藥的時間，至少相隔約5分鐘，以確保彼此不會干擾對方藥物的吸收。同時，應該考慮先使用眼藥水，而眼藥膏應該留到最後才使用，因為通常藥膏屬於油性軟膏，可能會干擾其他液體藥物的吸收。

當使用此藥時，必須依照醫師的指示使用完所有的處方(大約7至14天)，即使覺得感染的症狀已經完全消除，仍須用完所有處方的份量，以免感染復發，或細菌產生抗藥性。

如果長期大量使用此眼藥水的話，可能會過度消除眼睛內某類細菌，造成其他細菌或真菌過度的繁殖，反而會引起另一次感染。因此在使用此眼藥水時，應該完全按照醫師的指示，不可超出所指示的劑量、次數及時間。

當使用此藥兩三天後，如果眼睛感染的症狀沒有改善，也許此藥並不適用於此類細菌所造成的感染，應該盡快通知醫師，他會考慮改換其他類的抗生素來治療。另外，如果在治療過程中，眼睛有惡化，或者有疼痛、視力減退、眼睛發紅、發腫現象的話，也應該盡快通知醫師。

為了使感染盡快康復，避免因為接觸而再次感染到另一隻眼睛，當使用化妝品時，應該盡量避免塗抹在眼睛四周的部位。

本藥為醫師針對病情所下的處方，如果下次有類似的感染，雖然產生的症狀相同，也許造成感染的病菌不同，使用此藥不見得有效，更有可能會延誤病情。因此須依照醫師指示用藥，更不可將此藥留給他人使用。

☞副作用

在正常劑量下，此藥造成副作用的機率並不很高，只有在剛開始點眼藥水的時候，可能會造成眼睛輕微的灼熱感、刺痛、流眼淚、眼睛不舒服、眼睛發腫、視覺模糊(眼藥膏)等等，但是經過幾分鐘後，此現象應該會消失。不過，如果症狀嚴重到不能忍受的程度，就應該盡快通知醫師。

☞懷孕及哺乳

此藥的眼藥水，能經由眼睛的吸收而到達母親的血液循環，如果使用的劑量過大或過於頻繁，仍有可能會造成對胎兒的影響。在正常劑量下，尚無資料顯示此藥水會對胎兒造成不良作用。如果醫師允許使用此藥的話，必須遵守醫師的指示來用藥。

此藥會經由母乳到達嬰兒體內，但在正常劑量下，尚無報告顯示會造成新生兒的不良作用。餵奶的母親在使用此藥期間，應該密切注意嬰兒的反應或改用其他的乳製品取代。

☞忘記用藥

如果忘記點眼藥水的話，應該在記得時，立即使用。並將當天未用完的劑量，依照相等的時間間隔使用完。但是，如果距離下次用藥的時間太近，就應該捨棄此次的藥物，恢復到下次正常用藥的時間，千萬不可一次使用雙倍的劑量。

Glipizide(格力匹来)

商品名(台灣)

Diabes®(培力)
Glibetin®(強生)
Glicon®(久保)
Glidiab®(中化)
Glidin®(居禮)
Gliglucon®(皇佳)
Glipin®(瑞士)
Glizide®(厚生)
Glucozide®(衛達)
Glupizide®(順生)
Glutrol®(瑞安)
Minibenes®(內外)
Minidiab®(義・Pharmacia)
Napizide®(南光)

商品名(美國)

Glucotrol®(Roerig)
Glucotrol XL®(Roerig)

☞藥物作用

本藥爲一種「治療糖尿病」的藥物。胰島素是胰臟所分泌的一種化學物質，能夠將食用的醣類及其他物質藉著能量轉換，而將其儲存起來，以供需要的時候使用。如果胰島素分泌不足，或者是因肥胖或其他的原因不能充分利用現有的胰島素，則體內的糖分不能充分被利用，而造成糖分的升高，最後導致糖尿病。本藥的主要作用是能夠幫助胰臟分泌胰島素，以及使身體能夠充分利用現有的胰島素，而達到降低血糖的目的。

☞用法

爲了達到最好的藥效，此藥最好能在飯前30分鐘服用。如一天服用一次，可安排在早餐前服用；如一天服藥兩次，則可安排在早餐及晚餐前各服用一次。如有必要時，此藥的普通藥片可以壓碎服用，但是長效型錠劑應該整顆吞服，不可咀嚼或壓碎服用。爲了保持固定的血糖濃度，最好每天安排在固定的時候服藥。

☞注意事項

剛開始服藥時，尤其是前幾星期，醫師可能要依照身體對藥物的反應，以及血糖的濃度漸漸調整劑量，因此應該依照醫師的指示，定期到醫院或診所做檢驗。

如果懷孕，對藥物過敏，或者有心臟疾病、甲狀腺疾病、身體有嚴重的細菌感染、肝臟疾病、腎上腺疾病、腎臟病、腦下垂體疾病等等，醫師需要針對這些情況謹慎地用藥，因此在使用此藥前，應該事先通知醫師。

許多成藥或處方藥，有可能會升高或降低血糖的濃度，同時也有可能與此藥相互作用，因此在服用任何藥物前，最好能夠諮詢醫師或藥師的意見，並且在服用這些藥物後，應該更密切測量血糖。

服用此藥後有可能會造成血糖過低的現象，同時，過度的運動、飲用酒類、服用其他藥物、延誤吃飯等等，都有可能會導致血糖過低。低血糖的症狀包括皮膚發白、發冷、心跳加快、想睡覺、惡心、頭痛、焦慮不安、嘴部發麻、視覺模糊、虛弱疲倦等等，如果有血糖過低的情況發生時，可立即飲用一杯橘子水或者食用一些含糖分的食物，以提高血糖的濃度。同時，在平常應該讓周圍的親朋好友了解上述症狀，以及緊急情況發生時的應變方法。

本藥會增加皮膚對陽光的敏感性，如果在陽光下曝曬太久，有可能會導致皮膚的灼傷或過敏，因此應該盡量避免陽光的直接曝曬，並穿著長袖衣物，以保護皮膚。

爲了更有效控制血糖，避免併發症的發生，應該遵循醫師的指示，定期做適當的運動、減輕體重、戒煙、注意個人衛生以避免病菌的感染、避免過度的緊張，如果有高血壓的話，應該定期服用藥物以控制血壓。單靠藥物並不是控制血糖的最好方法，正確的飲食習慣及適當運動和服用藥物是同等的重要。

當出門在外時，應該隨身攜帶醫療識別卡，在卡上應該詳細記載糖尿病的病況，所服用的藥物及劑量，醫師的姓名及聯絡電話等等。以免萬一有意外或者是糖尿病發作時，醫護人員可以立即了解病情，以便做適當的處理，或者與醫師做進一步的討論。

服用此藥一段長時間後，藥效可能會降低。如果經常覺得口渴、飢餓，以及排尿次數增加，就應該請教醫師，他也許會考慮更換另一種降血糖的藥物。

服用藥物期間，應該避免喝酒。酒精會使血糖降低導致低血糖，並且因為它含有熱量，會使體重增加，導致病情更為惡化。

在拔牙或動手術前，應該事先通知醫師有服用此藥。

☞副作用

此藥常見的副作用為：下痢、思睡、便秘、胃口增加或降低、胃腸不適或疼痛、胸口灼熱、惡心、嘔吐、頭痛、頭暈等。這些副作用，通常在服用藥物一陣子後，應該會漸漸消失。不過，如果這些副作用強到困擾你的程度，或者經過一段時間後，還不能完全消除，就應該通知醫師。

此藥較嚴重的副作用為：皮膚有不正常的瘀傷或塊狀的青紫色、皮膚發紅發癢、呼吸困難、胸痛、眼睛及皮膚發黃、發冷及喉嚨疼痛、發燒、極度疲倦。通常這些副作用發生的機率較低，但是如果發生時，可能是藥物造成的不良反應，或者是劑量需要調整，應該盡快通知醫師。

☞懷孕及哺乳

根據動物實驗顯示，此藥可能會造成胎兒缺陷及影響胎兒的發展。同時，孕婦在產前服用此藥的話，可能會造成新生兒血糖過低的現象。因此，除了有絕對必要並且經醫師同意外，孕婦應該避免服用此藥。孕婦的血糖不穩定有可能會造成胎兒的損傷，因此醫師可能會要求在懷孕期間使用注射的胰島素，以控制血糖。

目前尚不知此藥是否會經由母乳到達嬰兒體內，但是為了避免萬一造成新生兒血糖過低，餵奶的母親應該使用其他的乳製品，以取代母乳。

☞忘記用藥

如果忘記服藥，應該在得記時，立即服用。但是，如果距離下次服藥的時間太近，就應該捨棄此次藥物，恢復到下次正常服藥的時間，千萬不可一次服用雙倍的劑量。

Glyburide(格力本)

商品名(台灣)

Chutang®(井田)
Daonil®(赫司特)
Deglucon®(永新)
Diaben®(皇佳)
Diabetin®(永信)
Dialicon®(正和)
Diomin®(國嘉)
Euglucon®(德・寶靈)
Glamide®(強生)
Gleuton®(優生)
Gliban®(生達)
Glibide®(衛達)
Glidiabet®(西・Ferrer)
Gllitisol®(塞・Remedica)
Glycemide®(佑寧)
Guvita®(瑞士)
Pertanzin®(世達)
Shintan®(十全)
Tantell®(永勝)

商品名(美國)

DiaBeta®(Hoechst)
Glynase®(Upjohn)
Micronase®(Upjohn)

☞藥物作用

本藥為「治療糖尿病」的藥物。胰島素是胰臟所分泌的一種化學物質，能夠將食用的醣類及其他物質藉著能量的轉換，而將其貯存起來，以供需要的時候使用。如果胰島素分泌不足，或者是因身體肥胖或其他的原因不能充分利用現有的胰島素，則體內的糖分不能充分被利用，而造成體內糖分的升高，導致糖尿病的發生。本藥的主要作用是能夠幫助胰臟分泌胰島素，以及使身體能夠充分利用現有的胰島素，而達到降低血糖的目的。

☞用法

為了達到最好的藥效，此藥最好能在飯前30分鐘服用。如果一天服用一次，可安排在早餐前服用；如果一天服藥兩次，則可安排在早餐及晚餐飯前各服用一次。如有必要時，此藥藥片可以壓碎服用。爲了保持固定的血糖濃度，最好安排每天在固定的時候服藥。

☞注意事項

剛開始服藥時，尤其是前幾星期，醫師可能要依照身體對藥物的反應及血糖的濃度漸漸調整劑量。因此應該依照醫師的指示，定期到醫院或診所做檢驗。

如果懷孕，對藥物過敏，或者有心臟疾病、甲狀腺疾病、身體有嚴重的細菌感染、肝臟疾病、腎上腺疾病、腎臟病、腦下垂體疾病等等，醫師需要針對這些情況謹慎用藥，因此在使用此藥前，應該事先通知醫師。

許多成藥或處方藥，有可能會升高或降低血糖的濃度，也有可能與此藥相互作用，因此在服用任何藥物前，最好能夠諮詢醫師或藥師的意見，並且在服用這些藥物後，應該更密切測量血糖。

服用此藥後有可能會造成血糖過低的現象，同時，過度的運動、飲酒、服用其他藥物、延誤吃飯等等，都有可能導致血糖過低。低血糖的症狀包括：皮膚發白、發冷、心跳加快、想睡覺、惡心、頭痛、焦慮不安、嘴部發麻、視覺模糊、虛弱疲倦等等。如果有上述情況發生時，可立即飲用一杯橘子水或者食用一些含糖分的食物，以提高血糖的濃度。同時，在平時，應該讓周圍的親朋好友了解這些症狀，以及應變的方法。

本藥會增加皮膚對陽光的敏感性，如果在陽光下曝曬太久，有可能會導致皮膚的灼傷，因此應該盡量避免陽光的直接曝曬，同時穿著長袖衣物，以保護皮膚。

爲了更有效控制血糖，及避免併發症的發生，應該遵循醫師的指示，定期做適當的運動、減輕體重、戒煙、注意個人衛生以避免病菌的感染、避免過度的緊張。如果有高血壓的話，應該定期服用藥物以控制血壓。單靠藥物並不是控制血糖的最好方法，正確的飲食習慣及適當的運動和服用藥物是同等的重要。如果同時有高血壓的話，也應該定期服用藥物加以控制。

出門在外時，應該隨身攜帶醫療識別卡，在卡上應該詳細記載糖尿病的病況，所服用的藥物及劑量，醫師的姓名及聯絡電話等等，以防萬一有意外或者是糖尿病發作時，其他的醫護人員可以立即了解病情，以便做適當的處理，或者醫師做進一步的討論。

服用此藥一段長時間後，藥效可能會降低。如果經常覺得口渴、飢餓，以及排尿次數增加，就應該請教醫師，他也許會考慮換另一種藥物。

服用藥物期間，應該避免喝酒。酒精會使血糖降低導致低血糖，並且因為它含有熱量，會使體重增加，而使糖尿病的病情更惡化。

在拔牙或動手術前，應該事先通知醫師有服用此藥。

☞副作用

此藥常見的副作用為：下痢、思睡、便秘、胃口增加或降低、胃腸不適或疼痛、胸口灼熱、惡心、嘔吐、頭痛、頭暈等。這些副作用，通常在服用藥物一陣子後，應該會漸漸消失。不過，如果這些副作用強到困擾你的程度，或者經過一段時間後，這些症狀還不能完全消除，就應該通知醫師。

此藥較嚴重的副作用為：皮膚突然出現不正常的瘀傷、皮膚發紅發癢、呼吸困難、胸痛、眼睛及皮膚發黃、發冷及喉嚨疼痛、發燒、極度的疲倦。通常這些副作用發生的機率較低，但是如果發生時，此可能是藥物造成的不良反應，或者是劑量需要調整，應該盡快地通知醫師。

☞懷孕及哺乳

根據動物實驗顯示，在正常劑量下，此藥尚不至於造成胎兒的缺陷。但是，與此藥屬於同一類的口服降血糖藥物，有可能會造成胎兒缺陷及影響胎兒發展。另外，由於孕婦的血糖不穩定有可能會造成胎兒的損傷及缺陷。懷孕時，醫師可能會改用注射用的胰島素，以控制血糖。

目前為止，尚不知此藥是否會經由母乳到達嬰兒體內，但是為了避免造成新生兒血糖過低，餵奶的母親應該使用其他的乳製品，以取代母乳。

☞忘記用藥

如果忘記服藥，應該在記得時，立即服用。但是，如果距離下次服藥的時間太近，就應該捨棄此次藥物，恢復到下次正常服藥的時間，千萬不可一次服用雙倍的劑量。

Granisetron（抗嘔吐藥）

商品名（台灣）

Kytril®（美・SKB）

商品名（美國）

Kytril®（SKB）

☞藥物作用

本藥爲一種強力的「止吐劑」，它可以抑制腦部的嘔吐中心，而達到止吐的作用。此藥主要用於手術後及癌症治療過程中所引起的嘔吐。

☞用法

本藥不受食物影響，空腹或與食物一起服用均可。如果覺得對胃的刺激過大，會造成胃不舒服，可將其與食物或開水一起服用。如有必要時，此藥的藥片可以壓碎服用。

☞注意事項

此藥會產生想睡覺及頭暈的感覺，尤其是剛開始服藥期間。因此除非已經適應了此藥的作用，當開車或操作危險機械時，應該格外小心謹慎。酒精會增加此藥思睡的副作用、增加想嘔吐的感覺，應當避免飲用或限制酒量。

如果懷孕、對藥物過敏、經常飲用大量的酒，或者有肝臟疾病等等，醫師需要針對這些情況謹慎用藥，因此在使用此藥之前，應該事先通知醫師。

安眠藥、肌肉鬆弛劑、鎮靜劑、抗過敏藥、感冒藥、抗抑鬱藥、止痛藥等，都有可能會增加此藥思睡的副作用。同時服用這些藥物時，應當特別注意彼此增加思睡的相乘效果。

當服用癌症藥物或放射線治療後的一段時間，應該遵循醫師指示服藥，通常癌症藥物所引起的嘔吐可能會持續達3天之久，即使還沒有想嘔吐的感覺，也應該依照醫師指定的時間服藥，以免引起惡心、嘔吐。

在服藥期間如有便秘發生，就應該多食用蔬菜或水果等幫助消化的食物，並且在許可下，多做運動，或飲用多量的水分。服藥後也許會產生口渴的現象，但是如果能夠含一塊冰塊或糖果在嘴內的話，應該可以減少此一副作用。

☞副作用

此藥常見的副作用爲：失眠、拉肚子、便秘、胃口降低、疲倦、焦慮不安、想睡覺、頭痛、頭暈目眩。這些副作用，通常在服用藥物一陣子後，由於身體漸漸地習慣了此一藥物的作用，這些症狀應該會漸漸消失。不過，如果這些副作用強到困擾你的程度，或者經過一段時間後，這些症狀還不能完全消除，就應該通知醫師。

此藥較嚴重的副作用爲：心跳不正常、皮膚出現不正常青紫色瘀傷、皮膚起紅疹、血壓過低、呼吸困難、發燒等等。通常這些副作用發生的機率較低，但是如果發生時，可能是藥物造成的不良反應，或者是劑量需要調整，應該盡快通知醫師。

☞懷孕及哺乳

根據動物實驗顯示，在正常劑量下，此藥尚不至於造成胎兒的生長缺陷。但由於此藥對人體實驗的數據有限，懷孕時，最好還是遵循醫師的指示服藥。

目前爲止尚不知此藥是否會到達乳汁，但是尚無醫療報告顯示會對餵奶的嬰兒造成不良的反應，當考慮親自餵奶前，最好徵求醫師的意見。

☞忘記用藥

如果忘記服藥，應該在記得時，立即服用。但是，如果距離下次服藥的時間太近，就應該捨棄所遺忘的藥物，然後恢復到下次正常服藥的時間，千萬不可一次服用雙倍的劑量。如果遺忘超過兩次，則引起嘔吐的機會將會增高。

Guaifenesin(Glyceryl Guaiacolate，格利西力)

商品名(台灣)

Ane Co®(皇佳)
Bistosil®(世紀)
Bointussin®(寶靈富錦)
Cheutane®(居禮)
Chintan®(中美)
Cough Su® Syr(久保)
Curietussin®(信東)
Extancin®(華興)
Fuston®(永信)
G.F®(生達)
G.G.E®(強生)
Gill®(福元)
Guadesin®(健康)
Guaphen® Syr(東洋)
Guayasil®(金馬)
Hontuco®(應元)
Hustosil®(稻田)
Hustozin®(久保)
Pejitussin® Syr(北進)
Petrin®(三東)
Phusdor®(永新)
Robitussin®(勞敏士)
Sau An®(三洋)
Stosil®(永勝)
Tancosil®(內外)
Tonforsin®(國際新藥)
U-Codin®(優良)
Unitussin®(佑寧)
Waco®(華盛頓)
Yustan®(優生)

商品名(美國)

Anti-Tuss®(Century)
GG-Cen®(Central)
Guiatuss®(Goldline)
Haloussin®(Halsey)
Humibid L.A®(Adams Labs)
Robitussin®(Robins)

☞藥物作用

本藥爲一種「祛痰」的藥物。它可以使痰液加速分解、降低其在呼吸道的黏著力，能夠幫助痰液經由咳嗽排出，而達到呼吸順暢。

☞用法

本藥不受食物影響，空腹或與食物一起服用均可。此藥以短期使用爲主，如果於咳嗽時使用，最好不要超過一個星期。服用此藥時，最好能同時飲用大量的開水，以幫助痰液的分解。本藥分爲普通藥片、長效型藥片及液體製劑。如有必要時，此藥之藥片可以壓碎服用；但長效型藥片應整顆吞服，不可咀嚼或壓碎服用；如果使用的是液體藥物，每次在使用前，最好使用有刻度的量杯或藥管，以量取正確的藥量。

☞注意事項

如果懷孕，對藥物過敏，或者有心臟病、甲狀腺疾病、高血壓、糖尿病等等，醫師需要針對這些情況謹慎用藥，因此在使用此藥前，應該事先通知醫師。

此藥通常可單獨使用或與其他治療抗過敏、鼻塞、咳嗽、流鼻水或感冒的藥物一起合用。依照不同感冒症狀的發生及程度，應該有不同的組合。可在購買藥物前，詢問藥師何種組合最適合發生的症狀。

此藥主要是針對感冒、支氣管炎所造成的乾咳、或者由於痰液過於黏稠不易咳出的咳嗽較有幫助。對於抽煙、氣喘病、或有大量液體痰液所造成的咳嗽則無效。另外，在服藥期間，每天應該飲用8至10杯的開水(每杯約250cc.)以幫助痰液的分解及排出。

如果經過一個星期服藥後，咳嗽的症狀還無法消除，或者在治療過程中，有發高燒、皮膚發紅、或持續頭痛的情況，就應該盡快通知醫師。

☞副作用

此藥常見的副作用爲：拉肚子、胃痛、噁心、想睡覺、嘔吐等。這些副作用通常在服用藥物一陣子後，應該會漸漸消失。不過，如果這些副作用強到困擾你的程度，或者經過一段時間後，還不能完全消除，就應該通知醫師。

☞懷孕及哺乳

目前爲止，尚無資料顯示此藥會對胎兒造成不良作用。然而，仍須更廣泛的醫學數據，對此藥做進一步的評估。當懷孕時，最好能與醫師討論此藥可能對胎兒的影響，他會衡量狀況，決定是否服藥。

目前爲止，尚無醫療報告顯示會對餵奶的嬰兒造成不良的影響，但爲了嬰兒的安全著想，當餵哺母乳時，應該隨時注意嬰兒的反應，或者使用其他乳製品，以取代母乳。

☞忘記用藥

如果忘記服藥，應該在記得時，立即服用。但是，如果距離下次服藥時間太近，就應該捨棄此次藥物，恢復到下次正常服藥的時間，千萬不可一次服用雙倍的劑量。

Haloperidol(哈帕度)

商品名(台灣)

Avant®(塞・Medo)
Binin-U®(瑞士)
Esextin®(日・Toyo)
Gynedol®(中央)
Haldol®(葡萄王)
Haldol®(比・仁山)
Haldolin®(衛達)
Halin®(優生)
Halolium®(皇佳)
Halomidol®(日・長生堂)
Haloperin®(芬・Orion)
Halopin®(強生)
Halosten®(鹽野義)
Halowell®(荷・Pharmachemie)
Haloxen®(塞・Remedia)
Inin®(優生)
Lemonamin®(日・Kyoto)
Pandol®(汎生)
Serenace®(澳・Searle)
U-Dolin®(優良)

商品名(美國)

Haldol®(McNeil-CPC)

☞藥物作用

本藥爲一種治療精神病的藥物。它主要的作用是能夠平衡腦部的某些化學物質，以控制嚴重的行爲失常，如情緒過分緊張、幻覺、妄想，及具有攻擊性行爲等等。本藥亦可用來治療小孩自閉症或因精神導致的過於好動或敵對的行爲。本藥另一作用可用來治療手術後或藥物所引起的惡心、嘔吐，以及紓解情緒所造成的緊張不安。

☞用法

本藥不受食物影響，因此空腹或與食物一起服用均可。但是爲了減輕對胃的刺激，最好與食物或飯後服用。如有必要時，此藥的藥片可以壓碎與食物或水一起服用。當使用的是濃縮液體藥物時，應該使用有刻度的量杯或藥管，以量取正確的藥量並與60cc.的水或果汁稀釋服用，但是不可與咖啡、酒或茶一起服用。

☞注意事項

此藥有可能會造成頭暈或思睡，當操作危險機械時，應該格外小心謹慎。安眠藥、肌肉鬆弛劑、鎮靜劑、抗過敏藥、抗抑鬱藥、精神病藥，及止痛藥等等，這些藥物都有可能會增加此藥的思睡作用。同時服用這些藥物，應當特別注意彼此增加思睡的相乘效果。

如果懷孕，對藥物過敏，經常飲用大量的酒，或者有支氣管炎、心臟疾病、肝臟疾病、帕金森症、青光眼、前列腺腫大、氣喘、排尿困難、癲癇等等，醫師需要針對這些情況謹慎用藥，因此在使用此藥前，應該事先通知醫師。

長期大量服用本藥後，可能會增加皮膚對陽光的敏感性，如果在陽光下曝曬太久，有可能會導致皮膚顏色加深，因此最好盡量避免陽光直接曝曬，並穿著長袖衣物，以保護皮膚。此藥也會使眼睛對陽光敏感，如果能戴太陽眼鏡應該會使眼睛感覺較爲舒適。

此藥會降低身體排汗及散熱的能力。因此，應該避免在陽光下及過熱的地方站立太久中暑；同時，洗澡時也應該避免水溫太熱、散熱不良及血壓下降而暈倒。

服用此藥後，不可突然停止用藥。突然停藥，有可能會造成失眠、身體顫抖、心跳過快、惡心嘔吐等不良作用。應該事先得到醫師許可，並且在醫師指示下，在一段時間內，將藥物漸漸降低然後停藥。

服用此藥後，如果感覺到口乾時，嚼一塊糖果或冰塊，應該能減輕此一現象。但是如果此現象超過兩個星期以上，就應該請教醫師。服藥期間，如有便秘發生的話，就應該多食用蔬菜或水果等幫助消化的食物，並且在身體許可下，多做運動或飲用多量的水分。

許多藥物會干擾此藥的作用，造成身體的不良作用，因此服用其他藥物時，無論所服用的是成藥或是處方藥，最好事先徵求醫師或是藥師的意見。

如果在服藥一段長時間後，頭部、臉部，或頸部產生重複而且不能自我控制的運動，就應當盡快通知醫師。

☞副作用

此藥常見的副作用爲：月經周期改變、口乾、皮膚對陽光敏感、乳房腫大或痠痛、性欲降低、便秘、惡心、視覺模糊、想睡覺、嘔吐等。這些副作用，通常在服用藥物一陣子後，應該會漸漸消失。不過，如果這些副作用強到困擾你的程度，或者經過一段時間後，還不能完全消除就應該通知醫師。

此藥較嚴重的副作用爲：幻覺、皮膚或眼睛發黃、皮膚紅腫、肌肉僵硬或不能自主地運動、呼吸困難、突然發熱發冷、唇部舌頭或者手腳產生不能自主的運動、極端疲倦、頭昏眼花或暈倒等。這些副作用發生的機率較低，但是如果發生時，可能是藥物造成的不良反應，或者是劑量需要調整，應該盡快通知醫師。

☞懷孕及哺乳

此藥對孕婦的影響，並無很完全的資料，但是根據動物實驗顯示，在高劑量下，此藥可能會造成胎兒的損傷。因此，除了絕對需要並且經醫師同意外，孕婦應該避免服用此藥。

此藥會經母乳到達嬰兒體內，可能會造成新生兒昏睡及運動遲緩等副作用。餵奶的母親應該考慮使用其他的乳製品以取代母乳。

☞忘記用藥

如果忘記服藥的話，應該在記得時，立即服用。並將當天未用完的劑量，依照等分的時間間隔使用完。但是，如果距離下次用藥的時間太近，就應該捨棄此次的藥物，恢復到下次正常用藥的時間，千萬不可一次使用雙倍的劑量。

Hydrochlorothiazide(氫氯苯塞)

商品名(台灣)

Chuncotol®(陽生)
Colonraitai®(井田)
Decazon®(中國生化)
Dichlotride®(美・Merck)
Dichlotride®(新東)
Dicomtride®(康福)
Dihydrochlothin®(永豐)
Dihydrochl®(林化學)
Dihydrodiazid®(中化)
Dithiazide®(華盛頓)
Diurop®(泰安)
Esidrex®(汽巴嘉基)
E Water®(中美)
Hybozide®(臺裕)
Hychlotozide®(信東)
Hychlozide®(強生)
Hydro Diul®(晟德)
Keshiau®(富生)
Koliside®(好漢賓)
Lisuzone®(永昌)
Newtolide®(日・Towa)
Nisidrex®(金馬)
Susueilin®(南都)

商品名(美國)

Esidrix®(Ciba)
HydroDIURIL®(Merck)
Oretic®(Abbott)

☞藥物作用

本藥爲一種「利尿劑」，可以用來預防高血壓、消除水腫，以及預防充血性心衰竭的發生。如果體內含過多水分，此多餘的水分將會增加血管內部壓力，造成水腫或高血壓，導致心臟因長久負荷，而產生衰竭。此藥能夠幫腎臟，將體內多餘的水分，經由尿液排出，而達到治療的目的。

☞用法

此藥通常是一天服用一到兩次，由於此藥是一種利尿劑，如果在睡前服用的話，可能會因起床小便而干擾睡眠，並且爲了避免藥物可能對胃的刺激，如果一天服藥一次的話，最理想的服藥時間應該是用完早餐後；一天服藥兩次的話，可安排於早餐後和下午3至4點的時候給藥，或者可安排最後一次服藥的時間，以不超過晚上6點爲原則。如有必要時，此藥的藥片可以壓碎服用。

☞注意事項

如果使用此藥的目的，是用來治療高血壓的話，本藥只能控制血壓，並不能真正治癒。服用此藥後，必須經過幾個星期，才能將血壓慢慢降下來。爲了達到完全降壓效果，必須每天服用此藥，即使血壓已經控制穩定，也不可忘記或省略服藥。

如果懷孕，對藥物過敏(尤其是對磺胺藥過敏)，或者有肝臟疾病、紅斑性狼瘡、腎臟病、痛風、糖尿病等等，醫師需要針對這些情況謹慎用藥，因此在使用此藥前，應該事先通知醫師。

市面上許多治療過敏、鼻塞、咳嗽、感冒，以及減肥的成藥中，經常含有會使血壓升高的成分。因此，爲了避免造成血壓突然升高，在服用此類藥物前，應該事先諮詢醫師或藥師意見。

食用低鹽食物，可以增加本藥降血壓效果，因此，應該遵循醫師指示，控制食物中鹽的含量。

長期服用此藥，可能會使體內鉀離子含量降低，造成口渴、虛弱、肌肉無力或抽筋、心跳不規則等等。因此，醫師可能會要求多吃含鉀量高的食物，如香蕉、橘子水等，或者服用含鉀藥物，以補充缺乏的鉀離子。如果長期服用此藥，應該詢問醫師如何補充鉀離子。

剛開始服用此藥，小便的次數及數量都會增加，並且也許會有極端疲倦的感覺，通常此一現象在幾個星期後應該會漸漸減少。如果此一現象經過一陣子後仍然不能消除，就應該通知醫師。

此藥可能會引起頭暈目眩的副作用，尤其是早上剛起床的時候。但是如果能緩慢地起身或站立，應該可以減緩此一現象。另外，爲了避免此一副作用，應該避免站立太久、避免飲用大量的酒、不要在太陽下做太激烈的運動，以及洗太熱的熱水澡等等。

本藥會增加皮膚對陽光的敏感性，如果在陽光下曝曬太久，可能會導致皮膚的灼傷、過敏，以及脫水，因此應該盡量避免陽光直接曝曬，並穿著長袖衣物，以保護皮膚。

此藥可能會使血糖升高，患有糖尿病的人，應該更密切測量尿液或血液中糖的含量。

在拔牙或動手術之前，應該事先通知醫師有服用此藥。

☞副作用

此藥常見的副作用爲：皮膚對光的敏感度增加、性欲降低、拉肚子、胃口降低、胃腸不適、頭暈目眩等。這些副作用，通常在服用藥物一陣子後，應該會漸漸消失；不過，如果強到困擾你的程度，或者經過一段時間後，還不能完全消除，就應該通知醫師。

此藥較嚴重的副作用爲：心跳不正常、皮膚起紅疹或有不正常流血、皮膚發紅、肌肉抽筋或疼痛、情緒或精神狀況改變、發熱或發冷、發癢、極端虛弱、腹痛、精神恍惚。通常這些副作用發生的機率較低，但是如果發生時，可能是藥物造成的不良反應，或者是劑量需要調整，應該盡快通知醫師。

☞懷孕及哺乳

目前爲止，尙無動物實驗顯示此藥會造成胎兒生長缺陷或損傷。然而，由於此藥會經由胎盤到達胎兒體內，可能會造成胎兒出生後黃疸、貧血、低血糖或血液凝固方面的問題。因此，除非經由醫師權衡及許可外，孕婦應該避免服用此藥。

少量的藥物會經由母乳到達嬰兒體內，同時此藥可能會減少乳汁的分泌，以及爲了避免藥物可能造成新生兒的不良影響，餵奶的母親應該考慮使用其他的乳製品以取代母乳。

☞忘記用藥

如果忘記服藥，應該在記得時，立即服用。但是，如果距離下次服藥的時間太近，就應該捨棄此次藥物，恢復到下次正常服藥的時間，千萬不可一次服用雙倍的劑量。

Hydrocodone/Acetaminophen
（止痛藥）

商品名（台灣）

此藥尚未在台銷售。

商品名（美國）

Anexsia®（B. M）
Go-Gesic®（Central）
Lortab®（Whiby）
Bancap®（Forest）
Hydrocet®（Carnrick）
Vicodin®（Knoll）
Ceta-Plus®（Seatrace）
Lorcet®（UAD）

☞藥物作用

此藥為Acetaminophen與Hydrocodone兩種止痛成分組合而成。Hydrocodone是麻醉類止痛藥的一種，主要作用於腦部中樞神經以達到止痛效果；Acetaminophen則為非麻醉類止痛劑，可用來解除中度到嚴重的疼痛，如拔牙、手術後，以及身體重大傷害(如骨折、燒傷、癌症等)所引起的疼痛。

☞用法

本藥不受食物影響，空腹或與食物一起服用均可，不過最好與食物一起服用，以免引起對胃產生刺激。此藥在剛開始感覺疼痛的時候立即服用，可達到較好的止痛效果，如果等到疼痛轉為激烈時才服用，其產生的止痛效果較差。當使用液體藥物時，應該使用有刻度的量杯或藥管，以量取正確的藥量。

☞注意事項

此藥會產生想睡覺及頭暈的感覺，尤其是剛開始服藥期間。因此，除非已經適應了此藥的作用，當開車或操作危險機械時，應該格外小心謹慎。另外，酒精會增加此藥思睡的副作用，應當避免飲用或限制酒量。

如果懷孕，對藥物過敏，經常飲用大量的酒，或者有肝臟疾病、腎臟病、氣喘、癲癇症、膽囊疾病或膽結石、頭部受傷、前列腺腫大、排尿困難等等。醫師須進一步考慮這些情況並且謹慎用藥，因此在使用此藥前，應該事先通知醫師。

安眠藥、肌肉鬆弛劑、鎮靜劑、抗過敏藥、抗抑鬱藥、精神病藥，及其他止痛藥等等，這些藥物都有可能會增加此藥思睡的作用。同時服用這些藥物時，應當特別注意其思睡的相乘效果。

此藥中Hydrocodone的成分具有成癮性，除了醫師許可外，不該連續使用超過10天的劑量。同時，也不可服用超過醫師所指示的劑量或使用的時間。經過一段時間服藥後，此藥的止痛效力可能會漸漸降低，發生此現象時，應該徵求醫師的指示，千萬不可自行增加劑量。

市面上許多成藥，如頭痛、止痛、咳嗽、過敏、傷風感冒藥等等，這些藥物中通常含有與此藥中Acetaminophen具有相同的藥用成分。在服用此藥期間，如果購買上述成藥服用的話，應該事先詢問藥師是否含有此一成分，以免服用雙倍劑量造成藥物過量導致肝臟的損傷或中毒的危險。

長期服用此藥後，不能突然停藥，因爲突然停藥有可能會產生失眠、精神緊張、激動、顫抖、惡心嘔吐、胃痛、拉肚子等等症狀。如果要停藥的話，應該遵循醫師的指示，漸漸降低服藥的劑量或次數，然後再停藥。

如果在服藥期間有便秘發生的話，就應該多食用蔬菜或水果等幫助消化的食物，並且在身體許可下，多做運動，或飲用多量水分。服用此藥後也許會產生口渴的現象，但是如果能夠含一塊冰塊或糖果在嘴內的話，應該可以減少此一副作用。

剛開始服用此藥時，可能會產生頭昏眼花的感覺，尤其是突然站立或坐起時，不過如果能夠緩慢地站立或坐起，應該會減少此一現象。

☞副作用

此藥常用的副作用爲：口乾、小便困難、尿急或小便疼痛、便秘、流汗、臉部潮紅、胃口降低、惡心、虛弱無力、視覺模糊、感覺不舒服、想睡覺、嘔吐、緊張不安、頭痛、頭暈目眩等。這些副作用，通常在服用藥物一陣子後，應該會漸漸消失；不過，如果強到困擾你的程度，或者經過一段時間後，還不能完全消除，就應該通知醫師。

此藥較嚴重的副作用爲：心跳突然加快、皮膚起紅疹、肌肉顫抖、身體出現青紫色瘀傷、呼吸困難、眼睛或皮膚發黃、焦慮不安、發燒或喉嚨痛、極度疲倦、極度虛弱、極度興奮不安、精神沮喪、精神恍惚、臉部水腫等。通常這些副作用發生的機率較低，但是如果發生時，可能是藥物造成的不良反應，或者是劑量需要調整。應該盡快通知醫師。

☞懷孕及哺乳

此藥對孕婦的影響並無很完備的臨床實驗資料，但是如果於懷孕時長期大量服用的話，可能會導致胎兒上癮，並於產後可能造成新生兒肌肉顫抖、持續打呵欠、哭鬧不休、嘔吐、緊張不安、顫抖等症狀。孕婦如果在生產前服用此藥的話，則可能造成新生兒呼吸困難。當懷孕時，應該通知醫師，他會衡量狀況，如果情況允許的話，可能會以短期使用以及較低劑量讓患者服用。

此藥可經由母乳吸收入嬰兒體內，可能造成新生兒過度安睡，餵奶的母親應該使用其他乳製品以取代母乳。

☞忘記用藥

此藥只有在感覺疼痛而且覺得有需要的時候才服用，如果是按照固定正常的時間服藥，當忘記服用時，應該在記得時，立即服用。但是，如果距離下次服藥的時間太近，就應該捨棄遺忘的藥物，恢復到正常服藥的時間，千萬不可一次服用雙倍劑量。

Hydrocortisone(乙酸皮質醇)

商品名(台灣)

Cobadex®(英・Arthur)
Cortril®(輝瑞)
Corts®(美時)
Dermicort®(美・Republic)
Dortizon®(日・Kako)
Hycort®(生達)
Hydrosone®(瑞安)
Hytone®(美・Dermik)
Locoid®(荷・Gist-B)
Locoid®(日・Torri)
Optison®(恆信)
Servicort®(汽巴嘉基)
Unison®(佑寧)
Van Ling®(萬能)
Vimon®(日・Koba)
Westcort®(必治妥)
Zorinse®(人人)

商品名(美國)

Cort-Dome®(Miles)
Cortaic®(Upjohn)
Cortaid®(Upjohn)
Corticaine®(Whitby)
Cortizone®(Thompson)
Hycort®(Everett)
Hytone®(Dermik)
Lanacort®(Combe)
Locoid®(Owen)
U-Cort®(Thames)
Westcort®(Westwood)

☞藥物作用

本藥為一種「類固醇」的皮膚外用藥物。它的作用類似腎上腺皮質所分泌的一種荷爾蒙，可以增加體內的抗體細胞，以消滅病菌或外來物質的侵犯，增強身體的抵抗力。本藥的外用軟膏有「抗發炎」作用，可以用於各種皮膚的炎症或濕疹所引起的皮膚發紅、發腫，以及疼痛、乾燥、搔癢、乾硬、脫皮的感覺，並且可用於皮膚過敏所產生的紅腫。

☞用法

本藥包括許多不同劑型的製劑，如乳膏、油性軟膏、水性軟膏、凝膠等等，在使用前，應該詳細閱讀藥廠的說明書，或者事先詢問醫師或藥師正確的使用方法。

塗用此藥前，應當使用溫和無刺激的肥皂輕柔地清洗患部，用清水沖洗，再用紙巾輕拍，直到皮膚將近乾爲止。最後再將藥物均勻塗抹一片薄層於患部，並且輕微加以按摩。如果清洗時會覺得刺痛或者醫師禁止時，可捨棄此一步驟，直接將藥物塗抹於患部。

☞注意事項

使用此藥期間，如果感覺皮膚刺激疼痛，或有皮膚發炎的症狀如發癢、發紅、發腫的情況，或者有細菌感染的現象，如皮膚發紅、發熱、發腫、發膿等等，就應該停止使用此藥，並盡快通知醫師。

當患部有乾燥或輕微龜裂的現象時，可在使用此藥之前，先使用乾淨的濕紙巾，將皮膚濕潤一下並擦乾多餘的水分，然後再塗抹藥物。通常油性的軟膏，吸收水分以及保持在皮膚的時間較長，較適於一般的乾燥皮膚。

使用本藥時，不可塗抹超過醫師指示的劑量與次數，同時應該避免將藥物擦在皮膚破損的地方、眼睛，以及鼻子、嘴巴的內部黏膜部位。如果使用此藥於眼睛附近的部位時，最好能使用棉花棒，以免不小心將藥物塗抹到眼睛。

當使用此藥於嬰兒尿布周圍部位時，在塗完藥物後，不可用尿布將患部包得太緊，同時，也應該避免使用塑膠類尿布或褲子，以免增強藥物對皮膚的吸收，導致藥品過量吸收入身體，阻礙嬰兒生長等等。

使用本藥後，應該避免用不透氣或者是很緊的繃帶，以免藥物過量吸收到體內，造成不必要的副作用。同時，如果症狀是由於黴菌或細菌感染所造成的，單純的使用本藥是無效的，必須同時使用抗生素才能完全根治。

使用此藥時，應該避免使用化妝品或其他乳劑或化學藥劑。如果有必要使用的話，最好能夠經由醫師的同意。此藥以短期使用爲主，如果長期大量使用的話，藥品容易吸收入血液循環到身體各部位，造成全身性的副作用，如血糖升高、血壓升高、失眠、肌肉無力、身體水腫肥胖、沮喪、身體易受細菌感染、骨質疏鬆等等。因此，在使用此藥時，應該完全經過醫師指示使用。

☞副作用

在正常劑量下，此藥造成副作用的機率並不是很高，通常只是輕微地感覺皮膚灼熱、乾燥、輕微刺痛等等。但是，如果皮膚發生毛髮增生、細菌感染、顏色改變、嚴重刺痛、長粉刺、起水泡等等情況的話，就應該通知醫師。

☞懷孕及哺乳

雖然此藥經由皮膚吸收入身體的劑量不較口服劑量爲高，但是如果長期大量使用後，藥物會經由母親的皮膚吸收入胎兒體內，可能會影響胎兒的正常發育、阻礙嬰兒正常固醇類荷爾蒙的產生，以及造成胎兒缺陷的可能。因此，孕婦在使用此藥之前，應該事先通知醫師。

在正常劑量下，此藥經由母乳到達嬰兒體內的劑量有限，不過餵奶的母親仍然需要密切注意藥物可能對嬰兒的反應，如果有不良作用產生，就應改用其他奶水取代。

☞忘記用藥

如果忘記用藥，應該在記得時，立即使用。但是，如果距離下次用藥的時間太近，應該捨棄此次藥物，恢復到下次正常用藥時間，千萬不可一次使用雙倍的劑量。

Hydromorphone（止痛藥）

商品名（台灣）

此藥尚未在台銷售。

商品名（美國）

Dilaudid®（Knoll）

☞藥物作用

本藥爲一種中度到強力的「麻醉類止痛藥」，通常用於手術後、身體重大傷害，如骨折、燒傷，以及癌症等所引起的疼痛。

☞用法

本藥不受食物影響，空腹或與食物一起服用均可；不過，最好與食物或一大杯水一起服用，以免對胃產生刺激。如有必要時，此藥的藥片可以壓碎服用。當使用液體藥物時，應該使用有刻度的量杯或藥管，以量取正確的藥量，並且在飲用時最好能同時飲用一大杯的水，以免引起舌頭麻痹。

☞注意事項

此藥會產生想睡覺及頭暈的感覺，尤其是剛開始服藥期間，除非已經適應了此藥，當開車或操作危險機械時，應該格外小心謹慎。酒精會增加此藥的思睡作用，應當避免飲用或限制用量。

如果懷孕，對藥物過敏，經常飲用大量的酒，或者有肝臟疾病、前列腺腫大、氣喘、排尿困難、腎臟病、癲癇症、膽囊疾病或膽結石、頭部受傷等等，醫師需要進一步考慮這些情況，並且謹慎用藥。因此在使用此藥之前，應該事先通知醫師。

安眠藥、肌肉鬆弛劑、鎮靜劑、抗過敏藥、抗抑鬱藥、精神病藥，及其他的止痛藥等等，都有可能會增加此藥的思睡作用。同時服用這些藥物時，應當特別注意其思睡的相乘效果。

此藥具有成癮性，除了醫師許可外，通常不該連續使用超過10天。同時，也不可服用超過醫師所指示的劑量或使用的時間。經過一段時間服藥後，止痛效力可能會漸漸地降低，如果發生此一現象時，應該徵求醫師的指示，千萬不可自行增加劑量。

長期服用此藥後，不能突然地停藥，因爲突然停藥有可能會產生失眠、精神緊張激動、顫抖、惡心嘔吐、胃痛等症狀。如果要停藥的話，應該遵循醫師的指示，漸漸地降低服藥的劑量或次數，然後再停藥。

如果在服藥期間，有便秘發生的話，就應該多食用蔬菜或水果等幫助消化的食物，並且在身體許可下，多做運動或飲用多量的水分。服用此藥後也許會產品口渴的現象，但是如果能夠含一塊冰塊或糖果在嘴內的話，應該可以減少此一副作用。

剛開始服用此藥時，可能會產生頭昏眼花的感覺，尤其是突然站立或坐起時，不過如果能夠緩慢地站立或坐起，應該會減少此一現象。

☞副作用

此藥常見的副作用爲：口乾、尿急或小便疼痛、思睡、便秘、胃腸不適、惡心、虛弱無力、視覺模糊、感覺不舒服、嘔吐、緊張不安、頭痛、頭暈目眩等。這些副作用，通常在服用藥物一陣子後，應該會漸漸消失。不過，如果這些副作用強到困擾你的程度，或者經過一段時間後，還不能完全消除，就應該通知醫師。

此藥較嚴重的副作用爲：心跳過快、皮膚發紅、肌肉顫抖、呼吸困難、極度的興奮不安、精神沮喪、精神恍惚、臉部水腫等。通常這些副作用發生的機率較低，但是如果發生時，可能是藥物造成的不良反應，或者是劑量需要調整。應該盡快通知醫師。

☞懷孕及哺乳

此藥對懷孕初期孕婦的影響，並無很完備的資料，但是如果在懷孕後期長期大量服用的話，可能會造成胎兒上癮，並於產後產生緊張不安、顫抖、哭鬧不安等症狀。懷孕時最好能通知醫師，他會衡量狀況，情況允許的話可能會以短期使用及較低劑量讓患者服用。

此藥會經由母乳到達嬰兒體內，可能會造成新生兒過度的安睡，餵奶的母親應該使用其他的乳製品，以取代母乳。

☞忘記用藥

如果忘記服藥，應該在記得時，立即服用。但是，如果距離下次服藥的時間太近，就應該捨棄所遺忘的藥物，恢復到正常服藥的時間，千萬不可一次服用雙倍的劑量。

Hydroxyzine(亥多西新)

商品名(台灣)

Arax®(安星)
Disron®(日・帝國)
Nirax®(金馬)
Ucerax®(乖乖)
Vistaril®(輝瑞)

商品名(美國)

Atarax®(Roerig)
Vistaril®(Pfizer)

☞藥物作用

本藥爲一種「抗過敏」藥，主要使用於許多過敏反應所引起的皮膚發紅、發癢現象，以及花粉過敏或傷風感冒所引起的流鼻水，打噴嚏，眼睛發紅、發癢等等；亦能當作抗焦慮的藥物使用，以減少病人情緒上的緊張不安。

☞用法

本藥不受食物的影響，空腹或與食物一起服用均可。如果覺得此藥會造成胃的刺激，可將其與食物一起或飯後服用。如有必要時，此藥膠囊可以打開、藥片可以壓碎服用。如果使用是的液體藥物時，每次在使用之前，應先將藥瓶輕微搖動使藥物能均勻分散，並使用有刻度的量杯或藥管，以量取正確的藥量。

☞注意事項

此藥會造成極大的思睡作用，除非已經適應了此藥的作用，當開車或操作危險機械時，應該格外小心謹慎。酒精會增加此藥的思睡作用，應當避免或限制用量。

如果懷孕，對藥物過敏，或者有心臟疾病、甲狀腺機能亢進、青光眼、前列腺腫大、氣喘、排尿困難等等，醫師需要針對這些情況更爲謹慎用藥。因此，在使用此藥之前，應該事先通知醫師。

安眠藥、肌肉鬆弛劑、鎮靜劑、抗過敏藥、感冒藥、抗抑鬱藥、止痛藥等等，都有可能會增加此藥思睡的副作用。同時服用這些藥物時，應當特別注意彼此增加思睡的相乘效果。

在做皮膚過敏反應測試前，應該事先通知醫師有服用此藥。因爲此藥的抗過敏作用，可能會干擾測試結果。

本藥會增加皮膚對陽光的敏感性，如果在陽光下曝曬太久了，有可能會導致皮膚的過敏或灼傷，應該盡量避免陽光直接曝曬，並穿著長袖衣物，以保護皮膚。

小孩及老年人對此藥較一般人敏感，可能會引起做噩夢、不正常的興奮及情緒不安等等。另外，老年人較易引起虛幻、排尿困難、頭暈、口舌乾燥、低血壓等等。

如果服藥期間有便秘發生的話，就應該多食用蔬菜或水果等幫助消化的食物，並且在許可下，多做運動或飲用多量的水分。服用此藥後也許會產生口渴的現象，但是如果能夠含一塊冰塊或糖果的話，應該可以減少此一副作用。

☞副作用

此藥常見的副作用爲：口乾、心跳增快、皮膚對陽光敏感、耳鳴、思睡、流汗增加、胃口降低、胃腸不適、做噩夢、排尿困難、視覺模糊、精神恍惚、精神緊張及不正常的興奮、頭暈等。這些現象通常在服藥一陣子後，應該會漸漸地消失；不過，如果強到困擾你的程度，或者經過一段時間後，還不能完全消除，就應該通知醫師。

此藥較嚴重的副作用爲：幻覺、失眠、皮膚起紅疹或有青紫色的瘀傷、呼吸困難、恍惚或沮喪、突然發燒、發冷或喉嚨痛、眼睛及皮膚發黃、極端疲倦、精神極度興奮等。通常這些副作用發生的機率較低，但是如果發生時，可能是藥物造成的不良反應，或者是劑量需要調整，應該盡快通知醫師。

☞懷孕及哺乳

此藥對孕婦的影響並無一致的結論。曾有資料顯示此藥不會對胎兒造成任何影響，不過也有資料顯示此藥會對胎兒造成缺陷，尤其是懷孕前三個月可能性最高。當懷孕時應該通知醫師，他會考慮情況，決定是否應該服藥。

此藥會經由母乳到達嬰兒體內，為了避免藥物可能造成新生兒的不良影響，餵奶的母親應該考慮使用其他乳製品，以取代母乳。

☞忘記用藥

如果忘記服藥，應該在記得時，立即服用。但是，如果距離下次服藥的時間太近，就應該捨棄遺忘的藥物，恢復到正常服藥的時間，千萬不可一次服用雙倍的劑量。

Ibuprofen(伊普)

商品名(台灣)

Berufen®(政德)
Broben®(優生)
Brufen®(科研)
Buburone®(日・Towa)
Buprofen®(利達)
Degiton®(羅得)
Easifon®(永豐)
Guasheaton®(林化學)
Ibufen®(正氏)
Ibugen®(培力)
Ibuten®(安主)
Illume®(安主)
Iprofen®(皇佳)
Ipufen®(井田)
Iputon®(內外)
Kortufen®(井田)
Lederprofen®(氰氨)
Librofen®(汽巴嘉基)
Mac Safe®(回春堂)
Metrofen®(國際)
Motrin®(普強)
Nobafon®(大亞)
Outinflame®(華興)
Profen®(新豐)
Purfen®(瑞安)
Relcofen®(英・Arthur)
Serviprofen®(瑞士・SVP)
Ton Fonlin®(陽生)
U-Pedia®(優良)
Uprofen®(優良)

商品名(美國)

Advil®(Whitehall)
Ibu-Tab®(Alra)
Midol 200®(Glenbrook)
Motrin-IB®(Whitehall)
Motrin®(Upjohn)
Nuprin®(B.M.S)
Pediaprofen®(Maneil)
Rufen®(Boots)

☞藥物作用

本藥為一種「非固醇類止痛及抗發炎」藥物。其主要的作用，就是能阻止體內「前列腺素」的產生，此一化學物質通常是造成關節疼痛以及發炎腫脹的主因，它可以解除風濕性關節炎，以及骨關節炎所引起的關節僵硬、疼痛、發炎、發腫的現象。此藥同時可以解除多種輕微到中度的疼痛，如頭痛、牙疼、月經痛，以及肌肉扭傷所引起的疼痛等。此藥同時有退燒的作用，可使體溫降到正常程度。

☞用法

爲了減輕對胃的刺激，此藥最好與食物或飯後服用，並飲用一杯水(約240cc.)。在服完藥後15至30分鐘內，最好不要立即躺下，以免藥物對上消化道直接刺激。如有必要時，此藥的藥片可以壓碎服用。如果是使用液體藥物時，每次在使用前，應先將藥瓶輕微搖動，使藥物能均勻分散，並使用有刻度的量杯或藥管，以量取正確的藥量。

☞注意事項

服用此藥後，可能會產生輕微頭暈目眩及視覺模糊現象，並且可能會有疲乏的感覺。因此，在尚未適應此藥之前，當開車或操作危險機械時，應該格外地小心謹慎。

如果懷孕或哺乳嬰兒，對藥物過敏，或者有血液凝固方面的問題、肝臟疾病、紅斑性狼瘡、胃出血、胃潰瘍、氣喘病、高血壓、充血性心衰竭、腎臟病、糖尿病等等，醫師需要針對這些情況謹慎用藥，使用此藥前，應該先通知醫師。

長期服用此藥對胃的刺激非常大，應該隨時留意是否有胃出血或胃潰瘍發生。如果有暗黑色條紋或塊狀的糞便時，此爲內出血的徵兆，應該通知醫師做進一步的檢查。

服用阿斯匹靈或酒精會增加此藥對胃腸的刺激，應該盡量避免與此藥合用。另外一些抗關節炎藥物，或者抗凝血劑也會增加胃腸的刺激作用、降低血液凝固的能力，如果長期與此藥合用，有造成胃出血的可能。因此同時使用這些藥物時，應該得到醫師的許可。

如果服用此藥的目的是要退燒，當使用此藥超過3天，而體溫還不能降低的話，就應該通知醫師。如果服用此藥是爲止痛，當服用此藥超過10天(小孩5天)，而疼痛仍然不能消除時，也應該通知醫師。

如果服用此藥的目的在治療關節炎，通常在服藥後的一個星期內，四肢關節的症狀，應該有所改善。但是通常此藥至少必須經過兩三個星期，才能達到最大的作用。另外，由於此藥只能改善關節炎的症狀，並不能治癒，必須長期按時服用，才能達到最好的效果，也不能因爲一時覺得症狀已經改善而停止服藥。

此藥會抑制血液的凝固使流血的時間增長，在拔牙或動手術之前，應該先通知醫師，通常在手術前幾天，醫師會要求停止服用此藥，以免手術進行當中造成過量流血的現象。

此藥有可能會增加水分在體內的滯留，間接地使血壓升高，或增加心臟病患者心臟的工作量。因此應該隨時留意四肢，如果發現有腫脹時，就應該通知醫師。

老年人對此藥所引起的胃腸副作用較一般人敏感；同時，由於老年人的腎臟功能較一般人爲差，藥物經由腎臟排出體外的能力也相對地降低，最後可能會導致藥物積聚而引起腎臟及肝臟的毒性。醫師可能會要求此類病人服用較一般人爲低的劑量，甚至到減半的程度。使用此藥時，應該完全遵照醫師指示的劑量服用。

☞副作用

此藥常見的副作用爲：下痢、便秘、胃口增加或降低、胃腸不適或疼痛、消化不良、胸口灼熱、惡心、腹部脹氣、嘔吐、精神緊張、頭痛、頭暈目眩等。這些現象通常在服用藥物一陣子後，會漸漸消失；不過，如果強到困擾你的程度，或者經過一時間後，還不能完全消除，就應該通知醫師。

此藥較嚴重的副作用爲：心跳不正常、皮膚起紅疹或發癢、吐血或含暗黑色的物質、含有帶黑色的糞便、呼吸困難、氣喘、胸痛、發熱、發冷及喉嚨痠痛、腹痛或胃痛、嚴重的頭痛等。通常這些副作用發生的機率較低，但是如果發生時，可能是藥物造成的不良反應，或者是劑量需要調整，應該盡快通知醫師。

☞懷孕及哺乳

目前尚無資料顯示此藥會造成胎兒生長缺陷，但是懷孕婦女最好不要服用此藥。孕婦於懷孕後期尤其是最後三個月服用此藥的話，可能會造成胎兒心臟血管及血液凝結方面的問題。同時，此藥可能會增長孕婦懷孕、生產的時間和其他生產過程中的問題。

少量的藥物會經由母乳到達新生兒體內，可能會造成新生兒血液循環及心臟血管方面的問題。餵奶的母親應該考慮使用其他乳製品以取代母乳。

☞忘記用藥

如果忘記服藥，應該在記得時，立即服用。但是，如果一天服藥兩次以上，而下次服藥的時間少於4小時，就應該捨棄此次藥物，恢復到下次正常服藥的時間，不可以一次服用雙倍的劑量。

Imipramine(伊米普樂敏)

商品名(台灣)

Emiranil®(美・Bolar)
Fronil®(強生)
Imimine®(榮民)
Imine®(井田)
Tofnil®(王氏)
Tofranil®(汽巴加基)

商品名(美國)

Janimine®(Abbott)
Tofranil®(Geigy)

☞藥物作品

本藥爲一種「抗憂鬱」的藥物。病變所引起的憂鬱或沮喪，是由於腦部負責神經傳導的化學物質，失去平衡所造成的。此藥的作用就是，能使此類化學物質恢復到正常的含量，而達到治療的目的，使病人漸漸恢復開朗與自信。此藥亦可作爲治療頭痛，或其他慢性痛的輔助藥物，以及用來治療小孩的夜尿症。

☞用法

本藥不受食物的影響，因此空腹或與食物一起服用均可。如有必要時，此藥的藥片可以壓碎服用。使用本藥時，應該避免與酒一起服用。

☞注意事項

此藥會產生想睡覺的感覺，尤其是剛開始服藥期間。除非已經適應了此藥的作用，當開車或操作危險機械時，應該格外地小心謹慎。酒精會增加此藥思睡的作用，應當避免飲用或限制酒量。

如果懷孕或餵哺嬰兒，對藥物過敏，經常飲用大量的酒，或者有心臟病、甲狀腺機能亢進、肝臟疾病、青光眼、前列腺重大、氣喘、排尿困難、腎臟病、精神病、癲癇等等，醫師需要針對這些情況謹慎用藥，因此在使用此藥前，應該事先通知醫師。

安眠藥、肌肉鬆弛劑、鎮靜劑、抗過敏藥、感冒藥、抗抑鬱藥、止痛藥等藥物，都有可能會增加此藥的思睡作用。同時服用這些藥物時，應當特別注意彼此增加思睡的相乘效果。

剛開始服用此藥時，必須經過幾個星期的時間，才能達到完全的藥物作用。因此不能因爲一時覺得藥物無效而放棄服用。同時，此藥必須定期服用才有最好的效果，也不能因爲一時覺得症狀已經改善而停止服藥。

使用此藥期間，醫師需要定期評估藥效反應，以便適當調整所服用的劑量，因此需要遵守醫師的指示，定期到醫院或診所做檢查。長期大量服用此藥後，不能突然地停藥，因爲突然停藥有可能會產生頭痛、惡心、極端的不舒服等症狀。患者應該遵循醫師的指示，漸漸降低劑量或次數，然後再停藥。

在拔牙或動手術之前，應該先通知醫師有服用此藥。因爲在手術期間所使用的麻醉藥，或者是肌肉鬆弛劑也許會與此藥產生不良的作用，如血壓降低或呼吸困難等等。

本藥會增加皮膚對陽光的敏感性，如果在陽光下曝曬太久，有可能會導致皮膚過敏或灼傷，因此應該盡量避免陽光直接曝曬，並穿著長袖衣物，以保護皮膚。

服用此藥後，如果突然地起立或坐起，也許會覺得頭暈目眩，不過如果能夠減慢速度，應該能改善此一現象。如果服用此藥會覺得口渴，放一塊冰塊或者含一顆糖果在嘴內，應該能改善此一現象。

許多藥物會對此藥產生作用，也許會降低或增強彼此的藥效，或者是對身體產生不良的作用。因此，無論服用的是成藥或是處方藥，最好能養成服藥前先諮詢醫師或藥師的良好習慣。

☞副作用

此藥常見的副作用爲：口乾、失眠、拉肚子、思睡、疲倦、胸口灼熱、惡心、過量的流汗、頭痛、頭暈等。這些副作用，通常在服藥一陣子後，會漸漸地消失；不過，如果強到困擾你的程度，或者經過一段時間後，這些症狀還不能完全消除，就應該通知醫師。

此藥較嚴重的副作用爲：手腳及頭部不正常的顫動、手腳僵硬、小便困難、心跳不正常、皮膚有不正常的青紫色瘀傷、皮膚起紅疹或發癢、呼吸困難、神經緊張不安、眼痛、眼睛及皮膚發黃、發燒、發冷及喉嚨疼痛、視覺模糊、極端的疲倦、精神恍惚等。通常這些副作用發生的機率較低，但是如果發生時，可能是藥物造成的不良反應，或者是劑量需要調整，應該盡快通知醫師。

☞懷孕及餵奶

此藥對孕婦的影響沒有一致的結論，不過有臨床資料顯示此藥可能會影響胎兒的發育，尤其是前三個月懷孕期間的可能性最高。同時，孕婦於生產前一個月服用此藥的話，可能會影響胎兒呼吸、心臟及排尿系統方面的問題。因此，除了有絕對的需要，並且經醫師的同意外，孕婦應該避免服用。

少量的藥物會經由母乳到達嬰兒體內，可能會造成新生兒過度的安睡，餵奶的母親應該考慮使用其他乳製品，以取代母乳。

☞忘記用藥

如果一天服用兩次以上，應該在記得時，立即服用。並將當天未服完的劑量，依照等分的時間間隔服完。但是，如果距離下次用藥的時間太近，就應該捨棄此次的藥物，恢復到下次正常用藥的時間，千萬不可一次使用雙倍的劑量。假如一天服用一次，而且在晚上服用的話，如果忘記用藥，應該在記得時立即服用。但是，如果等到第二天才記起來，就應該捨棄所遺忘的藥物，然後恢復到正常用藥的時間，千萬不可使用雙倍的劑量。

Indapamide(因達拍邁)

商品名(台灣)

Depermide®(回春堂)
Diflerix®(塞・Medo)
Frumeron®(塞・Remedica)
Hamidol®(新豐)
Jatrisyn®(仁興)
Milix®(美時)
Namid®(東洋)
Napamide®(紐・Douglas)
Natrilix®(法・Servier)
Winmide®(溫士頓)

商品名(美國)

Lozol®(Rorer)

☞藥物作用

本藥為一種「利尿劑」。它可以用來預防高血壓、消除水腫，以及預防充血性心衰竭的發生。如果體內含過多的水分，將會增加血管內部的壓力，因而造成水腫或高血壓，導致心臟因為長久的負荷，而產生衰竭。此藥的作用，就是能夠幫腎臟，將體內多餘的水分排出，而達到治療的目的。

☞用法

此藥通常是一天服用一次，由於是利尿劑，如果在睡前服用的話，可能會因起床小便而干擾睡眠。並且為了避免藥物可能對胃的刺激，因此，最理想的服藥時間，應該是用完早餐以後。如果一天服藥的次數超過一次，應該安排最後一次服藥的時間，以不超過晚上6點為準。如有必要時此藥的藥片可以壓碎服用。

☞注意事項

如果此藥是用來治療高血壓的話，它只能控制血壓，並不能真正治癒高血壓。服用此藥後，必須經過幾個星期後，才能將血壓慢慢降下來，為了達到完全的降壓效果，必須每天固定服用此藥，即使血壓已經控制穩定，也不可忘記或省略服藥。

如果懷孕，對藥物過敏(尤其對磺胺藥過敏)，或者有肝臟疾病、腎臟病、痛風、糖尿病等等。醫師需要針對這些情況更為謹慎用藥，因此在使用此藥前，應該先通知醫師。

市面上許多治療過敏、鼻塞、咳嗽、感冒，以及減肥的成藥中，經常含有會使血壓升高的成分。為了避免造成血壓突然的升高，在服用此類藥物前，應該事先諮詢醫師或藥師的意見。

食用低鹽量的食物，可能增加本藥降血壓的效果，因此，應該遵循醫師指示，控制食物中鹽的含量。

此藥會增加小便的次數，如果在夜晚服用的話，可能會因為多次的起床小便而影響到正常的睡眠。因此最後一次服藥的時間，最好能安排於晚上6點以前。

長期服用此藥後，會使體內的鉀離子含量降低，造成口渴、虛弱、肌肉無力或抽筋、心跳不規則等等。因此，醫師可能會要求多吃含鉀量高的食物，如香蕉、橘子水，或者服用含鉀的藥物，以補充鉀離子。如果長期服用此藥，應該詢問醫師如何補充缺乏的鉀離子。

剛開始服用此藥的時候，小便的次數及數量都會增加，並且也許會有極端疲倦的感覺，通常此一現象在幾天後會漸漸地減少。如果經過一陣子後仍然不能消除，就應該通知醫師。

此藥可能會引起頭暈目眩，尤其是早上剛起床的時候。但是如果能緩慢地起身或站立，應該可以減緩此一現象。另外，為了避免此一副作用，應該避免站立太久、避免飲用大量的酒、不要在太陽下做太激烈的運動，以及洗太熱的熱水澡等等。

本藥會增加皮膚對陽光的敏感性，如果在陽光下曝曬太久，有可能會導致皮膚的灼傷或過敏，以及造成脫水的可能，應該盡量避免陽光直接曝曬，並穿著長袖衣物，以保護皮膚。

此藥可能會使血糖升高，因此糖尿病的患者，應該更密切地測量自己尿液或血液中糖的含量。

在拔牙或動手術之前，應該先通知醫師有服用此藥。

☞副作用

此藥常見的副作用為：失眠、拉肚子、胃口降低、胃腸不適、頭痛、頭暈目眩等。通常這些現象在服用藥物一陣子後，應該會漸漸消失。不過，如果強到困擾你的程度，或者經過一段時間後，這些症狀還不能完全消除，就應該通知醫師。

此藥較嚴重的副作用為：口乾、心律不正常、皮膚發紅、肌肉抽筋或疼痛、情緒改變、虛弱、發癢等。通常這些副作用發生的機率較低，但是如果發生時，可能是藥物造成的不良反應，或者是劑量需要調整，應該盡快通知醫師。

☞懷孕及哺乳

目前為止，尚無動物實驗顯示此藥會造成胎兒生長缺陷或損傷。然而，由於此藥會經由胎盤到達胎兒體內，可能會造成胎兒出生後黃疸、貧血、低血糖或血液凝固方面的問題。因此，除非經由醫師許可，孕婦應該避免服用此藥。

目前為止，尚不知此藥是否會經由母乳到達嬰兒體內，為了避免造成新生兒的不良作用，服藥期間，應該停止餵食母乳，而改用其他的乳製品來取代，待停藥兩三天後，再恢復餵食母乳。

☞忘記用藥

如果忘記服藥，應該在記得時，立即服用。但是，如果距離下次服藥的時間太近，就應該捨棄遺忘的藥物，恢復到正常服藥的時間，千萬不可一次服用雙倍的劑量。

Indomethacin(因多美沙信)

商品名(台灣)

Arthrexin®(澳・Alpha)
Cedric®(三東)
Enthacin®(根達)
Flexin®(英・Napp)
Indalgin®(榮民)
Indecin®(榮興)
Indershin®(井田)
Indocid®(美・Merck)
Indocine®(西德有機)
Indocin®(三東)
Indocin®(成大)
Indomen®(永信)
Indomesa®(強生)
Indome®(福元)
Indothan®(合誠)
Indothin®(正氏)
Indoy®(生達)
Inpan®(中美)
Intaliton®(杏林)
Inteban®(日・Sumitomo)
Intedaru®(日・Choseido)
Inzutolin®(金田)
Kindocid®(景德)
Methacin®(應元)
Methatin®(安主)
Patetin®(葡萄王)
Pisulou®(陽生)
Reflox®(世紀)
Servimeta®(瑞士・Cimex)

商品名(美國)

Indocin®(Merck)
Indocin SR®(Merck)

☞藥物作用

本藥爲一種「非固醇類止痛及抗發炎」的藥物。其主要的作用，就是能阻止體內「前列腺素」的產生，此一化學物質通常是造成關節疼痛、發炎、腫脹的主要原因，因此可以用來解除風濕性關節炎，以及骨關節炎所引起的關節僵硬、疼痛、發炎和發腫的現象。此藥同時可以短期使用於解除急性痛風引起的疼痛。

☞用法

此藥對胃的刺激相當大，因此，爲了減輕對胃的刺激，此藥最好與食物或飯後服用，並同時飲用一杯水。在用完藥後的30分鐘內，最好不要立即躺下，以免藥物對上消化道的直接刺激。本藥分爲普通膠囊及長效釋放型膠囊兩種，如有必要時，此藥之普通膠囊可以打開來服用，但是長效釋放型膠囊應該整粒吞服，不可在嘴內咀嚼或打開來服用。

本藥另外有肛門栓劑，其使用的方法，請參見頁5。

☞注意事項

服用此藥後，可能會產生輕微頭暈目眩及視覺模糊，並且可能會產生疲乏的感覺。因此，在尙未完全適應此藥之前，當開車或操作危險機械時，應該格外地小心謹慎。

如果懷孕或哺乳嬰兒，對藥物過敏，或者有血液凝固方面的問題、肝臟疾病、紅斑性狼瘡、胃出血、胃潰瘍、氣喘病、高血壓、充血性心衰竭、腎臟病、精神沮喪、糖尿病、癲癇症等，醫師需要針對這些情況謹慎用藥，因此在使用此藥之前，應該事先通知醫師。

長期服用此藥對胃的刺激非常大，應該隨時留意是否有胃出血，或胃潰瘍發生。如果有暗黑色條紋或塊狀的糞便時，此爲內出血的徵兆，應該通知醫師做進一步的檢查。

服用阿斯匹靈或酒會增加此藥對胃腸的刺激，應該盡量地避免與此藥一起合用。另外一些抗關節炎藥物，或者抗凝血劑也會增加胃腸的刺激作用、降低血液凝固能力，如果長期與此藥一起合用，有造成胃出血的可能。因此當同時使用這些藥物時，應該事先得到醫師的許可。

如果服用此藥的目的在治療關節炎，通常在服藥後的兩個星期之內，四肢關節的症狀，應該有所改善，但是通常此藥至少必須經過三至四個星期，才能達到最大的作用。另外，由於此藥只能改善症狀，並不能完全治癒關節炎，同時必須長期服用，才能達到最好效果，也不能因爲一時覺得症狀已經改善而停止服用。

此藥會抑制血液的凝固使流血的時間增長，因此在拔牙或動手術之前，應該先通知醫師，通常在手術前幾天，醫師會要求停止服藥，以免手術進行中造成過量流血。

此藥可能會增加水分在體內滯留，間接地會使血壓升高，或增加心臟的工作量。因此應該隨時留意四肢，發現有腫脹情況時就應該通知醫師。

老年人對此藥所引起的胃腸副作用較一般人敏感。同時，由於老年人的腎臟功能較一般人差，藥物經由腎臟排出體外的能力也相對地降低，有可能會導致積聚而引起腎臟及肝臟的毒性。醫師可能會要求此類病人服用較一般人為低的劑量，甚至到減半的程度。當使用此藥時，應該完全遵照醫師所指示的劑量服用。

☞副作用

此藥常見的副作用為：流汗增加、頭暈目眩、頭痛、胃腸不適或疼痛、便秘、下痢、胸口灼熱、消化不良、惡心、嘔吐等。這些副作用，通常在服用藥物一陣子後，應該會漸漸消失；不過，如果強到困擾你的程度，或者經過一段時間後，還不能完全消除，就應該通知醫師。

此藥較嚴重的副作用為：胸痛、腹痛或胃痛、含有帶黑色的糞便、呼吸困難、氣喘、心跳不正常、嚴重的頭痛、皮膚起紅疹或發癢、發熱、發冷及喉嚨疼痛、吐血或含暗黑色的物質等。通常這些副作用發生的機率較低，但是如果發生時，可能是藥物造成的不良反應，或者是劑量需要調整，應該盡快通知醫師。

☞懷孕及哺乳

孕婦應該避免服用此藥。根據動物實驗顯示，此藥可能會影響胎兒正常的發育和骨骼的發展，造成胎兒體重過輕，以及神經系統方面的損傷。如果在懷孕後期，尤其是最後三個月服用此藥的話，可能會造成胎兒心臟血管及血液凝固的問題。同時，此藥也可能會增長孕婦懷孕及生產的時間以及其他生產過程中的問題。

少量的藥物會經由母乳到達新生兒體內，造成新生兒血液循環及心臟血管方面的問題。餵奶的母親應該使用其他乳製品以取代母乳。

☞忘記用藥

如果忘記服藥，應該在記得時，立即服用。但是，如果一天服藥一次，而距離下次服藥的時間少於8小時；或一天服藥兩次以上，而距離下次服藥的時間少於4小時，就應該捨棄此次藥物，恢復到下次正常服藥的時間，不可以一次服用雙倍的劑量。

Ipratropium(伊普托平)

商品名(台灣)

Atrovent®(百靈佳)

商品名(美國)

Atrovent®(BI)

☞藥物作用

本藥為一種「支氣管擴張劑」，可以作用於支氣管的肌肉細胞，使支氣管擴張，以便更多空氣進入肺部，幫助病人的呼吸。它可以用來紓解氣喘病、支氣管發炎，及肺氣腫所引起的呼吸困難。但是對於急性氣喘的發作，並沒有立即擴張支氣管的作用，因此不能當作急性氣喘發作時的急救藥物使用。

☞用法

當使用此口腔噴霧劑時，為了達到完全的藥效，應該在第一次使用前，詳細閱讀說明書，或請教醫師、藥師正確的使用方法。並且，每次在使用之前，應先將藥瓶輕微搖動，使藥物能均勻分散。

☞注意事項

本藥通常附有使用說明書，在使用之前，應該詳細地加以閱讀，有任何的疑問，可請教醫師或藥師。

使用噴霧劑的方法，請參見頁18。

使用此噴霧劑時，醫師也許會要求另外使用Albuterol或是Metaproterenol的噴霧劑。當同時使用此類噴霧劑時，應該先使用前者藥物，大約5分鐘後，再使用本藥。如此一來，先前的藥物可以藉著支氣管鬆弛擴張的作用，幫助本藥深入肺部的微小支氣管，達到治療氣喘的最大效果。

如果懷孕，對藥物過敏，或者有青光眼、前列腺腫大、排尿困難等等，醫師需要針對這些情況謹慎用藥，因此在使用此藥前，應該先通知醫師。

本藥的口腔噴霧劑是用來紓解氣喘的症狀，必須長期使用才有效。但是對於急性氣喘的發作，並沒有立即擴張支氣管的作用，因此不能當作急性氣喘發作的急救藥物使用。

長期使用此藥後，可能會使口水的分泌減少，讓患者覺得口乾，同時也可能使蛀牙、牙周病，以及口腔細菌感染的機會增加。因此使用此藥期間，應該經常保持口腔衛生，並且常漱口以保持濕潤。

如果覺得所使用的劑量不能紓解症狀、呼吸的頻率加快，或者使用藥物的次數增加等等，這些症狀通常是病情加重或支氣管痙攣的先兆。應該盡快通知醫師，他會對病情重新做檢查及評估，以便適當地更換或調整藥物的劑量。

使用此藥時，應該完全依照醫師的指示使用，不可超過指示的劑量或次數。過多的劑量可能會造成嚴重的併發症，甚至可能會使氣喘加重。當依照醫師的指示用藥後，如果呼吸的狀況還不能改善的話，就應該通知醫師。

使用完口腔噴霧劑時，應該用溫水將噴霧劑的口部徹底清洗乾淨，並且用紙巾擦乾。一天至少應該清潔一次，以保持衛生。如果出遠門的話，最好能夠攜帶充分的藥物補給。在拔牙或動手術之前，應該先通知醫師有服用此藥。

☞副作用

此藥發生副作用的機會不大，或者是較爲輕微。一般較可能發生的副作用爲：口部及喉嚨因爲乾燥所引起的不舒服、心跳加快或加強、咳嗽、胃腸不適、惡心、視覺模糊、精神緊張、頭痛、頭暈等等。這些副作用通常在服用藥物一陣子後，應該會漸漸地消失。不過，如果強到困擾你的程度，或者經過一段時間後，這些症狀還不能完全消除，就應該通知醫師。

☞懷孕及哺乳

根據動物實驗顯示，在正常的劑量下，此藥尚不至於造成胎兒的生長缺陷。但是，由於此藥對孕婦的數據有限，當懷孕時，最好還是遵循醫師的指示用藥。

此噴霧劑經由口部呼吸而進入母親血液循環的劑量有限，目前爲止尙無醫療報告顯示會對餵奶的嬰兒造成不良的影響，不過當餵哺嬰兒前，最好還是徵求醫師的意見。

☞忘記用藥

如果忘記服藥的話，應該在記得時，立即使用。並將當天未用完的劑量，依照相等的時間間隔使用完。但是，如果距離下次用藥的時間太近，就應該捨棄此次的藥物，恢復到下次正常用藥的時間，千萬不可一次使用雙倍的劑量。

Isoniazid(異菸鹼酸)

商品名(台灣)

Duracrin®(人人)	INAH®(信東)	Lunging®(健康)
Fetefu®(井田)	Iscotin®(第一)	
Hydrazin®(中化)	Isonin®(永豐)	

商品名(美國)

Laniazid®(Lannett)
Nydrazid®(Squibb)

☞藥物作用

本藥爲一種「抗肺結核」的藥物。它通常需要與其他的藥物合用，以達到最有效的抗結核治療效果。

☞用法

爲了增強藥物的吸收作用，使用本藥時，最好在空腹時服用，譬如飯前一小時，或飯後兩小時。此藥通常是一天服用一次，不論是早上或晚上服用，最好養成每天在固定時間服藥的習慣，以減少忘記。如有必要時，此藥的藥片可以壓碎服用。

☞注意事項

此藥需要長期服用才能達到藥效，通常服藥的時間是6個月到2年。但是在服藥幾個星期後，應該可以改善症狀。經過一段時間服藥後，如果覺得症狀已經減輕或完全消除時，不可以突然地停藥，過早停藥可能會使感染復發。必須遵從醫師的指示，每天定時服藥，並且服用完醫師的處方。當身體完全康復後，仍然需要定期到醫院做檢查，以查驗是否會復發。

如果懷孕，對藥物過敏，每天服用大量的酒，或者有肝臟疾病、腎臟病等等，醫師需要針對這些情況謹慎用藥，因此在使用此藥之前，應該先通知醫師。

如果同時服用制酸劑時，應該在服用此藥的一小時後再服用。

如果在服用此藥期間同時使用Phenytoin（抗癲癇藥物）的話，會減緩Phenytoin排出體外，使其在體內的濃度升高，有可能會濃度過高而導致藥效過強，造成對身體的毒性。如果同時使用此兩種藥物的話，就應該通知醫師，他會適當地調整抗癲癇藥物的劑量。

此藥最值得關注的副作用，就是可能對肝臟的影響。在服用藥物期間，醫師可能會要求定期驗血以測量肝功能是否正常。另外，如果有疲倦、虛弱、厭食、惡心、嘔吐、不舒服等等現象時，此爲肝臟受損的徵兆，要盡快通知醫師。

通常服用此藥之前或者在服藥期間，醫師會定期檢查眼睛，如果覺得有視覺模糊或眼睛疼痛時，就應該通知醫師，他會做進一步的檢查。

酒精會增加此藥對肝臟的毒性，降低此藥的作用，應該避免喝酒。此藥會造成糖尿病患者尿液檢查時的錯誤陽性反應，當要根據尿液檢查結果調整飲食或增加糖尿病藥物的劑量時，應該事先徵詢醫師的意見。

☞副作用

此藥常見的副作用爲：胸口灼熱、惡心、腹痛、嘔吐、頭暈等等。這些副作用，通常在服用藥物一陣子後，應該會漸漸地消失。不過，如果這些副作用強到困擾你的程度，或者經過一段時間後，還不能完全消除，就應該通知醫師。

此藥較嚴重的副作用爲：手腳發麻顫抖、皮膚出現不正常瘀傷、皮膚或眼睛發黃、皮膚起紅疹、胃口降低、疲倦、眼痛、虛弱、發冷、發燒、視覺模糊、嘔吐等。通常這些副作用發生的機率較低，但是如果發生時，可能是藥物造成的不良反應，或者是劑量需要調整，應該盡快通知醫師。

☞懷孕及哺乳

此藥對懷孕婦女的影響有不同的結論，但是一般來講造成胎兒缺陷的機會並不是很大。另外，由於肺結核屬於傳染病的一種，對社會會造成深遠的影響，因此醫師也許會要求在懷孕期間繼續服用此藥，但是他可能會合併使用幾種較安全的藥物，以降低此藥可能的副作用。如果使用此藥的目的在預防肺結核，醫師也許會要求生產後才使用。

此藥會經由母乳到達嬰兒體內，爲了避免造成新生兒的不良作用，服藥期間，應該停止餵食母乳，而改用其他的乳製品來取代。

☞忘記用藥

如果忘記服藥，應該在記得時，立即服用，但是，如果距離下次服藥的時間太近，就應該捨棄所遺忘的藥物，恢復到下次正常服藥的時間，千萬不可一次服用雙倍的劑量。

Isosorbide Dinitrate/Isosorbide Mononitrate(伊速必得)

商品名(台灣)

Isosorbide Dinitrate

Angiolax®(新豐)
Apo-ISDN®(加・Apotex)
Cedocard®(荷・Cedona)
Corolax®(人人)
Frandol®(日・Toaeiyo)
Iso Retard®(德・Merck)
Isobide®(衛達)
Isoket® Spray(德・Schwarz)
Isordil®(惠氏)
Nitorol®(衛材)
Soni-Slo®(英・Lipha)
Sorbitrate®(美・Zenica)
Sorcilin®(皇佳)
U-Sorbide®(優良)

Isosorbide Mononitrate

Cedocard 10®(荷・Cedona)
Corangin SR®(汽巴嘉基)
Elantan®(德・Schwarz)
Imdur®(瑞典・Astra)
Ismo 20®(德・保齡)
Isormol®(東洋)
Monosordil®(希・Elpen)
Pentacard®(荷・Cedona)
Usomono®(優良)

商品名(美國)

Isosorbide Dinitrate

Dilatrate-SR®(Reed & Carnrick)
Isordil®(Wyeth-Ayerst)
Sorbitrate®(Zeneca)

Isosorbide Mononitrate

Imdur®(Key)
ISMO®(Wyeth-Ayerst)
Monoket®(Kemers)

☞藥物作用

本藥爲一種預防或治療「心絞痛」的藥物。心絞痛的發生主要是由於心臟血管的收縮或阻塞，使得負責攜帶氧氣的血液不能順暢地流入心臟，造成局部組織氧氣的缺乏，最後導致細胞壞死。本藥的作用，就是能使血管放鬆，間接使心臟的工作量及氧氣的需求降低，因而能改善或預防因爲缺氧而產生心絞痛。

☞用法

此藥分爲口服錠、舌下錠、咀嚼錠、長效型錠劑或膠囊等多種劑型。爲了增強藥物的吸收作用，當使用口服錠或膠囊時，最好在空腹的時候服用，譬如飯前一小時，或飯後兩小時。使用舌下錠時，應該放入舌頭下方，使其能夠在口內迅速地溶解、吸收。使用咀嚼錠時，則需要將藥物徹底地咀嚼，並在嘴內停留一陣子，以達到充分地吸收。長效型錠劑或膠囊，須整粒吞服入胃，不可以打開來或壓碎服用。

☞注意事項

本藥的咀嚼錠及舌下錠是經由口腔黏膜的吸收，到達血液循環的速度相當快，因此可以用來作爲心絞痛發作時的急救藥物使用。口服錠、長效型錠劑或膠囊經由口服入胃後，因爲其藥物作用較慢，因此只能當作預防心絞痛的藥物使用。當服用該劑時應該將藥物吞服入胃而不是放入舌下。本藥的舌下錠或咀嚼錠主要是當作心絞痛發作的急救藥物使用。並可在從事激烈運動(如爬樓梯、登山、性行爲等)之前的5至10分鐘服用，以預防心絞痛的發作。當心絞痛發作時，應該立即坐下並將一粒舌下錠放入舌下或將咀嚼錠放入嘴內咀嚼，然後每間隔5分鐘服用一次。此時千萬不可將藥物吞服入胃或太早吞服口水，應該讓藥物在嘴內充分地溶解、吸收。如果每隔5分鐘服用一次並已服用完3次藥物，或者在心絞痛發生後的15分鐘內症狀還無法解除，就應該立即叫救護車到醫院做進一步的急救。

如果懷孕，對藥物過敏，或者有心肌梗塞、甲狀腺機能亢進，低血壓、青光眼、嚴重的貧血、頭部中風或受傷等等，醫師需要針對這些情況謹慎用藥，因此在使用此藥前，應該事先通知醫師。

使用準確的劑量對病況相當重要，服用此藥一陣子後，除非經醫師許可外，應該避免轉換其他廠牌或不同劑型的藥物。因為不同廠牌或不同劑型的藥物，雖然標示的劑量及成分相同，但是由於在體內釋放及吸收的速度不見得會相同，其藥效可能也會有點差異。

許多感冒、咳嗽，及抗過敏類的成藥中，經常含有血管收縮劑的藥物，此類藥物會使血壓上升，使心跳的速度加快或加強，可能會加重心臟的負荷而造成危險。購買此類藥物時，應該事先請教醫師或藥師是否含有此一成分。

經過一段時間的藥物治療後，即使覺得心臟功能已經恢復正常，亦不可間斷，或者是突然地停止服藥。突然的停藥有可能會使心臟的情況惡化。如有停藥的必要時，應該先得到醫師的許可，並且在醫師指示下，漸漸地降低服藥的次數或劑量，然後再停藥。

服用此藥時，醫師也許要定期測量心電圖、評估藥效，因此必須遵從醫師的指示，定期到醫院做檢查。

在拔牙或動手術之前，應該事先通知醫師有服用此種藥物。

☞副作用

此藥常見的副作用為：臉部潮紅、胃腸不適、惡心、嘔吐、頭痛、頭暈目眩等等。這些副作用，通常在服用藥物一陣子後，應該會漸漸地消失；不過，如果強到困擾你的程度，或者經過一段時間後，還不能完全消除，就應該通知醫師。

此藥較嚴重的副作用為：心跳突然的加快或增強、皮膚發紅、流汗、視覺模糊、極度的疲倦、暈倒、緊張不安等等。通常這些副作用發生的機率較低，但是如果發生時，可能是藥物造成的不良反應，或者是劑量需要調整，應該盡快通知醫師。

☞懷孕及哺乳

此藥對孕婦的資料並不是很充分，但是根據動物實驗顯示，在極大的劑量下，有可能會對胎兒造成不良的反應，劑量愈大造成胎兒的損傷愈大。懷孕的婦女在使用此藥前，應該先徵得醫師的同意。

目前爲止，尚不知此藥是否會經由母乳到達嬰兒體內，但是尚無醫療報告顯示會對餵奶的嬰兒造成不良的影響，如果決定用母乳餵哺小孩，應該隨時注意嬰兒的反應，或考慮用其他乳製品以取代母乳。

☞忘記用藥

如果忘記服藥，應該在記得時，立即服用。但是，如果距離下次服藥的時間只有兩小時(長效釋放型藥物爲6小時)，就應該捨棄此次藥物，恢復到下次正常服藥的時間，千萬不可一次服用雙倍的劑量。

Isotretinoin(治痤瘡藥)

商品名(台灣)

Roacctane®(羅氏)

商品名(美國)

Accutane®(Roche)

☞藥物作用

本藥爲一種治療痤瘡(粉刺)的藥物，主要是能夠使皮膚下分泌油狀物的腺體變小，減少皮脂(油狀物)的產生。此藥通常用來治療較爲嚴重，或是其他藥物，如抗生素等無法治療的痤瘡。

☞用法

對婦女而言，在使用本藥之前，應該先做過妊娠檢驗以確保沒有懷孕。而使用時，應該在下一次月經來時的第2至3天才開始服用，以免萬一懷孕，可能對嬰兒造成損害。本藥通常是一天服用兩次，可安排於早餐及晚餐時與食物一起服用。服用此藥時應該整粒吞服入胃，而不可以將膠囊打開來服用。

☞注意事項

此藥的結構類似維他命A，因此在服用此藥後，最好不要再服用維他命A，或者是含有維他命A的綜合維他命，以免藥物相加的作用，使劑量增大而對身體造成傷害。服用此藥後，會使體內膽固醇含量增高，因此應該避免食用含高脂肪的食物，並且避免飲用過多的酒。

如果懷孕，對藥物過敏，或者患有肝臟疾病、糖尿病、膽固醇過高等問題，醫師需要針對這些情況謹慎地用藥，因此在使用此藥前，應該事先通知醫師。

此藥會造成胎兒嚴重的缺陷，在服藥期間、服藥的前一個月和停藥後的一個月，都應該使用極爲可靠的方法避孕。如果發現已經懷孕，應該立即停止服藥，並且通知醫師。服藥期間以及停藥後的一個月期間，不可將血液捐給他人，以免接受血液的是孕婦，因而對其胎兒造成不良的後果。

服用此藥後可能會影響晚上的視覺，因此晚上開車或操作危險機械時，應該格外地小心謹慎。同時，此藥會使眼睛感覺格外乾燥，如果帶隱形眼鏡的話，也許會感覺到不舒服。爲了紓解此一狀況，可使用眼睛潤滑劑或人工淚液，不過此類的潤滑劑或人工淚液通常含有防腐劑，長期使用對眼睛可能會造成不良的影響，同時也有可能會傷害到隱形眼鏡的結構，因此使用此類液體時，應該適可而止。

服用此藥後，可能會使眼睛及皮膚對陽光較爲敏感，出門在外時，最好能夠戴太陽眼鏡，以及使用衣物以保護暴露於外的皮膚。

☞副作用

此藥常見的副作用爲：口部乾燥、皮膚顏色改變、消化不良、疲倦、眼睛刺激不舒服、惡心、嘴唇乾裂、頭痛、頭暈、頭髮變細等等。這些現象，通常在服用藥物一陣子後，應該會漸漸消失；不過，如果強到困擾你的程度，或者經過一段時間後，還不能完全消除，就應該通知醫師。

此藥較嚴重的副作用爲：皮膚脫皮、皮膚發炎或細菌感染、肌肉痛、骨頭或關節痛、惡心、視覺不良、腹痛、經期不順、嘔吐、精神沮喪等等。通常這些副作用發生的機率較低，但是如果發生時，可能是藥物造成的不良反應或者是劑量需要調整，應該盡快通知醫師。

☞懷孕及哺乳

此藥會造成胎兒極大的損傷，甚至有造成畸形的可能，因此孕婦應該禁止服用此藥。婦女在使用此藥的前一個月、使用此藥物的期間、以及停止用藥以後的一個月，都應該使用有效的方法避孕以防止懷孕。在服藥期間如果發現懷孕，應該立即通知醫師，並與醫師討論此藥可能對胎兒的影響，甚至考慮墮胎的可能。

目前爲止，尙不知此藥是否會經由母乳到達嬰兒體內，但是爲了避免藥物可能對新生兒的影響，餵奶的母親，最好能使用其他的乳製品以取代母乳。

☞忘記用藥

如果忘記服藥，應該在記得時，立即服用。但是，如果距離下次服藥的時間太近，就應該捨棄此次的藥物，恢復到下次正常服藥的時間，千萬不可一次服用雙倍的劑量。

Isradipine(艾雷待平)

商品名(台灣)

Dyna Circ®(山德士)

商品名(美國)

Dyna Circ®(Snadoz)

☞藥物作用

本藥爲一種「鈣離子阻斷劑」的降血壓及預防心絞痛藥物。它的作用是能使血管擴張，讓更多的血液能夠順暢地通過血管而達到降血壓的目的。本藥亦可擴張心臟內的血管，使心臟得到更多的血液和氧氣，解除心臟因爲缺氧而造成壞死，最後導致心絞痛的發生。

☞用法

此藥通常是一天服用兩次，爲了避免對胃的刺激，此藥最好與食物或飯後服用。如果一天服藥兩次，可以安排於早晨及晚上飯後各服一次。如有必要時，此藥的藥片或膠囊可以壓碎或打開來與食物或水混合服用。

☞注意事項

本藥同時具有預防心絞痛及降血壓的作用。如果服用此藥是在預防心絞痛發作，就必須持續服用才有效果；若是在心絞痛發作時才服用是無效的。萬一心絞痛發作時，就必須使用另外一種藥物以紓解它的急性發作。

如果懷孕，對藥物過敏，或者有心臟疾病、心律不整、充血性心衰竭、腦中風、低血壓、腎臟病、肝臟疾病等等，醫師需要針對這些情況謹慎用藥，因此在使用此藥前，應該先通知醫師。

服用此藥後，可能會產生頭昏眼花，尤其在剛開始服藥期間。因此，在尚未完全適應此藥之前，當開車或操作危險機械時，必須小心謹慎。

本藥只能控制血壓的升高，並不能完全根治此一病症，甚至可能需要終生服用此藥以控制血壓。剛開始服用此藥後，血壓可能需要經過幾個星期時間才能漸漸地降低到理想的程度，並且，在經過一段時間藥物治療後，即使血壓已恢復正常，仍舊需要繼續服用此藥，才能有效地控制血壓。

經過一段時間的藥物治療後，即使覺得血壓已恢復正常，亦不可間斷或者是突然停止服藥。突然的停止服藥有可能會使血壓升高，甚至造成心臟病發作的可能。如需要停藥，應該得到醫師的許可，並且在他指示下，將藥物漸漸地降低然後再停。

服用此藥前，應該先請教護士或者醫師如何測量脈搏。如果覺得脈搏跳動較平常慢或者低於50，就應該通知醫師。

爲了達到理想的降血壓作用，應該遵循醫師的指示，服用低鹽類、低脂肪的食物，戒煙酒，並且盡可能地做適當的運動。

剛開始服用此藥時，可能會產生頭暈目眩的感覺，尤其是當突然站立或坐起時，不過如果能夠緩慢地站立或坐起，應該會減少此一現象。

如果使用此藥的目的在預防心絞痛的發作，在經過一陣子服藥後，不可因爲心絞痛不再發作而突然地增大運動量。應該與醫師商討何種運動較適合自己體能，或多大的運動量，才不會造成心臟過度的負荷，而導致心絞痛再次的發生。

在拔牙或動手術之前，應該事先通知醫師有服用此藥。

剛開始服用此藥時，也許會有頭痛的感覺，但是經過一段時間的服藥後，此現象應該會漸漸消除。如果經過一段長的時間，仍然覺得頭痛，就應該通知醫師。

市面上許多治療過敏、鼻塞、咳嗽、感冒，以及減肥的成藥中，經常含有會使血壓升高的成分。爲了避免造成血壓突然升高，在服用此類藥物之前，應該先諮詢醫師或藥師的意見。

☞副作用

此藥常見的副作用為：下痢、便秘、疲倦、惡心、臉部潮紅及發熱、頭痛、頭暈目眩等等。這些副作用，通常在服用藥物一陣子後，應該會漸漸地消失。不過，如果這些副作用強到困擾你的程度，或者經過一段時間後，還不能完全消除，就應該通知醫師。

此藥較嚴重的副作用為：心跳過快、心跳過慢(低於50)、皮膚起紅疹、呼吸困難、胸口疼痛、腳部水腫等。通常這些副作用發生的機率較低，但是如果發生時，可能是藥物造成的不良反應，或者是劑量需要調整，應該盡快通知醫師。

☞懷孕及哺乳

此藥對孕婦的影響，並無很完全的資料，但是根據動物實驗顯示，在高劑量下，此藥可能會影響胎兒骨骼的成長發育。因此，除了有絕對的需要，並且經過醫師的同意外，孕婦應該避免服用此藥。

目前為止，尚不知此藥是否會經由母乳到達嬰兒體內，但是尚無醫療報告顯示會對餵奶的嬰兒造成不良的影響，但是為了慎重起見，當決定親自餵哺嬰兒前，最好能夠徵求醫師的意見。

☞忘記用藥

如果忘記服藥，應該在記得時，立即服用。但是，如果距離下次服藥的時間太近，就應該捨棄此次的藥物，恢復到下次正常服藥的時間，千萬不可一次服用雙倍的劑量。

Itraconazole(艾妥可那挫)

商品名(台灣)

Sporanox®(比・仁山)

商品名(美國)

Sporanox®(Janssen)

☞藥物作用

本藥爲一種「抗黴菌」的抗生素，能用於全身性或局部黴菌或真菌所造成的感染，如皮膚、血液、肺部、口腔、陰道，和指甲感染等等。

☞用法

爲了增強藥物的吸收及減輕藥物對胃的刺激，此藥最好與食物或飯後服用。由於制酸劑可能會影響此藥的吸收作用，如果同時使用制酸劑時，應該與此藥至少相隔一小時。如果有吞嚥困難時，可將此藥的膠囊打開來服用。

☞注意事項

服用此藥時，必須依照醫師的指示服完所有的處方。對於某些類黴菌所造成的感染，也許需要經數月的時間才可徹底根治。經過治療後，即使覺得症狀已經完全消除，仍舊需要服用完所有醫師處方的份量，以免病菌沒有完全消除，造成感染復發，或將來病菌產生抗藥性。

如果懷孕，對藥物過敏，經常飲用大量的酒，或者有肝臟疾病、腎臟病等等，醫師需要針對這些情況謹慎地用藥，因此在使用此藥之前，應該先通知醫師。

爲了達到最佳的滅菌效果，此藥必須在血中達到固定的濃度，因此最好每天安排在相等的時間間隔下服藥。如一天服藥一次，最好在每天固定的時間服藥，譬如可安排在每天早上8點時服用；如一天服藥兩次，則早上8點及晚上8點各服用一次；如一天服藥3次，則每8個小時服用一次。

此藥最需要注意的副作用，就是它對肝臟的損害。如果在服藥期間，突然感到極度的疲倦、皮膚或眼睛發黃、胃口消失、惡心、嘔吐等等，就應該盡快地通知醫師。

長期服用此藥後，醫師需要定期地評估藥效，以及驗血以測量肝功能是否正常，因此患者必須遵從醫師的指示，定期到醫院做檢查。

服用此藥後，可能會產生輕微的頭暈目眩，因此當開車或操作危險機械時，必須小心謹慎。

此藥可能會與其他藥物產生不良的作用，譬如，如果與Astemizole或Terfenadine的過敏藥物合用的話，可能會產生嚴重心律不整。因此服用其他藥物時，無論所服用的是成藥或是處方藥，最好事先能夠徵求醫師或是藥師的意見。

本藥爲醫師針對病情所下的處方，下次有類似的感染，雖然產生的症狀相同，但是造成感染的病菌也許不同，服用此藥不見得會有效，更有可能會延誤病況。因此必須經由醫師的診斷及指示服藥，更不可將此藥留給他人使用。

☞副作用

此藥常見的副作用爲：失眠、耳鳴、乳房腫脹、胃口降低、性欲降低、拉肚子、疲倦、惡心、想睡覺、腳部水腫、腹脹、腹痛、嘔吐、精神沮喪、頭痛、頭暈等等。這些副作用，通常在服用藥物一陣子後，應該會漸漸地消失；不過，如果強到困擾你的程度，或者經過一段時間後，還不能完全消除，就應該通知醫師。

此藥較嚴重的副作用爲：小便變暗、皮膚或眼睛發黃、皮膚發紅發癢、極度的疲倦、極度惡心嘔吐、糞便變白等等。通常這些副作用發生的機率較低，但是如果發生時，可能是藥物造成的不良反應或者是劑量需要調整，應該盡快通知醫師。

☞懷孕及哺乳

此藥對孕婦的影響，並無充足的數據。根據動物實驗顯示，動物服用將近人類10倍劑量情況下，可能會造成成長中胎兒的損傷。當懷孕時，應當盡快通知醫師，他會評估情況，決定是否應該服藥。

此藥會經由母乳到達新生兒體內，爲了避免藥物可能對嬰兒的影響，餵奶的母親應該考慮使用其他的乳製品以取代母乳。

☞忘記用藥

如果忘記服藥，應該在記得時，立即服用。但是，如果距離下次服藥的時間太近，就應該捨棄此次的藥物，恢復到下次正常服藥的時間，千萬不可一次服用雙倍的劑量。

Kaolin/Pectin(白陶土果膠)

商品名(台灣)

Anti-Dia®(人人)
Cantil®(美・Lakeside)
Compectin®(康福)
Cremo Kaotin®(晟德)
Fopenine®(寶齡富錦)
Garikuva®(威力)
Jelli®(根達)
Kaoline®(東洲)
Kaoli®(華盛頓)
Kao-Mixture®(信東)
Kaopectin®(明華)
Kaopectin®(榮民)
Kaopec®(政德)
Kaotin®(景德)
Pecolin®(生達)

商品名(美國)

Kao-Span®(Century)
Kapectolin®(Coldline)
K-C®(Century)
Kaoden®(Pfeiffer)

☞藥物作用

本藥爲Kaolin與Pectin兩種成分組合而成的「抗腹瀉」藥物。此藥物主要是利用強力的吸附作用，將腸胃中的細菌、細菌所分泌的毒素，以及腸胃中多餘的水分吸附到其表面，而達到止瀉的目的。

☞用法

本藥不受食物的影響，因此，空腹或與食物一起服用均可。此藥通常只有在拉肚子的時候才使用。由於此藥的液體製劑含有濃縮液及普通液兩種，服用時應該確定所服用的是那一種製劑，並按照說明書上的指示服用。另外，在使用液體製劑前應先將藥瓶輕微搖動使藥物能均勻分散，並使用有刻度的量杯或藥管以量取正確的藥量。

☞注意事項

此藥有強力的吸附作用，如果與其他藥物一起合用的話，可能會將其他藥物吸附在其裡面，間接地降低藥效，此一效應對Digoxin（心臟用藥）及Thyroid（甲狀腺用藥）尤其重要，因爲此兩藥需要較精確的劑量，藥物被吸附後造成的影響也較爲嚴重。爲了避免造成藥物間的干擾，一般而言，在服用此藥的前後兩三小時，最好避免服用其他的藥物。

長期大量腹瀉後，應該隨時注意補充排泄掉的水分，此對幼兒及老年人尤其重要，以免水分過量流失，造成脫水或腎臟及血液循環等等後遺症的發生。一般身體缺乏水分的象徵爲：口乾、口渴、皮膚起皺紋、小便量減少、頭暈目眩等等。

造成腹瀉原因有許多種，如果使用此藥的目的在治療急性腹瀉，在經過兩天的治療後，如果症狀還無法改善就應該通知醫師，他會對腹瀉的原因做更進一步的診斷及治療。同時，如果在使用此藥的過程中，有發燒、腹部膨脹、腹痛或者是便中帶血的情況發生時，也應該立即通知醫師。

通常胃腸內含有一些正常繁殖的細菌。但是，如果長期服用強而廣效抗生素的話，由於抗生素的殺菌作用，將使一些細菌被殺死，反而使另外一些細菌或微生物過量的繁殖，最後導致腹瀉。如果在使用抗生素期間產生腹瀉的話，使用本藥不見得有效，更由於服用止瀉藥的關係，使細菌的毒素在腸內停留更久，反而會使腹瀉的情況轉爲嚴重。應當由醫師處方使用另外一種藥物，以治療此類的腹瀉。

雖然此藥並不一定需要醫師的處方才能在藥局購買到，但是如果使用此藥的對象是3歲以下小孩或者是老年人，由於腹瀉所造成的失水及體內電解質（維持身體細胞正常生理功能的化學礦物質）的不平衡，對此兩類的病人較敏感而其影響也特別大，如果處理不當，容易造成嚴重的併發症發生。因此對於此兩類病人，最好能經由醫師的指示用藥。

☞副作用

此藥常見的副作用爲：在正常的劑量下，此藥造成副作用的機會不大，但由於老人及小孩對此藥較爲敏感，劑量大到某一程度，則有可能產生便秘。如有此一副作用發生就應該停藥。

☞懷孕及哺乳

在正常的劑量下，此藥經胃吸收入母體的劑量相當有限，因此對胎兒而言應該是安全的。不過，由於此藥仍須更廣泛的醫學資料加以證明其安全性，當懷孕時，最好還是通知醫師。

此藥經胃吸收入母體的劑量相當有限，因此對餵奶的新生兒而言應該是安全的。不過當餵哺嬰兒時，仍須密切觀察嬰兒的反應，如有不良作用發生就應該停藥。

☞忘記用藥

假如是按照一定時間服用此藥以治療腹瀉，當仍有腹瀉時，就應該在記得時，立即服用，並將當天未服完的劑量，依照等分的時間間隔服用完。如果腹瀉已經停止，就應該捨棄此次藥物，恢復到下次正常服藥的時間，千萬不可一次服用雙倍的劑量。

Ketoconazole(克多可那挫)

商品名(台灣)

Clear®(明德)
Cotrizine®(瑞士)
Ketazole®(聯邦)
Ketozol®(衛達)
Mecozol®(南光)
Nicogus®(華興)
Nizoral®(比・仁山)
Rich®(溫士頓)
Sugen®(中美)
Tinuvin®(塞・Medo)
Yucomy®(永信)

商品名(美國)

Nizoral®(Janssen)

☞藥物作用

本藥為一種「抗黴菌」的抗生素,能用於全身性或局部黴菌所造成的感染,如肺炎、指甲感染、黴菌性口炎(鵝口瘡)、皮膚感染(如皮膚癬),頭髮感染、以及陰部感染等等。

☞用法

為了增強藥物的吸收,和減輕對胃的刺激,此藥最好與食物或飯後服用。由於制酸劑可能會影響此藥的吸收,當同時使用制酸劑時,應該與此藥至少相隔兩小時。如有必要時,可將此藥的藥片壓碎服用。最重要的是,須每天按時服藥,並且依照醫師的指示,服完所有的處方藥物。

使用外用擦劑或乳劑時,其步驟請參見頁187。

☞注意事項

服用此藥後,可能會產生輕微的頭暈目眩,當開車或操作危險機械時,必須小心謹慎。

如果懷孕，對藥物過敏，經常飲用大量的酒，或者有肝臟疾病等等，醫師需要針對這些情況謹慎用藥，因此在使用此藥之前，應該先通知醫師。

服用此藥時，必須依照醫師的指示服完所有的處方。對於某些類黴菌所造成的感染，也許需要經過數月的時間才可徹底地根治。經過一段時間的治療後，即使覺得感染的症狀已經完全消除，仍須服用完所有醫師處方的份量，以免病菌沒有完全清除，造成感染復發，或將來病菌產生抗藥性。

良好的衛生習慣可以預防及避免皮膚再次感染的機會，應當經常清洗接觸過的浴巾、床單、衣物等等，以增進皮膚早日康復。

長期服用此藥後，醫師需要定期評估藥效，以及驗血以測量肝功能，因此必須遵從醫師的指示，定期到醫院做檢查。

此藥較嚴重的副作用，就是對肝臟的損害。因此，如果在服藥期間，突然感到極度的疲倦、皮膚或眼睛發黃、胃口消失、惡心、嘔吐等等，就應該盡快通知醫師。

此藥會使眼睛對陽光變得更爲敏感。因此在陽光下，如果能戴太陽眼鏡，或者避免直接太陽的曝曬，應該會使眼睛感覺較爲舒適。

由於酒精可能會增加此藥對肝臟的副作用，同時，對某些病人可能會引起臉部潮紅、呼吸困難、惡心、嘔吐等等症狀。因此在服藥期間，應該避免飲酒。

此藥可能會與其他藥物產生不良作用，譬如，如果與Astemizole或Terfenadine的過敏藥物合用的話，可能會產生嚴重的心律不整。因此當服用其他藥物時，無論是成藥或是處方藥，最好能夠事先徵求醫師或是藥師的意見。

制酸劑及多種治療胃潰瘍的藥物，會干擾此藥的吸收作用，因此，服用此類藥物時，至少應該與此藥相隔兩小時。

☞副作用

此藥常見的副作用爲：拉肚子、眼睛怕光、惡心、想睡覺、嘔吐、頭暈等。通常在服用藥物一陣子後，這些症狀應該會漸漸地消失。不過，如果這些副作用強到困擾你的程度，或者經過一段時間後，這些症狀還不能完全消除，就應該通知醫師。

此藥較嚴重的副作用爲：皮膚或眼睛變黃、皮膚發紅、胃痛、發癢、極端的疲倦等。通常這些副作用發生的機率較低，但是如果發生時，可能是藥物造成的不良反應，或者是劑量需要調整。應該盡快通知醫師。

☞懷孕及餵乳

此藥對孕婦的影響，仍無充足的數據。不過根據動物實驗顯示，在超過人類幾倍劑量的情況下，可能會造成胎兒的損傷，此以懷孕前三個月的可能性最高。另外，在懷孕最後三個月服用此藥，則可能會造成孕婦生產的困難。當懷孕時應當盡快通知醫師，他會評估情況，決定是否應該服藥。

此藥會經由母乳到達新生兒體內，爲了避免藥物可能對嬰兒的影響，餵奶的母親應該考慮使用其他的乳製品以取代母乳。

☞忘記用藥

如果忘記服藥(或擦藥)，應該在記得時，立即使(服)用。如果使用的是口服藥片，假如距離下次服藥的時間太近，就應該先服用所遺忘的藥物，約等10至12小時後服用另一次藥物，然後再恢復到下次正常服藥的時間。

Ketoprofen(可多普洛菲)

商品名(台灣)

Ansiton®(中美)
Antonin®(回春堂)
Fastum®(義・A Menarini)
Flexen®(義・Lifepharma)
Homshipen®(居禮)
Isihtonin®(黃氏)
Kepfen®(西華)
Ketofen®(東州)
Ketofen®(華興)
Ketofpan®(汎生)
Ketomin®(永盛)
Ketopuro®(日・菱山)
Keyensuta®(世達)
King-Profen®(景德)
Mero®(新喜)
Oruvail® SR(法台)
Proben®(優生)
Profenadd®(新豐)
Profenid®(法・Specia)
Profen®(人人)
Salient®(義・Biomed)
Sepronin®(西德有機)
Sukeyen®(元澤)
Sutofen®(永新)
Tofen®(井田)
Torofen®(生達)

商品名(美國)

Orudis®(Wyeth-Ayerst)

☞藥物作用

本藥爲一種「非固醇類止痛及抗發炎」藥物，主要的作用就是能阻止體內「前列腺素」的產生，此一化學物質是造成關節疼痛和發炎腫脹的主因，因此它可以解除風濕性關節炎，及骨關節炎所引起的關節僵硬、疼痛、發炎以及發腫的現象。此藥也可以當作止痛藥使用，可以消除多種輕微到中度的疼痛，如頭痛、牙疼、月經痛，以及肌肉扭傷所引起的疼痛等。

☞用法

此藥對胃的刺激相當大，爲了減輕刺激，此藥最好與食物或飯後服用，並同時飲用一杯水。在服完藥物後的30分鐘內，最好不要立即躺下，以免藥物對上消化道的直接刺激。本藥分爲普通膠囊及長效釋放型膠囊兩種，如有必要時，此藥之普通膠囊可以打開來服用，但是長效釋放型膠囊應該整粒吞服，不可在嘴內咀嚼或打開來服用。

☞注意事項

服用此藥後，可能會產生輕微頭暈目眩及視覺模糊現象，並且可能會產生疲乏。因此，在尚未完全適應此藥之前，當開車或操作危險的機械時應該格外地小心謹慎。

如果懷孕或哺餵嬰兒，對藥物過敏，或者有胃出血、氣喘病、胃潰瘍、糖尿病、充血性心衰竭、肝臟疾病、血液凝固方面的問題、紅斑性狼瘡、腎臟病、高血壓等等，醫師需要針對這些情況更爲謹慎用藥，因此在使用此藥之前，應該事先通知醫師。

長期服用此藥對胃的刺激非常大，因此要隨時留意是否有胃出血，或胃潰瘍發生。如果有暗黑色條紋或塊狀的糞便時，此爲內出血的徵兆，應該通知醫師做進一步的檢查。

服用阿斯匹靈或酒會增加此藥對胃腸的刺激，應該盡量避免與此藥一起合用。一些抗關節炎的藥物，或者抗凝血劑也會增加胃腸的刺激作用、降低血液凝固的能力，如果長期與此藥合用，有造成胃出血的可能。因此當同時使用這些藥物時，應該事先得到醫師的許可。

如果服用此藥的目的在治療關節炎，通常在服藥後的一個星期之內，四肢關節的症狀，應該有所改善，但是通常此藥至少必須經過兩三個星期的時間，才能達到最大的藥效。但是，由於此藥只能改善症狀，並不能根治，必須長期服用，才能達到最好的效果，也不能因爲一時覺得症狀已經改善而停止服藥。

此藥會抑制血液的凝固而使流血的時間增長，因此在拔牙或動手術之前，應該先通知醫師，通常在手術前的幾天內，醫師會要求停止服用此藥，以免手術進行當中造成過量流血的現象。

此藥有可能會增加水分在體內滯留，間接地會使血壓升高，或增加心臟的工作量。因此應該隨時留意四肢，如果發現有腫脹的情況時就應該通知醫師。

老年人對此藥所引起的胃腸副作用，如胃潰瘍、胃出血等等較一般人敏感。同時，由於老年人的腎臟功能較一般人爲差，藥物經由腎臟排出體外的能力也相對地降低，有可能會導致藥物的積聚，而引起腎臟及肝臟的毒性。醫師可能會要求服用較一般人低的劑量，甚至到減半的程度。因此在使用此藥時，應該完全遵照醫師所指示的劑量服用。

☞副作用

此藥常見的副作用爲：下痢、胃口增加或降低、便秘、流汗增加、胃腸不適或疼痛、消化不良、胸口灼熱、惡心、腹部脹氣、嘔吐、精神緊張、輕微的思睡、頭痛、頭暈目眩等。這些副作用，通常在服用藥物一陣子後，會漸漸地消失。不過，如果這些副作用強到困擾你的程度，或者經過一段時間後，這些症狀還不能完全消除，就應該通知醫師。

此藥較嚴重的副作用爲：心跳不正常、皮膚起紅疹或發癢、吐血或含暗黑色的物質、含有帶黑色的糞便、呼吸困難、氣喘、胸痛、發熱、發冷及喉嚨痠痛、腹痛或胃痛、嚴重的頭痛等。通常這些副作用發生的機率較低，但是如果發生時，可能是藥物造成的不良反應，或者是劑量需要調整，應該盡快通知醫師。

☞懷孕及哺乳

目前爲止，尚無資料顯示此藥會造成胎兒生長缺陷，但是懷孕婦女最好不要服用此藥。因爲根據動物實驗顯示，孕婦於懷孕後期，尤其是最後三個月服用此藥的話，可能會造成胎兒心臟及血液循環方面的問題。同時，此藥可能會增長孕婦懷孕和生產的時間以及其他生產過程中的問題。

少量的藥物會經由母乳到達新生兒體內，可能會造成新生兒血液循環及心臟血管方面的問題，餵奶的母親應該考慮使用其他乳製品以取代母乳。

☞忘記服藥

如果忘記服藥，應該在記得時，立即服用。但是，如果一天服藥一次，而距離下次服藥的時間少於8小時；若一天服藥兩次以上，而距離下次服藥的時間少於4小時，就應該捨棄此次藥物，然後恢復到下次正常服藥的時間，但是不可以一次服用雙倍的劑量。

Ketorolac(止痛及抗發炎藥)

商品名(台灣)

此藥尚未在台灣銷售。

商品名(美國)

Toradol®(Syntex)

☞藥物作用

本藥爲一種「非固醇類止痛及抗發炎」的藥物。其主要的作用，就是能阻止體內一種「前列腺素」的產生，此一化學物質通常是造成疼痛和發炎的主因。此藥以短期使用爲主，其期限通常不超過5至14天，此藥能解除中度至嚴重的疼痛，如手術後的疼痛、癌症引起的疼痛、產後痛、頭痛、牙痛，以及肌肉扭傷所引起的疼痛等。

☞用法

爲了減輕對胃的刺激，此藥最好與食物或飯後服用，並於服藥時飲用一杯水。在服完藥物30分鐘內，最好不要立即躺下，以免藥物對上消化道的直接刺激。如有必要時，此藥的藥片可以壓碎與食物或水混合服用。

☞注意事項

服用此藥後，可能會產生輕微頭暈目眩及想睡覺的感覺。因此，在尚未完全適應此藥之前，當開車或操作危險機械時，應該格外地小心謹慎。

如果懷孕或哺乳嬰兒，對藥物過敏，或者有胃潰瘍、胃出血、胃腸道發炎、癲癇症、心臟疾病、高血壓、腎臟病、氣喘、肝臟疾病等等，醫師需要進一步考慮這些情況並且謹慎地用藥，因此在使用此藥之前，應該先通知醫師。

長期服用此藥對胃的刺激非常大，應該隨時留意是否有胃出血，或胃潰瘍發生。如果有暗黑色條紋或是塊狀的糞便時，此爲內出血的徵兆，應該通知醫師做進一步的檢查。

服用阿斯匹靈或酒會增加此藥對胃腸的刺激，因此應該盡量避免與此藥合用。一些抗關節炎的藥物，或者抗凝血劑也會增加胃腸的刺激作用、降低血液凝固的能力，如果長期與此藥合用，有可能會造成胃出血。因此同時使用這些藥物時，應該事先得到醫師的許可。

此藥會抑制血液的凝固使流血的時間增長，因此在拔牙或動手術之前，應該事先通知醫師。通常在手術前幾天，醫師會要求停止服用此藥，以免手術進行當中造成過量流血的現象。

此藥有可能會增加水分在體內的滯留，間接地會使血壓升高，或增加心臟的工作量。因此應該隨時留意四肢，如果發現有腫脹時，就應該通知醫師。

老年人對此藥所引起的胃腸副作用較一般人敏感；同時，腎臟功能較一般人爲差，藥物經由腎臟排出體外的能力也相對地降低，最後有可能會導致藥物的積聚，而引起腎臟及肝臟的毒性，醫師可能會要求服用較一般人爲低的劑量，甚至到減半的程度。因此在使用此藥時，應該完全遵照醫師所指示的劑量服用。

☞副作用

此藥常見的副作用爲：拉肚子、流汗增加、消化不良、想睡覺、頭痛、頭暈等。這些副作用，通常在服用藥物一陣子後，會漸漸地消失；不過，如果這些副作用強到困擾你的程度，或者經過一段時間後，還不能完全消除，就應該通知醫師。

此藥較嚴重的副作用爲：手腳水腫、大便含紅色或暗黑色物質、呼吸困難、視覺改變、腹痛、嚴重的惡心嘔吐等。通常這些副作用發生的機率較低，但是如果發生時，可能是藥物造成的不良反應，或者是劑量需要調整，應該盡快通知醫師。

☞懷孕及哺乳

目前爲止，尚無資料顯示此藥會造成胎兒生長缺陷，但是懷孕婦女最好不要服用此藥。因爲根據動物實驗顯示，孕婦於懷孕後期，尤其是最後三個月服用此藥，可能會造成胎兒心臟及血液循環方面的問題。同時，此藥可能會影響子宮的收縮，因而增長孕婦懷孕、生產的時間，以及其他生產過程中的問題。

少量的藥物會經由母乳到達新生兒體內，可能會造成新生兒血液循環及心臟血管方面的問題，餵奶的母親應該考慮用其他乳製品以取代母乳。

☞忘記用藥

如果忘記服藥，應該在記得時，立即服用。但是，如果距離下次服藥的時間太近，就應該捨棄此次的藥物，恢復到下次正常服藥的時間，千萬不可一次服用雙倍的劑量。

Labetalol(拉貝他樂)

商品名(台灣)

Abetol®(義・CT)
Albetol®(芬・Leiras)
Latol F.C®(生達)
Levocohere®(溫士頓)
Mitalolo®(義・Ellem)
Presolol®(澳・Alphapharm)
Trandate®(葛蘭素)
Tranmin®(乖乖)

商品名(美國)

Normodyne®(Schering)
Trandate®(Allen & H.)

☞藥物作用

本藥為一種稱為「貝它阻斷劑」的降血壓藥，能夠作用於心臟，使心跳的速率，和心臟血液的輸出量降低。並且又能間接地使體內的血管放鬆，讓血液能在血管中更順暢地流通，達到降血壓的目的。因為本藥能降低心臟的工作量、減輕心臟所需氧氣的消耗，因此又可用來預防由於心臟缺氧而造成的心絞痛。

☞用法

本藥不受食物的影響，因此，空腹或與食物一起服用均可。本藥通常一天服用兩次，最好養成每天在固定時間服藥的習慣，並且不可突然停止服藥，以免病情惡化。如有必要時，此藥的藥片可以壓碎服用。

☞注意事項

服用此藥後，可能會產生頭昏眼花，尤其在剛開始服藥期間。因此，在尚未完全適應此藥之前，當開車或操作危險機械時，必須小心謹慎。

如果懷孕，對藥物過敏，或者有心臟疾病、心跳過慢、手腳血液循環不良、氣喘、支氣管炎、肺氣腫或其他的肺部疾病、糖尿病、甲狀腺機能亢進、精神沮喪、重症肌無力症、腎臟病、肝臟疾病等等，醫師需要針對這些情況謹慎用藥，因此在使用此藥前，應該事先通知醫師。

本藥只能控制血壓的升高，並不能完全治癒高血壓，甚至可能需要終生服用此藥。服用此藥後，血壓可能要經過幾個星期才能漸漸地降到理想的程度。必須定時服用此藥，才能有效地控制住血壓。

經過一段時間藥物治療後，即使覺得血壓已恢復正常，亦不可間斷，或者是突然地停止服藥。突然的停止服藥有可能會使血壓升高，甚至造成心臟病發作。如須停藥，應該得到醫師的許可，並且在醫師指示下，約在兩個星期內，將藥物漸漸地降低然後再停藥。

在服用此藥前，應該先請教護士或者醫師如何測量脈搏。如果覺得脈搏跳動較平常爲慢或者低於50，就應該通知醫師。

爲了達到理想降血壓的作用，應該遵循醫師的指示，服用低鹽類、低脂肪的食物，戒煙酒，並且盡可能地依照醫師的指示做適當的運動。

剛開始服用此藥時，可能會產生頭暈目眩的感覺，尤其是突然站立或坐起時，不過如果能夠緩慢地站立或坐起，應該會減少此一現象。

服用此藥後，如果覺得口乾，在嘴內含一塊冰塊或嚼一片口香糖，應該會紓解此一現象。通常口渴的現象在服藥一陣子後會自然地消失。

服用此藥後可能會影響運動時的敏覺性。因此在服藥前應事先與醫師商討，何種運動較適合或者多大的運動量，才不會造成傷害。

此藥會使血糖降低，同時會遮蓋低血糖所引起的症狀。如果患有糖尿病就應該密切地注意並經常測量血糖。

在拔牙或動手術之前，應該事先通知醫師有服用此藥。因爲此藥在手術當中，可能會造成心臟方面的問題，醫師也許會建議在手術的前幾天，漸漸地停止使用此藥。

許多治療過敏、感冒、氣喘，及咳嗽的成藥中，經常會含有使血壓升高的成分。因此爲了避免血壓突然升高，在使用此類藥物之前，應該先徵求醫師或藥師的意見。

此藥常見的副作用爲：下痢、皮膚、味覺改變、性欲降低、思睡、便秘、胃腸不適、疲倦、做噩夢、眼乾、惡心嘔吐、發癢、鼻塞、頭暈目眩等等。這些現象，通常在服用藥物一陣子後，應該會漸漸地消失。不過，如果這些副作用強到困擾你的程度，或者經過一段時間後，這些症狀還不能完全消除，就應該通知醫師。

此藥較嚴重的副作用爲：心跳過快、心跳過慢(低於50)、皮膚起紅疹、呼吸困難、胸痛、眼睛或皮膚發黃、發燒及喉嚨痛、腳部或關節腫脹、精神沮喪、關節疼痛、嚴重的頭暈或暈倒等等。通常這些副作用發生的機率較低，但是如果發生時，可能是藥物造成的不良反應，或者是劑量需要調整，應該盡快通知醫師。

☞懷孕及哺乳

醫學報告對此類藥物的影響，沒有一定的結論。目前爲止，尙無報告顯示此藥會造成胎兒的缺陷，但曾有醫學報告指出孕婦在生產前服用此類藥物，可能會造成胎兒出生後體重減輕、血壓下降、血糖降低、心跳減慢，及呼吸困難。另外，也有報告顯示，此類藥物不會造成胎兒任何問題。懷孕時，應該與醫師討論此藥可能對胎兒的影響，他會衡量狀況，決定是否應該服藥。

少量的藥物會經由母乳到達嬰兒體內，爲了避免造成新生兒血壓下降及心跳減慢，餵哺嬰兒時，最好使用其他的乳製品，以取代母乳。

☞忘記用藥

如果一天服藥兩次，而當忘記服藥時，就應該在記得時，立即服用。但是，如果距離下次服藥的時間少於8小時，應該捨棄此次的藥物，恢復到下次正常服藥的時間，千萬不可一次服用雙倍的劑量。

Lansoprazole(南索普朔)

商品名(台灣)

Takepron®(武田)

商品名(美國)

Pravacid®(TAP Pharm)

☞藥物作用

本藥爲一種「降低胃酸」的藥物，可以用來治療胃潰瘍或反流性食道炎。胃潰瘍的發生，往往是由於胃壁細胞分泌過量的胃酸，導致胃部因爲胃酸的刺激，而造成胃壁潰爛的現象。反流性食道炎則是由於胃酸回流入食道，造成食道的腐蝕潰爛。此藥能夠減少胃酸的產生、降低胃部或食道的刺激，使胃潰瘍或食道炎可以逐漸康復。

☞用法

此藥通常是一天服用一次，由於食物會降低此藥在體內的吸收，因此最理想的服藥時間應該在早餐前。最好養成每天在固定時候服藥的習慣，以減少忘記服用。由於此膠囊爲一長效型的膠囊，因此，服用時應該整粒吞服，不可咀嚼或打開來服用。

☞注意事項

服用此藥後，可能會產生輕微的頭暈目眩，尤其在剛開始服藥期間。因此，尚未完全適應此藥之前，當開車或操作危險機械時，必須小心謹慎。

如果懷孕、對藥物過敏，或者有肝臟疾病等等，醫師需要針對這些情況謹慎用藥；因此在使用此藥前，應該事先通知醫師。

在服用此藥後的幾天，胃痛不見得能夠立即得到改善。但是不能因爲一時覺得沒有藥效而停止服藥，應該依照醫師的指示服完所有的處方藥物，以免潰瘍惡化。爲了暫時減輕胃痛，除了醫師特別禁止外，可短期地使用制酸劑以減輕疼痛。

市面上許多治療頭痛、關節痛，以及肌肉痛等止痛的藥物，對胃會產生極大的刺激，也許會使胃潰瘍的程度更爲惡化。因此在使用此類藥物前，應該詢問醫師或藥師何種藥物對胃最不會造成傷害。

服用此藥期間，最好能戒煙酒，和避免食用辛辣等刺激胃壁的食物。

通常在服用此藥一兩個星期後，胃潰瘍的症狀應該會得到相當程度的改善，但是千萬不可因爲覺得潰瘍已經痊癒或者不痛就停止服藥，應該依照醫師的指示完成整個服藥的過程。對於某些程度的潰瘍，也許需要6至8個星期的時間，才可痊癒。

服用此藥時，醫師也許會要求另外服用Sucrafate(保護胃壁的藥物)，此藥能夠在胃壁上形成一層保護膜，避免胃酸受到進一步的刺激。不過由於此一薄膜的形成，反而會阻礙本藥的吸收，甚至會降低藥效達30%以上。因此當同時使用此兩種藥物時，應該先服用本藥，然後等約30分鐘後，再服用此一保護胃壁的藥物。

由於此藥會降低胃酸的產生，因而降低胃內液體的酸度。不過由於胃酸的改變，可能會干擾許多對胃酸敏感藥物的吸收作用，這些藥物包括Digoxin、Ketoconazole、Ampicillin、含鐵製劑等等。因此在服用這些藥前，最好能事先諮詢醫師或藥師的意見。

☞副作用

此藥常見的副作用爲：月經不順、口乾、吞嚥困難、拉肚子、長粉刺、便秘、衰弱無力、惡心、感覺不適、腹痛、關節或肌肉痛、頭痛等等。這些副作用，通常在服用藥物一陣子後，應該會漸漸地消失；不過，如果強到困擾你的程度，或者經過一段時間後，還不能完全消除，就應該通知醫師。

此藥較嚴重的副作用爲：水腫、心跳突然增強或加快、皮膚發紅、乳房腫脹、肛門出血、呼吸困難、胸痛、眼痛或視覺改變、發燒、發癢、精神恍惚或沮喪等等。通常這些副作用發生的機率較低，但是如果發生時，可能是藥物造成的不良反應，或者是劑量需要調整，應該盡快通知醫師。

☞懷孕及哺乳

雖然動物實驗顯示此藥並不會對胎兒造成損害，但是此藥對孕婦的影響，並無很完備的資料，其安全性仍然需要更廣泛的醫學數據加以證明。在服藥之前，最好能經由醫師的同意。

此藥會經由母乳到達嬰兒體內，爲了避免造成新生兒的不良作用，餵奶的母親在使用藥物的期間，應該考慮使其他的乳製品，以取代母乳。

☞忘記用藥

如果忘記服藥，應該在記得時，立即服用。但是，如果距離下次服藥的時間太近，就應該捨棄遺忘的藥物，恢復到下次正常服藥的時間，千萬不可一次服用雙倍的劑量。

Levobunolol（青光眼藥）

商品名（台灣）

Bunolgan®（愛・Allergan）
Vistagan®（愛・Allergan）

商品名（美國）

AKBeta®（Akron）
Betagan®（Allergan）

☞藥物作用

本藥爲一種「治療青光眼」的藥物。青光眼的造成，主要是由於眼球內部液體，不正常的增加，或者是液體堵塞不能流出，迫使眼球內部的壓力亦隨之增加，最後壓迫到視覺神經，使視神經受損。此結果通常會先從視野最外圍的部位產生對視覺無反應的「盲點」，如果不加以治療的話，盲點的數目及範圍加大，有造成瞎眼的可能。本藥的作用，就是能降低眼球內部液體的產生，間接地降低眼內壓，而達到治療青光眼的目的。

☞用法

此藥通常是一天使用一次或兩次。使用此眼藥水的步驟，請參見頁93。

☞注意事項

使用此眼藥水後的前幾分鐘，也許會造成眼睛短暫的模糊不清。因此在眼睛尚未完全適應之前，當開車或操作危險機械時，必須小心謹慎。

如果懷孕，對藥物過敏，或者有氣喘、支氣管炎、肺氣腫、心臟疾病、糖尿病、重症肌無力症、甲狀腺機能亢進等等，醫師會針對這些情況更爲謹慎用藥，因此在使用此藥前，應該事先通知醫師。

此藥只能用來控制青光眼，但是並不能根治它。因此，除非有醫師的特別指示，即使覺得眼睛的狀況良好，仍然需要繼續依照醫師的指示使用，停止用藥有可能會使青光眼的情況惡化。

在點眼藥之前，應該先用肥皂將手徹底清洗乾淨。爲了避免汙染整瓶藥水，應該避免將藥瓶的前端接觸到手部或眼睛。用完藥水後，亦不可用紙巾或布擦拭或者用水清洗藥瓶的前端，並且應該盡快地將藥瓶蓋住。

雖然此藥爲一眼藥水，但是也不能使用超出醫師所指示的劑量或次數。過多的藥物有可能會經由眼睛的吸收而被吸收入體內，再經由血液循環而到達身體其他部位，造成身體許多不良的副作用。

在使用此藥幾天後，如果仍然有視覺模糊或眼睛痛等症狀，就應該通知醫師。在使用此藥一陣子後，也應該定期到醫院做檢查。醫師會根據藥效做進一步的診治或做劑量的調整。

在拔牙或動手術之前，應該事先通知醫師有使用此藥。

☞副作用

在正常劑量下，此藥造成副作用的機率並不是很高，只有在剛開始點眼藥水的時候，可能會造成眼睛輕微的刺痛、流眼淚、灼熱感、眼睛發紅或不舒服等等。但是經過幾分鐘後，此現象應該會消失。不過，如果症狀過於嚴重或者經一段時間的用藥後，有呼吸困難、腳部腫脹、體重突然增加等情況發生的話，就應該盡快通知醫師。

☞懷孕及哺乳

此藥能經由眼睛的吸收而到達母親的血液循環，如果使用的劑量過大或過於頻繁，仍有可能造成對胎兒的影響。雖然動物實驗顯示此藥並不會造成胎兒的缺陷，但仍有實驗顯示，在超過人類200倍的眼用劑量下，此藥會造成兔子胎兒的毒性。爲了避免萬一，懷孕婦女在使用此藥之前，應該經由醫師同意，並且嚴格遵守醫師的指示用藥。

目前爲止，尚不知此藥是否會經由母乳到達嬰兒體內，但尚無報告顯示會造成新生兒的不良作用。餵奶的母親在使用此藥期間，應該密切地注意嬰兒的反應或改用其他的乳製品取代。

☞忘記用藥

如果此眼藥水是一天使用一次，當忘記用藥時，就應該在記得時立即使用。但是，如果等到第二天才記起來，應該捨棄使用所遺忘的藥物，恢復到正常用藥的時間，但是不可使用雙倍的劑量。假若一天使用兩次或兩次以上，如果忘記用藥，應該在記得時，立即服用。但是，如果距離下次用藥的時間太近，應該捨棄此次的藥物，恢復到下次正常用藥的時間，千萬不可使用雙倍的劑量。

Levodopa/Carbidopa（帕金森症藥）

商品名（台灣）

Celance®（禮來）　Majormet®（中化）
Kinson®（澳・Alpha）　Sinemet®（美・Merck）

商品名（美國）

Sinemet®（Dupont）

☞藥物作用

本藥爲Levodopa及Carbidopa兩種化學成分組合而成，是治療「帕金森症」的藥物。帕金森症主要是由於腦內傳送訊息的兩種化學物質——Acetycoline和Dopamine不平衡所造成的。Acetycoline的含量過高，或Dopamine含量過少，都會造成帕金森症的發生。病人剛開始的時候會手顫抖，進而手腳僵硬，最後造成行動緩慢或困難。此藥的作用就是它能增加Dopamine在腦部細胞的含量，改善帕金森的症狀。

☞用法

爲了避免對胃的刺激，此藥最好與食物或飯後服用。如有必要時，此藥的膠囊或藥片可以打開來或壓碎服用。

☞注意事項

服用此藥後，可能會產生輕微頭暈目眩及視覺模糊的副作用，因此，在尚未完全適應之前，當開車或操作危險機械時，應該格外地小心謹慎。酒精會增加此藥頭暈目眩的副作用，應當避免飲用或限制酒量。

如果懷孕，對藥物過敏，或者有氣喘、肺氣腫或其他肺部方面的疾病、腎臟病、肝臟疾病、青光眼、心臟病、皮膚癌、癲癇症、糖尿病、胃潰瘍等等，醫師需要針對這些情況謹慎地用藥，因此在使用此藥前，應該先通知醫師。

剛開始服用此藥的時候，必須經過幾個星期，才能漸漸地達到藥物的作用。因此不能因爲一時覺得藥物無效而放棄服用。同時，此藥必須持續地服用才能有最好的效果，不能因爲症狀已經改善而停止服藥。

此藥會使尿液的顏色變暗，這是正常的現象，不需要因此而停止或中斷服藥。

服用此藥後也許會產生口渴的現象，但是如果能夠含一塊冰塊或糖果在嘴內的話，應該可以減少此一副作用。如果在服藥期間有便秘發生的話，就應該多食用蔬菜或水果等幫助消化的食物，並且在許可下，多做運動，並飲用多量的水分。

當剛開始服用此藥時，可能會產生頭暈目眩的感覺，尤其是突然站立或坐起時，不過如果能夠緩慢地站立或坐起，應該會減少此一現象。

此藥可能會干擾尿液血糖測試的結果，因此在服用此藥之前，應該請教醫師如何正確地測量血糖，和如何適當地調整糖尿病藥物的劑量或飲食。

維他命B_6(Pyridoxin)會嚴重影響此藥的藥效，通常一般的綜合維他命都含有此一成分，因此除了醫師要求服用外，應該避免服用含維他命B_6的維他命。

如果在一段長時間的服藥後，頭部、臉部、舌頭或頸部產生重複而且不能自行控制的運動，就應當盡快地通知醫師。

當使用此藥一段時間後，如果覺得身體四肢運動的狀況逐漸好轉，應該漸漸地增加運動量使身體能夠適應外在的環境，而不可過度的運動，以免身體一時無法適應而受到傷害。

服用此藥一段時間後，此藥的藥效可能會漸漸減弱，醫師也許會要求停用一陣子，然後再繼續服用；也許他會要求暫時轉換另外一種藥物。患者不可因爲一時覺得藥效減弱而自行增加服藥的劑量。

在拔牙或動手術之前，應該事先通知醫師有用此藥。

☞副作用

此藥常見的副作用爲：失眠、胃口降低、注意力不集中、流汗增加、疲倦、做噩夢、惡心嘔吐、緊張、頭痛、頭暈目眩、虛弱等等。這些副作用，通常在服用藥物一陣子後，應該會漸漸地消失。不過，如果這些副作用強到困擾你的程度，或者經過一段時間後，這些症狀還不能完全消除，就應該通知醫師。

此藥較嚴重的副作用爲：手部顫抖、心跳加快增強、走路困難、背部頸部肌肉僵硬痙攣、臉部或手腳不能自行控制的運動等等。通常這些副作用發生的機率較低，但是如果發生時，可能是藥物造成的不良反應，或者是劑量需要調整，應該盡快通知醫師。

☞懷孕及哺乳

此藥對孕婦的影響，並無很完備的資料。但是根據動物實驗顯示，在高劑量下，此藥可能會影響胎兒生產前後的發育及成長，因此，除了有絕對的需要並且經醫師的同意外，孕婦應該避免服用此藥。

此藥會經由母乳到達嬰兒體內，可能會造成新生兒的不良作用，同時此藥會降低母乳的產生，因此，餵奶的母親應該使用其他的乳製品，以取代母乳。

☞忘記用藥

如果忘記服藥的話，應該在記得時，立即使用。並將當天未用完的劑量，依照等分的時間間隔使用完。但是，如果距離下次用藥的時間只有兩小時，應該完全捨棄此次的藥物，然後恢復到下次正常用藥的時間，千萬不可一次使用雙倍的劑量。

Levothyroxine(左旋甲狀腺素)

商品名(台灣)

Eltroxin®(葛蘭素)
Levothyroid®(安模)
Synthroid®(美・Flint)
Thyrogain®(美・Carter)

商品名(美國)

Eltroxin®(Roberts)
Levo-T®(Lederle)
Levothroid®(Forest)
Levoxyl®(Daniels)
Synthroid®(Boots)

☞藥物作用

本藥爲一種經由化學合成的甲狀腺素。甲狀腺素爲頸部甲狀腺所分泌的一種荷爾蒙，如果體內缺少了此一荷爾蒙，則身體許多正常的功能將會受到干擾，影響到正常的發育和新陳代謝，並且可能會產生便秘、皮膚乾燥膨鬆、掉髮、精力缺乏、頭痛、怕冷、體重增加等等症狀。此藥主要是補充先天性甲狀腺機能不足或者後天由於手術或放射線摘除甲狀腺所引起的甲狀腺不足。

☞用法

此藥應該在空腹的時候服用，並且最好在早餐前服用。由於可能需要使用此藥一輩子，因此，最好養成每天在早晨起床後立即服藥的習慣，以減少忘記。必要時，此藥的藥片可以壓碎服用。小孩服用此藥，可以將此一藥片壓碎與少量食物或水混合服用。但是，切記不可將壓碎的藥粉倒入整杯的水中，以免未能服完所有的藥物而影響到病情。

☞注意事項

如果懷孕，對藥物過敏，或者有腎臟病、腎上腺機能不足、糖尿病、血管硬化、心臟疾病、高血壓等等，醫師需要針對這些情況謹慎地用藥，因此使用此藥前，應該事先通知醫師。

服用此藥後，醫師必須定期測試身體對此藥的反應，然後再適當地調整劑量，因此必須按照醫師的指示定期到醫院或診所做檢查。劑量的適當調整對小孩尤其重要，劑量不足可能會影響到小孩智能的發展以及身體正常的成長。

如果服用的目的是用來治療體內的甲狀腺素分泌過低，患者可能一生都要服用此藥，因此除非醫師要求停藥外，千萬不可自行停止服用此藥。

小孩剛服用此藥後，可能會發生脫髮的現象，但是經過幾個月，頭髮應該會漸漸地恢復。由於此藥對小孩將來智能的發育及身體的生長具有極密切的關係，父母必須每天定時餵小孩服藥，並且每隔一段時間，應該按照醫師的指示到醫院驗血以作爲調整劑量的參考。

如果同時服用Cholestyramine(降膽固醇的藥物)時，由於此藥具有極大的吸附作用，很可能會降低甲狀腺藥物的作用。因此必須等到吃完Cholestyramine後4小時，才能服用此藥。或者可先服用甲狀腺藥，然後等一個小時後，才服用Cholestyramine。

使用準確的劑量對病況相當重要，當服用此藥一段長時間後，除了醫師同意外，最好不要換別種廠牌的藥品。不同廠牌的藥品，雖然標示的劑量或有效成分相同，但是由於各個藥廠品管的能力、生產過程中所使用添加物不同，都有可能會影響此藥的吸收，因此其在體內所產生的濃度及藥效也不見得會相同。

當懷孕時，應該通知醫師有服用此藥，雖然此藥不見得會對胎兒造成不良的影響，但是醫師可能會因爲懷孕而調整服用的劑量。

☞副作用

此藥常見的副作用爲：皮膚乾燥膨鬆、怕冷、便秘、掉髮、精力缺乏、體重增加、頭痛等等。這些副作用通常是甲狀腺機能不足的症狀。此藥其他可能的副作用爲：月經不規則、心跳加快或加強、失眠、肌肉痛、怕熱、呼吸加快、拉肚子、流汗、胸口疼痛、發燒、腳抽筋、緊張不安、顫抖、體重降低等等。

這些副作用，通常是甲狀腺素過高的症狀。如果有上述綜合症狀發生的話，應該通知醫師，他會要求重新驗血並適當地調整劑量。

☞懷孕及哺乳

一般來講，孕婦使用此藥是安全的。僅有極微量的藥物可能會經由胎盤進入胎兒體內，並且從過去臨床經驗顯示，此藥造成胎兒不良反應的可能性相當低。由於孕婦可能需要服用不同於平常所服用的劑量。當懷孕時，應該確實遵守醫師所指示的劑量服用。

在正常情況下，餵奶的母親在使用此藥時，對嬰兒而言是安全的。

☞忘記用藥

如果忘記服藥，應該在記得時，立即服用。但是，如果距離下次服藥的時間太近，就應該捨棄所遺忘的藥物，然後恢復到正常服藥的時間，千萬不可一次服用雙倍的劑量。

Lisinopril(利欣諾普)

商品名(台灣)

Prinivil®(美・Merck)
Zestril®(美・Zeneca)

商品名(美國)

Prinivil®(Merck)
Zestril®(Zeneca)

☞藥物作用

本藥爲一種「ACE抑制劑」的降血壓以及預防「充血性心衰竭」的藥物。此藥可壓制血管內某種會使血管收縮的化學物質，由於此種化學物被壓制，血管便能適當地擴張，使更多的血液能在血管順暢地流通，而達到降血壓的目的。過多的血液長久地滯留在心臟，可使心臟的工作量增加，最後由於心臟不能負荷而導致衰竭。本藥可使血管擴張，積壓於心臟的血液便可以回流入身體的各個部位，可以間接地預防充血性心衰竭的發生。

☞用法

本藥不受食物的影響，因此，空腹或與食物一起服用均可。此藥通常是一天服用一次。如果一天服藥一次，最好能安排於早晨服用。最好養成每天在固定時間服藥的習慣，並且不可突然停止服藥，以免病情惡化。必要時此藥的藥片可以壓碎服用。酒精可能會增加此藥造成頭暈或目眩的可能，因此，服用此藥時，應該避免喝酒。

☞注意事項

服用此藥後，可能會產生輕微頭暈目眩，尤其在剛開始服藥期間。因此，在尚未完全適應此藥前，當開車或操作危險機械時，必須小心謹慎。

如果懷孕，對藥物過敏，或者有心臟疾病、糖尿病、腎臟病、紅斑性狼瘡等等，醫師需要針對情況謹慎用藥，因此在使用此藥前，應該事先通知醫師。

服用此藥後，血壓可能要經過幾個星期才會漸漸地降到理想的程度。在經過一段時間藥物治療後，即使血壓已恢復正常，亦不可間斷服藥，甚至可能一生都需要服用此藥以控制血壓。

爲了達到理想的降血壓作用，應該遵循醫師的指示，服用低鹽類、低脂肪食物，戒煙酒，並且盡可能地依照醫師的指示做適當的運動。

爲了避免忘記服藥，最好養成每天在固定時間服藥的習慣，並且在經過一段時間服藥後，不可突然停止服藥。突然的停藥，有可能會造成血壓升高，甚至會造成心臟方面的問題。如須停藥時，應該事先得到醫師的許可，並且在醫師指示下，將劑量漸漸地降低然後停藥。

此藥只能用來控制高血壓或心衰竭，並不能根治此一病症，因此必須長期服用此藥才能適當地控制病情。如果使用此藥的目的是用於心衰竭，就應該避免做太激烈的運動，並且在使用藥物之前應該事先請教醫師，何種活動或運動量最適合身體狀況。剛開始服用此藥時，可能會產生頭暈目眩的感覺，尤其是當突然站立或坐起時，不過如果能夠緩慢地站立或坐起，應該會減少此一現象。飲酒、洗太熱的澡、太陽下站立太久、流太多的汗等等，這些因素都有可能會增加此藥降低血壓的效果，應該盡量避免此類因素，以免到時血壓過度下降，造成頭暈目眩，甚至暈倒的可能。

市面上許多治療過敏、鼻塞、咳嗽、感冒，以及減肥的成藥中，經常含有會使血壓升高的成分。爲了避免造成血壓突然地升高，在服用此類藥物前，應該事先諮詢醫師或藥師的意見。

☞副作用

此藥常見的副作用爲：口乾、下痢、味覺降低、咳嗽、疲倦、惡心、頭痛等。這些副作用，通常在服用藥物一陣子後，應該會漸漸消失；不過，如果這些副作用強到困擾你的程度，或者經過一段時間後，還不能完全消除，就應該通知醫師。

此藥較嚴重的副作用爲：心跳不正常的增快、四肢關節疼痛、皮膚產生紅疹、因爲血壓太低而暈倒、呼吸及吞嚥困難、突然的發熱或發冷、胸部疼痛、惡心嘔吐、腹部疼痛、臉部或四肢腫大等等。通常這些副作用發生的機率較低，但是如果發生時，可能是藥物造成的不良反應，或者是劑量需要調整，應該盡快地通知醫師。

☞懷孕及哺乳

此藥可經由胎盤進入胎兒體內，此類ACE抑制劑可能會影響到胎兒腎臟以及頭骨的正常發育，並會使血壓降低，甚至造成胎兒的死亡，尤其是懷孕最後六個月的可能性最高。當發現懷孕時，應該停止服藥，並立即通知醫師。

目前爲止，尚不知此藥是否會經由母乳到達嬰兒體內，爲了避免藥物可能造成新生兒的不良影響，餵奶的母親在使用此藥前，應該徵求醫師的指示或使用其他乳製品，以取代母乳。

☞忘記用藥

如果忘記服藥，應該在記得時，立即服用。但是，如果一天服藥一次，而距離下次服藥的時間少於8小時，就應該捨棄此次的藥物，然後恢復到下次正常服藥的時間，千萬不可一次使用雙倍的劑量。

Lithium Carbonate(碳酸鋰)

商品名(台灣)

Calith®(派頓)
Camcolit®(英・Norgine)
Lidin®(優良)
Ligilin®(安主)
Lilitin®(金塔)
Lisyn-F®(荷・Pharmachemie)
Lithonate®(美・Sorvay)

商品名(美國)

Eskalith CR®(SKF)
Eskalith®(SKF)
Lithobid®(Ciba)
Lithonate®(Reid-Rowell)
Lithotabs®(Reid-Rowell)

☞藥物作用

本藥爲治療「躁鬱病」的藥物。此類病人往往會產生雙極性的情緒變化，一會兒覺得極度興奮、緊張不安或具有攻擊性，一會兒又變得極度沮喪，甚至到傷害自己的程度。此藥物可用於腦部的中樞神經，以達到情緒的穩定或平和。

☞用法

爲了減輕對胃的刺激，此藥最好與食物或飯後服用。如有必要時，此藥的膠囊或藥片可打開來或壓碎服用。但是長效型錠劑應該整粒吞服，不可咀嚼或壓碎服用。如使用的是液體藥物時，應該使用有刻度的量杯或藥管，以量取正確的藥量。

☞注意事項

此藥會產生想睡覺及降低警覺性，尤其是剛開始服藥期間，因此除非已經適應了此藥的作用，當開車或操作危險機械時，應該格外地小心謹慎。酒精會增加此藥的思睡作用，應當避免飲用或限制酒量。

如果懷孕，對藥物過敏，或者有帕金森症、心臟疾病、腎臟病、甲狀腺疾病、糖尿病、癲癇症等等，醫師需要針對這些情況謹慎用藥，因此在使用此藥前，應該事先通知醫師。

剛開始服用此藥的時候，必須經過一兩個星期，才能完全達到藥物的作用。因此不能因爲一時覺得藥物無效而放棄服用。同時，此藥必須持續服用才能達到最好的效果，也不能因爲覺得症狀已經改善而停止服藥。

由於此藥在血內的濃度，對於藥物的藥效、副作用，以及安全性占有極大的重要性。如果服用的次數或劑量過高，可能會造成極大的副作用及危險性；如果服用的次數或劑量過低，則不容易達到治療的效果。因此在服用此藥時，應當完全依照醫師的指示服藥，此藥在體內若能達到固定的濃度，則可達到最好的藥效，因此，最好能將一天24小時，分隔爲相等的時段給藥。如一天服藥兩次，則分隔爲每12個小時給藥一次；如一天服藥3次，則分隔爲每8個小時給藥一次；並且應該完全遵照醫師的處方服藥，更不可忘記服藥。

當服用此藥後，醫師需要定期評估藥效以及可能的副作用。尤其在服藥後的前幾個星期，醫師也許會要求驗血或驗尿以測量此藥在血中的濃度，因此必須遵從醫師的指示，定期到醫院做檢查。

如果身體喪失大量水分，可能會間接地增加此藥在血中的濃度，由於藥物在血中的濃度增加，造成副作用的機會也相對地增加。因此應該避免過度的運動或在烈日下站立太久，以免造成大量流汗。如果因爲長期拉肚子或嘔吐而喪失很多水分的話，就應該盡快地通知醫師。咖啡、茶，或酒精會增加尿液的排放，應該盡量避免飲用。

爲了維持藥物在血中正常的濃度，以及減少藥物可能造成的副作用，除了醫師特別禁止外，應該每天飲用約12杯(每杯約250cc.)的開水，並且盡量維持平常食用的鹽分，不可突然急遽增加或減少食用的份量。

許多藥物包括處方藥或非處方藥會降低此藥的作用，而致不能達到治療的目的，或者增強藥物的作用，造成不必要的副作用。因此，在服用任何藥物之前，應該事先請教醫師或藥師。

在拔牙或動手術前，應該事先通知醫師有服用此藥。

☞副作用

此藥常見的副作用為：口渴、長粉刺、疲倦、惡心、腹脹、輕微的頭暈、頻尿等等。這些副作用，通常在服用藥物一陣子後，應該會漸漸地消失；不過，如果這些副作用強到困擾你的程度，或者經過一段時間後，還不能完全消除，就應該通知醫師。

此藥較嚴重的副作用為：手顫抖、心跳突然加快或增強、拉肚子、惡心、視覺模糊、暈倒、嘔吐、頭暈等等。通常這些副作用發生的機率較低，但是如果發生時，可能是藥物造成的不良反應，或者是劑量需要調整，應該盡快通知醫師。

☞懷孕及哺乳

醫學資料顯示，此藥可能會影響胎兒心臟血管及甲狀腺方面功能，尤其是懷孕的前三個月可能性最高，因此孕婦應該避免服用此藥。如果在服藥期間發現已經懷孕，就應該立即通知醫師，他會衡量狀況，決定是否應該服藥。

此藥可經由母乳到達嬰兒體內，可能會降低胎兒體溫、肌肉張力及心率的不正常。餵奶的母親服用此藥後，應該避免用母乳餵哺嬰兒，而改用其他的乳製品取代。

☞忘記用藥

如果忘記服藥，應該在記得時，立即服用。但是，如果距離下次服藥的時間只有兩小時(長效釋放型藥物為6小時)，就應該捨棄此次藥物，恢復到下次正常服藥的時間，千萬不可一次服用雙倍的劑量。如果忘記服藥超過兩次以上，就應該通知醫師。

Loperamide(樂必寧)

商品名(台灣)

Antidia®(世紀)
Elinin®(信隆)
Epodium®(中國新藥)
Gerium®(皇佳)
Hocular®(培力)
Imode®(優生)
Imodine®(金塔)
Imolex®(杏輝)
Imomide®(井田)
Iridine®(陽生)
Isidium®(內外)
Ker Li®(中美)
Licolin®(新東)
Liderium®(瑞士)
Limodium®(合誠)
Liys®(居禮)
Lizid®(新豐)
Lolilin®(中一)
Lopedin®(生達)
Lopela®(衛達)
Lopemid®(正氏)
Loper®(黃氏)
Loperadium®(北進)
Loperam®(強生)
Loperamin®(明大)
Lopera®(金馬)
Loperin®(安主)
Loperlax®(瑞安)
Moledium®(全福)
Mori®(華盛頓)
Ufunin®(優良)
Undiarrhea®(永信)
Winlipan®(溫士頓)

商品名(美國)

Imodium A-D®(Janssen)
Imodium®(Janssen)

☞藥物作用

本藥為一種「抗腹瀉」的藥物，主要的作用是能夠緩和胃腸的蠕動，使物質能夠在腸內停留更長的時間，並且能夠使胃腸內排出的液體減少，而達到緩和腹瀉的目的。

☞用法

本藥不受食物的影響，因此，空腹或與食物一起服用均可。此藥通常在拉肚子的時候才使用，不過，在使用此藥之時，不可超過醫師所處方或者藥廠所指定的劑量或次數。如有必要時，此藥的膠囊可打開來服用。如果是使用液體藥物時，每次在使用前應該使用有刻度的量杯或藥管，以量取正確的藥量。

☞注意事項

服用此藥後，可能會產生輕微頭暈目眩及想睡覺，尤其在剛開始服藥期間。因此，在尚未完全適應此藥之前，當開車或操作危險機械時，最好能夠小心謹慎。酒精會增加此藥思睡的副作用，應當避免飲用或限制酒量。

如果懷孕，對藥物過敏，或者身體有嚴重脫水、肝臟疾病、潰瘍性結腸炎等等，醫師需要針對這些情況更爲謹慎用藥，因此在使用此藥前，應該先通知醫師。

安眠藥、肌肉鬆弛劑、鎮靜劑、抗過敏藥、感冒藥、抗抑鬱藥、止痛藥等等，這些藥物都有可能會增加此藥思睡的副作用。若同時服用這些藥物時，應當特別注意其彼此增加思睡的相乘效果。

服用此藥後也許會產生口渴的現象，但是如果能夠含一塊冰塊，多喝開水，或含一塊糖果在嘴內的話，應該可以減少此一副作用。

造成腹瀉原因有許多，如果使用此藥的目的在治療急性腹瀉，在經過兩天的治療後；或者是治療慢性腹瀉，而經過10天後症狀還無法改善，就應該通知醫師。他會對腹瀉的原因做更進一步的診斷及治療。另外，如果在使用本藥的過程中有發燒、腹部膨脹、腹痛或者是便中帶血的情況發生時，也應該立即通知醫師。

經過長期大量的腹瀉後，就應該隨時注意補充排泄掉的水分，以免水分過分流失，造成身體脫水或腎臟及血液循環等等後遺症的發生。幼兒及老年人對水分的補充應該特別留意。一般身體缺乏水分的象徵爲：口乾、口渴、皮膚起皺紋、小便量減少、頭暈目眩等等。

小孩對此藥的作用會產生較難預測的反應，如昏睡、情緒不穩、性情改變等等。因此，對於6歲以下的小孩就應該經由醫師診斷治療，並且完全遵照醫師的指示服藥。老年人對此藥的作用較一般人敏感，較易產生思睡及便秘。

通常胃腸內含有一些正常繁殖的細菌，這些細菌或微生物通常在胃腸內維持一種平衡的狀態。但是，如果長期服用強而廣效抗生素的話，將會使一些細菌被殺死，但是反而可能會使另外一些細菌或微生物過量地繁殖，因而導致腹瀉。如果在使用抗生素期間產生腹瀉的話，使用本藥不見得有效，更由於服用止瀉藥的關係，可能會使細菌的毒素在腸內停留更久，反而會使腹瀉的情況轉為嚴重。對於此類抗生素引起的腹瀉，應當經醫師的處方使用另外一種藥物以治療此類的腹瀉。

☞副作用

此藥常見的副作用為：口乾、便秘、胃口降低、疲倦、噁心、想睡覺、嘔吐、頭暈等。這些副作用，通常在服用藥物一陣子後，應該會漸漸消失；不過，如果強到困擾你的程度，或者經過一段時間後，這些症狀還不能完全消除，就應該通知醫師。

此藥較嚴重的副作用為：皮膚發紅、嚴重的噁心嘔吐、嚴重的腹脹或疼痛等。通常這些副作用發生的機率較低，但是如果發生時，可能是藥物造成的不良反應，或者是劑量需要調整，應該盡快通知醫師。

☞懷孕及哺乳

動物實驗顯示，在正常的劑量下，此藥尚不至於造成胎兒的損傷或生長缺陷。然而動物實驗的結果並不一定完全與人類的反應相同，當懷孕時，應該與醫師討論此藥可能對胎兒的影響，他會衡量狀況，決定是否應該服藥。

目前為止，尚不知此藥是否會經由母乳到達嬰兒體內，也尚無紀錄顯示會造成嬰兒的不良反應，不過當考慮用母乳餵哺新生兒時，為了安全起見，最好經由醫師的指示服藥。

☞忘記用藥

此藥在治療急性腹瀉，只有在覺得需要的時候才服用。如果按照一定時間服用此藥以治療慢性腹瀉，若在服藥期間仍有腹瀉的症狀，就應該在記得服藥時，立即服用，並將當天未服完的劑量，依照等分的時間間隔服用完。如果腹瀉已經停止，就應該捨棄此次的藥物，然後恢復到下次服藥的時間，千萬不可一次服用雙倍的劑量。

Loratadine(過敏藥)

商品名(台灣)

Clarinase®(比・Schering)
Clarityne®(美國先靈)
Lomidine®(華興)

商品名(美國)

Claritin®(Schering)

☞藥物作用

本藥爲一種抗組織胺類的「抗過敏」藥。它主要使用於許多過敏反應所引起的皮膚發紅及發癢的現象,以及花粉過敏或傷風感冒引起的鼻塞、流鼻水、打噴嚏,及眼睛發紅、發癢等等。本藥較大的優點就是較其他的抗過敏藥有較低的思睡副作用,以及較長效、較強力的藥效。

☞用法

本藥通常是一天服用一次,爲了增強藥物的吸收,使用時,最好在空腹時服用,譬如飯前一小時,或飯後兩小時。不過如果覺得此藥對胃的刺激過大,會造成胃的不舒服,與食物或一杯水一起服用,應該可以降低此一症狀。如有必要時,此藥的普通藥片可以壓碎與食物或水混合服用,但持續錠必須整粒含服。

☞注意事項

雖然此藥和其他抗過敏藥比較起來,造成思睡的作用相當低,但是仍有一些老年人和有肝臟、腎臟問題的病人等，對它的敏感度較高，有造成頭暈及思睡的可能。因此當開車或操作危險機械時，應該格外地小心謹慎。酒精會增加此藥思睡的副作用，應當避免飲用。

如果懷孕或餵哺嬰兒，對藥物過敏，或者肝臟疾病、氣喘、青光眼、排尿困難、胃潰瘍、前列腺腫大、甲狀腺機能亢進、心臟疾病等等，醫師需要針對這些情況更爲謹慎用藥，因此在使用此藥之前，應該事先通知醫師。

安眠藥、肌肉鬆弛劑、鎮靜劑、抗過敏藥、感冒藥、抗抑鬱藥、止痛藥等等，這些藥物都有可能會增加此藥想睡覺的作用。同時服用這些藥物時，應當特別注意彼此增加思睡的相乘效果。

本藥會增加皮膚對陽光的敏感性。如果在陽光下曝曬太久，有可能會導致皮膚的過敏或灼傷，因此應該盡量避免陽光直接曝曬，並穿著長袖衣物，以保護皮膚。

服用此藥後也許會產生口渴的現象，但是如果能夠含一塊冰塊或糖果在嘴內的話，應該可以減少此一副作用。如果在服藥期間有便秘發生的話，就應該多食用蔬菜或水果等幫助消化的食物，並且在許可下，多做運動，或飲用多量的水分。

在做皮膚過敏反應的測試之前，應該先通知醫師有服用此藥。因爲此藥爲一種抗過敏藥，因此其抗過敏作用可能會干擾測試的結果。

☞副作用

此藥常見的副作用爲：口乾、疲倦、頭痛、輕微的想睡覺、流汗增加、口渴、視覺模糊、乳痛、拉肚子或便秘、小便困難或疼痛、頭暈或口乾、皮膚乾燥、胃腸不適、胃口增加或降低等等。這些副作用，通常在服用藥物一陣子後，身體漸漸適應了，應該會漸漸地消失；不過，如果副作用強到困擾你的程度，或者經過一段時間後，還不能完全消除，就應該通知醫師。

此藥較嚴重的副作用爲：眼睛及皮膚發黃、突然發熱發冷或喉嚨痛、極端的疲倦、皮膚起紅疹或有青紫色的瘀傷、心跳不正常、呼吸困難、幻覺、精神極度的興奮或緊張不安、精神恍惚或沮喪、視覺改變、失眠、月經不順、突然昏倒等等。通常這些副作用發生的機率較低，但是如果發生時，可能是藥物造成的不良反應，或者是劑量需要調整。應該盡快通知醫師。

☞懷孕及哺乳

根據動物實驗顯示，此藥並不會造成胎兒缺陷。不過，由於動物實驗的結果與人體的反應並不一定完全相同，並且此藥對人體實驗的數據有限，因此當懷孕時，最好能通知醫師，他會衡量狀況，及此藥可能對胎兒的影響，決定是否應該服藥。

少量的藥物會經由母乳到達嬰兒體內，爲了避免藥物可能造成對新生兒的影響，餵奶的母親在服藥期間，應該使用其他的乳製品以取代母乳。

☞忘記用藥

如果忘記服藥，應該在記得時，立即服用。但是，如果距離下次服藥的時間太近，就應該捨棄此次藥物，恢復到下次正常服藥的時間，千萬不可一次服用雙倍的劑量。

Lorazepam(樂耐平)

商品名(台灣)

Anxiedin®(優良)
Anzepam®(景德)
Atilen®(美時)
Atipam®(皇佳)
Ativan®(惠氏)
Control®(義・Sigurta)
Larpam®(世達)
Lopam®(衛達)
Lorapam®(合誠)
Lorat®(明大)
Lorazin®(強生)
Lorazon®(永豐)
Lorpin®(臺裕)
Lovamin®(大豐)
Lowen®(中化)
Neuropam®(汎生)
Noctamid®(先靈)
Quait®(義・SPA)
Santivan®(比・Sanico)
Sanzepam®(比・Sanico)
Silence®(永信)
Spolin®(華興)
Stapam®(生達)
Wintin®(溫士頓)

商品名(美國)

Ativan®(Wyeth-Ayerst)

☞藥物作用

本藥爲一種短期使用的「抗焦慮藥」，可用於解除精神的焦慮、緊張，以及沮喪所引起的焦慮症。本藥亦可當作「安眠藥」使用，可幫助因爲焦慮不安所導致的失眠，使病患得到安穩的睡眠。

☞用法

本藥不受食物影響，因此，空腹或與食物一起服用均可。服用此藥時，最好依照醫師的指示，每天在固定的時間服藥。使用此藥超過4個星期後，如要停藥必須經醫師的許可，不可自行停止服用。如有必要時，此藥的藥片可以壓碎服用。

☞注意事項

此藥會產生想睡覺及頭暈的感覺，尤其是剛開始服藥期間，除非已經適應了此藥，當開車或操作危險機械時，應該格外地小心謹慎。酒精會增加此藥的思睡作用，應當避免飲用或限制酒量。

如果懷孕，對藥物過敏，經常飲用大量的酒，或者有肝臟疾病、腎臟病、癲癇、重症肌無力症、青光眼、氣喘、肺氣腫、嚴重的精神沮喪等等，醫師需要針對這些情況謹慎用藥，因此在使用此藥前，應該先通知醫師。

安眠藥、肌肉鬆弛劑、鎮靜劑、抗過敏藥、感冒藥、抗抑鬱藥、止痛藥等，這些藥物都有可能會增加此藥的思睡作用，同時服用這些藥物時，應當特別注意其彼此增加思睡的相乘效果。

長期大量服用此藥的話，可能會造成此藥的成癮性或者是依賴性，因此應該完全遵照醫師的指示服藥，千萬不可服用超過醫師所處方的劑量或使用的次數。

服用經過一段時間後，此藥對身體的作用可能會漸漸地減弱，當此現象發生時，千萬不可自行增加劑量，應該徵求醫師的指示，他也許會考慮改用其他藥物取代。

老年人對此藥頭暈及運動失調的副作用較一般人敏感，因此當服用此藥後走路、爬樓梯或運動時，應該格外地小心謹慎，以免摔倒而導致骨折。

服用此藥3至4個月後，不能突然地停藥，因爲突然停藥可能會產生戒斷症狀。如果要停藥的話，應該遵循醫師的指示，漸漸降低劑量或次數，然後再停藥。

服用此藥後也許會產生口渴現象，但是如果能夠含一塊冰塊或糖果的話，應該可以減少此一副作用。如果在服藥期間有便秘發生的話，就應該多食用蔬菜或水果等幫助消化的食物，並且在許可下，多做運動或飲用多量的水。

剛開始服用此藥時，可能會產生頭昏眼花的感覺，尤其是突然站立或坐起時，不過如果能夠緩慢地站立或坐起，應該會減少此一現象。

☞副作用

此藥常見的副作用爲：口乾、小便困難、下痢、思睡、便秘、疲倦、噁心、發抖、視覺模糊、嘔吐、頭痛、頭暈目眩等。這些現象，通常在服用藥物一陣子後，身體漸漸適應了，應該會漸漸地消失；不過，如果強到困擾你的程度，或者經過一段時間後，還不能完全消除，就應該通知醫師。

此藥較嚴重的副作用爲：手腳及眼睛有不能自主地運動、幻覺、精神不尋常的興奮、皮膚有不正常的瘀傷或塊狀的青紫色、皮膚起紅疹或發癢、眼睛及皮膚發黃、發燒、發冷及喉嚨疼痛、極端的疲倦、精神恍惚或沮喪等。通常這些副作用發生的機率較低，但是如果發生時，可能是藥物造成的不良反應，或者是劑量需要調整，應該盡快通知醫師。

☞懷孕及哺乳

孕婦於懷孕的前三個月服用此藥，有造成胎兒缺陷的可能。同時此藥具有成癮性，孕婦於最後六個月服用此藥，有可能會造成新生兒出生後緊張不安、顫抖等症狀。孕婦於懷孕的最後一個星期服用此藥，則有可能造成嬰兒出生後過度安眠、心跳減慢及呼吸困難等現象。因此，除了有絕對需要並且經醫師同意外，孕婦應該避免服用此藥。

目前爲止尚不知此藥是否會經由母乳到達嬰兒體內，不過有報導顯示，與此藥屬於同一類型的藥物會造成新生兒過度的安睡、心跳減慢，及呼吸困難等等現象。因此，餵奶的母親應該考慮使用其他的乳製品以取代母乳。

☞忘記用藥

如果忘記服藥時間不超過一小時，就應該立即服用；但是，如果超過一小時，就應該捨棄此次藥物，恢復到下次正常服藥的時間，千萬不可一次服用雙倍的劑量。

Lovastatin(樂瓦斯他汀)

商品名(台灣)

Asacor®(順生)
Cdeleton®(內外)
Cysin®(井田)
Delipic®(生達)
Lovastin®(景德)
Lozutin®(永信)
Medostatin®(塞・Medo)
Melova®(衛達)
Mevacor®(默克)

商品名(美國)

Mevacor®(Merck)

☞藥物作用

本藥爲一種「降低膽固醇」的藥物。如果身體有太多的膽固醇或脂肪積聚於血管中，將會使血管阻塞，導致血液不能順暢地在血管中流通。由於血液不流通，將使血管內的壓力增加，因而導致高血壓，甚至造成腦血管破裂而導致中風。由於血液不流通，也會使血液運送氧氣的能力降低，由於心臟氧氣的缺乏，最終可能會導致心臟病或心絞痛的發生。本藥的作用，就是能夠抑制膽固醇生產過程中所需要的一種化學物質，使膽固醇不能順利產生，而達到降低膽固醇的目的。

☞用法

此藥通常是一天服用一至兩次。由於膽固醇在晚上到清晨5點的時候分泌最多，因此如果一天服藥一次，最好能安排於晚飯時服用。如果一天服藥兩次，則於早餐及晚餐時，各服用一次。如有必要時，此藥的藥片可以壓碎與食物或水混合服用。

☞注意事項

在服用期間如果發覺已經懷孕，應該立即停止服藥，並且通知醫師，因爲此藥可能會造成胎兒骨骼方面的缺陷。

如果懷孕，用母乳餵哺嬰兒，對藥物過敏，經常飲用大量的酒，或者有肝臟疾病、低血壓、癲癇症等，醫師需要針對這些情況謹慎用藥，因此在使用此藥前，應該先通知醫師。

此藥只能用來控制膽固醇過高，並不能根治此一病症。爲了更有效降低膽固醇，除了定期服藥外，仍舊需要遵循醫師指示，食用低脂肪的食物、做適當的運動及減輕體重等，才能達到穩定膽固醇的效果。

服用此藥一陣子後，除了得到醫師許可外，不可突然停止服藥。突然停藥，有可能會造成膽固醇突然升高。

膽固醇過高、高血壓、糖尿病、身體過度的肥胖、吸煙等，都是造成血管硬化、導致中風及心臟病發作的主要因素。因此應該遵循醫師的指示，戒煙酒、食用低鹽量低脂肪的食物及使用適當的藥物以控制高血壓、糖尿病，及膽固醇過高等等。

此藥最值得關注的副作用，就是藥物可能對肝臟的影響。由於酒精可能會增加此藥對肝臟的損傷，因此在服用期間，應該盡量減少飲酒。

在服藥期間，醫師會定期要求驗血以測量肝功能是否正常，以及測定體內膽固醇的含量以適當調整服藥劑量。並且應該依照醫師的指示，定期到醫院或診所做血液的檢驗。

在拔牙或動手術之前，應該先通知醫師有服用此藥。

☞副作用

此藥常見的副作用爲：失眠、皮膚發紅、拉肚子、便秘、胸口灼熱或胃痛、排氣增加、惡心、頭暈、頭痛等，這些副作用，通常在服用藥物一陣子後，身體漸漸習慣了此藥物的作用，應該會漸漸地消失；不過，如果強到困擾你的程度，或者經過一段時間後，這些症狀還不能完全消除，就應該通知醫師。

此藥較嚴重的副作用爲：視覺模糊或視覺改變、發燒、肌肉痛、肌肉抽筋、極度的疲倦或虛弱等等，通常這些副作用發生的機率較低，但是如果發生時，可能是藥物造成的不良反應，或者是劑量需要調整，應該盡快通知醫師。

☞懷孕及哺乳

孕婦不該服用此藥，此藥會影響胎兒骨骼正常的發育及成長，同時也可能會降低胎兒體內所需要的膽固醇，間接地影響到胎兒腦部及神經的發展。如果在服藥期間發現已經懷孕，就應該立即停止服藥，並且通知醫師。

目前爲止，尚不知此藥是否會經由母乳到達嬰兒體內，爲了避免造成新生兒發生嚴重副作用，餵奶的母親應該使用其他乳製品以取代母乳。

☞忘記用藥

爲了有效地降低膽固醇，必須定期服用藥物。如果忘記服藥，應該在記得時，立即服用；但是，如果距離下次服藥的時間太近，就應該捨棄所遺忘的藥物，恢復到正常服藥的時間，千萬不可一次服用雙倍的劑量。

Meclizine(美克利淨)

商品名(台灣)

Bonamine®(輝瑞)	Lointin®(南都)	Semper®(大正)
Clizine®(榮民)	Meclamin®(根達)	Tenwen®(信東)
Hantoline®(永昌)	Meclipine®(威力)	Travezin®(新喜)
Hsingyun®(華國)	Meczin®(景德)	Tribra®(人生)
Kolizine®(新東)	Meczine®(正氏)	Vitabonin®(元澤)
Liga®(中美)	Meczin®(晟德)	Vomiseda®(康福)
Lisu®(西華)	Medlizine®(根達)	Yonyun®(永信)
Litalou®(漁人)	Semaron®(大亞)	Zithine®(應元)

商品名(美國)

Antivert®(Roerig)
Bonine®(Leeming)

☞藥物作用

本藥爲一種抗組織胺類的「抗暈車」藥，可以用來預防及治療暈車所引起的頭暈及嘔吐，通常在症狀發生前服用此藥最有效。本藥亦可用來治療因爲某些疾病所引起的耳朵不平衡造成的頭暈。

☞用法

爲了減輕對胃的刺激，此藥最好與食物或一杯開水一起服用。如有必要時，此藥的藥片可以壓碎與食物或水混合服用。使用此藥如果是做暈車藥使用，應該在出發前的一小時內服用。如果使用的是咀嚼錠，應該在嘴內徹底咀嚼後再吞服入胃，以達到最佳的藥效。

☞注意事項

此藥會造成極大的思睡副作用，因此除非已經適應了此藥的作用，當開車或操作危險機械時，應該格外地小心謹慎。酒精會增加此藥思睡的副作用，應當避免或限制酒量。

如果懷孕，對藥物過敏，或者有氣喘、青光眼、排尿困難、前列腺腫大、甲狀腺機能亢進、心臟疾病等等，醫師需要針對這些情況謹慎用藥，因此在使用此藥前，應該先通知醫師。

安眠藥、肌肉鬆弛劑、鎮靜劑、抗過敏藥、感冒藥、抗抑鬱藥、止痛藥等等，這些藥物都有可能會增加此藥思睡的作用。當同時服用這些藥物時，應當特別注意其彼此增加思睡的相乘效果。

小孩對此藥的作用會產生較難預測的反應，如可能會引起噩夢、不正常的興奮，及情緒不安等等。因此，對於12歲以下的小孩，應該避免自行服用成藥，而應該經由醫師診斷及治療。老年人對此藥的作用，較一般人敏感，因此較易產生思睡、便秘、虛幻、排尿困難、頭暈、口舌乾燥、低血壓等等副作用。

如果服用此藥後會覺得口渴，放一塊冰塊或者含一顆糖果在嘴內，應該能改善此一現象。

☞副作用

此藥常見的副作用爲：口乾、耳鳴、思睡、便秘或拉肚子、流汗增加、胃口降低、胃腸不適、疲倦、精神恍惚、精神緊張、頭痛、頭暈等等。這些副作用，通常在服用藥物一陣子後，身體漸漸習慣了，應該會漸漸地消失；不過，如果這些副作用強到困擾你的程度，或者經過一段時間後，這些症狀還不能完全消除，就應該通知醫師。

此藥較嚴重的副作用爲：心跳突然加快或增強、幻覺、失眠、皮膚起紅疹或有青紫色的瘀傷、行爲笨拙、血壓降低、耳鳴、呼吸困難、恍惚或沮喪、突然發燒、排尿困難、發冷或喉嚨痛、視覺模糊、極端的疲倦、精神極度的興奮等等。通常這些副作用發生的機率較低，但是如果發生時，可能是藥物造成的不良反應，或者是劑量需要調整，應該盡快地通知醫師。

☞懷孕及哺乳

雖然動物實驗顯示在極高的劑量下，此藥會造成動物胎兒的缺陷。然而根據人類以往使用此藥的紀錄顯示，此藥造成胎兒損傷或缺陷的可能性並不大。不過在使用此藥前，最好能通知醫師，並且依照醫師的指示服藥。

少量的藥物會經由母乳到達嬰兒體內，造成新生兒過度的興奮及緊張不安，同時此藥可能會降低母乳的產生，餵奶的母親應該考慮使用其他的乳製品，以取代母乳。

☞忘記用藥

如果忘記服藥，應該在記得時，立即服用。但是，如果距離下次服藥的時間太近，就應該捨棄此次的藥物，恢復到下次正常服藥的時間，千萬不可一次服用雙倍的劑量。

Medroxyprogesterone(每保隆)

商品名(台灣)

Farlutal®(義・Farmitalia)
Fuan®(井田)
Medrone®(衛達)
Meterone®(信元)
Neolut®(希・Adelco)
Protab®(政德)
Provera®(普強)

商品名(美國)

Amen®(Carnrick)
Cycrin®(Wyeth-Ayerst)
Provera®(Upjohn)

☞藥物作用

本藥爲一種女性荷爾蒙，主要用來治療荷爾蒙不平衡所導致的月經方面的病症，如不正常的月經流血、月經困難、月經疼痛、無月經等等。此藥同時可與另外一種女性荷爾蒙合用，以減輕子宮內膜癌發生的可能。

☞用法

此藥通常是一天服用一次，連續使用5至10天。爲了避免對胃的刺激，服用此藥時最好與食物一起或者是飯後服用。使用此藥之前，應該詳細地詢問醫師，何時開始服用藥物，並最好養成每天在固定時間服藥的習慣，以減少忘記服藥的可能。如有必要時，此藥的藥片可以壓碎與食物或水混合服用。

☞注意事項

使用此藥後，可能會產生頭昏的感覺，尤其在剛開始服藥期間。因此，在尚未完全適應此藥之前，當開車或操作危險機械時，必須格外小心謹慎。

此藥可能會增加水分在體內滯留，間接地會使血壓升高或增加心臟的工作量。另外，如果有癲癇、偏頭痛、心臟、腎臟、氣喘等等病症的話，由於身體內水分的滯留可能會使這些病症惡化，因此如果有上述病症的話，就應該在服藥前告訴醫師。

本藥通常附有使用說明書，在使用此藥之前應該詳細加以閱讀，有任何疑問時，可請教藥師或醫師。當服用此藥後，每年至少應該做一次血壓、乳房、陰道內診、陰道抹片等的檢驗。

使用準確的劑量對現有的病況相當重要，當服用此藥一段長時間後，除醫師同意外，最好不要換別種廠牌的藥品。不同廠牌的藥品，雖然標示的劑量或成分相同，但是由於各個藥廠品管的能力，和生產過程中使用的添加物不同，都有可能會影響此藥的吸收，因此其在體內所產生的濃度及藥效也不見得會相同。

抽煙會增加此藥引起高血壓、腦中風、血管阻塞等等問題，抽煙的數量愈多、或者病人的年齡愈大、造成此副作用的機會就愈高。因此，使用本藥的病人，最好能夠戒煙。血管阻塞的症狀爲：突然的頭痛、突然的視覺或說話方面的障礙、手腳發麻或無力、突然的胸痛或呼吸困難等等。如果有上述症狀發生時，應該立即通知醫師。

本藥會增加皮膚對陽光的敏感性。如果在陽光下曝曬太久，有可能會導致皮膚的過敏或灼傷，因此應該盡量避免太陽的直接曝曬，並穿著長袖衣物以保護皮膚。

長期使用此藥時，可能會造成牙齦腫脹、脆弱易流血、發炎，以及牙周病的發生。但是如果能用牙線或牙刷經常保持牙齒的清潔衛生，定期讓牙醫洗牙，並經常按摩牙齦，應該可以將此副作用減輕到最低的程度。

☞副作用

此藥常見的副作用爲：毛髮增多、兩次月經間有少量的出血、長粉刺、噁心、腹脹與不適、嘔吐、精神沮喪、體重增加或減少、頭暈等等。這些副作用，通常在服用藥物一陣子後，應該會漸漸地消失；不過，如果這些副作用強到困擾你的程度，或者經過一段時間後，這些症狀還不能完全消除，就應該通知醫師。

此藥較嚴重的副作用爲：手腳發麻或無力、皮膚發紅或發癢、突然的胸痛或呼吸困難、突然的頭痛、視覺或說話方面的障礙、胸部腫脹、眼睛或皮膚發黃、陰部不正常的流血等。通常這些副作用發生的機率較低，但是如果有症狀發生時，可能是藥物造成的不良反應，或者是劑量需要調整，應該盡快地通知醫師。

☞懷孕及哺乳

此藥有可能會造成胎兒生殖器官方面的問題。因此除了醫師許可的一些特殊病歷外，孕婦應該避免服用此藥。如果在服藥期間發現已經懷孕時，就應該立即停止服藥，並且盡快通知醫師。

少量的藥物會經由母乳到達嬰兒體內，爲了避免藥物可能對新生兒造成影響，餵奶的母親最好考慮使用其他的乳製品，以取代母乳。

☞忘記用藥

如果忘記服藥，應該在記得時，立即服用；但是，如果距離下次服藥的時間太近，就應該捨棄此次的藥物，恢復到下次正常服藥的時間，千萬不可一次服雙倍的劑量。

Meperidine(鹽酸配西汀)

商品名(台灣)

Talellae Pethidinae®(麻經處)

商品名(美國)

Demerol®(Winthrop)

☞藥物作用

本藥爲一種中度到強力的「麻醉類止痛藥」，通常當作重大手術後的止痛劑使用，和用於身體重大傷害，如骨折、燒傷以及癌症等所引起的疼痛。

☞用法

本藥不受食物的影響，因此，空腹或與食物一起服用均可；不過，最好與食物或大杯的水一起服用，以免造成對胃的刺激。如有必要時，此藥的藥片可以壓碎服用。當使用液體藥物時，應該使用有刻度的量杯或藥管，以量取正確的藥量，並且在服用時最好能同時飲用一大杯的水，以免引起藥物對舌頭的麻痹作用。

☞注意事項

此藥會產生想睡覺及頭暈的感覺，尤其是剛開始服藥期間，因此除非已經適應了此藥的作用，當開車或操作危險機械時，應該格外地小心謹慎。酒精會增加此藥的思睡作用，應當避免飲用或限制酒量。

如果懷孕，對藥物過敏，經常飲用大量的酒，或者有肝臟疾病、腎臟病、氣喘、癲癇症、膽囊疾病或膽結石、頭部受傷、前列腺腫大、排尿困難等等，醫師需要進一步考慮這些情況並且謹慎用藥，因此在使用此藥前，應該事先通知醫師。

安眠藥、肌肉鬆弛劑、鎮靜劑、抗過敏藥、抗抑鬱藥、精神病藥及其他的止痛藥等等，這些藥物都有可能會增加此藥的思睡副作用。同時服用這些藥物時，應當特別注意其思睡的相乘效果。

此藥具有成癮性，因此，除了特殊的情況並經醫師的許可外，通常不該連續使用超過10天的劑量；同時，也不可服用超過醫師所指示的劑量或使用的次數。經過一段時間服藥後，此藥的效力可能會漸漸地降低，如果此一現象發生時，應該徵求醫師的指示，千萬不可自行增加服藥的劑量。

長期服用此藥後，不能突然地停藥，因爲突然停藥有可能會產生失眠、精神緊張激動、顫抖、惡心嘔吐、胃痛等等症狀。如果要停藥的話，應該遵循醫師的指示，漸漸地降低服藥的劑量或次數，然後再停藥。

如果在服藥期間，有便秘發生的話，就應該多食用蔬菜或水果等幫助消化的食物，並且在身體的許可下，多做運動，或飲用多量的水分。服用此藥後也許會產生口渴的現象，但是如果能夠含一塊冰塊或糖果在嘴內的話，應該可以減少此一副作用。

剛開始服用此藥時，可能會產生頭昏眼花的感覺，尤其是突然站立或坐起時，不過如果能夠緩慢地站立或坐起，應該會減少此一現象。

☞副作用

此藥常見的副作用爲：口乾、尿急或小便疼痛、思睡、便秘、胃腸不適、做噩夢、惡心、虛弱無力、視覺模糊、感覺不舒服、嘔吐、緊張不安、頭痛、頭暈目眩等。這些副作用，通常在服用藥物一陣子後，應該會漸漸地消失；不過，如果這些副作用強到困擾你的程度，或者經過一段時間後，這些症狀還不能完全消除，就應該通知醫師。

此藥較嚴重的副作用爲：心跳過快、皮膚發紅、肌肉顫抖、呼吸困難、極度的興奮不安、精神沮喪、精神恍惚、臉部水腫等。通常這些副作用發生的機率較低，但是如果發生時，可能是藥物造成的不良反應，或者是劑量需要調整，應該盡快地通知醫師。

☞懷孕及哺乳

在正常的劑量下，尚無報告顯示此藥會對胎兒造成損傷。不過，如果孕婦於懷孕後期長期大量服用的話，可能會造成胎兒上癮，並於出生後產生緊張不安、顫抖、哭鬧不安等症狀。當懷孕時應該通知醫師，他會事先衡量狀況，如果情況允許的話，可能會以短期或低劑量讓患者服用。

此藥會經由母乳到達嬰兒體內，可能會造成新生兒過度的安睡。餵奶的母親，應該使用其他的乳製品以取代母乳。

☞忘記用藥

如果忘記服藥，應該在記得時，立即服用；但是，如果距離下次服藥的時間太近，就應該捨棄此次的藥物，恢復到下次正常服藥的時間，千萬不可一次服用雙倍的劑量。

Metaproterenol(Orciprenaline，歐西林)

商品名(台灣)

Aisopent®(大豐)
Alupent®(百靈佳)
Alutin®(永信)
Asritin®(皇佳)
Brondin®(派頓)
Bronout®(瑞人)
Chizenswn®(居禮)
Nonasma®(強生)
Olupent®(正和)
Orcair®(比・Sanico)
Orcinalin®(世紀)
Orciprenaline®(壽元)
Orciprin®(中菱)
Orcitec®(金馬)
Orcitran®(合誠)
Orpent®(正氏)
Smacough®(北進)
Trancosu®(永新)
Yupent®(臺裕)

商品名(美國)

Alupent®(BI)
Metaprel®(Sandoz)

☞藥物作用

本藥爲一種「支氣管擴張劑」，可以作用於支氣管的肌肉細胞，使支氣管能夠放鬆而擴張，讓更多的空氣進入肺部，幫助病人的呼吸。它可以用來紓解氣喘病、支氣管發炎，及肺氣腫所引起的呼吸困難。

☞用法

此藥的口服藥片不受食物的影響，因此空腹或與食物一起服用均可；不過，爲了避免藥物對胃的刺激，服用此藥時最好與食物一起服用。如有必要時，此藥之藥片可以壓碎服用，但是持續錠應該整顆吞服不可咀嚼或壓碎服用。如使用的是液體藥物時，每次在使用之前，應使用有刻度的量杯或藥管，以量取正確的藥量。如使用的是口腔噴霧劑時，爲了達到完全的藥效，應該在第一次使用之前，詳細閱讀說明書或請教醫師或藥師正確的使用方法。在每次使用噴霧劑前，應該先將藥瓶輕微搖動，使藥物能均勻分散。

☞注意事項

服用此藥會造成眩暈及干擾正常的警覺性。除非已經適應了此藥，當開車或操作危險機械時，應該格外地小心謹慎。

如果懷孕，對藥物過敏，或者有癲癇、心臟病、高血壓、糖尿病，或甲狀腺機能亢進等等，醫師需要針對些情況謹慎用藥，因此在使用此藥前，應該先通知醫師。

使用噴霧劑的方法，請參見頁18。

當使用口腔噴霧劑時，應該避免藥物接觸到眼睛，並且不可接觸到火源，以免造成藥瓶爆炸。

使用噴霧劑時，醫師也許會要求另外使用Beclomethasone或是Ipratropium的噴霧劑。同時使用此類噴霧劑時，應該先使用本藥，大約5分鐘後，再使用另外一種藥物。如此一來，本藥物可以事先藉著其支氣管鬆弛擴張的作用，幫助另外一種藥物更深入到肺部的微小支氣管，以達到治療氣喘的最大效果。

如果覺得經常使用的劑量不能紓解症狀、或者呼吸的頻率加快、使用藥物的次數增多等等，這也許是氣喘病情加重或支氣管痙攣的先兆。醫師需要對病情做重新的檢查或評估，以便更換或調整藥物的劑量，因此應該盡快地通知醫師。

使用此藥時，應該完全依照醫師的指示，不可超過醫師所推薦的劑量或次數，過多的劑量有可能造成嚴重的併發症，甚至可能會使氣喘加重。如果依照指示用藥後，呼吸的狀況還不能改善的話，就應該通知醫師。

如果要出遠門的話，最好能夠攜帶充分的藥物補給。在拔牙或動手術之前，應該先通知醫師有服用此藥。

使用完口腔噴霧劑後，應該用溫水將噴霧劑的開口處徹底地清洗乾淨，並且用紙巾擦乾。一天至少應該清潔一次，以保持正常的清潔衛生。

☞副作用

此藥常見的副作用爲：咳嗽或喉部刺激(噴霧劑)、心悸、心跳加快、四肢無力、血壓升高、肌肉抽筋、流汗增加、惡心、嘔吐、緊張不安、顫抖、頭痛、頭暈目眩等。這些副作用，通常在服用藥物一陣子後，應該會漸漸地消失；不過，如果這些副作用強到困擾你的程度，或者經過一段時間後，還不能完全消除，就應該通知醫師。

此藥較嚴重的副作用為：心跳過快或不規則、血壓過高、胸口不舒服或疼痛、連續及嚴重的惡心嘔吐、連續及嚴重的頭暈目眩、極度的緊張不安、嚴重的顫抖、嚴重的頭痛等。通常這些副作用發生的機率較低，但是如果發生時，可能是藥物造成的不良反應，或者是劑量需要調整，應該盡快通知醫師。

☞懷孕及哺乳

目前為止，尚無資料顯示會造成胎兒的損傷或缺陷。雖然此藥曾經被用來預防早產，但有報告指出孕婦服用此藥，可能會影響子宮的收縮，因而減緩生產的時間，同時有可能使母親的心跳增快、血糖升高，使胎兒心跳增快、血糖降低。另外根據動物實驗顯示，在高劑量下此藥可能會造成胎兒生長缺陷。當懷孕時，應該通知醫師，他會衡量情況，決定是否應該服藥。

對於餵奶的母親來說，目前為止，尚不知此藥是否會經由母乳到達嬰兒體內，為了避免對嬰兒造成不良影響，應該考慮使用其他的乳製品，以取代母乳。

☞忘記用藥

如果忘記服藥的話，應該在記得時，立即使用。並將當天未用完的劑量，依照相等的時間間隔使用完；但是，如果距離下次用藥的時間太近，就應該捨棄此次的藥物，然後恢復到下次正常用藥的時間，千萬不可一次使用雙倍的劑量。

Metformin(每福敏)

商品名(台灣)

Betaform®(明大)
Bicanol®(井田)
Diaformin®(澳・Alphapharm)
Diformin®(十全)
Glucobin®(華盛頓)
Glucomine®(培力)
Glucophage®(英・Lipha)
Glycoran®(日本新藥)
Lial®(新東)
Meglumine®(順生)
Melbin®(日・Sumitomo)
Memin®(仙臺)
Metmin®(荷・Pharbita)
Uformin®(聯邦)
Volv®(永信)

商品名(美國)

Glucophage®(BMS)

☞藥物作用

本藥爲「治療糖尿病」的藥物，可以單獨使用或與其他的降血糖藥合用。此藥主要的作用是能夠降低肝臟糖分的生產、降低小腸對糖分的吸收作用，以及增加胰島素對糖分的充分利用，因而達到降低血糖的目的。此藥的優點是它不會在治療的過程中增加病患的體重，和較不會產生血糖過低的副作用。

☞用法

爲了減低藥物對胃腸道的刺激，服用此藥時最好能在飯後或者與食物一起服用。如一天服用一次，可安排在早餐後服用；如一天服藥兩次，則可安排在早餐及晚餐後各服藥一次；如一天服藥3次，則安排於三餐後各服用一次。如有必要時，此藥的藥片可以壓碎服用。爲了保持固定的血糖濃度和避免忘記服藥，最好每天安排在固定的時間服用。

☞注意事項

剛開始服藥的前幾個星期，醫師也許會爲了減低藥物對胃的刺激和依照身體對藥物的反應，漸漸地調整最適合的劑量，因此應該遵從醫師的指示服用。服藥經過一陣子後，醫師也許會要求定期到醫院或診所做血液、尿液檢驗或腎功能的檢驗，以測量藥效和避免藥物可能造成的副作用，也應該遵循醫師的指示，定期到醫院做檢驗。

如果懷孕，對藥物過敏，或者有心臟疾病、肝臟疾病、腎臟病、嚴重的胃腸道疾病、嚴重的外傷、營養不良、身體有嚴重的細菌感染等等，醫師需要針對這些情況謹慎地用藥，因此在使用此藥前，應該事先通知醫師。

出門在外時，應該隨身攜帶醫療識別卡，在卡上應該詳細記載糖尿病的病況、所服用的藥物及劑量、醫師的姓名及聯絡電話等等。以免萬一有意外或者是糖尿病發作時，醫護人員可以立即了解病情，以便做適當的處理，或者與醫師做進一步的討論。

雖然服用此藥並不會像其他糖尿症藥物一樣，造成血糖過低的副作用，但是過度的運動、飲酒、服用其他的藥物、延誤吃飯等等，都有可能會導致血糖過低。低血糖的症狀，包括皮膚發白、發冷、心跳加快、想睡覺、惡心、頭痛、焦慮不安、嘴部發麻、視覺模糊、虛弱疲倦等等。如果有上述情況發生時，可立即飲用一杯橘子水或者服用一些含糖分的食物，以提高血糖的濃度。同時也應該讓周圍的親朋好友了解上述的症狀，以及緊急情況發生時的應變方法。

許多成藥或處方藥，有可能會升高或降低血糖的濃度，同時也有可能與此藥產生相互作用，因此在服用任何藥物前，最好能夠諮詢醫師或藥師的意見，並且在服用後應該更密切地測量血糖。

此藥較嚴重及最值得關切的副作用爲乳酸中毒，雖然發生此一副作用的機率相當低(每年約十萬分之三的案例)，但發生此一副作用後，往往會造成產生乳酸中毒病患中50%的病患死亡。因此萬一有此一副作用發生時，應該立即通知醫師。乳酸中毒的症狀爲疲倦、不舒服、肌肉痠痛、呼吸困難、想睡覺、突然的胃腸不舒服。而較嚴重的情況則會造成體溫下降、血壓下降、心跳減慢等等。

爲了更有效地控制血糖，及避免併發症的發生，應該遵循醫師的指示定期地做適當的運動、減輕體重、戒煙、注意個人衛生以避免病菌的感染、避免過度的緊張壓力。如果有高血壓的話，應該定期服用藥物以控制血壓。單靠服用藥物並不是控制血糖的最好方法，正確的飲食習慣及適當的運動和服用藥物是同等的重要。

由於酒精會增加此藥造成乳酸中毒的副作用，同時飲酒會使血糖降低導致低血糖，並且因爲含有熱量會使體重增加，因而使糖尿病的病情更爲惡化，因此服藥期間應該避免喝酒過量。

☞副作用

此藥常見的副作用爲：口中感覺有不佳的金屬味、拉肚子、胃腸不適、噁心、腹脹、厭食、嘔吐等等。這些副作用，通常在服用藥物一陣子後，應該會漸漸地消失；不過，如果這些副作用強到困擾你的程度，或者經過一段時間後，還不能完全消除，就應該通知醫師。

此藥較嚴重的副作用爲：不尋常的肌肉痛、心跳過慢或不尋常、呼吸困難、胃腸極度不舒服、發冷、極端的虛弱、頭暈目眩等等。通常這些副作用發生的機率較低，但是如果發生時，可能是藥物造成的不良反應，或者是劑量需要調整，應該盡快通告醫師。

☞懷孕及哺乳

根據動物實驗顯示，此藥造成胎兒缺陷的機會相當低。不過，由於動物實驗的結果與人體的反應並不一定完全相同，因此仍須更廣泛的醫學資料加以證明其安全性。當懷孕時，應該通知醫師，由於孕婦的血糖過高，有可能會造成胎兒的損傷及缺陷，醫師可能會要求在懷孕的期間改用安全性較大的注射用胰島素以控制血糖。

此藥會經由母乳吸收入嬰兒體內，爲了避免造成新生兒的不良作用，餵奶的母親，應該考慮使用其他的乳製品，以取代母乳。

☞忘記用藥

如果忘記服藥，應該在記得時，立即服用。但是，如果距離下次服藥的時間太近，就應該捨棄此次藥物，恢復到下次正常服藥的時間，千萬不可一次服用雙倍的劑量。

Methocarbamol(每弛卡摩)

商品名(台灣)

Bolaxin®(美・Bolar)
Carbametin®(日・UJI)
Flubaxin®(葡萄王)
Miowas®(西・Wassermann)
Myolax®(榮民)
Rebamol®(溫士頓)
Robaxin®(勞敏士)
Skedesin®(華興)
Taspan®(豐田)

商品名(美國)

Robaxin®(Robins)

☞藥物作用

本藥爲一種「肌肉鬆弛劑」，可以使運動扭傷或拉傷的肌肉得到充分的鬆弛與放鬆，因而得到充分的休息與復原。此藥通常用於較嚴重的肌肉受傷，並且常與止痛劑一起合用。

☞用法

本藥不受食物的影響，因此，空腹或與食物一起服用均可。如有必要時此藥的藥片可以壓碎服用。

☞注意事項

此藥會產生想睡覺及視覺模糊的感覺，尤其是剛開始服藥期間，因此除非已經適應了此藥的作用，當開車或操作危險機械時，應該格外地小心謹慎。酒精會增加此藥的思睡作用，應當避免飲用或限制酒量。

如果懷孕或餵哺嬰兒，對藥物過敏，或者有肝臟疾病、腎臟病等等，醫師需要針對這些情況謹慎用藥，因此在使用此藥前，應該事先通知醫師。

安眠藥、鎮靜劑、抗過敏藥、感冒藥、抗抑鬱藥、止痛藥等等，這些藥物都有可能會增加此藥的思睡作用。因此同時服用這些藥物時，應當特別注意其彼此增加思睡的相乘效果。

此藥可以使扭傷的肌肉得到鬆弛，加速肌肉康復。但是不可以因爲一時覺得症狀減輕而增大運動量，如此一來則更容易造成肌肉進一步的損傷。應該讓肌肉得到充分的休息，有可能的話，在物理治療的配合下得到完全康復。

剛開始服用此藥時，可能會產生頭暈目眩的感覺，尤其是突然站立或坐起時，不過如果能夠緩慢地站立或坐起，應該會減少此一現象。

此藥會改變尿液的顏色，如果產生紅棕、藍色或綠色的，這是正常的現象，並不需要因此停止或中斷服藥。

☞副作用

此藥常見的副作用爲：思睡、惡心、視覺模糊、嘔吐、頭痛、頭暈目眩等。這些副作用，通常在服用藥物一陣子後，應該會漸漸地消失；不過，如果這些副作用強到困擾你的程度，或者經過一段時間後，還不能完全消除，就應該通知醫師。

此藥較嚴重的副作用爲：小便困難或疼痛、皮膚發紅、呼吸困難、背痛、發燒或發冷、發癢或水腫、聲音沙啞及咳嗽等。通常這些副作用發生的機率較低，但是如果發生時，可能是藥物造成的不良反應，或者是劑量需要調整，應該盡快通知醫師。

☞懷孕及哺乳

目前爲止，尚無資料顯示此藥會對胎兒造成不良作用，然而，仍須更廣泛的醫學數據，對此藥做進一步的評估。當懷孕時，最好能通知醫師，他會衡量狀況，決定是否應該服藥。

少量的藥物會經由母乳到達嬰兒體內，爲了避免藥物可能造成對新生兒的影響，餵奶的母親在使用此藥之前，應該徵求醫師的意見。

☞忘記用藥

如果忘記服藥不超過一小時，就應該立即服用；但是，如果超過一小時，就應該捨棄此次的藥物，恢復到下次正常服藥的時間，千萬不可一次服用雙倍的劑量。

Methyldopa(美基豆帕)

商品名(台灣)

Aldin®(國嘉)
Aldomet®(美・Merck)
Aldopa®(永信)
Almedopa®(聯邦)
Hypadopa®(香港・Ashford)
Medopa®(皇佳)
Mepa®(世紀)
Metidopa®(永豐)
Nichidopa®(日・醫工)
Rivapress®(汎生)
Servidopa®(瑞士・SVP)

商品名(美國)

Aldomet®(MSD)
Amodopa®(Major)

☞藥物作用

本藥爲一種「降血壓」藥,主要的作用在壓制腦部使血管收縮的管制中心,間接地使血管舒張並使血液的流動更順暢,而達到降血壓的作用。此藥可用於輕度到中度的高血壓,可以單獨使用或與其他的抗高血壓藥合用。

☞用法

本藥不受食物的影響,因此,空腹與或食物一起服用均可。如果覺得此藥會刺激胃造成不舒服,可將其與食物或一大杯的開水一起服用,以減少胃部的刺激。如有必要時,此藥的藥片可以壓碎服用。如果使用的是液體藥物時,每次在使用之前,應先將藥瓶輕微搖動,使藥物能均勻分散,並使用有刻度的量杯或藥管,以量取正確的藥量。爲了減少忘記服藥,最好養成每天在固定時間服用的習慣。

☞注意事項

剛開始服藥的前幾天，此藥可能會降低敏感性及造成思睡。因此當開車或操作危險機械時，應該格外地小心謹慎。酒精會加重此藥的思睡作用，服用此藥後應該避免喝酒。

如果懷孕，對藥物過敏，或者有心臟疾病、肝臟疾病、腎臟病、精神沮喪、帕金森症等等，醫師需要針對情況更爲謹慎用藥，因此在使用此藥前，應該事先通知醫師。

本藥只能控制血壓的升高，並不能完全治癒高血壓。服用此藥後，血壓可能會經過幾個星期才能逐漸降到理想的程度。患者必須持續地服用此藥，才能有效地控制住血壓。當血壓恢復正常後，仍須繼續服用此藥而不可間斷，並且不能突然地停藥，突然停藥有可能會造成頭痛、神經緊張不安、血壓急遽升高等等。如須停藥時，應該遵循醫師的指示，漸漸地停藥。

在服藥期間，醫師會要求定期到醫院驗血，以測量肝功能是否正常。因此應該依照醫師的指示，定期到醫院或診所做血液檢驗。在服藥的過程中，如果皮膚及眼睛變黃，此可能是肝臟受損的象徵，因此應該立即通知醫師。由於酒精可能會增加此藥對肝臟的損傷，在服用此藥期間，應該盡量減少飲酒。

在拔牙或動手術之前，應該事先通知醫師有服用此藥。因爲此藥在手術當中，可能會造成心臟及血壓方面的問題，醫師也許會建議在手術的前幾天，漸漸地停止使用此藥。

飲酒、長期的站立、過度的運動及過熱的氣溫等等，都有可能會增加此藥降低血壓的效果，因此應該盡量避免此類因素，以免血壓過度下降，而造成頭暈或甚至暈倒。

爲了達到理想的降血壓作用，醫師可能會要求服用低鹽類、低脂肪的食物，戒煙酒，以及做適當的運動等等，患者應該盡量遵循醫師的指示。

市面上許多治療過敏、鼻塞、咳嗽、感冒，以及減肥的成藥中，經常含有使血壓升高的成分。爲了避免造成血壓突然升高，在服用此類藥物前，應該事先諮詢醫師或藥師的意見。

經過長期服藥後，藥效可能會漸漸地減弱，醫師也許會要求暫時換另外一種藥物，或者將此藥停用一陣子再繼續服用。不可因爲一時覺得藥效減弱而自行增加劑量。

☞副作用

此藥常見的副作用為：手指或腳趾發麻、口乾、心跳變慢、性欲降低、拉肚子、惡心、想睡覺、嘔吐、鼻塞、頭痛、頭暈目眩等。這些副作用，通常在服用藥物一陣子後，應該會漸漸地消失；不過，如果這些副作用強到困擾你的程度，或者經過一段時間後，還不能完全消除，就應該通知醫師。

此藥較嚴重的副作用為：皮膚或眼睛發黃、皮膚發紅或發癢、呼吸困難、突然的發熱或發冷、關節痛、嚴重的腹痛或拉肚子等。通常這些副作用發生的機率較低，但是如果發生時，可能是藥物造成的不良反應，或者是劑量需要調整，應該盡快通知醫師。

☞懷孕及哺乳

目前為止，尚無資料顯示此藥會對胎兒造成不良作用。然而，仍須更廣泛的醫學數據，對此藥做進一步的評估。當懷孕時，最好能通知醫師，他會衡量狀況，決定是否應該服藥。

少量的藥物會經由母乳到達嬰兒體內，但是目前為止，尚無資料顯示此藥會造成嬰兒的不良影響。當決定餵奶前，最好能夠參考醫師的意見。

☞忘記用藥

如果忘記服藥，應該在記得時，立即服用。但是，如果距離下次服藥的時間太近，就應該捨棄此次所遺忘的藥物，恢復到下次正常服藥的時間，千萬不可一次服用雙倍的劑量。

Methylphenidate(甲基芬尼特)

商品名(台灣)

Hytonin®(順生)
Ritalin®(瑞華)

商品名(美國)

Ritalin®(Ciba)
Ritalin SR®(Ciba)

☞藥物作用

本藥爲一種「中樞大腦的興奮劑」，可增進腦部的興奮、清醒和降低身體疲勞的感覺,使病人的腦部隨時保持清醒的狀態。此藥可用來治療成年人的「昏睡症」。通常此類病人會經常或突然地無法自行控制地想睡覺。此藥用於小孩主要是治療「過動兒或注意力不集中症候群」。此類小孩子通常是注意力不集中，容易被外來的事物所分心、好動、容易興奮或衝動等等。雖然此類的小孩有正常或高智商，但是，他們在學校的成績往往不佳或有學習的障礙。此藥亦可用來治療輕微到中度的沮喪或當作慢性痛的輔助藥物使用。

☞用法

此藥通常一天服用兩至三次，每次在飯前30至40分鐘服用。不過，如果覺得藥物會造成胃部不舒服，可將其與食物或一杯開水一起服用。爲了避免造成失眠，應該避免將最後一次服藥的時間，安排在睡前4至5小時之內服用(長效型釋放錠劑應該在睡前8小時之內)。如有必要時，此藥之普通藥片可以壓碎服用，但是長效型錠劑應整顆吞服，不可咀嚼或壓碎服用。

☞注意事項

茶、咖啡、可樂等等含咖啡因的飲料，會增加此藥失眠、緊張不安、手部顫抖及心跳加快等等副作用，因此在服藥期間，應該避免服用此類飲料。另外，一些提神醒腦或減肥藥等，與本藥都屬於中樞神經的興奮劑，也可能會增加本藥的副作用，因此在使用此類藥物期間，應該特別注意彼此可能產生的副作用。

如果懷孕，對藥物過敏，經常飲用大量的酒，或者有高血壓、心臟疾病、癲癇症、青光眼等等，醫師需要針對這些情況謹慎用藥，因此在使用此藥前，應該事先通知醫師。

長期大量服用此藥的話，可能會造成成癮性或者是依賴性，因此應該完全遵照醫師的指示服藥，千萬不可服用超過醫師處方的劑量或使用的次數。經過一段時間服藥後，此藥的作用可能會逐漸地減弱。當此現象發生時，應該徵求醫師的指示，他也許會考慮讓患者停止服藥一段時間或者改用其他藥物取代，千萬不可自行增加或改變服用的劑量。

長期服用此藥後，不能突然停藥。因爲突然地停藥有可能會產生惡心、嘔吐、想睡覺、精神沮喪、胃抽痛等等症狀。如果要停藥的話，就應該遵循醫師的指示，漸漸降低服藥的劑量或次數然後再停藥。

小孩長期服用此藥後，可能會造成成長的速度變緩。因此醫師可能會要求在假期或者寒暑假期間停止用藥，通常小孩成長的速度會在這一段時間恢復或加快，應該確實依照醫師的指示用藥。

此藥屬於一種興奮劑，它能暫時遮掩疲倦及想睡覺的感覺。因此當開車或操作危險機械時，應該格外地小心謹慎。

服用此藥後，可能會使血壓和心跳的速率增高，同時也有可能會抵消一些降血壓藥物的作用。因此在服藥期間，應該更小心及密切地測量血壓或心跳，有任何不尋常改變的話，就應該立即通知醫師。

在拔牙或動手術之前，應該事先通知醫師有服用此藥。

☞副作用

此藥常見的副作用爲：口乾、失眠、胃口降低、惡心或嘔吐、虛弱、腹痛、緊張不安、頭痛、頭暈等等，這些副作用，通常在服用藥物一陣子後，應該會漸漸地消失;不過,如果這些副作用強到困擾你的程度,或者經過一段時間後,還不能完全消除,就應該通知醫師。

此藥較嚴重的副作用爲:心跳突然地加快或增強、幻覺、皮膚發紅、身體出現不正常青紫色的瘀傷、性情改變、胸口痛、喉嚨痠痛、想睡覺、關節痛、癲癇發作等等。通常這些副作用發生的機率較低,但是如果發生時,可能是藥物造成的不良反應或者是劑量需要調整,應該盡快通知醫師。

☞懷孕及哺乳

目前爲止,尙無動物實驗顯示此藥會對胎兒造成不良作用。但由於此藥對孕婦影響的資料有限,其安全性仍須更廣泛的醫學數據做進一步的評估。當懷孕時,最好能與醫師討論此藥可能對胎兒的影響,他會衡量狀況,決定是否應該服藥。

目前爲止,尙不知此藥是否會經由母乳到達嬰兒體內,但是爲了避免萬一,餵奶的母親應該密切地注意嬰兒的反應,或者使用其他的乳製品以取代母乳。

☞忘記用藥

如果忘記服藥的話,應該在記得時,立即使用;並將當天未用完的劑量,依照相等的時間間隔使用完,但是應該避免在睡覺前服用。如果在接近下次用藥的時間才想起服藥的話,就應該捨棄所遺忘的藥物,恢復到正常用藥的時間,千萬不可一次使用雙倍的劑量。

Methylprednisolone(甲基培尼皮質醇)

商品名(台灣)

Medlin®(元澤)　Medrol®(普強)　Shinpre®(臺光)
Mednin®(華興)　Metisone®(世達)　Urbason®(赫司特)

商品名(美國)

Medrol®(Upjohn)

☞藥物作用

本藥爲一種「類固醇」的藥物,作用類似腎上腺皮質所分泌的一種荷爾蒙,它可以增加體內的抗體細胞,以消滅病菌或外來物質的侵犯,增強身體的抵抗力。此藥有多種用途,可用來消除許多疾病所造成的發炎,如風濕性關節炎、痛風、皮膚發炎等等。它同時可用來治療嚴重的氣喘、過敏反應(如皮膚過敏)、胃腸疾病(如潰瘍性結腸炎)、血液方面的疾病、休克,以及作爲癌症治療的輔助藥物等等。

☞用法

此藥通常是每天或每隔一天服用一次。由於體內自然分泌的固醇類荷爾蒙主要是以清晨分泌爲主,再由於此藥對胃的刺激大,因此如果每隔一天或一天服用一次,最理想的服藥時間應該是早餐後。如果一天服藥的次數超過兩次以上,則第一顆藥應在早餐後服用,另外的藥物則可做等量的時間間隔給藥,譬如一天服藥兩次,則每12個小時給藥一次;一天服藥3次,則每8個小時給藥一次。如有必要時,此藥的藥片可以壓碎服用。

☞注意事項

此藥就是俗稱的「美國仙丹」，能增強身體的抵抗能力，使虛弱病患，立即能感覺到康復及舒暢，因此常為一些病人視為良藥仙丹，因而達到危險濫用的程度。此藥確實是一種強而有效的藥物，但是除了一些特殊的疾病外，應該以短期使用為主，並且應該經由醫師密切的觀察及指示下使用。長期大量濫用此藥的話，容易使抵抗病菌及傷害的能力降低，並且產生青光眼、白內障、骨質疏鬆、精神異常、血壓升高、臉部及身體水腫等等的不良副作用。

如果懷孕或餵哺嬰兒，對藥物過敏，或者糖尿病、肝臟疾病、腎臟病、心臟疾病、甲狀腺機能不足、高血壓、重症肌無力症、骨質疏鬆、肺結核、潰瘍性結腸炎、胃潰瘍、青光眼、全身性黴菌感染等等，醫師需要針對這些情況謹慎用藥，因此在使用此藥前，應該事先通知醫師。

長期大量服用此藥後，反而會降低身體對病菌的抵抗能力，如果有麻疹或水痘等疾病時就應該通知醫師。另外，此藥會降低身體對外來傷害的反應力，如果有較大的外傷或需要進行較大的外科手術或拔牙前，應該通知醫師，他也許會考慮調整服用的劑量。

如果使用此藥超過一個星期以上，當出門在外時，應該隨身攜帶醫療識別卡，卡上應該詳細記載病況，所服用的藥物及劑量。以免萬一受傷時，醫師可以立即了解病情，適當地做處置或補充所需的藥量。

如果服用此藥超過一至兩個星期，不可未經過醫師的許可就突然停藥。突然停藥有可能產生腹痛、背痛、眩暈、疲乏、發燒、肌肉或關節痛、惡心或嘔吐、呼吸困難等等。醫師也許會要求經過一段時間，漸漸地降低所服用的劑量或者增長服藥的間隔，然後再停藥。

因為此藥會使疫苗失去效力，因此在服用此藥期間，除了醫師允許外，不應該注射疫苗。另外，如果使用的是活性疫苗，由於此疫苗是經過減弱的病毒所造成的，因此也有可能遭到病毒的感染。

長期服用此藥，可能會有體重增加、水腫、青光眼、白內障等發生。因此必須定期到醫院接受眼睛、血液、X光、血壓、體重及身高的檢查，此一身體檢查對小孩尤其重要，因為此藥也有可能會干擾小孩骨骼的成長發育。

此藥可能會使糖尿病患者的血糖升高，因此糖尿病患應該經常測試血糖的含量，如果血糖升高的話就應該通知醫師，他可能需要調整劑量或飲食。

服用此藥一陣子後，醫師需要定期依照身體的狀況及藥效，適當調整所使用的劑量。因此應該依照醫師的指示定期到醫院或診所做檢查。

服藥期間，醫師也許會要求定期測量體重，如果有不正常的增加，就應該通知醫師；如果預備懷孕或者已經懷孕，或者現在餵哺嬰兒，也應該通知醫師。因爲此藥可能會造成成長中的胎兒或嬰兒，生長及發育方面的問題。

此藥對胃具有刺激作用，如果患有胃潰瘍，或者同時服用一些對胃腸有刺激作用的藥物，如阿斯匹靈、治療關節炎等藥物的話，在使用這些藥物的時候應該同時服用餅乾、食物或牛奶等等，以減少藥物的刺激。酒精會增加胃的刺激作用，應當避免飲用或限制酒量。

☞副作用

此藥常見的副作用爲：失眠、皮膚變暗或變淺、胃口增加或降低、消化不良、臉部潮紅、頭痛、頭暈目眩等。這些副作用，通常在服藥一陣子後，應該會漸漸消失。不過，如果這些副作用強到困擾你的程度，或者經過一段時間後，還不能完全消除，就應該通知醫師。

此藥較嚴重的副作用爲：手腳及胸背骨骼痛、手腳及臉部有紫紅色的條紋、手腳水腫、月經不順、心跳不正常、皮膚起紅疹、肌肉抽筋疼痛、連續的腹痛或惡心嘔吐、虛弱無力、精神恍惚或緊張不安、糞便變黑或吐血、臉部水腫等。通常這些副作用發生的機率較低，但是如果發生時，可能是藥物造成的不良反應，或者是劑量需要調整，應該盡快通知醫師。

☞懷孕及哺乳

根據動物實驗顯示，孕婦於懷孕期間長期大量服用此藥，可能會影響胎兒的正常發育及成長，並且有造成缺陷的可能，尤其是懷孕前三個月的可能性最高。因此，除了有絕對需要並經醫師同意，孕婦應該避免服用此藥。

此藥會經由母乳到達嬰兒體內，可能會影響新生兒的生長及腎上腺的正常功能，餵奶的母親，應該停止使用此藥，而用其他的乳製品以取代母乳。

☞忘記用藥

如果一天使用此藥一次，假如忘記用藥，應該在記得時，立即使用；但是，如果等到第二天才記起來的話，應該捨棄服用所遺忘的藥物，然後恢復到正常用藥的時間，千萬不可使用雙倍的劑量。如果一天使用兩次或兩次以上，如果忘記用藥，應該在記得時，立即服用。但是，如果等到下次服藥的時間才記起來的話，就應該服用雙倍的劑量，然後恢復到正常的服藥時間。

Metoclopramide(美托拉麥)

商品名(台灣)

Biwesan®(永豐)
Chiaowelgen®(瑞士)
Chitou®(陽生)
Dualact®(佑寧)
Enteran®(世紀)
Kosulan®(金馬)
Methu®(中美)
Metoco®(明大)
Metopelan®(北進)
Metoperan®(合誠)
Mevaperan®(福元)
Peran®(正氏)
Perone®(強生)
Plindan®(順華)
Poriran®(順生)
Prenperon®(成大)
Prilan®(金塔)
Primlan®(培力)
Primperan®(藤澤)
Primram®(正和)
Primran®(皇佳)
Prinparl®(澤井)
Printopin®(明德)
Priperim®(杏輝)
Pripram®(元澤)
Promeran®(生達)
Prometin®(山之內)
Prowel®(中化)
Pulin®(永信)
Pulinlon®(金馬)
Pulinpelin®(金田)
Pulperan®(西華)
Pusuan®(富生)
Putelome®(好漢賓)
Rotelan®(新豐)
Sinprim®(井田)
Suvecon®(內外)
Torowilon®(中央)
Wei Lian®(居禮)
Weiperan®(華盛頓)
Weiskou®(回春堂)
Zudaw®(優生)
Zuperan®(永吉)

商品名(美國)

Mexolon®(SKB)
Reglan®(Robins)

☞藥物作用

本藥爲治療「消化性機能異常」藥物。胃腸道必須保持正常的蠕動和收縮，才能促進胃內食物的消化吸收，讓食物更迅速地排出胃部。此藥主要的作用是能夠增強胃腸的蠕動，解除腸胃蠕動異常而引起的惡心、嘔吐、胃脹、食慾不振等等。此藥也可用來治療「反流性食道炎」。如果胃內的強性胃酸因爲某種病因回流入食道的話，可能會造成食道的刺激及腐蝕發炎，產生胸口灼熱及疼痛的現象。此藥能增加食道內肌肉的收縮及蠕動，因此可以避免胃內的強性胃酸回流入食道，解除食道受胃酸刺激而產生疼痛及發炎的現象。此藥也是一種「止吐劑」，可作用於腦部的嘔吐中心，因此可以用來防止懷孕、手術或癌症化學治療後所引起的惡心或嘔吐。

☞用法

此藥通常是一天服用4次以治療胃腸的不適，可安排於三餐飯前30分鐘及睡前服用。如有必要時，此藥的藥片可以壓碎服用。如果使用的是液體藥物時，每次在使用前，應先將藥瓶輕微搖動使藥物能均勻分散，並使用有刻度的量杯或藥管，以量取正確的藥量。

☞注意事項

服用此藥後，可能會產生輕微頭暈目眩及思睡，尤其在剛開始服藥期間。因此在尚未完全適應此藥之前，當開車或操作危險機械時，必須小心謹慎。酒精會增加此藥頭暈目眩的副作用，應當避免或限制酒量。

如果懷孕，對藥物過敏，或者有癲癇症、胃腸道流血或阻塞、氣喘、高血壓、肝臟疾病、腎臟病、帕金森症等等，醫師需要針對這些情況謹慎地用藥，因此在使用此藥前，應該事先通知醫師。

安眠藥、肌肉鬆弛劑、鎮靜劑、抗過敏藥、感冒藥、抗抑鬱藥、止痛藥等，這些藥物都有可能會增加此藥思睡的副作用。同時服用這些藥物時，應當特別注意彼此增加思睡的相乘效果。

服用此藥後也許會產生口渴的現象，但是如果能夠含一塊冰塊或糖果的話，應該可以減少此一副作用。老年人對此藥頭暈和運動失調的副作用較一般人敏感，因此當老年人服用此藥後，走路、爬樓梯或運動時應該格外地小心謹慎，以免摔倒而導致骨折。

此藥的主要作用是加強胃腸的蠕動，如果有腸道阻塞、胃腸道流血或者腸道穿孔等等病症的話，可能會由於此藥引起腸道過度蠕動而造成危險性。因此如果有上述病症，就應該停止使用此藥並且盡快通知醫師。如果長期服藥後，頭部、舌頭、臉部或頸部產生重複而且不能自行控制的運動，也應當盡快通知醫師。通常此一副作用會在用藥後的前六個月發生，但是其發生的機率不大(只有0.2%），並且於停藥後的兩至三個月會自然消失。

☞副作用

此藥常見的副作用爲：口乾、失眠、拉肚子、沮喪、便秘、疲倦、惡心、想睡覺、緊張不安、頭痛、頭暈等。這些副作用，通常在服用藥物一陣子後，應該會漸漸消失；不過，如果這些副作用強到困擾你的程度，或者經過一段時間後，還不能完全消除，就應該通知醫師。

此藥較嚴重的副作用爲：手部顫抖、心跳不正常或跳動過快、肌肉僵硬、突然發熱、發冷或喉嚨痛、嚴重的頭暈、臉部或手腳不能自主地運動等。通常這些副作用發生的機率較低，但是如果發生時，可能是藥物造成的不良反應，或者是劑量需要調整，應該盡快通知醫師。

☞懷孕及哺乳

目前爲止，尙無資料顯示此藥會對胎兒造成不良作用，然而其安全性仍須更廣泛的醫學數據做進一步的評估。雖然此藥曾經被許多醫師用來治療孕婦的惡心、嘔吐。但是當使用此藥時，仍須經醫師的指示服用。

此藥會經由母乳到達嬰兒體內，爲了避免藥物可能造成對新生兒的影響，餵奶的母親在使用此藥之前，應該徵求醫師的意見。

☞忘記用藥

如果忘記服藥，應該在記得時，立即服用。但是，如果距離下次服藥的時間太近，就應該捨棄所遺忘的藥物，然後恢復到正常服藥的時間，千萬不可一次服用雙倍的劑量。

Metolazone(利尿劑)

商品名(台灣)

Mykrox®(美・Fisons)
Zaroxolyn®(美・Pennwalt)

商品名(美國)

Mykrox®(Misons)
Zaroxolyn®(Pennwalt)

☞藥物作用

本藥爲一種「利尿劑」，可以用來預防高血壓、消除水腫，以及預防充血性心衰竭。如果體內含過多的水分，此多餘的水分將會升高血管內部的壓力，造成水腫或高血壓的發生，最後導致心臟因爲長久的負荷，而產生心衰竭。此藥的作用，就是能夠幫腎臟，將體內多餘的水分，經由尿液排出，而達到治療的目的。

☞用法

此藥通常是一天服用一次，同時由於是一種強力的利尿劑，如果在睡前服用的話，可能會因夜晚起床小便而干擾睡眠。並且爲了避免藥物可能對胃的刺激，最理想的服藥時間，應該是用完早餐以後。如果一天服藥超過一次以上，應該安排最後一次服藥的時間，以不超過晚上6點爲準。 如有必要時，此藥的藥片可以壓碎服用。

☞注意事項

如果使用此藥是用來治療高血壓的話，本藥只能控制血壓，並不能治癒高血壓。服用此藥後，必須經過幾個星期後，才能將血壓慢慢降下來。爲了達到完全的降壓效果，必須每天固定服用此藥，即使血壓已經控制穩定了，也不可忘記或省略服藥。

如果懷孕，對藥物過敏(尤其是對磺胺藥過敏)，或者有糖尿病、痛風、腎臟病、肝臟疾病、紅斑性狼瘡等等，醫師需要針對這些情況更爲謹慎用藥，因此在使用此藥前，應該事先通知醫師。

市面上許多治療過敏、鼻塞、咳嗽、感冒，以及減肥的成藥中，經常含有會使血壓升高的成分。因此爲了避免造成血壓突然升高，在服用此類藥物前，應該事先諮詢醫師或藥師的意見。

食用低鹽量的食物，可以增加本藥降血壓的效果，因此，應該遵循醫師的指示，控制食物中鹽的含量。

此藥會增加小便的次數，如果在夜晚服用此藥的話，可能會因爲多次的起床小便而影響到正常的睡眠時間。因此最後一次服藥的時間，最好能安排於晚上6點以前。

長期服用此藥後，會使體內的鉀離子含量降低，可能會產生口渴、虛弱、肌肉無力或抽筋、心跳不規則等症狀。因此醫師可能會要求多吃含鉀量高的食物，如香蕉、橘子水等等，或者要求服用含鉀的藥物以補充缺乏的鉀離子。如果長期服用此藥，應該詢問醫師如何補充鉀離子。

剛開始服用此藥的時候，小便的次數及數量都會增加，並且也許會有極端疲倦的感覺，通常此一現象在幾天後應該會漸漸減少。如果此一現象經過一陣子後仍然不能消除，就應該通知醫師。

此藥可能會引起頭暈目眩，尤其是早上剛起床的時候。如果能緩慢地起身或站立，應該可以減緩此一現象。另外，爲了避免此一副作用，應該避免站立太久、避免飲用大量的酒、不要在太陽下做太激烈的運動，以及洗太熱的熱水澡等等。

本藥會增加皮膚對陽光的敏感性。如果在陽光下曝曬太久，有可能會導致皮膚的灼傷或過敏，以及造成脫水的可能。因此應該盡量避免陽光的直接曝曬，並穿著長袖衣物以保護皮膚。

此藥可能會使血糖升高，因此糖尿病患者，應該更密切地測量自己尿液或血液中糖的含量。

在拔牙或動手術之前，應該事先通知醫師有服用此藥。由於此藥可能會使血液中的鉀礦物質下降，而使某類手術中使用的肌肉鬆弛劑藥效增強，造成手術進行中呼吸困難或窒息的危險。醫師也許會要求在手術的前幾天停止服藥，以避免此一作用的發生。

☞副作用

此藥常見的副作用爲：皮膚對光的敏感度增加、性欲降低、拉肚子、胃口降低、胃腸不適、頭暈目眩等，這些副作用，通常在服用藥物一陣子後，應該會漸漸地消失。不過，如果這些副作用強到困擾你的程度，或者經過一段時間後，還不能完全消除，就應該通知醫師。

此藥較嚴重的副作用爲：心跳不正常、皮膚起紅疹或有不正常流血、皮膚發紅、肌肉抽筋或疼痛、情緒或精神狀況改變、發熱或發冷、發癢、極端的虛弱、腹痛、精神恍惚等。通常這些副作用發生的機率較低，但是如果發生時，此可能是藥物造成的不良反應，或者是劑量需要調整，應該盡快通知醫師。

☞懷孕及哺乳

除了一些病例需要短期使用外，孕婦長期大量服用此藥並不是很恰當的。曾有醫療報告顯示，此類藥物可能會造成胎兒生長缺陷，尤其是懷孕前三個月的可能性較高。同時，此藥可能會造成孕婦低血糖、低血鉀、低血鈉，以及增加孕婦生產時的困難。因此在一般情況下，除非經由醫師的許可外，孕婦應該避免服用此藥。

此藥會經由母乳到達嬰兒體內，爲了避免藥物可能造成對新生兒的影響，餵奶的母親在服用此藥前，應該徵求醫師的意見。

☞忘記用藥

如果一天服藥一次，而忘記服藥的時間在12小時內，就應該立即服用。但如果超過12小時，就應該捨棄此次的藥物，恢復到下次正常服藥的時間，但是不可服用雙倍的劑量。

Metoprolol(美多普諾)

商品名(台灣)

Apo-Metoprolol®(加・Apntex)
Betaloc Durules®(瑞典・Astra)
Betaloc®(瑞典・Astra)
Betapress®(世達)
Betterlock®(信東)
Cancliol®(明德)
Cardinol®(景德)
Cardol®(冰・Toro)
Denex®(塞・Medo)
Minax®(澳・Alpha)

商品名(美國)

Lopressor®(Geigy)
Toprol XL®(Astra)

☞藥物作用

本藥爲一種「貝它阻斷劑」的降血壓藥。它能夠作用於心臟，使心跳的速率、心臟血液的輸出量降低以及間接地使血管放鬆，因而能達到降血壓的目的。本藥同時能降低心臟的工作量、減輕心臟所需要氧氣的消耗，因此可用來預防心臟組織缺氧所造成的心絞痛。本藥另一作用就是能穩定心臟電位的傳導，因此又可用來預防心律不整的發生。本藥亦可作爲消除緊張以及頭痛、手顫抖的輔助藥物使用。

☞用法

此藥通常是一天服用1至3次，可以安排於飯後服用。本藥分爲普通藥片及長效型釋放錠劑兩種，如有必要時，此藥之普通藥片可以壓碎服用，但是長效型錠劑應該整顆吞服，不可咀嚼或壓碎服用。最好養成每天在固定時間服藥的習慣，並且不可突然停止服藥，以免病情惡化。

☞注意事項

服用此藥後，可能會產生頭昏眼花的副作用，尤其在剛開始服藥期間。因此在尙未完全適應此藥前，當開車或操作危險機械時，必須小心謹慎。

如果懷孕，對藥物過敏，或者有心臟疾病、心跳過慢、手腳血液循環不良、氣喘、支氣管炎、肺氣腫或其他的肺部疾病、糖尿病、甲狀腺機能亢進、精神沮喪、重症肌無力症、腎臟病、肝臟疾病等等，醫師需要針對這些情況謹慎用藥，因此在使用此藥前，應該事先通知醫師。

本藥只能控制血壓升高，並不能完全治癒高血壓。服用此藥後，血壓可能要經過幾個星期才能漸漸地降到理想的程度。必須持續地服用此藥，才能有效地控制住血壓。經過一段時間藥物治療後，即使覺得血壓已恢復正常，亦不可間斷，或者是突然停止服藥。突然地停止服藥有可能會使血壓升高，甚至造成心臟病發作。如須停藥，應該得到醫師的許可，並且在他指示下，在約兩個星期內，將藥物漸漸地降低然後再停。

在服用此藥前，應該事先請教護士或者醫師如何測量脈搏。如果覺得脈搏跳動較平常慢或者低於50，就應該通知醫師。

爲了達到理想降血壓的作用，應該遵循醫師的指示，食用低鹽類、低脂肪的食物，戒煙酒，並且盡可能依照醫師的指示做適當的運動。

剛開始服用此藥時，可能會產生頭暈目眩的感覺，尤其是突然站立或坐起時，不過如果能夠緩慢地站立或坐起，應該會減少此一現象。服用此藥後，如果覺得口乾，在嘴內含一塊冰塊或嚼一片口香糖應該會紓解此一現象。通常口渴的現象，在服藥一陣子後應該會自然消失。

服用此藥後可能會影響運動時反應的敏覺性，應該事先與醫師商討，何種運動較適合體能，或多大的運動量才不至於造成傷害。此藥會使血糖降低，同時會遮蓋低血糖所引起的症狀。如果患有糖尿病就應該密切地注意，並經常測量血糖。

在拔牙或動手術前，應該事先通知醫師有服用此藥。因爲此藥在手術當中，可能會造成心臟方面的問題，醫師也許會要求在手術的前兩天，漸漸地停止使用此藥。

市面上許多治療過敏、鼻塞、咳嗽、感冒以及減肥成藥中，經常含有會使血壓升高的成分。因此，爲了避免造成血壓突然升高，在服用此類藥物前，應該事先諮詢醫師或藥師的意見。

☞副作用

此藥常見的副作用爲：下痢、皮膚發癢、性欲降低、便秘、胃腸不適、疲倦、做噩夢、惡心嘔吐、睡眠困難、鼻塞、頭暈等。這些副作用，通常在服用藥物一陣子後，應該會漸漸地消失；不過，如果這些副作用強到困擾你的程度，或者經過一段時間後，還不能完全消除，就應該通知醫師。

此藥較嚴重的副作用爲：皮膚起紅疹、心跳過慢（低於50）、胸痛、精神恍惚、腳部或關節腫脹、幻覺、心跳不正常、精神沮喪、嚴重的頭暈或暈倒、心跳過快、呼吸困難等。通常這些副作用發生的機率較低，但是如果發生時，可能是藥物造成的不良反應，或者是劑量需要調整，應該盡快通知醫師。

☞懷孕及哺乳

醫學報告對此類藥物的影響，沒有一定的結論。目前爲止，尚無報告顯示此藥會造成胎兒的缺陷，但曾有醫學報告指出，孕婦在生產前服用此類藥物可能會造成胎兒出生後體重減輕、血壓下降、血糖降低、心跳減慢及呼吸困難。另外，也有報告顯示，此類藥物不會造成胎兒任何問題。當懷孕時，應該與醫師討論此藥可能對胎兒的影響，他會衡量狀況，決定是否應該服藥。

少量的藥物會經由母乳到達嬰兒體內，爲了避免可能造成新生兒血壓下降及心跳減慢，當餵奶嬰兒時，最好使用其他的乳製品，以取代母乳。

☞忘記用藥

如果忘記服藥，應該在記得時，立即服用。但假如是一天服藥一次，而距離下次服藥的時間少於8小時；或一天服藥兩次，而距離下次服藥的時間低於4小時，就應該捨棄此次藥物，恢復到下次正常服藥的時間，千萬不可一次服用雙倍的劑量。

Metronidazole(咪唑尼達)

商品名(台灣)

Anegyn®(法・Rhone)
Chomozin®(人生)
Dynin®(瑞士)
Efucon®(寶齡富錦)
Flagyl®(鹽野義)
Frotin®(永信)
Gineflavir®(義・克樂沙)
Kotidai®(臺光)
Metagyl®(明德)
Metrolag®(瑞・Lagap)
Metrole®(永新)
Metrozole®(強生)
Metro®(華盛頓)
Paurapol®(新喜)
Servizol®(汽巴嘉基)
Terico-S®(元宙)
Tricogyl®(皇佳)
Trico®(內外)

商品名(美國)

Flagyl®(Searle)
Protostat®(Ortho)

☞藥物作用

本藥爲一種抗生素，能破壞細菌的遺傳物質，導致細菌死亡。本藥可以用於某些細菌所引起的骨骼及關節感染、腦膜炎、心內膜炎、腹腔內感染、子宮內膜炎、肺炎等等。本藥的陰道片可用於滴蟲所引起的陰道搔癢、惡臭及白帶。此藥的外用擦劑可以用來治療粉刺。

☞用法

本藥空腹或食物一起服用均可，爲了增強藥物的吸收，本藥最好能在空腹時服用。不過，如果覺得此藥會造成胃部不舒服，可將其與食物或一杯開水一起服用。此藥若能在體內達到固定的濃度則可達到最好的藥效，因此可將一天24小時分隔爲相等的時段來給藥，譬如一天服藥3次，則每8個小時給藥一次；假如一天服藥4次，則每6個小時給藥一次。如有必要時，此藥的膠囊可以打開，錠劑可以壓碎服用。

使用陰道軟膏或陰道片時，最好在睡前躺著給藥。給藥後，除了清洗雙手外，應該盡量躺在床上，避免四處走動。使用陰道軟膏或藥片(陰道栓劑)的步驟，請參見頁111。

☞注意事項

服用此藥後，可能會產生輕微頭暈及目眩，尤其在剛開始服藥期間。因此，在尚未完全適應此藥之前，當開車或操作危險機械時，必須小心謹慎。

如果懷孕，對藥物過敏，或者有腦部脊髓方面的疾病、癲癇症、腎臟疾病、肝臟疾病、血液方面的問題等等，醫師需要針對這些情況謹慎用藥，因此在使用此藥前，應該事先通知醫師。

服用此藥時，必須依照醫師的指示，用完所有處方的藥物(通常是7至14天)，即使覺得感染的症狀已經完全消除，仍須服完所有處方的份量，以免感染復發，或將來細菌產生抗藥性。

本藥爲醫師針對病情所下的處方。如果下次有類似的感染，雖然產生的症狀相同，也許感染的病菌不同，服用此藥不見得有效，更有可能會延誤病情。因此必須經由醫師的診斷及指示服藥，更不可將此藥留給他人使用。

服用此藥時，應該避免與酒精類的飲料一起服用，因爲藥物與酒精間的相互作用，將使身體產生許多嚴重的不良反應，如噁心、嘔吐、腹部抽痛、頭痛以及臉部潮紅。飲用的酒量愈大，產生此一副作用的機會及程度就愈高。

服用此藥後也許會產生口渴的現象，但是如果能夠含一塊冰塊或糖果在嘴內的話，應該可以減少此一副作用。如果在服藥期間有便秘的話，就應該多食用蔬菜或水果等幫助消化的食物，並且在許可下，多做運動，或飲用多量的水。

如果使用此藥的目的是治療陰道滴蟲或陰道其他感染的話，配偶應該一同接受治療，要不然彼此互相傳染，非常不容易將病治好。在用藥期間，應該避免行房或使用適當的保險套，以免傳染給對方。

在使用陰道軟膏或藥片(陰道栓劑)前，除非醫師特別指示外，並不需要先清洗陰道內部。並且在月經期間，也應該繼續使用，不可間斷。

在使用完陰道軟膏後，爲了避免藥物汙染到衣物，最好能使用衛生棉，但是避免使用插入式的衛生棉條，以免藥物吸著在棉條上而減低了藥物的作用。

使用陰道軟膏或藥片(陰道栓劑)期間，如果有發燒、腹痛及陰道內產生惡臭，就應該通知醫師。如果經過一段時間，或者在使用完藥物後，症狀仍然沒有改善，也應該通知醫師，也許此藥對陰道感染的微生物並無效力，醫師會考慮改用另外藥物加以治療。

☞副作用

此藥常見的副作用爲：口乾、味覺改變、拉肚子、胃口降低、惡心、腹部抽痛、嘔吐、頭痛、頭暈目眩、陰道輕微的發癢灼熱或刺痛(陰道錠劑或栓劑)等。這些副作用，通常在服用藥物一陣子後，應該會漸漸地消失；不過，如果這些副作用強到困擾你的程度，或者經過一段時間後，還不能完全消除，就應該通知醫師。

此藥較嚴重的副作用爲：手指、腳趾發麻、皮膚發紅、發癢、突然發燒或喉嚨痛、嚴重的腹痛或背痛、陰道有分泌物產生、陰道起水泡或脫皮、腹部抽痛、小便疼痛(陰道錠劑或栓劑)等。通常這些副作用發生的機率較低，但是如果發生時，可能是藥物造成的不良反應，或者是劑量需要調整，應該盡快通知醫師。

☞懷孕及哺乳

根據動物實驗顯示，在正常劑量下，此藥造成胎兒缺陷或損傷的機會並不大。然而也有資料顯示，此藥會增加老鼠胎兒致癌的機會，尤其是懷孕前三個月的可能性最高。因此，在一般情況下，除非有絕對必要，並且經由醫師許可外，孕婦應該避免服用此藥。

此藥可經由胎盤到嬰兒體內，可能會造成新生兒的不良作用，在服藥期間，應該停止餵食母乳而改用其他的乳製品來取代。

☞忘記用藥

如果忘記用藥的話，應該在記得時，立即使用。並將當天未用完的劑量，依照相等的時間間隔使用完。但是，如果距離下次用藥的時間太近，就應該捨棄此次藥物，恢復到下次正常用藥的時間，千萬不可一次使用雙倍劑量。

Miconazole(邁可那挫)

商品名(台灣)

Antifungal®(永信)
Candiplas®(塞・Medochemie)
Dafrin®(瑞士)
Dafucort®(寶齡富錦)
Daktarin®(比・仁山)
Eczem®(寶齡富錦)
Gyno-Daktarin®(比・仁山)
Gynomycoderin®(寶齡富錦)
Mesunen®(乖乖)
Micarin®(回春堂)
Miconal®(義・Farmacetia)
Microtin®(德・Rotexmedica)
Mycoderin®(寶齡富錦)
Mycome®(瑞士)
Zoozean®(長安)

商品名(美國)

Monistat®(Ortho)

☞藥物作用

本藥爲一種抗黴菌的抗生素，可以局部外用以治療黴菌所造成的感染，如香港腳、汗斑、生殖器濕疹及皮膚癬等。它並可外用於陰道，以治療念珠菌感染所造成的陰道搔癢及白帶等等。

☞用法

使用外用擦劑或乳劑時，其使用的步驟，請參見頁187。

使用陰道軟膏或陰道片時，最好能在睡前躺著給藥。給藥後，除了清洗雙手外，應該盡量躺在床上避免四處走動。

使用陰道軟膏或藥片(陰道栓劑)的步驟，請參見頁111。

使用陰道栓劑時，如果藥廠沒有隨藥附贈藥管，則使用的步驟，請參見頁

111。

☞注意事項

在使用陰道軟膏或藥片，除非醫師特別指示外，並不需要事前清洗陰道內部，同時在月經期間，也應該繼續使用，不可間斷。

在使用期間，如果有發燒、腹痛及陰道內產生惡臭，就應該通知醫師。如果經過一段時間，或者在使用完藥物後，症狀仍然沒有改善，也應該通知醫師，也許此藥對造成陰道感染的微生物並無效力，醫師會考慮換另外一種藥物來治療。

在使用陰道軟膏或藥片期間，應該避免行房。必要時，應該要求配偶使用保險套，以免將病菌傳染給他。如果不使用保險套的話，由於病菌來回的傳染，治癒的機會是非常渺茫的。

在使用完陰道軟膏後，爲了避免藥物汙染到衣物，最好能使用衛生棉。但是避免使用插入式的衛生棉條，以免藥物吸著而減低了藥的效用。

使用此藥時，雖然不見得能立即見效，但必須依照醫師的指示用完所有的處方藥物；另一方面，如果覺得感染的症狀已經完全消除，仍舊需要用完所有處方的份量，以免感染復發，或將來細菌產生抗藥性。

如果使用此藥的目的在治療皮膚感染，良好的衛生習慣可以預防及避免皮膚再次感染。應當經常清洗接觸過的浴巾、床單、衣物等等，以增進早日康復。

本藥爲醫師針對病情所下的處方，如果下次有類似的感染，雖然產生的症狀相同，但也許造成感染的病菌不同，使用此藥不見得有效，更有可能會延誤病情。因此必須依照醫師的指示用藥，更不可將此藥留給他人使用。

☞副作用

此藥常見的副作用爲：造成性伴侶器官的刺激及灼熱感、腹部疼痛、頭痛等。這些副作用，通常在服用藥物一陣子後，應該會漸漸地消失；不過，如果這些症狀強到困擾你的程度，或者有陰道發癢、灼熱或分泌物產生，就應該通知醫師。

☞懷孕及哺乳

目前爲止，尚無資料顯示此藥會造成胎兒的缺陷。不過由於少量的藥物會經由陰道的內層皮膚吸收入母體內，爲了避免造成對胎兒的影響，孕婦應該避免於前三個月的懷孕期間使用此藥。孕婦於後六個月的懷孕期間，應該遵守醫師的指示用藥。醫師應該會教導使用較適當安全的方法，將藥物放入陰道內。

目前爲止，尚不知此藥是否會經由母乳到達嬰兒體內，但是尚無醫療報告顯示會對餵奶的嬰兒造成不良的影響。如果決定親自餵哺小孩，最好事先經過醫師的同意。

☞忘記用藥

如果忘記用藥，應該在記得時，立即使用。但是，如果距離下次用藥的時間太近，就應該捨棄此次藥物，恢復到下次正常用藥的時間，千萬不可一次使用雙倍的劑量。

Minocycline(美諾四環素)

產品名(台灣)

Borymycin®(永信)
Cyclin®(瑞安)
Melicin®(華興)
Mero®(景德)
Metacin®(濟生)
Minocin®(立達)
Minoline®(信東)
Minopen®(日・Sawai)
Mulosa®(永昌)
Nocigen®(瑞士)
Uminon®(聯邦)

商品名(美國)

Minocin®(Lederle)

☞藥物作用

本藥爲一種「四環素」的抗生素，主要的作用是能夠抑制細菌蛋白質的產生，使細菌不能正常地生長與繁殖，因而導致細菌的死亡。此藥可以治療某些細菌所引起的感染，如支氣管炎、角膜炎、中耳炎、胃腸道感染、咽喉炎、肺炎、鼻竇炎、尿道感染、皮膚感染以及梅毒等等。

☞用法

本藥不受食物的影響，空腹或與食物一起服用均可。如有必要時，可將此藥的膠囊打開來服用。如果是使用液體藥物，每次在使用前，應先將藥瓶輕微搖動，使藥物能夠均勻分散，並使用有刻度的量杯或藥管，以量取正確的藥量。

☞注意事項

爲了達到最佳的滅菌效果，此藥必須在血中達到固定的濃度，因此最好每天在相等的時間間隔下服藥。如一天服藥兩次，則應該每12個小時用一次，譬如早晨7點及晚上7點各服藥一次，並且不可忘記服藥。

本藥會增加皮膚對陽光的敏感性。如果在陽光下曝曬太久，有可能會導致灼傷，因此應該盡量避免陽光直接曝曬，並穿著長袖衣物，以保護皮膚。

此藥會使小孩的牙齒呈現灰暗色、造成牙齒外層琺瑯質的發育不全。因此孕婦、餵奶的母親，以及年齡少於8歲的小孩不可服用此藥。

牛奶製品、制酸劑、治療貧血用的鐵製劑，或者是含鐵、鈣類的綜合維他命等，這些都有可能降低此藥的吸收，服用此類藥物或食物時，應該至少與此藥相隔約兩至三小時。

如果使用過期的藥物，可能會對腎臟造成極大的毒性，因此使用此藥前，應該詳細檢查有效日期，如果過期了，就不該使用。用完藥物後，最好也能將未用完的丟棄。

服用此藥時，必須依照醫師的指示用完所有的處方藥物，即使覺得症狀已經完全消除，仍舊需要服用完所有處方的份量，以免感染復發，或將來細菌產生抗藥性。

服用此藥後，可能會降低口服避孕藥的作用，因此服用此藥時，最好能同時使用其他的避孕方法，譬如使用保險套等來避孕。此藥會干擾糖尿病患者尿液血糖測量的結果，因此如果要依照此一測量結果來改變飲食或藥物的劑量時，應該事先徵求醫師的意見。

服用此藥一陣子後，如有拉肚子的現象時，此可能是抗生素破壞了胃腸內細菌的平衡所引起的，因此不該自行服用止瀉藥物，因爲如果使用了錯誤的藥物，可能會使腹瀉更爲惡化。應該請教醫師，由他做適當的治療。

此藥爲一種廣效的抗生素，女性長期服用後，可能會殺死陰道內某些種類的細菌，造成其他真菌或黴菌類微生物過度的繁殖，間接地影響到陰道內生態的平衡，最後可能會造成陰道的搔癢。如果有此現象發生時，應該通知醫師。

☞副作用

此藥常見的副作用爲：皮膚對陽光敏感、拉肚子、指甲變色、胃口降低、胃腸不適、惡心、嘔吐、頭痛、頭暈目眩等。這些副作用，通常在服用藥物一陣子後，應該會漸漸地消失；不過，如果這些副作用強到困擾你的程度，或者經過一段時間後，還不能完全消除，就應該通知醫師。

此藥較嚴重的副作用為：口渴、皮膚出現不正常青紫色的斑點或瘀傷、皮膚變暗、舌頭的顏色變得較為昏暗、呼吸困難、眼睛或皮膚變黃、陰道或肛門搔癢、關節痛、頻尿及尿量增加等。通常這些副作用發生的機率較低，但是如果發生時，可能是藥物造成的不良反應，或者是劑量需要調整，應該盡快通知醫師。

☞懷孕及哺乳

此藥會影響胎兒骨骼及牙齒的發育，並且可能會使胎兒將來的牙齒呈現灰暗色、造成牙齒外層琺瑯質的發育不全。因此，除了有絕對需要並經醫師許可外，懷孕的婦女應該避免服用此藥。

此藥會經由母乳到達嬰兒體內，可能會影響新生兒骨骼及牙齒的發育、造成嘴部真菌等微生物的感染。餵奶的母親應該停止用母乳餵食嬰兒，而改用其它的乳製品以取代母乳。

☞忘記用藥

如果忘記服藥，應該在記得時，立即服用。並將當天未服完的劑量，依照相等的時間間隔服用完，千萬不可一次服用雙倍的劑量。

Misoprostol(保護胃腸道藥)

商品名(台灣)

Cytotec®(希爾)

商品名(美國)

Cytotec®(Searle)

☞藥物作用

本藥為一種「保護胃腸道」的藥物，可以減少胃酸分泌，增加用以保護胃壁黏膜細胞的生長，因此可以用來防止胃潰瘍的發生。它並可用來預防某些關節炎的病患，長期服用阿斯匹靈或其他抗關節炎藥物所引起的胃潰瘍。

☞用法

本藥應該在飯後或者與食物一起服用，以避免可能造成拉肚子的副作用。如一天服藥4次，則可安排於三餐飯後及睡前各服用一次；如有必要時，此藥的藥片可以壓碎服用。

☞注意事項

對婦女而言，在使用本藥前，應該先做過妊娠檢驗以確保沒有懷孕；而使用本藥時，應該在下一次月經來時的第二至三天開始服用，以免萬一懷孕可能造成的流產。

如果懷孕，對藥物過敏、或者有胃潰瘍、腦部血管疾病、心臟血管疾病、腎臟病、癲癇等，醫師需要針對這些情況謹慎用藥，因此在使用此藥前，應該事先通知醫師。

此藥通常與治療關節炎的藥物一起服用以保護胃部。由於長期服用關節炎藥物對胃的刺激非常大，因此應該隨時留意是否有胃出血或胃潰瘍發生。如果有吐血，或有暗黑色塊狀或條紋的糞便時，此爲內出血的徵兆，應該通知醫師做進一步的檢查。

服用此藥後較易產生拉肚子，但是如果能將此藥與食物一起服用，應該能減少此一副作用。另外，如果同時服用制酸劑的話，可要求藥師幫忙選用含鋁，但避免使用含鎂的制酸劑，因爲含鋁的制酸劑會產生便秘，兩藥同時使用剛好彼此中和。含鎂的制酸劑會產生拉肚子，反而會增加此藥的副作用。

此藥拉肚子的副作用，通常在剛開始服藥的時候，發生的可能性最高，使用的劑量愈大，發生的機率就愈高；不過，此一現象通常在一個星期後會自然消失。如果在治療的過程中，拉肚子的情況過於嚴重，或者超過一個星期後仍有拉肚子的現象，就應該通知醫師。

由於此藥對胎兒的損害相當大，因此在服藥期間，應該使用極安全有效的方式避孕。萬一在服藥期間發現已懷孕時，就應該立即停止服藥，並且盡快通知醫師。

此藥最大的作用就是能保護胃部的細胞，使其不受一些關節炎藥物的刺激與破壞，因此在使用關節炎藥物期間，應該遵守醫師的指示定時地服藥，即使平常沒有任何胃痛或胃不舒服的症狀，也應該依照醫師的指示繼續服用。

在服藥期間及停藥後的一段時間，不可將血液捐給他人，以免接受血液的是孕婦，有可能會造成流產。

☞副作用

此藥常見的副作用爲：拉肚子、便秘、胃口降低、胸部灼熱、惡心、腹脹或排氣增加、腹痛、嘔吐等等。這些副作用，通常在服用藥物一陣子後應該會漸漸地消失；不過，如果這些副作用強到困擾你的程度，或者經過一段時間後，還不能完全消除，就應該通知醫師。

此藥較嚴重的副作用爲：經痛或不正常流血、皮膚發紅或發癢、呼吸困難、胸口疼痛、陰部不正常的出血等等。通常這些副作用發生的機率較低，但是如果發生時，此可能是藥物造成的不良反應，或者是劑量需要調整，應該盡快通知醫師。

☞懷孕及哺乳

此藥會造成子宮的收縮，有可能會導致孕婦子宮流血，甚至流產，孕婦絕對禁止服用此藥。另外，任何成熟的女性在使用此藥期間，應該使用極有效的方法避孕，以防止懷孕的發生。服藥期間如果發現已懷孕，應該立即停止服用此藥，並且通知醫師。

此藥會經由母乳到達嬰兒體內，可能會造成嬰兒嚴重的拉肚子。餵奶的母親，應該使用其他的乳製品以取代母乳。

☞忘記用藥

如果忘記服藥，應該在記得時，立即服用。但是，如果距離下次服藥的時間太近，就應該捨棄此次的藥物，恢復到下次正常服藥的時間，但是千萬不可一次服用雙倍的劑量。

Morphine(嗎啡)

商品名(台灣)

Morphine®(麻經處)
MST Continus®(英・Bard)

商品名(美國)

M S Contin®(Purdue F.)
MSIR®(Purdue)
Roxanol®(Roxane)

☞藥物作用

本藥爲一種強力的「麻醉類止痛藥」,通常當作重大手術後的止痛劑使用,和用於重大傷害如骨折、燒傷以及癌症等所引起劇烈的疼痛。

☞用法

本藥不受食物的影響,因此空腹或與食物一起服用均可,不過最好與食物一起服用,以免引起對胃的刺激作用。本藥分爲普通藥片及長效型釋放錠兩種,如有必要時此藥之普通藥片可以壓碎服用,但是長效型錠劑應整顆吞服,不可咀嚼或壓碎服用。當使用液體藥物時,應該使用有刻度的量杯或藥管,以量取正確的藥量,並且在飲用時最好能同時飲用一大杯的水,以免引起藥物對舌頭的麻痺作用。

☞注意事項

此藥會產生想睡覺及頭暈的感覺,尤其是剛開始服藥期間,除非已經適應了此藥的作用，當開車或操作危險機械時，應該格外小心謹慎。酒精會增加此藥思睡的副作用，應當避免飲酒或限制用量。

如果懷孕，對藥物過敏，經常飲用大量的酒，或者有肝臟疾病、腎臟病、氣喘、癲癇症、膽囊疾病或膽結石、頭部受傷、前列腺腫大、排尿困難等等，醫師需要進一步考慮這些情況並且謹慎用藥，因此在使用此藥前，應該事先通知醫師。

安眠藥、肌肉鬆弛劑、鎮靜劑、抗過敏藥、抗抑鬱藥、精神病藥，及其他的止痛藥等等，這些藥物都有可能會增加此藥思睡的副作用，同時服用這些藥物時，應當特別注意其思睡的相乘效果。

此藥具有成癮性，因此除了醫師許可外，通常不該連續使用超過10天的劑量；同時，也不可服用超過醫師所指示的劑量或使用的時間。經過一段時間服藥後，此藥的止痛效力可能會漸漸降低。如果發現此現象時，應該徵求醫師的指示，千萬不可自行增加劑量。

長期服用此藥後，不能突然停藥，因爲突然停藥有可能會產生失眠、精神緊張激動、顫抖、惡心嘔吐、胃痛等症狀。如果要停藥的話，應該遵循醫師的指示，漸漸地降低服藥的劑量或次數，然後再停藥。

服藥期間如果有便秘發生的話，就應該多食用蔬菜或水果等幫助消化的食物，並且在許可下，多做運動，或飲用多量的水。服用此藥後也許會產生口渴的現象，但是如果能夠含一塊冰塊或糖果的話，應該可以減少此一副作用。

剛開始服用此藥時，可能會有頭昏眼花的感覺，尤其是突然站立或坐起時，不過如果能夠緩慢地站立或坐起，應該會減少此一現象。

☞副作用

此藥常見的副作用爲：口乾、尿急或小便疼痛、思睡、便秘、胃腸不適、惡心、虛弱無力、視覺模糊、感覺不舒服、嘔吐、緊張不安、頭痛、頭暈目眩等。這些副作用，通常在服用藥物一陣子後，應該會漸漸地消失；不過，如果這些副作用強到困擾你的程度，或者經過一段時間後，還不能完全消除，就應該通知醫師。

此藥較嚴重的副作用爲：心跳過快、皮膚發紅、肌肉顫抖、呼吸困難、極度的興奮不安、精神沮喪、精神恍惚、臉部水腫等。通常這些副作用發生的機率較低，但是如果發生時，可能是藥物造成的不良反應，或者劑量需要調整，應該盡快通知醫師。

☞懷孕及哺乳

此藥對孕婦的影響並無充足的研究報告。但是從以往的經驗顯示，孕婦於短期及適量的情況下用藥，造成胎兒損傷的機會並不大。孕婦如果在懷孕後期長期大量服用此藥的話，則可能會造成胎兒上癮，並於出生後產生緊張不安、顫抖、哭鬧不安等症狀。懷孕時，最好能通知醫師，他會衡量狀況，如果情況允許的話，可能會以短期使用及較低劑量的方式讓患者服藥。

此藥會經由母乳到達嬰兒體內，可能會造成新生兒過度的安睡，餵奶的母親應該使用其他的乳製品，以取代母乳。

☞忘記用藥

如果忘記服藥，應該在記得時，立即服用。但是，如果距離下次服藥的時間太近，就應該捨棄所遺忘的藥物，恢復到正常服藥的時間，千萬不可一次服用雙倍的劑量。

Mupirocin(牟比若欣)

商品名(台灣)

Bactroban®(美・SKB)

商品名(美國)

Bactroban®(SKB)

☞藥物作用

本藥為一種外用的抗生素，通常用於小孩皮膚細菌的感染所造成的膿疱病。通常此類病人皮膚上含有膿狀的小泡，此藥對某些細菌感染的皮膚有效，但是對皮膚癬則無效。

☞用法

使用此藥物時，其使用的步驟如下：

1. 先將雙手清洗乾淨。
2. 然後用肥皂及清水將患部清洗乾淨。
3. 用乾淨的紙巾輕拍患部，直到患部幾乎全乾為止。
4. 將藥物均勻塗抹於患部及其周圍，並輕輕加以按摩。
5. 最後再將手清洗乾淨。

☞注意事項

使用此藥時，必須依照醫師的指示用完所有的處方藥物，即使覺得感染的症狀已經完全消除，仍須用完所有處方的份量，以免感染復發，或將來細菌會產生抗藥性。使用此藥經過3至5天後，如果症狀沒有任何改善，或者病況有變壞的情況，可能是此藥不適用於此一細菌的感染，就應該盡快通知醫師。

使用此藥期間，良好的衛生習慣可以預防及避免感染，應當經常清洗接觸過的浴巾、床單、衣物等等，以增進早日康復。

使用此藥時，不該超過醫師所處方的天數或時間，如果使用過久，可能會影響到皮膚上細菌生態的平衡，一些細菌被此藥殺死，反而助長其他的病菌在皮膚上繁殖，造成另外一種細菌的感染。

此藥只能皮膚外用，不能將其當作眼藥膏使用。對於患部的皮膚，除了醫師的允許外，應該避免使用任何化妝品、軟膏或其他的藥物。另外，應該避免將此藥直接塗抹於灼傷，及其他皮膚破損的部位。

☞副作用

此藥常見的副作用為：皮膚有灼熱感、乾燥、發紅、發癢、輕微的刺痛等等。這些副作用，通常在使用藥物一陣子後，應該會漸漸地消失。不過，如果這些副作用強到困擾你的程度，或者經過一段時間後，還不能完全消除，或是皮膚有發炎、發腫或流膿的現象，就應該通知醫師。

☞懷孕及哺乳

根據動物實驗顯示，在正常劑量下，此藥尚不至於造成胎兒的任何問題。但是，此藥對人體實驗的數據有限，當懷孕時，最好還是遵循醫師的指示服藥。

目前為止，尚不知此藥是否會經由母乳到達嬰兒體內，使用此藥期間，為了避免藥物可能對新生兒造成影響，應該使用其他的乳製品以取代母乳。

☞忘記用藥

使用此藥時，應該按照醫師的指示定期擦用，尤其是治療的頭幾天特別重要。如果忘記用藥，應該在記得時，立即使用。但是，如果距離下次用藥的時間太近，就應該捨棄此次的藥物，恢復到下次正常用藥的時間，千萬不可一次使用雙倍的劑量。

Nabumetone(那別敏痛)

商品名(台灣)

Relifex®(美・SKB)

商品名(美國)

Relafen®(SKB)

☞藥物作用

本藥爲一種「非固醇類抗發炎」的藥物，其主要的作用是能阻止體內「前列腺素」的產生，此一化學物質，通常是造成關節疼痛及發炎的主要原因，因此它可以解除風濕性關節炎，和骨關節炎所引起的關節僵硬、疼痛、發炎以及發腫的現象。

☞用法

本藥通常是一天服用一到兩次。服用此藥時，最好能安排於飯後，以降低藥物對胃的刺激作用。如一天服用一次，可安排於晚飯後服用；如一天服用兩次，則可安排於早餐和晚餐飯後各服用一次。如有必要時，此藥的藥片可以壓碎服用。

☞注意事項

服用此藥後，可能會產生輕微頭昏、想睡覺或感覺疲勞，尤其在剛開始服藥期間。因此，在尚未完全適應此藥前，當開車或操作危險機械時，必須小心謹慎。如果懷孕，對藥物過敏，或者有胃潰瘍、胃出血、潰瘍性結腸炎、腎臟病、肝臟疾病、高血壓、心臟疾病等等，醫師需要針對這些情況謹慎用藥，因此在使用此藥前，應該事先通知醫師。

此藥會抑制血液凝固而使流血的時間增長，因此在拔牙或動手術前，應該事先通知醫師，以免造成過量的流血。

長期服用此藥對胃的刺激非常大，應該隨時留意是否有胃出血或胃潰瘍發生。如果有吐血或暗黑色塊狀或條紋的糞便時，此爲內出血的徵兆，應該通知醫師做進一步的檢查。

服用阿斯匹靈或酒精會增加此藥對胃腸的刺激作用，因此應該盡量避免與此藥一起合用。同時，一些抗關節炎的藥物或者抗凝血劑，也會增加胃腸的刺激作用及降低血液凝固的能力，如果長期與此藥一起合用，有造成胃出血的可能。同時使用這些藥物時，應該事先得到醫師的許可。

老年人對此藥所引起的胃腸副作用，如胃潰瘍、胃出血等等，較一般人敏感。同時，由於老年人的腎臟功能較一般人爲差，藥物經由腎臟排出體外的能力也相對地降低，最後導致藥物的積聚而引起腎臟及肝臟的毒性。醫師可能會要求服用較一般人低的劑量，甚至到達減半的程度。因此在使用此藥時，應該完全遵照醫師指示的劑量服用。

通常在服藥後的兩個星期內，關節四肢的症狀應該會有所改善，但是此藥至少必須經過3至4星期，才能完全達到最大的藥效。另外，此藥只能改善關節炎的症狀，並不能完全治癒關節炎，必須長期服用，才能達到最好的效果。也不能因爲一時覺得症狀已經改善而停止服藥。

此藥可能會增加水分在體內的滯留，間接地可能會使血壓升高或增加心臟的工作量。因此應該隨時留意手腳四肢，如果發現有腫脹的情況時，就應該通知醫師。

☞副作用

此藥常見的副作用爲：下痢、失眠、便秘、流汗增加、胃口降低、不適或疼痛、消化不良、胸口灼熱、惡心、腹脹、嘔吐、頭痛、頭暈目眩等。這些副作用，通常在服用藥物一陣子後，應該會漸漸地消失。不過，如果這些副作用強到困擾你的程度，或者經過一段時間後，還不能完全消除，就應該通知醫師。

此藥較嚴重的副作用：小便困難或疼痛、心跳不正常或加快、皮膚起紅疹或發癢、耳鳴、吐血或含暗黑色的物質、含有帶黑色塊狀或條紋的糞便、呼吸困難、氣喘、胸痛、發熱、發冷及喉嚨疼痛、視覺模糊、腳部水腫、腹痛或胃痛、精神恍惚、嚴重的頭痛等。通常這些副作用發生的機率較低，但是如果發生時，可能是藥物造成的不良反應，或者是劑量需要調整，應該盡快通知醫師。

☞懷孕及哺乳

目前爲止，尚無資料顯示此藥會造成胎兒生長缺陷，但是孕婦最好不要服用此藥。根據動物實驗顯示，孕婦於懷孕後期(尤其是最後三個月)服用此藥的話，可能會造成胎兒心臟血管及血液循環方面的問題。同時，此藥也可能會增長孕婦懷孕及生產的時間以及其他生產過程中的問題。

少量的藥物會經由母乳到達新生兒體內，可能會造成新生兒血液循環及心臟血管方面的問題，餵奶的母親應該考慮用其他乳製品以取代母乳。

☞忘記用藥

如果忘記服藥，應該在記得時，立即服用。但是，如果一天服藥一次，而距離下次服藥的時間少於8小時；假若一天服藥兩次以上，而距離下次服藥的時間少於4小時，就應該捨棄此次的藥物，恢復到下次正常服藥的時間，但是不可以一次服用雙倍的劑量。

Nadolol（那杜諾）

商品名（台灣）

Corgard®（必治妥）

商品名（美國）

Corgard®（BMS）

☞藥物作用

本藥爲一種「貝它阻斷劑」的降血壓藥，能夠作用於心臟，使心跳的速率及心臟血液的輸出量降低，並能間接地使血管放鬆，因而達到降血壓的目的。本藥同時能降低心臟的工作量及減輕心臟所需氧氣的消耗，因此可用來預防心臟缺氧導致的細胞壞死及心絞痛的發生。本藥另一作用就是能穩定心臟電位的傳導，因此又可用來預防心律不整的發生。本藥亦可作爲消除緊張、頭痛以及手顫抖的輔助藥物使用。

☞用法

本藥不受食物的影響，因此空腹或與食物一起服用均可。此藥通常是一天服用一次，不論是早上或是晚上服用，最好養成每天在固定時間服藥的良好習慣，以避免忘記服藥。長期使用此藥後，如要停藥，必須經過醫師的許可，不可自行突然地停止服藥，以免血壓突然升高或造成心臟方面的問題。如有必要時，此藥的藥片可以壓碎服用。

☞注意事項

服用此藥後，可能會產生頭昏眼花的副作用，尤其在剛開始服藥期間。因此，在尚未完全適應此藥前，當開車或操作危險機械時，必須小心謹慎。

如果懷孕，對藥物過敏，或者有心臟疾病、心跳過慢、手腳血液循環不良、氣喘、支氣管炎、肺氣腫或其他的肺部疾病、糖尿病、甲狀腺機能亢進、精神沮喪、重症肌無力症、腎臟病、肝臟疾病等等，醫師需要針對情況謹慎用藥，因此在使用此藥前，應該事先通知醫師。

本藥只能控制血壓升高，並不能完全治癒高血壓。服用此藥後，可能要經過幾個星期的時間，血壓才能漸漸地降到理想的程度。必須持續地服用此藥，才能有效控制住血壓。

經過一段時間藥物治療後，即使覺得血壓已恢復正常，亦不可間斷，或者是突然停止服藥。突然停止服藥有可能會使血壓升高甚至造成心臟病發作。如須停藥，應該得到醫師的許可，並且在他的指示下，在約兩個星期內將藥物漸漸地降低然後再停藥。

在服用此藥前，應該先請教護士或醫師，如何測量脈搏。如果覺得脈搏跳動較平常爲慢，或者脈搏低於50，就應該通知醫師。

剛開始服用此藥時，可能會產生頭暈目眩的感覺，尤其是突然站立或坐起時，不過如果能夠緩慢地站立或坐起，應該會減少此一現象。爲了達到理想降血壓的作用，應該遵循醫師的指示，服用低鹽類、低脂肪的食物，戒煙酒，並且盡可能地依照醫師的指示，做適當的運動。

服用此藥後，可能會影響運動時的敏覺性，因此應該事先與醫師商討，何種運動較適合體能，或多大的運動量，才不至於造成傷害。服用此藥後，如果覺得口乾，在嘴內含一塊冰塊或嚼一片口香糖，應該會紓解此一現象。通常口渴的現象，在服藥一陣子後，會自然消失。

此藥會使血糖降低、遮蓋低血糖所引起的症狀。如果患有糖尿病就應該更密切地注意，並經常測量血糖。

在拔牙或動手術前，應該事先通知醫師有服用此藥。因爲此藥在手術當中，可能會造成心臟方面的問題，醫師也許會建議在手術的前兩天，漸漸地停止使用此藥。

市面上許多治療過敏、鼻塞、咳嗽、感冒，以及減肥的成藥中，經常含有會使血壓升高的成分。因此，爲了避免造成血壓突然升高，在服用此類藥物前，應該事先諮詢醫師或藥師的意見。

☞副作用

此藥常用的副作用為：下痢、皮膚發癢、性欲降低、思睡、便秘、胃腸不適、疲倦、做噩夢、眼乾、惡心嘔吐、鼻塞、頭暈、頭暈目眩等。這些副作用，通常在服用藥物一陣子後，應該會漸漸地消失；不過，如果這些副作用強到困擾你的程度，或者經過一段時間後，還不能完全消除，就應該通知醫師。

此藥較嚴重的副作用為：心跳過快、心跳過慢(低於50)、幻覺、精神沮喪、皮膚起紅疹、呼吸困難、胸痛、臉部或關節腫脹、嚴重的頭暈或暈倒等。通常這些副作用發生的機率較低，但是如果發生時，可能是藥物造成的不良反應，或者是劑量需要調整，應該盡快地通知醫師。

☞懷孕及哺乳

醫學報告對此類藥物的影響，沒有一定的結論。目前為止，尚無報告顯示此藥會造成胎兒的缺陷，但曾有醫學報告指出，孕婦在生產前服用此類藥物，可能會造成胎兒出生後體重減輕、血壓下降、血糖降低、心跳減慢及呼吸困難。另外，也有報告顯示，此類藥物不會造成胎兒任何問題。當懷孕時，應該與醫師討論此藥可能對胎兒的影響，他會衡量狀況，決定是否應該服藥。

少量的藥物會經由母乳到達嬰兒體內，為了避免可能造成新生兒血壓下降及心跳減慢，當餵哺嬰兒時，最好使用其他的乳製品，以取代母乳。

☞忘記用藥

如果忘記服藥，應該在記得時，立即服用。但是，如果一天服藥一次，而距離下次服藥的時間只有8小時；或一天服藥兩次，而距離下次服藥的時間只有4小時，就應該捨棄此次的藥物，恢復到下次正常服藥的時間，但是不可一次服用雙倍的劑量。

Naproxen(那普諾仙)

商品名(台灣)

Anaprox®(中化)
Anasec®(順生)
Dozin®(永昌)
Flexin®(英・Napp)
Genuproxin®(人人)
Honlow®(信東)
Nafxen®(臺裕)
Nagenton®(南光)
Naposin®(中化)
Napoton®(應元)
Naprocide®(信元)
Napton®(寶齡富錦)
Naputon®(永新)
Naxen®(田邊)
Neoproxen®(中國新藥)
Nilton®(內外)
Noyan®(衛達)
Ploson®(嘉信)
Prox®(華盛頓)
Proxen®(安主)
Seladin®(永信)
Sinton®(井田)
Sutolin®(世達)
Sutony®(中美)
U-Ritis®(優良)
Winpron®(溫士頓)
Xenar®(英・Alfa)

商品名(美國)

Aleve®(Procter & G)
Anaprox DS®(Syntex)
Anaprox®(Syntex)
Naprosyn®(Syntex)

☞藥物作用

本藥爲一種「非固醇類止痛及抗發炎」的藥物，其主要的作用就是能阻止體內「前列腺素」的產生，此一化學物質是造成關節疼痛及發炎的主要原因，因此可以解除風濕性關節炎，以及骨關節炎所引起的關節僵硬、疼痛、發炎發腫的現象。此藥同時可以當作止痛藥使用，可以消除多種輕微到中度的疼痛，如頭痛、牙疼、月經痛、肌肉扭傷所引起的疼痛，以及短期使用於解除急性痛風引起的疼痛等。

☞用法

此藥對胃的刺激相當大，爲了減輕對胃的刺激，最好與食物或飯後服用，並同時飲用一杯水。在服用完藥物後的30分鐘內，最好不要立即躺下，以免藥物對上消化道的直接刺激。本藥分爲普通膠囊及長效釋放型膠囊兩種。如有必要時，此藥之普通膠囊或錠劑可以打開或壓碎服用，但是長效釋放型膠囊應整粒吞服，不可在嘴內咀嚼或打開來服用。

☞注意事項

服用此藥後，可能會產生輕微頭暈目眩及視覺模糊，並且可能會產生疲乏的感覺。因此，在尙未完全適應此藥前，當開車或操作危險機械時，應該格外地小心謹愼。

如果懷孕或哺乳嬰兒，對藥物過敏，或者有胃出血、氣喘病、胃潰瘍、糖尿病、充血性心衰竭、肝臟疾病、血液凝固方面的問題、紅斑性狼瘡、腎臟病、高血壓等等，醫師需要針對這些情況謹愼地用藥，因此在使用此藥前，應該事先通知醫師。

長期服用此藥對胃的刺激非常大，因此應該隨時留意是否有胃出血或胃潰瘍發生。如果有暗黑色條紋或塊狀的糞便時，此爲內出血的徵兆，應該通知醫師做進一步檢查。

服用阿斯匹靈或酒精會增加此藥對胃腸的刺激，因此應該盡量避免與此藥一起合用。同時一些抗關節炎的藥物，或者抗凝血劑也會增加胃腸的刺激、降低血液凝固的能力，如果長期與此藥一起合用，有造成胃出血的可能。同時使用這些藥物時，應該事先得到醫師的許可。

如果服用此藥的目的在治療關節炎，通常在服藥後的兩個星期之內，關節四肢的症狀，應該有所改善，但是此藥通常至少需要經過3至4個星期，才能達到最大療效。另外此藥只能改善症狀，並不能完全治癒關節炎，患者必須長期按時服用，才能達到最好的效果。也不能因爲一時覺得症狀已經改善而停止服藥。

此藥會抑制血液的凝固而使流血的時間增長，因此在拔牙或動手術前，應該事先通知醫師。通常在手術前的幾天內，醫師會要求停止服用此藥，以免手術進行當中造成過量的流血。

此藥可能會增加水分在體內的滯留，間接地可能會使血壓升高，或增加心臟的工作量。因此應該隨時留意手腳四肢，如果發現有腫脹的情況時，就應該通知醫師。

老年人對此藥所引起的胃腸副作用，如胃潰瘍、胃出血等等較一般人敏感。同時，由於老年人的腎臟功能較一般人爲差，藥物經由腎臟排出體外的能力也相對地降低，最後有可能會導致藥物的積聚，而引起腎臟及肝臟的毒性。醫師可能會要求此類患者服用較一般人爲低的劑量，甚至到達減半的程度。因此在使用此藥時，應該完全遵照醫師所指示的劑量服用。

☞副作用

此藥常見的副作用爲：下痢、便秘、流汗增加、胃腸不適或疼痛、消化不良、胸口灼熱、惡心、輕微的思睡、嘴巴痠痛或乾燥、頭痛、頭暈目眩等。這些副作用，通常在服用藥物一陣子後，應該會漸漸地消失；不過，如果這些副作用強到困擾你的程度，或者經過一段時間後，還不能完全消除，就應該通知醫師。

此藥較嚴重的副作用爲：心跳不正常、皮膚起紅疹或發癢、吐血或含暗黑色的物質、含有帶黑色的糞便、呼吸困難、氣喘、胸痛、發冷及喉嚨痠痛、發熱、腹痛或胃痛、嚴重的頭痛等。通常這些副作用發生的機率較低，但是如果發生時，可能是藥物造成的不良反應，或者是劑量需要調整。應該盡快通知醫師。

目前爲止，尚無資料顯示此藥會造成胎兒生長缺陷，但是懷孕婦女最好不要服用此藥。根據動物實驗顯示，孕婦於懷孕後期(尤其是最後三個月)服用此藥的話，可能會造成胎兒心臟血管及血液循環方面的問題。同時，此藥也可能會增加孕婦懷孕及生產的時間以及其他生產過程中的問題。

少量的藥物會經由母乳到達新生兒體內，可能會造成新生兒血液循環及心臟血管方面的問題。餵奶的母親應該考慮用其他乳製品以取代母乳。

☞忘記用藥

如果忘記服藥，應該在記得時，立即服用。但是，如果一天服藥一次，而距離下次服藥的時間少於8小時；或一天服藥兩次以上，而距離下次服藥的時間少於4小時，就應該捨棄此次的藥物，恢復到下次正常服藥的時間，但是不可以一次服用雙倍的劑量。

Nicardipine(尼卡第平)

商品名(台灣)

Coponent®(日・Nissin)
Nisutadil®(日・Towa)
Vasodin®(義・Alfa)
Nicarpine®(培力)
Perdipine®(山之內)

商品名(美國)

Cardene®(Syntex)
Cardene SR®(Syntex)

☞藥物作用

本藥為一種「鈣離子阻斷劑」的降血壓及預防心絞痛藥物。此藥能使血管擴張，讓更多的血液順暢地通過血管而達到降血壓的目的。本藥亦可擴張心臟內的血管，使心臟能夠得到更多的血液和氧氣，解除心臟因為缺氧而造成壞死，導致心絞痛的發生。

☞用法

本藥不受食物影響，空腹或與食物一起服用均可，但為了減輕對胃的刺激，最好與食物一起服用。同時，最好養成每天在固定時間服藥的習慣，並且不可突然停止服藥，以免病情惡化。

☞注意事項

本藥同時具有預防心絞痛及降血壓的作用。如果服用此藥是在預防心絞痛，就必須定期服用才有預防效果，若是在心絞痛發作時才服用此藥是無效的。必須使用醫師開的另外一種藥物，以紓解心絞痛的急性發作。

如果懷孕，對藥物過敏，或者有心臟疾病、心律不整、充血性心衰竭、腦中風、低血壓、腎臟病、肝臟疾病等等，醫師需要針對這些情況謹慎用藥，因此在使用此藥前，應該事先通知醫師。

服用此藥後可能會造成頭昏眼花，當開車或操作危險機械時，應該格外地小心謹慎。

服用此藥後，必須持續服用此藥，才能達到穩定血壓的效果。經過長時間服藥後，千萬不可突然停止服藥，突然停藥有可能會造成心絞痛。如有必要停藥時，應該得到醫師的許可，並且在他的指示下，將藥物漸漸地降低然後再停藥。

本藥只能控制血壓，並不能根治此一病症，甚至可能需要終生服用此藥。服用此藥後，可能需要經過幾個星期，血壓才能漸漸地降到理想的程度；並且，在經過一段時間藥物治療後，即使血壓已恢復正常，仍舊需要持續服用此藥，才能有效地控制血壓。

剛開始服用此藥時，可能會有頭暈目眩的感覺，尤其是突然站立或坐起時；不過如果能夠緩慢地站立或坐起，應該可以減少此一現象。

如果使用此藥的目的在預防心絞痛，在經過一陣子的服藥後，不可因爲心絞痛不再發作而突然增大運動量。應該事先與醫師商討何種運動較適合體能，或多大的運動量，才不會造成心臟過度的負荷，導致心絞痛再次發生。

服用此藥前，應該事先請教醫師或護士，如何測量脈搏，如果覺得脈搏跳動較平常慢或者脈搏低於50，就應該通知醫師。剛開始服用此藥時，也許會有頭痛的感覺，但是經過一段時間服藥後，此現象應該會漸漸消除；如果經過一段時間，仍然覺得頭痛，就應該通知醫師。

爲了達到理想降血壓的作用，應該遵循醫師的指示，食用低鹽類、低脂肪的食物，適當控制體重，戒煙酒，並且盡可能做適當的運動。

☞副作用

此藥常見的副作用爲：口乾、下痢、思睡、便秘、疲倦、惡心、臉部潮紅發熱、頭痛、頭暈目眩等。這些副作用，通常在服用藥物一陣子後，應該會漸漸地消失；不過，如果這些副作用強到困擾你的程度，或者經過一段時間後，還不能完全消除，就應該通知醫師。

此藥較嚴重的副作用爲：心跳過快、心跳過慢(低於50)、皮膚起紅疹、呼吸困難、胸口疼痛、腳部水腫等。通常這些副作用發生的機率較低，但是如果發生時，可能是藥物造成的不良反應，或者是劑量需要調整，應該盡快通知醫師。

☞懷孕及哺乳

雖然此藥經常用於解除孕婦急性高血壓，但是其安全性仍然需要更廣泛的醫學數據，做進一步的評估。根據動物實驗顯示，在大於人類極高的劑量下，此藥可能會造成胎兒出生後體重過輕，以及降低新生兒的存活率，劑量愈高，可能發生的機率就更高。因此懷孕時，最好能通知醫師，他會衡量狀況，決定是否應該服藥。

少量的藥物會經由母乳到達嬰兒體內，爲了避免藥物可能造成對新生兒的影響，餵奶的母親，應該考慮使用其他的乳製品以取代母乳。

☞忘記用藥

一天服用3次或3次以上，當忘記服藥時，應該在記得時，立即使用；但是，如果距離下次用藥的時間太近，也應該立即服藥，並將當天未用完的劑量，依照等分的時間間隔使用完。如果一天服藥兩次，應該在記得時，立即服使用；但是，如果距離下次用藥的時間太近，應該捨棄此次的藥物，恢復到下次正常用藥的時間，千萬不可一次服用雙倍的劑量。

Nifedipine(尼非待平)

商品名(台灣)

Adalat®(拜耳)
Adapin®(世紀)
Ajulate®(順生)
Alat®(永信)
Alonix S®(日・Sawai)
Atanaal®(日・Toyo)
Badipine®(大豐)
Citilat®(義・Tico)
Coral®(義・Simes)
Dekalat-10®(荷・Pharmachemie)
Edian®(溫士頓)
Emaberin®(鹽野義)
Fedipine®(新豐)
Flocoron®(瑞士)
Glopir®(希・GAP)
Harwell®(瑞人)
Nedipin®(衛達)
Nidepin®(聯邦)
Nidomate®(華興)
Nifate®(順生)
Nifedin®(國嘉)
Nifed®(愛・Rowa)
Nifelan®(愛・Elan)
Nifelat®(塞・Remedica)
Nifepin®(皇佳)
Nifepine®(世達)
Nirena®(日・三和)
Nisimlone®(信東)
Nisipin®(政和)
Ronian®(日本化藥)
Sindipine®(優生)
Sufepin®(衛達)
Towarat®(日・Towa)

商品名(美國)

Adalat CC®(Mles)
Adalat®(Mles)
Procardia XL®(Pfizer)

☞藥物作用

本藥為一種「鈣離子阻斷劑」的降血壓及預防心絞痛的藥物，能使血管擴張，讓更多的血液順暢地通過血管而達到降血壓的目的。本藥亦可擴張心臟內的血管，使心臟能夠得到更多的血液和氧氣，解除心臟因為缺氧而造成壞死，最後導致心絞痛的發生。

☞用法

本藥分爲普通藥片及長效型釋放錠劑兩種，此兩種劑型在服用時，都不可咀嚼或壓碎服用，而應該整顆吞服。普通型的藥物，通常是一天服用3次，爲了增強藥物的吸收，本藥最好在空腹時服用，譬如飯前一小時，或飯後兩小時服用。長效型釋放錠劑，通常是一天服用一次，當使用此劑型藥物時，最好養成每天在固定時間服藥的習慣，譬如在早餐或晚餐前服藥。

☞注意事項

本藥同時具有預防心絞痛及降血壓的作用。如果服用此藥是預防心絞痛的發作，就必須持續服用才有預防效果，若是在心絞痛發作時才服用此藥是無效的，而必須使用另外一種藥物才能紓解心絞痛的急性發作。

如果懷孕，對藥物過敏，或者有心臟疾病、心律不整、充血性心衰竭、腦中風、低血壓、腎臟病、肝臟疾病等等，醫師需要針對這些情況謹慎用藥，因此在使用此藥前，應該事先通知醫師。

服用此藥後，可能會產生頭昏眼花，尤其是在剛開始服藥期間。因此在尚未完全適應此藥前，當開車或操作危險機械時，必須小心謹慎。

本藥只能控制血壓的升高，並不能根治此一病症，甚至需要終生服用此藥以控制血壓。開始服藥後，可能需要經過幾個星期，血壓才能漸漸地降到理想的程度，並且在經過一段時間藥物治療後，即使血壓已恢復正常，仍舊需要持續服用此藥，才能有效地控制住血壓。

如須停藥，應該先得到醫師的許可，並且在他的指示下，將藥物漸漸降低然後再停藥，千萬不能突然停藥，突然停止服藥有可能會使血壓升高，甚至造成心臟病發作的可能。

服用此藥前，應該事先請教護士或醫師，如何測量脈搏。如果覺得脈搏跳動較平常慢，或者脈搏低於50，就應該通知醫師。

爲了達到理想的降血壓，應該遵循醫師的指示，服用低鹽類、低脂肪的食物，戒煙酒、並且盡可能做適當的運動。剛開始服用此藥時，可能會產生頭暈目眩的感覺，尤其是突然站立或坐起時，不過如果能夠緩慢地站立或坐起，應該會減少此一現象。

如果使用此藥的目的在預防心絞痛的發作，在經過一陣子的服藥後，不可因爲心絞痛不再發作，而突然增大運動量。應該事先與醫師商討何種運動較適合體能，或多大的運動量才不會造成心臟過度的負荷，而導致心絞痛再次發生。

在拔牙或動手術前，應該事先通知醫師有服用此藥。

經過一段時間服藥後，可能會造成牙齦腫大、發炎或者流血。如果能經常用牙線或牙刷維護牙齒的正常衛生習慣，並且經常按摩牙齦，應該能減少此一現象的發生。

剛開始服用此藥時，也許會有頭痛的感覺，但是經過一段時間服藥後，此現象應該會逐漸地消除。如果經過一段時間後，仍然覺得頭痛，就應該通知醫師。

市面上許多治療過敏、鼻塞、咳嗽、感冒，以及減肥的成藥中，經常含有會使血壓升高的成分。爲了避免造成血壓突然升高，在服用此類藥物前，應該事先諮詢醫師或藥師的意見。

☞副作用

此藥常見的副作用爲：便秘、疲倦、惡心、臉部潮紅及發熱、頭痛、頭暈目眩等等。這些副作用，通常在服用藥物一陣子後，應該會逐漸地消失；不過，如果這些副作用強到困擾你的程度，或者經過一段時間後，還不能完全消除，就應該通知醫師。

此藥較嚴重的副作用爲：心跳過快、心跳過慢(低於50)、皮膚起紅疹、呼吸困難、胸口疼痛、腳部水腫等。通常這些副作用發生的機率較低，但是如果發生時，可能是藥物造成的不良反應，或者是劑量需要調整，應該盡快通知醫師。

☞懷孕及哺乳

雖然此藥經常用於治療孕婦急性高血壓，但是其安全性仍然需要更廣泛的醫學數據，做進一步的評估。根據動物實驗顯示，在大於人類極高的劑量下，此藥可能會造成胎兒出生後體重過輕、降低新生兒的存活率以及延長孕婦懷孕的時間。劑量愈高可能發生的機率就更高。懷孕時，應該通知醫師，他會衡量狀況，決定是否應該服藥。

少量的藥物會經由母乳到達嬰兒體內，爲了避免藥物可能對新生兒造成影響，餵奶的母親應該考慮使用其他的乳製品以取代母乳。

☞忘記用藥

假如一天服藥3次或3次以上，當忘記服用時，應該在記得時，立即使用；但是，如果距離下次用藥的時間太近，也應該立即服藥，並將當天未用完的劑量，依照等分的時間間隔使用完。如果一天服藥兩次，應該在記得時，立即使用；但是，如果距離下次用藥的時間太近，就應該捨棄此次的藥物，恢復到下次正常用藥的時間，千萬不可一次使用雙倍的劑量。

Nitrofurantoin(耐挫敷妥因)

商品名(台灣)

Ftantin®(金馬)
Furadantin®(美・醫通)
Litolin®(永新)
Macrodantin®(美・醫通)
Mictueol®(義・Liade)
Ninru®(應元)
Nitrofan®(富生)
Rancol®(山之內)
Urosustain®(西德有機)
Yumenin®(臺裕)

商品名(美國)

Furadantin®(Procter & G)
Macrobid®(Procter & G)
Macrodantin®(Procter & G)

☞藥物作用

此藥為專門治療「尿道感染」的抗生素，能夠干擾細菌醣類的代謝以及細菌細胞壁的形成，最後造成細菌的死亡。此藥可用來治療因為尿道感染所引起的小便疼痛、尿急、頻尿、小便灼熱等現象，以及治療膀胱炎、腎盂炎等等。

☞用法

為了減輕對胃的刺激、增加藥物的吸收作用，以及減輕藥物產生惡心或嘔吐的副作用，此藥最好與食物或一杯牛奶一起服用。服用此藥時，應該吞服整顆的藥片或膠囊，不可在嘴內咀嚼或壓碎服用。如使用的是液體藥物時，每次在使用前，應將藥瓶輕微搖動，使藥物能均勻分散。並使用有刻度的量杯或藥管，以量取正確的藥量。如果覺得藥物有不好的味道，可將其與牛奶或果汁等混合後再服用。

☞注意事項

為了達到最佳的滅菌效果，此藥必須在尿液中達到固定的濃度，因此最好能於相等的時間間隔下服藥。如一天服藥兩次，則每12個小時給藥一次；如果一天服藥4次，則每6個小時給藥一次，並且不可忘記用藥。

如果懷孕或餵哺嬰兒，對藥物過敏，或者有貧血、肺部疾病、腎臟病等等，醫師需要針對這些情況謹慎用藥，因此在使用此藥前，應該事先通知醫師。

服用此藥時，必須依照醫師的指示服完所有的處方藥物（通常是7至14天），即使覺得感染的症狀已經完全消除，仍須服用完所有處方的份量，以免感染復發，或將來細菌產生抗藥性。

服用此藥以後，可能會使尿液產生深黃到棕色的顏色，這是正常而且無害的現象。不過，應該注意避免汙染到衣物而使衣物變色。

此藥會干擾糖尿病患者尿液血糖測量的結果，如果要依照此一測量結果，而改變飲食或藥物劑量時，應該事先徵求醫師的意見。

如果是服用液體藥物，在服藥時，應該盡快地將藥物吞服入胃，並且在服藥後立即漱口，以免藥物使牙齒汙染變色。

本藥為醫師針對尿道感染所下的處方，如果下次有類似的感染，雖然產生的症狀相同，也許造成感染的病菌不同，服用此藥不見得有效，更有可能會延誤病情。因此必須依照醫師的指示服藥，更不可將此藥留給他人使用。

☞副作用

此藥常見的副作用為：肚子不舒服、胃口降低、拉肚子、惡心、嘔吐等。這些副作用，通常在服用藥物一陣子後，應該會漸漸地消失；不過，如果這些副作用強到困擾你的程度，或者經過一段時間後，還不能完全消除，就應該通知醫師。

此藥較嚴重的副作用為：皮膚發紅、呼吸困難、疲倦、突然的發熱、眼睛或皮膚發黃、發冷或喉嚨痛、發癢、極端的頭暈或頭痛等。通常這些副作用發生的機率較低，但是如果發生時，此可能是藥物造成的不良反應，或者是劑量需要調整，應該盡快通知醫師。

☞懷孕及哺乳

此藥對孕婦的影響並無很完全的資料。不過，曾有報告指出，孕婦體內若缺乏一種G6PD的化學物質（俗稱蠶豆症），服用此藥的話可能會造成母親及新生兒因溶血而導致貧血的可能。孕婦若服用此藥，應該事先得到醫師的許可。

少量的藥物會經由母乳到達嬰兒體內，可能會造成某些嬰兒由於體內缺乏G6PD，而導致貧血，因此，餵奶的母親應該使用其他的乳製品以取代母乳，或者等到停藥幾天後再餵食母乳。

☞忘記用藥

如果忘記服藥，應該在記得時，立即服用。但是，如果距離下次用藥的時間太近，同時又是一天服藥3次或3次以上的話，就應該立即服藥，並在兩至三個小時內服用另一次的劑量，然後再恢復正常的服藥時間；或者可把所遺忘的藥物與下次的藥物一起服用，然後再恢復到另一次正常的服藥時間。

Nitroglycerin(硝基甘油)

商品名(台灣)

Nitrocine®(德・Schwarz)
Nitrocontin®(英・Napp Lab)
Nitrocor® Oint(比・Continental)
NitroDerm® TTs(汽巴嘉基)
Nitrodisc®(美・Searle)
Nitrol® Ointment(美・Kremers)
Nitrolingual® Spray(德・Pohl-Boskamp)
Nitrong®(美・U.S. Ethical)
Nitrostat®(派德)
Ntstm5®(美・Hercon)

商品名(美國)

Nitro-Dur®(Key)
Nitrobid®(Marion)
Nitrodisc®(Searle)
Nitrogard®(Forest)
Nitrol®(Savage)
Nitrolingual®(Rorer)
Nitrostat®(Parke-Davis)
Transderm-Nitro®(Summit)

☞藥物作用

本藥為一種預防或治療「心絞痛」的藥物。心絞痛的發生主要是由於心臟血管的收縮或阻塞，使得負責攜帶氧氣的血液不能順暢地流入心臟，造成局部心臟組織氧氣的缺乏，最後導致細胞的壞死。本藥的作用，就是能使血管放鬆，間接地使心臟的工作量及氧氣的需求降低，因而改善或預防心臟因為缺氧而產生心絞痛。

☞用法

本藥分為許多不同的劑型，其用法則依各劑型的不同而有所不相同。

舌下錠：此錠劑是當心絞痛發作時放入舌下，藥物能夠經由口腔內壁黏膜快速的吸收，因此能夠用來解除心絞痛的急性發作。

口腔噴霧劑：此劑型與舌下錠同樣是針對心絞痛急性發作時使用。此劑型是將霧狀藥物直接噴到舌上或舌下，使其經由快速的藥物作用，因而解除心絞痛的急性發作。

皮膚貼劑：此劑型的藥用貼片可以貼於皮膚上，並經過24小時將藥物緩慢地釋放出來。其主要是用來預防心絞痛的發作。

藥用軟膏：此軟膏通常是塗抹於胸部的皮膚上，用來預防心絞痛的發作。

藥用膠囊：主要是經由口服吸收入胃，由於其在體內的藥物作用較慢，因此不能當急救藥物使用，只能用來預防心絞痛的發作。在使用藥物前，應該詳細說明書，或者詢問醫師或藥師正確的使用方法以及任何所不了解的地方。

舌下錠或舌下噴霧劑

本藥的舌下錠或口腔噴霧劑，主要是當作心絞痛發作時的急救藥物使用。它並可在從事激烈運動(如爬樓梯、登山、性行爲等)前的5至10分鐘服用，以預防心絞痛的發作。當感覺心絞痛發作時，應該立即坐下並將一粒舌下錠放入舌下，然後每間隔5分鐘服用一次，千萬不可將藥物加以咀嚼或吞服入胃或太早吞服口水，應該讓藥物在舌下充分地溶解及吸收。如果每隔5分鐘並使用完3次藥物以後，或者在心絞痛發生後的15分鐘內症狀還無法解除，就應該立即叫救護車到醫院做進一步的急救。

如果使用的是噴霧劑，應該將藥瓶移到距離嘴巴最近的部位，然後再將藥物噴入舌下並立即將嘴巴閉住。此時，應該避免將噴入的藥物直接吸入肺部或將藥物吞服入胃，而應該讓藥物能與舌下的皮膚充分接觸及吸收。使用噴霧劑時應該每間隔3至5分鐘使用一次，如果使用完3次以後，或者心絞痛發生後的15分鐘內症狀還無法解除，就應該立即到醫院做進一步的急救。

口服長效劑

此劑型主要用於預防心絞痛。由於口服長效劑的藥物作用較慢，因此不能在心絞痛急性發作時使用。服用此藥時應該將藥物吞服入胃而不是放入舌下使用。爲了加強藥物的吸收作用，此藥最好能在空腹的時候使用，亦即在飯前一小時或飯後兩小時服用。由於此藥是長效型藥物，因此在使用時應該整粒吞服，不可在嘴內咀嚼或壓碎服用。

皮膚貼劑

此藥通常是一天使用一次。皮膚貼劑上有效成分可經由皮膚慢慢地釋放入體內，因此可用來預防心絞痛的發作。在使用此貼劑時，應該將貼布貼於身體乾燥、無毛的皮膚上，並且每天更換不同的部位，以免引起皮膚過度的刺激。洗澡或沐浴時，並不需要將貼布撕開。

☞注意事項

如果懷孕，對藥物過敏，或者有低血壓、青光眼、嚴重的貧血、心肌梗塞、甲狀腺機能亢進、頭部中風或受傷等等，醫師需要針對這些情況謹慎地用藥，因此在使用此藥前，應該事先通知醫師。

此藥的舌下錠具有揮發性。爲了避免藥物揮發而喪失其藥效，使用完藥物後應該立即將藥瓶蓋上。另外，也應該將藥物保存在原廠的藥瓶內，以免轉換藥物的過程中導致藥物揮發，或者瓶蓋不夠緊密使藥物提早喪失其藥效。此藥的有效期通常爲一年，購買藥物後應該隨時留意藥瓶上的有效日期，如果藥物過期就應該更換另一瓶使用。爲了迅速解除心絞痛的發作，應該將藥物隨時攜帶於身邊以備不時之需。

許多感冒、咳嗽及抗過敏類的成藥中，經常會含有一種「血管收縮劑」，此類藥物主要是能使鼻內的微血管收縮，因而解除鼻塞的症狀。不過此藥同時具有血壓上升及心跳加快的作用，因此可能會間接地加重心臟的負荷而造成危險。要購買此類藥物的時候，應該事先請教醫師或藥師是否含有此一成分。

如果使用的是皮膚貼劑，當使用結束後，應該將貼劑的兩端對摺，使含藥效的表面互相黏合在一起，因爲即使使用過的貼劑，仍然含有藥物的有效成分，小孩拿來玩可能會造成極大的傷害與危險。

服用此藥一段時間後，除了醫師同意外，最好不要換別種廠牌的藥品。不同廠牌的藥品，雖然標示的劑量或成分相同，但是由於各個藥廠品管的能力和藥物劑型的不同，都有可能會影響此藥在體內的釋放及吸收，因此其在體內所產生的濃度及藥效也不見得會相同。

如果服用此藥在預防心絞痛的發作，當經過一段時間藥物的治療後，即使覺得心臟的功能恢復正常，亦不可間斷或者是突然停止服藥。突然停藥有可能使心臟的情況惡化。如有停藥的必要時，應該事先得到醫師的許可，並且在他的指示下，逐漸地降低服藥的次數或劑量，然後再停藥。

服用此藥後，醫師需要定期測量心電圖，和評估藥效，因此必須遵從醫師的指示，定期到醫院做檢查。

☞副作用

此藥常見的副作用爲：心跳加快、惡心、嘔吐、臉部潮紅、頭痛、頭暈目眩等。這些副作用，通常在服用藥物一陣子後，應該會漸漸地消失；不過，如果這些副作用強到困擾你的程度，或者經過一段時間後，這些症狀還不能完全消除，就應該通知醫師。

此藥較嚴重的副作用爲：口乾、心跳加快、皮膚發紅、呼吸加快、指甲或嘴唇變青紫色、視覺模糊、極端的疲倦、極端的頭暈目眩、嚴重的頭痛等。通常這些副作用發生的機率較低，但是如果發生時，可能是藥物造成的不良反應，或者是劑量需要調整，應該盡快通知醫師。

☞懷孕及哺乳

目前爲止，尙無資料顯示此藥會對胎兒造成不良作用；然而，仍須更廣泛的醫學數據，對此藥做進一步的評估。當懷孕時，最好能與醫師討論此藥可能對胎兒的影響。

此藥可能會經由母乳到達嬰兒體內，但是尙無醫療報告顯示會對餵奶的嬰兒造成不良的影響。不過，餵哺嬰兒前，最好能徵求醫師的意見。

☞忘記用藥

如果服用的是普通劑型或長效劑，就應該在記得服藥時，立即服用。但是，如果距離下次服藥的時間只有兩小時(長效劑型爲6小時)，就應該捨棄此次的藥物，恢復到下次正常服藥的時間，千萬不可一次服用雙倍的劑量。使用貼劑或軟膏，就應該在記得用藥時，立即使用；但是，如果距離下次用藥的時間太近，就應該捨棄此次的藥物，恢復到下次正常用藥的時間，不可一次使用雙倍的劑量。

Nizatidine(胃潰瘍藥)

商品名(台灣)

Tazac®(禮來)

商品名(美國)

Axid®(Lilly)

☞藥物作用

本藥為一種「抑制胃酸分泌」的藥物。胃潰瘍的發生，往往是由於胃部分泌過量的胃酸，導致胃或食道因為胃酸的刺激而產生潰爛的現象。此藥的作用，即是能抑制胃酸的分泌，減少胃酸對胃的刺激，並使胃潰瘍得以漸漸康復。

☞用法

本藥可空腹或與食物一起服用，但是，如果能於飯後服用的話，則可達到最好的藥效。此藥通常是一天服用一到兩次，如一天服藥一次，可安排於睡前給藥；如一天服藥兩次，則可安排於早餐後以及睡前服用。如有必要時，此藥的膠囊可打開來與食物或水一起服用。

☞注意事項

服用此藥後，可能會產生輕微頭暈及目眩的副作用，尤其在剛開始服藥期間。因此，在尚未完全適應此藥前，當開車或操作危險機械時，必須小心謹慎。

如果懷孕，對藥物過敏，或者有肝臟疾病、腎臟病等等，醫師會針對這些情況更為謹慎用藥，因此在使用此藥前，應該事先通知醫師。

市面上許多治療頭痛、關節痛和肌肉痛等止痛的藥物，對於胃會產生極大的刺激，也許會使胃潰瘍更爲惡化。因此在使用此類藥物前，應該詢問醫師或藥師，何種藥物對胃最不會造成傷害。

服用此藥期間，最好能戒煙酒，因爲煙酒可能會妨礙潰瘍的康復。同時也應該避免服用辛辣等刺激胃壁的食物。通常在服用此藥一至兩個星期後，胃潰瘍的症狀應該會得到相當程度的改善，但是千萬不可因爲覺得潰瘍已經痊癒，或者覺得胃不痛就停止服藥，應該依照醫師的指示，完成整個服藥的過程。對於某種程度的潰瘍，也許需要長達6至8個星期才可痊癒。

此藥會經由肝臟分解，並經由腎臟排出。如果有肝臟或腎臟方面的問題，可能會影響藥物排出體外的時間以及藥物在體內的濃度。因此如果有上述的病症，在服藥前就應該通知醫師。另外此藥會干擾許多藥物的作用，爲了避免突然增強或降低其他藥物的藥效，當服用此藥前，最好能事先告訴醫師有服用那些藥物。

爲了要立即減輕胃痛或胃潰瘍的症狀，醫師也許會要求同時服用制酸劑。但是由於制酸劑會降低此藥的療效，因此同時服用此兩種藥物時，服用的間隔應該至少相隔約一至兩小時。

☞副作用

此藥常見的副作用爲：便秘、惡心、想睡覺、嘔吐、頭痛、頭暈等。這些副作用，通常在服用藥物一陣子後，應該會漸漸地消失；不過，如果這些副作用強到困擾你的程度，或者經過一段時間後，這些症狀還不能完全消除，就應該通知醫師。

此藥較嚴重的副作用爲：皮膚發紅、性欲降低、呼吸困難、喉嚨痠痛或發燒、發腫、發癢、精神恍惚、心跳突然加快、皮膚出現不正常青紫色的瘀傷、乳房腫大或痠痛等等。通常這些副作用發生的機率較低，但是如果發生時，可能是藥物造成的不良反應，或者是劑量需要調整，應該盡快通知醫師。

☞懷孕及哺乳

根據動物實驗顯示，在正常劑量下，此藥尚不至於造成胎兒的生長缺陷。然而在高於人類300倍的劑量下，則會造成兔子的流產、降低胎兒的體重以及存活率。因此，除了有絕對需要並且經醫師同意外，孕婦應該避免服用此藥。

此藥會經由母乳到達嬰兒體內，爲了避免藥物可能對新生兒造成影響，餵奶的母親應該使用其他乳製品，以取代母乳。

☞忘記用藥

如果忘記服藥，應該在記得時，立即服用。但是，如果距下次服藥的時間太近，就應該捨棄此次的藥物，恢復到下次正常服藥的時間，千萬不可一次服用雙倍的劑量。

Norfloxacin(諾弗洒欣)

商品名(台灣)

Baccidal®(杏林)　NFS®(正和)　Noxacin®(景德)
Flocidal®(榮民)　Norflodal®(中化)

商品名(美國)

Noroxin®(Roberts)

☞藥物作用

本藥爲一種"Quinolone"(崑)類的抗生素,主要的作用是能夠破壞細菌細胞生長遺傳基因時所需的一種物質,使細菌不能正常生長和繁殖,最後導致死亡。此藥爲一種強力及廣效的抗生素,可以用來治療某些細菌所引起的感染,如呼吸道、骨骼、關節、尿道及皮膚感染;並可用治療於肺炎和披衣菌所引起的子宮炎及尿道炎等等。

☞用法

本藥可空腹或與食物一起服用,不過爲了增強藥物的吸收作用,使用本藥時,最好在空腹的時候服用,譬如飯前一小時,或飯後兩小時。服用此藥後,應該飲用一大杯的水,以減輕藥物可能對腎臟的副作用。如果同時服用制酸劑時,最好與此藥相隔至少兩小時。如有必要時此藥的藥片可以壓碎、膠囊可以打開來服用。

☞注意事項

服用此藥後,可能會產生輕微頭暈及目眩。因此開車或操作危險機械時,必須小心謹慎。

如果懷孕，對藥物過敏，或者有肝臟疾病、腎臟病、癲癇症、腦部病變、腸道發炎(如結腸炎)等等，醫師需要針對這些情況謹慎用藥，因此在使用此藥前，應該事先通知醫師。

服用此藥時，必須依照醫師的指示服完所有的處方藥物(大約7至14天)，即使覺得感染的症狀已經完全消除，仍須服用完所有處方的份量，以免感染復發，或將來細菌產生抗藥性。

本藥爲醫師針對病情所下的處方，如果下次有類似的感染，雖然產生的症狀相同，也許感染的病菌不同，服用此藥不見得有效，更有可能會延誤病情。因此必須經醫師的診斷及指示服藥，更不可將此藥留給他人使用。

爲了達到最佳的滅菌效果，此藥必須在血液中達到固定的濃度，因此最好每天在相等的時間間隔下服藥。譬如一天服藥兩次，則每12個小時用一次，可安排於如早晨7點及晚上7點各服藥一次，並且不可忘記服用。

本藥會增加皮膚對陽光的敏感性，如果在陽光下曝曬太久，有可能會導致灼傷或過敏，因此應該盡量避免陽光直接曝曬，並穿著長袖衣物，以保護皮膚。

服用此藥一陣子後，如有拉肚子的現象時，此可能是抗生素破壞了胃腸內細菌的平衡所引起的，不該自行服用止瀉藥物，因爲如果使用了錯誤的藥物，有可能會使腹瀉的現象更爲惡化。應該請教醫師，由他做適當的治療。

由於此藥爲一種強而廣效的抗生素，女性長期服用此藥後，可能會由於藥物大量殺死陰道內某類的細菌，而造成其他真菌類或黴菌過度的繁殖，因而間接地影響到陰道內微生物生態的平衡，最後可能會造成陰道的搔癢，如果有此一現象發生時，就應該通知醫師。

此藥可能會與其他藥物產生不良的作用，因此當服用此藥物時，無論所服用的是成藥或處方藥，爲了避免突然增強或減弱其他藥物的作用，最好事先能夠徵求醫師或是藥師的意見。

爲了避免產生腎結石，除了醫師特別指示外，每天必須服用大約8杯的開水。制酸劑、綜合維他命、含鐵或礦物質等製劑，可能會降低此藥在體內的吸收，服用此類藥物時，應該與此藥至少相隔約兩小時。服用此藥後，應該避免飲用咖啡或茶，因爲此類飲料可能會加強此藥所導致的失眠、神經緊張、心跳增加及焦慮等等副作用。

☞副作用

此藥常見的副作用爲：拉肚子、胃腸不適或疼痛、惡心、想睡覺或失眠、嘔吐、精神緊張、頭痛、頭暈目眩等。這些副作用，通常在服用藥物一陣子後，應該會漸漸地消失；不過，如果這些副作用強到困擾你的程度，或者經過一段時間後，這些症狀還不能完全消除，就應該通知醫師。

此藥較嚴重的副作用爲：皮膚發紅、呼吸困難、迷幻、發癢、精神恍惚、緊張易怒、顫抖等。通常這些副作用發生的機率較低，但是如果發生時，此可能是藥物造成的不良反應，或者是劑量需要調整，應該盡快通知醫師。

☞懷孕及哺乳

根據動物實驗顯示，在正常劑量下，此藥尙不至於造成胎兒的畸形，然而在高於人類10倍的劑量下，則會造成猴子胎盤的流失。因此，除了有絕對的需要並經醫師的許可外，孕婦應該避免服用此藥。

少量的藥物會經由母乳到達嬰兒體內，爲了避免藥物可能對新生兒產生不良的副作用，餵奶的母親應該使用其他的乳製品以取代母乳。

☞忘記服藥

如果忘記服藥，應該在記得時，立即服用。但是，如果距離下次服藥的時間太近，就應該捨棄此次藥物，恢復到下次正常服藥的時間，千萬不可一次服用雙倍的劑量。

Nortriptyline(諾催泰林)

商品名(台灣)

Aventyl®(禮來)

商品名(美國)

Aventyl®(Lilly)
Pamelor®(Sandoz)

☞藥物作用

本藥為一種「抗憂鬱」的藥物。身體病變所引起的憂鬱或沮喪，是由於腦部負責神經傳導的化學物質失去了平衡所造成的。此藥的作用就是能使此類化學物質恢復到正常的含量，因而達到治療的目的，使病人的心情能夠漸漸恢復到開朗與自信。此藥亦可用於治療婦女於月經前所造成的沮喪。

☞用法

本藥可以空腹或與食物一起服用。如果覺得藥物會造成胃部的不舒服，可將其與食物或半杯的水一起服用。如有必要時。可將此藥的膠囊打開來服用。

☞注意事項

此藥會產生想睡覺的感覺，尤其是剛開始服藥期間。除非已經適應了此藥的作用，當開車或操作危險機械時，應該格外地小心謹慎。酒精會增加此藥思睡的副作用，應當避免飲用或限制酒量。

如果懷孕或餵哺嬰兒，對藥物過敏，經常飲用大量的酒，或者有氣喘、癲癇、青光眼、排尿困難、肝臟疾病、精神病、甲狀腺機能亢進、前列腺腫大、腎臟病、心臟病等等，醫師需要針對這些情況謹慎用藥，因此在使用此藥前，應該事先通知醫師。

安眠藥、肌肉鬆弛劑、鎮靜劑、抗過敏藥、感冒藥、抗抑鬱藥、止痛藥等等，這些藥物都有可能增加此藥思睡的副作用。因此同時服用這些藥物時，應當特別注意其彼此增加思睡的相乘效果。

剛開始服用此藥的時候，必須經過幾個星期，才能完全達到藥物的作用。因此不能因爲一時覺得藥物無效而放棄服用。同時，此藥必須定期服用才能達到最好的效果，也不能因爲一時覺得症狀已經改善而停止服藥。

使用此藥期間，醫師需要定期評估藥效反應，以便適當調整劑量，因此需要遵守醫師的指示，定期到醫院或診所做檢查。

經過長期大量服用此藥後，不能突然地停藥，因爲突然停藥，有可能會發生頭痛、惡心、極端的不舒服等症狀。應該遵循醫師的指示，漸漸地降低服藥的劑量或次數，然後再停藥。

在拔牙或動手術之前，應該事先通知醫師有服用此藥。因爲在手術期間，所使用的麻醉藥或者是肌肉鬆弛劑，也許會與此藥產生不良的作用，如造成血壓降低或呼吸抑制等等。

本藥會增加皮膚對陽光的敏感性。如果在陽光下曝曬太久，有可能會導致皮膚的過敏或灼傷，因此應該盡量避免陽光的直接曝曬，並穿著長袖的衣物，以保護皮膚。

服用此藥後，突然地起立或坐起，也許會覺得頭暈目眩，不過如果能夠減慢起立的速度，應該能改善此一現象。如果服用此藥會覺得口渴，放一塊冰塊或者含一顆糖果在嘴內，應該可以改善此一現象。

許多藥物會與此藥產生作用，此類作用也許會對身體產生不良影響，或者是降低或增強彼此的藥效。因此，無論服用的是成藥或處方藥，最好能養成在服藥前先諮詢醫師或藥師的好習慣。

☞副作用

此藥常見的副作用爲：口乾、下痢、失眠、思睡、疲倦、胸口灼熱、惡心、過量的流汗、頭痛、頭暈等。這些副作用，通常在服用藥物一陣子後，應該會漸漸地消失。不過，如果這些副作用強到困擾你的程度，或者經過一段時間後這些症狀還不能完全消除，就應該通知醫師。

此藥較嚴重的副作用爲：手腳及頭部有不正常的抖動、手腳僵硬、小便困難、心跳不正常、皮膚有不正常的瘀傷或塊狀的青紫色、皮膚起紅疹或發癢、呼吸困難、神經緊張不安、眼痛、眼睛及皮膚發黃、發冷及喉嚨疼痛、發燒、視覺模糊、極端的疲倦、精神恍惚等。通常這些副作用發生的機率較低，但是如果發生時，可能是藥物造成的不良反應，或者是劑量需要調整，應該盡快通知醫師。

☞懷孕及哺乳

此藥對孕婦的影響沒有一致的結論，不過有臨床資料顯示此藥可能會影響胎兒的發育，尤其是前三個月懷孕期間的可能性最高；同時，孕婦於生產前一個月服用此藥的話，可能會影響胎兒呼吸、心臟及排尿系統方面的問題。因此除了有絕對的需要，並且經由醫師同意外，孕婦應該避免服用此藥。

少量的藥物會經由母奶到達嬰兒體內，可能會造成新生兒過度的安睡，餵奶的母親應該考慮使用其他乳製品，以取代母乳。

☞忘記用藥

如果一天服用兩次以上的劑量，當忘記服藥時，應該在記得時，立即服用，並將當天未服完的劑量，依照等分的時間間隔服用完。但是，如果距離下次用藥的時間太近，就應該捨棄此次藥物，恢復到下次正常用藥的時間，千萬不可一次使用雙倍的劑量。假如一天服用一次，而且是在晚上服用的話，如果忘記用藥，應該在記得時，立即服用。但是，如果第二天才記起來，就應該捨棄所遺忘的藥物，恢復到正常用藥的時間，千萬不可使用雙倍的劑量。

Nystatin(耐斯菌素)

商品名(台灣)

Dlastatin®(輝瑞)
Marnycin®(丹・Marcopharma)
Mycocide®(澳・R.P.Scherer)
Mycostatin®(必治妥)
Nadostine®(丹・Nadeau)
Nilstat®(立達)
Nydasin®(衛達)
Nyscantin®(丹・Scanpharm)
Nystatets®(德・Pharmadrug)
Sanitatin®(比・Sanico)
Scanytin®(丹・Scanpharm)
Statin®(生達)

商品名(美國)

Mycostatin®(Apothecon)
Nilstat®(Lederle)

☞藥物作用

本藥爲一種「抗黴菌」的抗生素，主要的作用是能與黴菌表面的外膜結合，並且改變其結構，造成黴菌細胞內重要物質的流出而死亡。此藥的外用擦劑可以用來治療黴菌感染所造成的尿布濕疹、指甲感染及皮膚病等等。口含錠或液體懸浮劑，可以用來治療黴菌感染所造成的口腔黏膜發炎。陰道錠劑可以用於念珠菌感染所造成的陰道搔癢、白帶和用來預防婦女生產時引起新生兒口腔的感染。

☞用法

本藥的錠劑或液體懸浮劑不受食物的影響，因此，空腹或與食物一起服用均可。此藥的液體藥物主要是當漱口水使用，每次在使用前，應先將藥瓶輕微搖動，使藥物能夠均勻分散，然後將藥物放入嘴內的雙頰並充分地漱口(約3

至5分鐘），最後再遵循醫師的指示，將藥物吐出或吞服入胃。如使用軟膏或藥粉時，應該先將患部清洗乾淨並用紙巾輕微拍乾，最後再將藥物均勻塗抹或灑在患部。使用口含錠時應該含在嘴內（偶爾醫師會用陰道片當作口含錠使用），此時不可將藥物直接吞服入胃或在嘴內咀嚼，而應該將藥物含在口中約15至30分鐘，使藥物充分溶解、吸收後才吞服。當使用陰道片時，應該事先閱讀說明書，知道正確的使用方法，並且最好在睡前躺著給藥。使用完藥物後，除了清洗雙手外，應該躺著盡量避免四處走動。

☞注意事項

當服（使）用此藥時，必須依照醫師的指示用完所有的處方藥物（通常是7至14天），即使覺得症狀已經完全消除，仍須用完所有處方的份量，以免感染復發，或將來黴菌產生抗藥性。

在使用陰道片（陰道栓劑）之前，除非醫師特別指示外，並不需要事前清洗陰道。在月經期間，也應該繼續使用不可間斷。在使用藥物後，也不應該清洗陰道，以免降低藥效。

使用完軟膏後，除了醫師特別允許外，不該用不透氣的塑膠布或繃帶將患部包得太緊，以免造成患部的黴菌，因爲不透氣反而造成過度的繁殖。如果使用藥粉治療腳趾的感染，除了要將藥物均勻灑在患部的腳趾外，也應該將足量的藥物灑在鞋內及襪子上，以確保患部能得到充分的治療。

使用陰道片期間，如果有發燒、腹痛及陰道產生惡臭，就應該通知醫師。如果經過一段時間或者使用完藥物後，症狀仍然沒有改善，也應該告訴醫師，這可能是此藥所能殺害的微生物，和造成陰道病況的不是同一類病菌。

使用陰道片期間，應該避免行房。如果有必要時，應該要求性伴侶使用保險套，以免將病菌傳染給他。如果不使用保險套的話，病菌在雙方間來回地傳染，要根治此一病症的機會，是非常渺茫的。

使用完陰道藥物後，爲了避免汙染到衣物，最好能使用衛生棉。但是應該避免使用插入式的衛生棉條，以免藥物吸著在棉條上而減低了藥物的作用。

使用此藥時，雖然不見得能立即見效，但必須依照醫師的指示，使用完所有的處方藥物。另一方面，如果覺得症狀已經完全消除，仍舊需要用完所有醫師處方的份量，以免感染復發或細菌產生抗藥性。

如果使用此藥的目的在治療皮膚感染，良好的衛生習慣可以預防及避免皮膚再次感染的機會。應當保持皮膚的乾淨清爽，並且經常清洗接觸過的浴巾、床單、衣物等等，以增進皮膚早日康復。如果使用此藥在治療嘴部的感染，應該經常保持口腔的清潔衛生。

本藥為醫師針對病情所下的處方，下次如果有類似的感染，雖然產生的症狀相同，但也許造成感染的病菌不同，服用此藥不見得有效，更有可能會延誤病情。因此必須事先經由醫師的診斷及指示用藥，更不可將藥物留給他人使用。

☞副作用

此藥常見的副作用為：拉肚子、惡心、嘔吐(口服)，皮膚發癢、皮膚發熱、皮膚刺激(外用軟膏)，陰道發癢、發熱、刺激(陰道片)等等。這些副作用，通常在服用藥物一陣子後，應該會漸漸地消失。不過，如果這些副作用強到困擾你的程度；或者經過一段時間後，這些症狀還不能完全消除，就應該通知醫師。

☞懷孕及哺乳

此藥經常被用來治療孕婦陰道黴菌或真菌的感染。另外，此藥經由口服或皮膚吸收入母體的劑量是有限的，對孕婦及胎兒而言，服(使)用此藥應該是安全的。不過，當使用陰道片時，醫師可能會要求不要使用藥管，而改用手將藥片放入陰道內。

此藥經母親口服後，吸收入體內有限，經母乳到達嬰兒體內的劑量更是微小，因此餵哺嬰兒應該是極安全的。

☞忘記用藥

如果忘記用(服)藥，應該在記得時，立即(服)使用。但是，如果距離下次用藥的時間太近，就該捨棄所遺忘的藥物，恢復到下次正常用藥的時間，千萬不可一次使用雙倍的劑量。

Ofloxacin(歐弗沙欣)

商品名(台灣)

Ofcin®(永信)	Oflodal®(中化)	Sinflo®(信東)
Oflocin®(華興)	Oxacin®(井田)	Tarivid®(第一)

商品名(美國)

Floxin®(Ortho)

☞藥物作用

本藥爲一種“Quinolone”(萖)類的抗生素，主要的作用是能夠破壞細菌遺傳基因所需的一種物質，使細菌不能正常地生長和繁殖，最後導致細菌的死亡。此藥爲一種強力廣效的抗生素，可用於治療某些細菌所引起的感染，如咽喉炎、扁桃腺炎、支氣管炎、非淋菌性的子宮頸炎、肺炎、前列腺炎、皮膚感染、非淋菌性的尿道炎及尿道感染等等。

☞用法

本藥可空腹或與食物一起服用。不過爲了增強藥物的吸收，最好能在空腹的時候服用，譬如飯前一小時，或飯後兩小時。服用此藥後，應該飲用一大杯的水，以減輕藥物可能對腎臟的副作用。如果同時使用制酸劑時，至少應該與此藥相隔兩小時。如有必要時，此藥的藥片可以壓碎服用。

☞注意事項

服用此藥後，可能會產生輕微的頭暈目眩。因此當開車或操作危險機械時，必須小心謹慎。

如果懷孕，對藥物過敏，或者有肝臟疾病、腎臟病、癲癇、腦部病變、腸道發炎(如結腸炎)等等，醫師需要針對這些情況謹慎用藥，因此在使用此藥前，應該事先通知醫師。

爲了達到最佳的滅菌效果，此藥必須在血液中達到固定的濃度，因此最好每天在相等的時間間隔下服藥。如果一天服藥兩次，則每12個小時用一次，譬如可於早晨7點及晚上7點各服藥一次，並且不可忘記服用。

服用此藥時，必須依照醫師的指示用完所有的處方藥物(大約7至14天)，即使覺得症狀已經完全消除，仍須服完所有處方的份量，以免感染復發或細菌產生抗藥性。

本藥會增加皮膚對陽光的敏感性，如果在陽光下曝曬太久，有可能會導致皮膚灼傷或過敏，因此應該盡量避免陽光直接曝曬，並穿著長袖衣物以保護皮膚。

此藥可能會與其他藥物產生不良作用，因此無論所服用的是成藥或處方藥，爲了避免突然增強或減弱其他藥物的作用，最好能事先徵求醫師或是藥師的意見。

服用此藥一段時間後，如有拉肚子的現象時，此可能是抗生素破壞了胃腸內細菌的平衡所引起的，此時不可自行服用止瀉藥物，因爲如果使用了錯誤的藥物，有可能會使腹瀉更爲惡化。應該請教醫師由他做適當的治療。

此藥爲一種強而廣效的抗生素，女性長期服用後，可能會大量殺死陰道內某類的細菌，造成其他真菌類或黴菌過度的繁殖，間接地影響到陰道內的生態平衡，可能會造成陰道的搔癢。如果有此一現象發生時，就應該通知醫師。

爲了降低腎結石的副作用，除了醫師特別指示外，每天必須飲用大約8杯的開水。制酸劑、綜合維他命、含鐵或礦物質等製劑，可能會降低此藥在體內的吸收，服用此類藥物時，至少應該與此藥相隔約兩小時。服用此藥後，應該避免飲用咖啡或茶；因爲此類飲料可能會導致失眠、神經緊張、心跳增加及焦慮等等。

☞副作用

此藥常見的副作用爲：拉肚子、胃腸不適或疼痛、惡心、想睡覺或失眠、嘔吐、精神緊張、頭痛、頭暈目眩等。這些副作用，通常在服藥一陣子後，應該會漸漸地消失。不過，如果這些副作用強到困擾你的程度，或者經過一段時間後，還不能完全消除，就應該通知醫師。

此藥較嚴重的副作用爲：皮膚發紅、皮膚發癢、呼吸困難、迷幻、精神恍惚、緊張易怒、顫抖等。通常這些副作用發生的機率較低，但是如果發生時，此可能是藥物造成的不良反應，或者是劑量需要調整，應該盡快通知醫師。

☞懷孕及哺乳

根據動物實驗顯示，在正常劑量下，此藥尙不至於造成胎兒畸形，然而在高劑量的情況下，則有可能會導致胎兒體重減輕或影響胎兒骨骼的發育，以及降低懷孕的成功率。因此，除了有絕對的需要並經過醫師的許可外，孕婦應該避免服用此藥。

此藥會經由母乳到達嬰兒體內，爲了避免藥物可能對新生兒產生不良的副作用，餵奶的母親應該使用其他的乳製品以取代母乳。

☞忘記用藥

如果忘記服藥，應該在記得時，立即服用。但是，如果距離下次服藥的時間太近，就應該捨棄此次藥物，恢復到下次正常服藥的時間，千萬不可一次服用雙倍的劑量。

Omeprazole（奧美拉唑）

商品名（台灣）

Losec®（瑞典．Astra）
Quick®（華興）

商品名（美國）

Prilosec®（Astra Merck）

☞藥物作用

本藥為一種降低「胃酸」的藥物，可以用來治療胃潰瘍或反流性食道炎。胃潰瘍的發生，往往是由於胃細胞分泌過量的胃酸，導致胃受到胃酸過度的刺激，而造成胃壁潰爛的現象。反流性食道炎的造成是由於胃酸回流入食道，造成食道的腐蝕潰爛。此藥的作用，就是能減少胃酸的產生，進而降低胃或食道的刺激，使得胃潰瘍或食道炎可以漸漸地得到康復。

☞用法

此藥通常是一天服用一次。由於食物會降低此藥的吸收，因此最好在早餐前服用。服用期間，最好養成每天在固定時候服藥的習慣，以減少忘記。由於此藥為一長效型的膠囊，因此應該整粒吞服，不可咀嚼或打開來服用。

☞注意事項

服用此藥後，可能會產生輕微的頭暈目眩，尤其在剛開始服藥期間。因此在尚未完全適應此藥前，當開車或操作危險機械時，必須小心謹慎。

如果懷孕，對藥物過敏，或者有肝臟疾病等，醫師需要針對這些情況謹慎用藥，因此在使用前，應該事先通知醫師。

在服用此藥後的幾天，胃痛的症狀不見得能夠立即得到改善。但是，不可因爲一時覺得沒有藥效而停止服用。除了醫師特別禁止外，可使用制酸劑以減輕疼痛。

市面上許多治療頭痛、關節痛以及肌肉痛等止痛藥物，會對胃產生極大的刺激，也許會使胃潰瘍更爲惡化。因此在使用此類藥物前，應該詢問醫師或藥師，何種藥物對胃最不會造成傷害。

服用此藥期間，最好能戒煙酒，因爲煙酒有可能會妨礙潰瘍的康復。同時也應該避免食用辛辣的食物。

通常在服用此藥一兩個星期後，胃潰瘍的症狀應該會得到相當程度的改善，但是千萬不可因爲一時覺得已經痊癒，或者覺得胃不痛就停止服用，應該依照醫師的指示，完成整個服藥的過程。對於某些程度的潰瘍，也許需要6至8個星期才可以痊癒。

此藥會干擾許多藥物的作用，爲了避免突然增強或降低其他藥物的藥效，服用此藥前，最好能事先告訴醫師有服用那些藥物。

☞副作用

此藥常見的副作用爲：失眠、肌肉痛、便秘或拉肚子、胃脹或排氣增加、胃腸不適、疲倦、胸口灼熱、惡心、嘔吐、頭痛、頭暈等。這些副作用，通常在服用藥物一陣子後，應該會漸漸地消失。不過，如果這些副作用強到困擾你的程度，或者經過一段時間後，還不能完全消除，就應該通知醫師。

此藥較嚴重的副作用爲：小便疼痛或尿急、小便混濁、皮膚出見不正常的瘀傷、突然發燒或喉嚨痛、極端的疲倦等。通常這些副作用發生的機率較低，但是如果發生時，此可能是藥物造成的不良反應或者是劑量需要調整，應該盡快通知醫師。

☞懷孕及哺乳

動物實驗顯示在正常劑量下，此藥並不會造成胎兒的生長缺陷，然而此藥對於人體實驗的資料有限，而其他動物實驗顯示，在極高的劑量下，此藥可能會造成胎兒的毒性及流產，劑量愈高造成的傷害則越大。因此，除了用藥的優點勝於對胎兒的危險性，並且經過醫師的許可外，孕婦應該避免服用此藥。

目前爲止，尚不知此藥是否會經由母乳到達嬰兒體內，不過動物實驗顯示，在高於人類35倍的劑量下，則會造成餵奶的小老鼠體重增長減緩的現象。餵奶的母親在使用此藥時，應該停止餵食母乳，而改用其他的乳製品取代。

☞忘記用藥

如果忘記服藥，應該在記得時，立即服用，但是，如果距離下次服藥的時間太近，就應該捨棄所遺忘的藥物，恢復到下次正常服藥的時間，千萬不可一次服用雙倍的劑量。

Ondansetron(歐丹西挫)

商品名(台灣)

Zofran®(葛蘭素)

商品名(美國)

Zofran®(Cerenex)

☞藥物作用

本藥爲一種強力的「止吐劑」,可以抑制腦部的嘔吐中心,達到止吐的作用。此藥主要用於手術後和癌症治療過程中所引起的嘔吐。

☞用法

本藥不受食物的影響,因此,空腹或與食物一起服用均可。如果覺得此藥對胃的刺激過大,造成胃的不舒服,可將其與食物或一整杯的水一起服用。必要時,此藥的藥片可以壓碎與食物或水混合服用。

☞注意事項

此藥會產生想睡覺及頭暈的感覺,尤其是剛開始服藥期間。除非已經適應了此藥,當開車或操作危險機械時,應該格外地小心謹慎。酒精會增加此藥的思睡作用、加強想嘔吐的感覺,應當避免飲用或限制酒量。

如果懷孕,對藥物過敏,經常飲用大量的酒,或者有肝臟疾病等等,醫師需要針對這些情況謹慎用藥,因此在使用此藥前,應該先通知醫師。

安眠藥、肌肉鬆弛劑、鎮靜劑、抗過敏藥、感冒藥、抗抑鬱藥、止痛藥等等,這些藥物都有可能會增加此藥思睡的副作用。同時服用這些藥物時,應當特別注意其彼此增加思睡的相乘效果。

當服用癌症藥物或放射線治療後的一段時間內，應該遵循醫師的指示服藥，通常癌症藥物所引起的嘔吐可能會持續達3天之久，即使沒有想嘔吐的感覺，也應該依照醫師指定的時間服藥，以免到時引起惡心、嘔吐。

如果在服藥期間有便秘發生的話，就應該多食用蔬菜或水果等幫助消化的食物，並且在許可下，多做運動，或飲用多量的水。服用此藥後，也許會產生口渴的現象，但是如果能夠含一塊冰塊或糖果在嘴內的話，應該可以減少此一副作用。

☞副作用

此藥常見的副作用為：口乾、皮膚發紅、拉肚子、便秘、虛弱、發熱或發冷、想睡覺、頭痛、頭暈目眩等等。這些副作用，通常在服用藥物一陣子後，應該會漸漸地消失。不過，如果這些副作用強到困擾你的程度，或者經過一段時間後，還不能完全消除，就應該通知醫師。

此藥較嚴重的副作用為：呼吸困難或加快、胸口疼痛、臉部或手腳不能自主地運動等等。通常這些副作用發生的機率較低，但是如果發生時，此可能是藥物造成的不良反應，或者是劑量需要調整，應該盡快通知醫師。

☞懷孕及哺乳

根據動物實驗顯示，在正常的劑量下，此藥尚不至於造成胎兒的生長缺陷。但由於此藥對人體實驗的數據有限，因此當懷孕時，最好還是遵循醫師的指示服藥。

此藥會經由母乳到達嬰兒體內，但是尚無醫療報告顯示，會對餵哺的嬰兒造成不良的反應，不過當考慮餵哺嬰兒前，最好徵求醫師的意見。

☞忘記用藥

如果忘記服藥，應該在記得時，立即服用。但是，如果距離下次服藥的時間太近，就應該捨棄所遺忘的藥物，恢復到下次正常服藥的時間，千萬不可一次服用雙倍的劑量。如果遺忘超過兩次的劑量，則引起嘔吐的機會將會增高。

Oxaprozin(歐沙普辛)

商品名(台灣)

此藥未在台銷售。

商品名(美國)

Daypro®(Searle)

☞藥物作用

本藥為一種「非固醇類止痛及抗發炎」的藥物。其主要的作用就是能阻止我們體內「前列腺素」的產生，此一化學物質通常是造成關節疼痛和發炎的主要原因，因此可以解除風濕性關節炎，以及骨關節炎所引起的關節僵硬、疼痛、發炎和發腫的現象。此藥同時可以當作止痛藥使用，可以消除多種輕微到中度的疼痛，如頭痛、牙疼、月經痛和肌肉扭傷所引起的疼痛等。

☞用法

此藥可能會對胃產生刺激，因此，當服用此藥時，最好與食物或一杯水一起服用。同時，在服完藥物的30分鐘內，最好不要立即躺下，以免藥物對上消化道的直接刺激。服用此藥片時，應該整顆吞服，不可在嘴內咀嚼或壓碎服用。

☞注意事項

服用此藥後，可能會有輕微頭暈目眩及視覺模糊的副作用，並且可能會產生疲乏的感覺。因此，在尚未完全適應此藥前，當開車或操作危險機械時，應該格外地小心謹慎。

如果懷孕或哺餵嬰兒，對藥物過敏(尤其是對阿斯匹靈過敏)，或者有心臟疾病、血液凝固方面的問題、肝臟疾病、胃出血、胃潰瘍、氣喘病、高血壓、腎臟病等等，醫師需要針對這些情況謹慎用藥，因此在使用此藥前，應該事先通知醫師。

長期服用此藥對胃的刺激非常大，應該隨時留意是否有胃出血，或胃潰瘍發生。如果有暗黑色條紋或塊狀的糞便時，此爲內出血的徵兆，應該通知醫師做進一步的檢查。

服用阿斯匹靈或酒精會增加此藥對胃腸的刺激作用，應該盡量避免與此藥一起合用。同時一些抗關節炎的藥物，或者抗凝血劑也會增加胃腸的刺激作用、降低血液凝固的能力，如果長期與此藥一起合用，有造成胃出血的可能。當同時使用這些藥物時，應該事先得到醫師的許可。

如果服用此藥的目的在治療關節炎，通常在服藥後的一個星期內，四肢關節的症狀應該有所改善，但是此藥通常至少需要經過兩到三個星期，才能達到最大的療效。另外，此藥只能改善關節炎的症狀，並不能治癒關節炎，必須長期按時服用，才能達到最好的效果，也不能因爲一時覺得症狀已經改善而停止服藥。

此藥會抑制血液的凝固而使流血的時間增長，因此在拔牙或動手術前，應該事先通知醫師，通常在手術前的幾天內，醫師會要求停止服用此藥，以免手術進行當中造成過量流血的現象。

此藥可能會增加水分在體內滯留，間接地可能會使血壓升高，或增加心臟的工作量。因此應該隨時留意手腳四肢，如果發現有腫脹的情況時就應該通知醫師。

老年人對此藥所引起的胃腸副作用，如胃潰瘍、胃出血等等較一般人敏感。同時，由於老年人的腎臟功能較一般人爲差，藥物經由腎臟排出體外的能力也相對降低，最後可能會導致藥物的積聚，而引起腎臟及肝臟的毒性。醫師可能會要求服用較一般人低的劑量，甚至到達減半的程度。因此在使用此藥時，應該完全遵照醫師指示的劑量服用。

☞副作用

此藥常見的副作用爲：流汗增加、胃口降低、頭暈目眩、輕微的思睡、頭痛、胃腸不適、便秘、下痢、胸口灼熱、消化不良、惡心、嘔吐、排氣增加、嘴巴痠痛或乾燥等。這些副作用，通常在服用藥物一陣子後，應該會漸漸地消失。不過，如果這些副作用強到困擾你的程度，或者經過一段時間後，這些症狀還不能完全消除，就應該通知醫師。

此藥較嚴重的副作用為：視覺改變、腹痛或胃痛、含有帶黑色的糞便、呼吸困難、氣喘、心跳不正常、身體水腫、嚴重的頭痛、皮膚起紅疹或發癢、精神恍惚或有幻覺、發熱、發冷及喉嚨痠痛、吐血或含暗黑色的物質等。通常這些副作用發生的機率較低，但是如果發生時，可能是藥物造成的不良反應，或者是劑量需要調整，應該盡快地通知醫師。

☞懷孕及哺乳

目前為止，尚無資料顯示此藥會造成胎兒生長缺陷，但是孕婦最好不要服用此藥。因為根據動物實驗顯示，孕婦於懷孕後期，尤其是最後三個月服用此藥的話，可能會造成胎兒心臟及血液循環方面的問題。同時，此藥可能會增長孕婦懷孕及生產的時間和其他生產過程中的問題。

少量的藥物會經由母乳到達新生兒體內，造成新生兒血液循環及心臟血管方面的問題。餵奶的母親應該考慮用其他乳製品以取代母乳。

☞忘記用藥

如果忘記服藥，應該在記得時，立即服用。但是，如果一天服藥一次，而距離下次服藥的時間少於8小時；或一天服藥兩次以上，而距離下次服藥的時間少於4小時，就應該捨棄此次的藥物，恢復到下次正常服藥的時間，但是不可以一次服用雙倍的劑量。

Oxybutynin(奧斯必得寧)

商品名(台灣)

Benlate®(金塔)
Blasec®(順生)
Clonic®(大豐)
Ditropan®(寶齡富錦)
Newin®(羅德)
Oxyban®(衛達)
Oxypan®(內外)
Oxytynin®(井田)
Par Yih®(正和)
Pintylin®(元澤)
Repinin®(合誠)
Urocon®(生達)
Uronin®(十全)

商品名(美國)

Ditropan®(Marion Merrell Dow)

☞藥物作用

本藥爲一種「膀胱鬆弛劑」,可以使膀胱的肌肉放鬆,以減少病人尿急的感覺,並由於膀胱體積增大,可以貯存更多的尿液,因而減少病人因爲排尿過於頻繁所造成的困難。

☞用法

本藥不受食物的影響,空腹或與食物一起服用均可。如果覺得此藥對胃的刺激過大,會造成胃的不舒服,最好與食物或一杯水一起服用。如有必要時,此藥的藥片可以壓碎與食物或水一起服用。

☞注意事項

此藥可能會造成思睡、頭昏、眼花、或視覺模糊的感覺,尤其是剛開始服藥期間。因此除非已經適應了此藥的作用,當開車或操作危險機械時,應該格外地小心謹慎。

如果懷孕，對藥物過敏，或者有心臟疾病、青光眼、前列腺腫大、排尿困難、潰瘍性結腸炎、重症肌無力、肝臟疾病、腎臟病等等，醫師需要針對這些情況謹慎地用藥，因此在使用此藥前，應該事先通知醫師。

安眠藥、肌肉鬆弛劑、鎮靜劑、抗過敏藥、感冒藥、抗抑鬱藥、止痛藥等等，這些藥物都有可能會增加此藥思睡的副作用。同時服用這些藥物時，應當特別注意其思睡的相乘效果。

使用此藥後可能會使眼睛較為怕光。因此應該避免在強光或者是太陽底下站立太久。另外，如果能夠戴太陽眼鏡的話，應該會使眼睛感到較微舒服。

如果在服藥期間有便秘發生的話，就應該多食用蔬菜或水果等幫助消化的食物，並且在身體許可下，多做運動或飲用多量的水。如果服用此藥會覺得口渴，放一塊冰塊或者含一顆糖果在嘴內，應該能改善此一現象。

此藥會抑制排汗，及阻止體內熱量排出體外。因此，應該避免在過熱的氣溫下運動太久、避免洗過熱的澡。同時，為了防止中暑而暈倒，應該避免在太陽下或過熱的地方站立太久。

要拔牙或動手術前，應該事先通知醫師有服用此藥。

☞副作用

此藥常見的副作用為：口乾、失眠、便秘、流汗減少、臉部潮紅、眼乾、眼睛模糊或怕光、惡心、虛弱無力、想睡覺、腹脹氣、嘔吐、頭暈等等。這些副作用，通常在服用藥物一陣子後，應該會漸漸地消失。不過，如果這些副作用強到困擾你的程度；或者經過一段時間後，這些症狀還不能完全消除，就應該通知醫師。

此藥較嚴重的副作用為：小便困難或疼痛、心跳突然增快或增強、幻覺、皮膚發紅或發癢、性欲降低、眼睛痛、緊張不安等。通常這些副作用發生的機率較低，但是如果發生時，此可能是藥物造成的不良反應，或者是劑量需要調整，應該盡快通知醫師。

☞懷孕及哺乳

根據動物實驗顯示，在正常劑量下，此藥尚不至於造成胎兒的缺陷，然而動物實驗的結果並不一定完全與人類的反應相同，當懷孕時，應該與醫師討論此藥可能對胎兒的影響，他會衡量狀況，決定是否應該服藥。

目前為止，尚不知此藥是否會經由母乳到達嬰兒體內，但是尚無資料顯示會對餵奶的嬰兒造成不良的影響。由於此藥可能會降低母乳的產量，如果用母乳餵食嬰兒的話，可能仍然需要使用其他的乳製品，以補充不足的奶水。

☞忘記用藥

如果忘記服藥，應該在記得時，立即服用。但是，如果距離下次服藥的時間太近，就應該捨棄所遺忘的藥物，恢復到下次正常服藥的時間，千萬不可一次服用雙倍的劑量。

Paroxetine(抗憂鬱藥)

商品名(台灣)

Seroxat®(美・SKB)

商品名(美國)

Paxil®(SKB)

☞藥物作用

本藥爲一種治療「憂鬱症」的藥物，可以治療因爲腦部化學不平衡所引起的憂鬱。此類的憂鬱症常會引起食慾的改變、睡眠失常、疲乏、性欲減退、感覺罪惡或無力感，甚至可能會有自殺的傾向。此藥不能用來治療日常生活挫折所引起的憂鬱。

☞用法

此藥通常是一天服用一次，應該在早餐的時候服用。爲了減輕對胃的刺激，最好能與食物或一杯水一起服用。本藥須長期服用才能達到最佳的效果，因此，最好養成每天在固定時間服藥的習慣，以減少忘記服用的可能。如有必要時，此藥的藥片可以壓碎與食物或果汁一起服用。

☞注意事項

此藥有可能會造成頭暈或思睡，因此，當操作危險機械或開車時，應該格外小心謹慎。安眠藥、肌肉鬆弛劑、鎮靜劑、抗過敏藥、抗抑鬱藥、精神病藥，及止痛藥等等，這些藥物都有可能會增加此藥思睡的副作用。同時服用這些藥物時，應當特別注意其彼此增加思睡的相乘效果。

此藥需要4至8個星期，才能達到完全的藥效。因此不可以因爲頭一兩個星期，覺得沒有藥效，而停止服用。

如果懷孕，對藥物過敏，或者有肝臟疾病、癲癇、甲狀腺疾病、腎臟病等等，醫師需要針對這些情況謹慎用藥，因此在使用此藥前，應該事先通知醫師。

此藥會干擾許多藥物的作用，爲了避免突然增強或降低其他藥物的藥效，服用此藥前，最好能先告訴醫師有服用那些藥物。

使用此藥期間，醫師需要定期評估藥效反應，以便適當調整劑量，因此需要遵守醫師的指示，定期到醫院或診所做檢查。

服用此藥時，應該遵照醫師的指示，不可超過醫師所指示的劑量。如果經過一段時間服藥後，覺得需要較大的劑量才可以改善症狀時，不可自行增加劑量，而應該事先徵得醫師的同意。另外，如果覺得病症已經改善，也不可以自行停止服藥，停藥有可能會使病況惡化。如果有必要停藥時，仍舊必須事先徵得醫師的同意。

服用此藥後，如果皮膚有發癢、發紅或是有蕁麻疹出現時，應該盡快通知醫師。

服用此藥後，如果感覺到口乾時，嚼一塊糖果或冰塊，應該能減輕此一現象。但是如果此一現象超過兩個星期以上，就應該請教醫師。如果在服藥期間，有便秘發生的話，就應該多食用蔬菜或水果等幫助消化的食物，並且在身體的許可下，多做運動，或飲用多量的水。

剛開始服用此藥時，可能會產生頭暈目眩的感覺，尤其是突然站立或坐起時，但是如果能夠緩慢地站立或坐起，應該減少此一現象。不過，經過一段時間服藥後，如果此一現象繼續存在，就應該請教醫師。

☞副作用

此藥常見的副作用爲：性欲降低、便秘或拉肚子、臉部潮紅、胃口降低、胃腸不適、惡心、視覺模糊、嘔吐、鼻塞、頻尿、頭痛等等。這些副作用，通常在服用藥物一陣子後，應該會漸漸地消失。不過，如果這些副作用強到困擾你的程度，或者經過一段時間後，這些症狀還不能完全消除，就應該通知醫師。

此藥較嚴重的副作用爲：心跳加快、皮膚發紅或發癢、呼吸困難、胸口痛、發熱或發冷、腳部水腫、精神恍惚等。通常這些副作用發生的機率較低，但是如果發生時，此可能是藥物造成的不良反應，或者是劑量需要調整，應該盡快通知醫師。

☞懷孕及哺乳

目前爲止，尚無資料顯示此藥會造成胎兒的生長缺陷，然而其安全性，仍須更廣泛的醫學數據做進一步的評估。當懷孕時，最好能通知醫師，他會衡量情況，決定是否應該服藥。

此藥會經由母乳到達嬰兒體內，同時，因乳中藥物的濃度與母親血液內的濃度幾乎相等，因此，餵奶的母親應該考慮用其他乳製品，以取代母乳。

☞忘記用藥

如果忘記服藥，應該在記得時，立即服用。但是，如果距離下次服藥的時間太近，就應該捨棄所遺忘的藥物，恢復到下次正常服藥的時間，千萬不可一次服用雙倍的劑量。

Penicillin V Potassium(盤尼西林—V鉀)

商品名(台灣)

Scancillin®(丹・Scanpharm)
V Cillin K®(禮來)
V-Cal K®(東洋)

商品名(美國)

Beepen-VK®(SKB)
Ledercillin VK®(Lederle)
Pen-V®(Goldline)
Pen-Vee K®(Wyeth)
Penicillin VK®(多家藥廠)
Robicillin VK®(Robins)
V-Cillin K®(Lilly)
Veetids®(Apothecon)

☞藥物作用

本藥爲一種「盤尼西林」類的抗生素,主要的作用是能破壞細菌的細胞壁,使細菌不能正常地生長繁殖,因此可以用來治療某些細菌所引起的感染,如咽喉炎、心內膜炎、中耳炎以及皮膚感染等等。此藥對於濾過性病毒,以及黴菌或真菌所造成的感染無效。

☞用法

此藥可空腹或與食物一起服用。此藥若能在體內保持固定的濃度,則可達到最好的藥效,因此最好能將一天24小時分隔爲相等的時段給藥。如一天服用4次,則分隔爲每6個小時給藥一次;如一天服藥3次,則分隔爲每8個小時給藥一次。如有必要時,此藥的藥片可以壓碎服用;如使用的是液體藥物,每次在使用前,應先將藥瓶輕微搖動,使藥物能均勻分散,並使用有刻度的量杯或藥管量取正確的藥量。

☞注意事項

如果服用液體藥物的話，它必須在新鮮的情況下使用才會有效，其有效期通常爲兩個星期。藥師通常會在藥瓶上標明有效日期，如果藥物過期的話，就不該使用。另外，也應該將此藥放於冰箱冷藏室(但不是冷凍室)內以保持藥物的新鮮。

如果懷孕，對藥物過敏(尤其是盤尼西林類抗生素)，對花粉或任何東西過敏，或者有腎臟病、氣喘、胃腸道的毛病(如腸炎、潰瘍性結腸炎)等等，醫師需要針對這些情況謹慎用藥，因此在使用此藥前，應該事先通知醫師。

服用此藥時，必須依照醫師的指示服用完所有的處方藥物(通常是7到14天)，即使覺得感染的症狀已經完全消除，仍須服用完所有處方的份量，以免感染復發或將來細菌產生抗藥性。

服用此藥後，可能會降低口服避孕藥的作用，因此服用此藥時最好能同時使用其他有效的避孕方法，譬如使用保險套等來避孕。

在極少數的情況下，當服用此藥一陣子後，可能會產生拉肚子的現象。此可能是抗生素破壞了胃腸內細菌的平衡所引起的。因此不該自行服用止瀉藥物，因爲如果使用了錯誤的藥物，有可能會使腹瀉的情況更爲惡化。應該請教醫師，由他做適當的治療。

本藥與「盤尼西林」屬於同一類的抗生素，如果對盤尼西林過敏，對此藥藥也有可能會產生過敏，因此最好不要服用此藥。萬一服用藥物後產生過敏反應，如呼吸困難、皮膚發紅或發癢等等，就應該立即通知醫師。

本藥爲醫師針對病情所下的處方，如果下次有類似的感染，雖然產生的症狀相同，但也許引起感染的病菌不同，服用此藥後不見得會有效，更有可能會延誤病情。因此，必須經過醫師的診斷及指示服藥，更不可將此藥留給他人使用。

爲了達到最佳的滅菌效果，此藥必須在血液中達到固定的濃度，因此最好每天在相等的時間間隔下服藥。如一天服用3次，則應該每8個小時服用一次；一天服藥4次，則應該每6個小時用一次，並且不可忘記服用。

☞副作用

此藥常見的副作用爲：拉肚子、胃腸不適、胸口灼熱、惡心、嘔吐、頭暈等。這些副作用，通常在服用藥物一陣子後，身體漸漸習慣了此一藥物的作用，應該會漸漸地消失；不過，如果這些副作用強到困擾你的程度，或者經過一段時間後，這些症狀還不能完全消除，就應該通知醫師。

此藥較嚴重的副作用爲：皮膚水腫、皮膚發紅、血壓下降、呼吸困難、喉嚨痛、發燒、發癢、腹部抽筋疼痛、嚴重的拉肚子等。通常這些副作用發生的機率較低，但是如果發生時，此可能是藥物造成的不良反應，或者是劑量需要調整，應該盡快通知醫師。

☞懷孕及哺乳

一般來講，此藥用於孕婦是安全的。但是，此藥仍須更廣泛的醫學資料加以證明其安全性，所以懷孕時，最好還是通知醫師。

對於餵奶的母親來說，少量的藥物會經由母乳到達嬰兒體內，可能會影響嬰兒腸內細菌的平衡，造成嬰兒拉肚子、或腸胃不舒服，也有可能會造成過敏反應。因此，最好使用其他的乳製品，以取代母乳。

☞忘記用藥

如果忘記服藥，應該在記得時，立即服用。但是，如果距離下次服藥的時間太近，而又是一天服用兩次，就應該先服用所遺忘的藥物，然後等到約5至6小時後，再服用下次的劑量。如果一天服藥3次以上，就應該先服用所遺忘的藥物，然後等到約兩至三小時後，再服用下次的劑量，或者可一次服用雙倍的劑量，然後再恢復到下次正常服藥的時間。

Pentoxifylline(配妥西菲林)

商品名(台灣)

Braton®(東洋)
Ceretal®(信東)
Fucon®(永昌)
Hemalin®(順生)
Hexopal®(羅德)
Pantomarl®(日・長生堂)
Papiror®(杏林)
Pental®(強生)
Pentop®(優生)
Pentosin®(國嘉)
Pretal®(明德)
Shery®(華興)
Sin Tong®(井田)
Throne®(永信)
Trenace®(日・Kobayashi)
Trental®(赫司特)
Trentine®(乖乖)
Youretal®(日・陽進堂)

商品名(美國)

Trental®(Hoechst-Roussel)

☞藥物作用

本藥爲一種「增進血液循環」的藥物，它可以使血液的黏度降低而更容易在體內流通，以便攜帶更多的氧氣到身體各部分的組織器官，因此可以改善腳部血液不流通及缺氧所造成的行動困難、疲乏及疼痛。

☞用法

爲了避免對胃的刺激，此藥最好與食物或飯後服用。由於此藥是一種長效釋放型的藥片，因此服用此藥片時，應該整顆吞服，不可在嘴內咀嚼或壓碎服用。

☞注意事項

此藥會抑制血液的凝固而使流血的時間增長，因此在拔牙或動手術之前，應該事先通知醫師，以免到時造成過量的流血。由於此藥會增加其他抗凝血劑如Warfarin等藥物抗血液凝固的作用，因而增加流血的可能性，因此在服用此藥前，應該通知醫師有服用此類的抗凝血劑。如果懷孕、對藥物過敏、最近動過手術、最近有腦中風、或者有腎臟病等等，醫師需要針對這些情況謹慎用藥，因此在使用此藥前，應該事先通知醫師。

由於本藥的化學結構與咖啡因極爲類似，因此具有咖啡因的許多特性，譬如吃完此藥後，可能會產生失眠、精神緊張及胃不舒服等等。因此應當避免服用大量含有咖啡因類的飲料，如咖啡、可可、可樂等等，以免增加此藥的副作用。同時，如果對咖啡過敏的話也不該服用此藥。

本藥對某些人也許會產生頭暈目眩的感覺，因此當開車或操作危險機械時，應該格外地小心謹慎。通常服用此藥後，需要經過兩個星期，症狀才會逐漸地減輕，而大約需要兩個月的時間，才可達到最大的藥效。因此不能因爲一時覺得藥物無效而放棄服用。

此藥爲一種緩慢釋放型的錠劑，因此在服用此藥時，不可在嘴內咀嚼或壓碎服用。

本藥可幫助血液在血管內的流通，會加強一些降血壓藥物的降血壓作用，因此服用本藥時，應該定期地測量血壓。如果經常有頭暈目眩的感覺，此可能是血壓過低的症狀，應該通知醫師，他也許會考慮調整你所服用的降血壓藥的劑量。

☞副作用

此藥常見的副作用爲：手顫抖、口水增多、失眠、口乾、便秘、流鼻血、胸口灼熱、排氣增加、想睡覺、腹脹氣、腹痛、鼻塞、頭痛、頭暈等等，這些副作用，通常在服用藥物一陣子後，應該會漸漸地消失。不過，如果這些副作用強到困擾你的程度，或者經過一段時間後，這些症狀還不能完全消除，就應該通知醫師。

此藥較嚴重的副作用爲：心跳突然增快或增強、皮膚突然出現青紫色的斑點、皮膚發紅或發癢、呼吸困難、胸口疼痛、眼睛或皮膚發黃、喉嚨痛、視覺改變、精神恍惚等。通常這些副作用發生的機率較低，但是如果發生時，此可能是藥物造成的不良反應，或者是劑量需要調整，應該盡快通知醫師。

☞懷孕及哺乳

目前爲止，尙無資料顯示此藥會造成胎兒缺陷，但是動物實驗顯示，在極大的劑量下，此藥仍有可能會造成胎兒的不良反應。因此，孕婦在使用此藥前，應該徵求醫師的同意。

少量的藥物會經由母乳到達嬰兒體內，但是在正常的情況下，應不至於造成嬰兒的不良反應。然而在長期高劑量的情況下，仍然有可能會造成嬰兒非癌症性腫瘤的發生。因此，餵奶的母親在使用此藥前，應該事先徵求醫師的同意，或使用其他的乳製品以取代母乳。

☞忘記用藥

如果忘記服藥，應該在記得時，立即服用。但是，如果距離下次服藥的時間太近，就應該捨棄此次藥物，恢復到下次正常服藥的時間，千萬不可一次服用雙倍的劑量。

Phenazopyridine(非那若比汀)

商品名(台灣)

Kidnacyl®(德・Hesses)
KUG®(回春堂)
Niropydin®(久保)
Pyrazodine®(政和)
Sronin®(應元)
Sulugen®(明大)
Surishia®(井田)
Unouton®(永新)
Uridine®(居禮)
Uro S.C®(金馬)
Urobenin®(瑞士)
Urodine®(大豐)
Urogen®(強生)
Uroine®(順生)
Uropine®(明德)
Uroprin®(永信)
Uropyridin®(衛材)
Uropyrin®(元澤)
Uros®(中美)
Urozin®(金馬)

商品名(美國)

Azo-Standard®(Alcon)
Baridium®(Pfeiffer)
Eridium®(Hauck)
Geridium®(Goldline)
Phenazodine®(Lanett)
Pyridiate®(Rugby)
Pyridium®(Parke-Davis)
Urodine®(多家藥廠)
Urogesic®(Edwards)

☞藥物作用

本藥為一種專門使用於尿道的止痛劑,可以用來紓解因為細菌感染或手術等刺激所引起的尿道疼痛、尿急以及灼燒感等等。

☞用法

為了減輕對胃的刺激,此藥最好與食物或飯後服用,並且服用時應該同時飲用一杯開水。此藥壓碎服用可能會使牙齒變色,因此服用此藥片時,應該整顆吞服,不可在嘴內咀嚼或壓碎服用。

☞注意事項

此藥會造成輕微的頭暈,因此當操作危險機械或開車時,應該小心謹慎。

如果懷孕，對藥物過敏，或者有腎臟病、肝臟疾病等等，醫師需要針對這些情況謹慎用藥，因此在使用此藥前，應該事先通知醫師。

服用此藥後，可能會使尿液產生紅色到橘紅色的顏色，此一現象是正常而且無害的。不過應該注意避免汙染到衣物，而使衣物變色。另外此藥也可能會使隱形眼鏡變色，因此在服藥期間，最好配戴一般的眼鏡。

如果服用此藥的目的，是用來治療尿道感染所造成的疼痛或不舒服，除了身體有特別的狀況並經醫師禁止外，應該在服藥期間服用大量的水。

此藥只能短期當作尿道的止痛劑使用，如果尿道的疼痛或其他的症狀是細菌感染所造成的，就應該同時使用抗生素，以徹底消除尿道的感染而達到根本治療的目的。

對於糖尿病的病患而言，此藥可能會干擾某類血糖測量方式的結果，因此在服用此藥前，應該請教醫師如何正確測量血糖，或者如何適當地調整糖尿病藥物的劑量或飲食。

☞副作用

此藥常見的副作用爲：尿液變紅、胃腸不適、消化不良、惡心、腹部抽痛、嘔吐、頭痛、頭暈等等。這些副作用，通常在服用藥物一陣子後，應該會漸漸地消失。不過，如果這些副作用強到困擾你的程度，或者經過一段時間後，這些症狀還不能完全消除，就應該通知醫師。

此藥較嚴重的副作用爲：手腳浮腫、皮膚起紅疹、皮膚變藍、呼吸加快或困難、眼睛變黃、發燒、精神恍惚、臉部浮腫等等。通常這些副作用發生的機率較低，但是如果發生時，此可能是藥物造成的不良反應，或者是劑量需要調整，應該盡快通知醫師。

☞懷孕及哺乳

根據動物實驗顯示，在正常的劑量下，此藥尙不至於造成胎兒的生長缺陷。但由於此藥對人體實驗的數據有限，因此當懷孕時，最好還是遵循醫師的指示服藥。

目前爲止，尙不知此藥是否會經由母乳到達嬰兒體內，在使用此藥期間，爲了避免藥物可能造成對新生兒的影響，應該考慮使用其他的乳製品以取代母乳。

☞忘記用藥

忘記服藥時，假若仍然感覺尿道疼痛或不舒服，就應該在記得時立即服用。但是如果不覺得疼痛的話，並不需要服用所遺忘的藥物，而只要在下次正常服藥的時間服用即可，千萬不可一次服用雙倍的劑量。

Phenobarbital(苯巴比特魯)

商品名(台灣)

Phenobarbital®(多家藥廠)
Rumil®(井田)

商品名(美國)

Phenobarbital®(多家藥廠)

☞藥物作用

本藥爲一治療「癲癇發作」的藥物。癲癇的發生主要是由於腦部神經不正常放電所引起，其通常是周期性的。此藥主要的作用，就是能抑制神經電流的傳導，間接地使腦部的神經達到穩定的效果。本藥另一個作用，就是能夠短期當作安眠藥使用以治療失眠。

☞用法

此藥通常是一天服用1至3次。它需要長期服用才能達到最佳的效果，因此應該按照醫師的指示，每天在固定時間服藥。如果使用此藥是一天一次，則最好安排於睡前服用。爲了減輕對胃的刺激，此藥最好能與食物或一杯開水一起服用。如有必要時，可將藥片壓碎與食物或果汁混合服用。

☞注意事項

此藥會產生想睡覺的感覺，尤其是剛開始服藥期間。除非已經適應了此藥的作用，當開車或操作危險機械時，應該格外地小心謹慎。酒精會增加此藥思睡的副作用，應當避免服用含酒精的飲料。

如果懷孕，對藥物過敏，經常飲用大量的酒，或者有肝臟疾病、腎臟病、糖尿病、氣喘、呼吸道方面的疾病、甲狀腺機能亢進、藥物成癮等等，醫師需要針對這些情況謹慎用藥，因此在使用此藥前，應該事先通知醫師。

安眠藥、肌肉鬆弛劑、鎮靜劑、抗過敏藥、感冒藥、抗抑鬱藥、止痛藥等等，這些藥物都有可能會增加此藥思睡的副作用，同時服用這些藥物時，應當特別注意其彼此增加思睡的相乘效果。

如果服用此藥的目的在治療癲癇，出門在外時應該隨身攜帶醫療識別卡，在卡上應該詳細記載癲癇的病況、所服用的藥物及劑量、醫師的姓名及聯絡電話等等，以免萬一有意外或者是癲癇發作時，醫護人員可以立即了解病情，以便做適當的處理或者與醫師做進一步的討論。

服用此藥一陣子後，不可未經醫師許可就突然停藥，突然停藥有可能會使癲癇病況轉壞或發作。同時由於身體對此藥也許已產生依賴性，突然停藥會產生焦慮、肌肉顫抖、視覺改變、惡心嘔吐、失眠、精神恍惚等等症狀。因此，醫師也許會要求利用一段時間，逐漸地將此藥的劑量降低，然後再停藥。

如果服用此藥的目的在治療癲癇，爲了達到最佳的藥效，此藥必須在血中達到固定的濃度，因此最好每天在相等的時間間隔下服藥。如一天服藥兩次，則每12個小時服用一次；假若一天服藥3次，則每8個小時用一次，並且應該完全遵照醫師的處方服藥，更不可忘記服用。

如果此藥是當安眠藥使用，應該以短期使用爲主，如果長期藉著藥物幫助安眠，可能會造成成癮性或者依賴性，同時藥物對身體的作用也可能會漸漸地減弱，導致必須不斷地增加劑量才能達到安眠的效果。

此藥具有成癮性，因此，不可服用超過醫師所指示的劑量或使用的時間。經過一段時間服藥後，此藥的效力可能會漸漸地降低。當此一現象發生時，應該徵求醫師的指示，千萬不可自行增加服藥的劑量。

☞副作用

此藥常見的副作用爲：拉肚子或便秘、胃腸不適、做噩夢、想睡覺、嘔吐、興奮、頭痛、頭暈等等。這些副作用，通常在服用藥物一陣子後，應該會漸漸地消失。不過，如果這些副作用強到困擾你的程度，或者經過一段時間後，還不能完全消除，就應該通知醫師。

此藥較嚴重的副作用爲：皮膚有青紫色的斑點或瘀傷、皮膚發紅發癢、肌肉或關節痛、呼吸困難、沮喪、喉嚨痛、極度的疲倦、過度的興奮、精神恍惚等。通常這些副作用發生的機率較低，但是如果發生時，此可能是藥物造成的不良反應或者是劑量需要調整，應該盡快通知醫師。

☞懷孕及哺乳

孕婦服用此藥可能會造成胎兒出生後的生長缺陷。不過，也有報告指出，此可能與母親的癲癇症有關。由於此藥對於預防癲癇發作相當的重要，而且絕大部分的孕婦都會生產正常的嬰兒，如果停止服藥，有可能會導致母親及胎兒更大的危險。在利弊得失之間，醫師可能會要求繼續服藥，而將藥物的劑量及副作用降到最低。如果懷孕就應該通知醫師，並且嚴格遵守醫師的指示服用。

少量的藥物會經由母乳到達嬰兒體內，可能會造成新生兒過度的安睡以及呼吸困難。因此，餵奶的母親應該考慮使用其他乳製品以取代母乳。

☞忘記用藥

如果忘記服藥的話，應該在記得時，立即使用。並將當天未用完的劑量，依照相等的時間間隔使用完。如果距離下次用藥的時間太近，就應該捨棄此次的藥物，恢復到下次正常用藥的時間，千萬不可一次使用雙倍的劑量。

Phenytoin(苯妥因)

商品名(台灣)

Aleviatin®(大日本)
Denpin®(中日)
Dilantin®(派德)
Epileptin®(榮民)
Hydantin®(尼斯可)

商品名(美國)

Dilantin®(Parke-Davis)

☞藥物作用

本藥為一種治療「癲癇」的藥物。癲癇的發生主要是由於腦部神經不正常放電所引起，這通常是周期性的。此藥主要的作用，就是能增加鈉離子在腦神經的釋放，間接地使腦部的神經達到穩定的效果。癲癇可分為許多種，本藥主要作用於大發作癲癇，此類病人通常是突然地失去知覺，及全身性痙攣抽筋或跌倒在地。此藥同時可於腦部或脊髓手術後，用來預防痙攣發作時使用；也可用來治療心律不整。

☞用法

為了增強藥物的吸收及減輕對胃的刺激，此藥最好與食物或飯後服用。如果一天服藥一次的話，應該安排於睡前服用；如果是使用液體藥物時，每次在使用前應先將藥瓶輕微搖動，使藥物能均勻分散，並使用有刻度的量杯或藥管以量取正確的藥量。

☞注意事項

此藥會產生想睡覺、注意力不集中或視覺模糊的感覺，尤其是剛開始服藥期間。因此除非已經適應了此藥的作用，當開車或操作危險機械時，應該格外小心謹慎。酒精會增加此藥思睡的副作用，應當避免或限制酒量。

如果懷孕，對藥物過敏，經常飲用大量的酒，或者有肝臟疾病、心臟疾病、腎臟病、糖尿病、低血壓、血液方面的問題等等，醫師需要針對這些情況謹慎用藥，因此在使用此藥之前，應該先通知醫師。

出門在外時，應該隨身攜帶醫療識別卡，卡上應該詳細記載癲癇的病況、所服用的藥物及劑量、醫師的姓名及聯絡電話等等，以免萬一有意外或者是癲癇發作時，醫護人員可立即了解病情，以便做適當的處理或者與醫師做進一步的討論。

如果小孩使用此藥，應該記錄一切不尋常的行爲、情緒以及癲癇的發作。同時也應該請學校的老師做相同的紀錄。因爲這一切的資料，都有助於醫師評估病情，以便適當調整劑量或作爲治療的參考。

使用準確的劑量對病況相當重要，服用此藥一陣子後，除了醫師同意外，最好不要換別種廠牌的藥品。不同廠牌的藥物含量及劑型不見得會相同，其在體內所產生的濃度及藥效也不一定相同。如果換別種廠牌的藥物後，必須經過醫師重新調整使用的劑量。

服用此藥一段時期後，不可未經醫師許可就突然地停藥，突然停藥有可能會使癲癇病況轉壞或發作。如有停藥的必要時，醫師也許會要求服用另外一種藥物，並且經過一段時間後，漸漸地將此藥的劑量降低，然後再停。

爲了達到最佳的藥效，此藥必須在血中達到固定的濃度，因此最好每天在相等的時間間隔下服藥。如一天服用兩次，則每12個小時服用一次；一天服藥3次，則每8個小時用一次，並且應該完全遵照醫師的處方服藥，更不可忘記服用。

服用此藥一陣子後，尤其是剛開始用藥的前幾個月，醫師也許需要定期依照身體的狀況及藥效，適當地調整所使用的劑量。因此應該依照醫師的指示定期到醫院或診所做檢查。

長期使用此藥後，可能會造成牙齦腫脹、脆弱易流血、發炎以及牙周病的發生。不過如果能用牙線或牙刷經常保持牙齒的清潔衛生、定期洗牙和經常按摩牙齦，應該可以將此一副作用減輕到最低的程度。

服用此藥後，有可能會降低口服避孕藥的作用，因此服用此藥時最好能同時使用其他有效的避孕方法，譬如使用保險套等來避孕。由於制酸劑或抗腹瀉的藥物可能會干擾此藥的吸收，使用此類藥物的時候，至少應該與此藥相隔約一至兩小時。

此藥可能會抑制胰島素的釋放，間接地使血糖濃度升高。對於糖尿病病患而言，應該更密切地測試血糖含量。要拔牙或動手術前，應該事先通知醫師有服用此藥。服用此藥後，可能會使尿液產生粉紅到棕紅的顏色，此一現象是正常而且無害的。

☞副作用

此藥常見的副作用爲：毛髮增多、失眠、肌肉顫抖、便秘、惡心、嘔吐、輕微思睡、輕微頭暈、頭痛等。這些副作用，通常在服用藥物一陣子後，應該會漸漸地消失。不過，如果這些副作用強到困擾你的程度，或者經過一段時間後，還不能完全消除，就應該通知醫師。

此藥較嚴重的副作用爲：手腳不自主地運動、牙齦腫大或流血、皮膚起紅疹或有不正常瘀傷、行動笨拙、突然發熱、流鼻血、眼睛或皮膚變黃、發冷或喉痛、極端的疲倦、精神恍惚等。通常這些副作用發生的機率較低，但是如果發生時，此可能是藥物造成的不良反應，或者是劑量需要調整，應該盡快地通知醫師。

☞懷孕及哺乳

孕婦服用此藥可能會造成胎兒出生後的生長缺陷。不過，也有報告指出，此可能是與母親的癲癇有關。此藥對於預防癲癇發作相當的重要，而且絕大部分的孕婦都會生產正常的嬰兒，如果停止服藥有可能會導致母體及胎兒更大的危險。在利弊得失之間，醫師可能會要求繼續服藥，而將藥物的劑量及副作用降到最少。如果懷孕就應該通知醫師，並且嚴格遵守醫師的指示服藥。

少量的藥物會經由母乳到達嬰兒體內。不過，在正常的劑量下，尚無數據顯示會造成嬰兒不良的藥物反應。要餵哺嬰兒前，最好能夠通知醫師或密切注意藥物可能對嬰兒的反應，如果有不良作用產生，就應該改用其他乳製品取代。

☞忘記用藥

如果一天服藥一次，應該在記得時，立即服用。但是，如果第二天才記得時，就應該捨棄遺忘的藥物，恢復到正常服藥的時間，千萬不可一次服用雙倍的劑量。如果一天服藥超過兩次，應該在記得時立即服用；但是如果距離下次服藥的時間少於4小時，應該停止服用所遺忘的藥物，恢復到下次正常服藥的時間，不可服用雙倍的劑量。

Pilocarpine（毛果芸香鹼）

商品名（台灣）

Isopt-Carpine®（比・Alcon）
O.P.D®（鹽野義）
P.V. Carpine®（美・愛力根）
Pilogel®（美・Alcon）
Sanpilo®（日・Santen）
Spersacarpine®（瑞・CIBA）

商品名（美國）

Adsorbocarpine®（Alcon）
Akarpine®（Akorn）
Isopto Carpine®（Alcon）
Pilocar®（Ciba）
Pilostat®（Bausch & L）
Piloptic®（Optopics）

☞藥物作用

本藥爲一種治療「青光眼」的眼藥水。青光眼的造成，主要是由於眼球內部液體不正常的增加或者堵塞不能流出，迫使眼球內部的壓力亦隨之增加，最後壓迫到視覺神經並使視神經受損，而導致對視覺無反應的「盲點」，如果不加以治療的話，則有造成瞎眼的可能。本藥的作用就是能減少眼球內液體的產生、幫助液體的流出，能夠間接地降低眼球內部的壓力，而達到治療的目的。

☞用法

使用此眼藥水的步驟，請參見頁93。

☞注意事項

使用眼藥水後的前幾分鐘，視覺可能會產生短暫的模糊不清，尤其是夜晚時的影響更大，除非已經適應了此藥的作用，當開車或操作危險機械時，應該格外地小心謹慎。

如果懷孕，對藥物過敏，或者有氣喘、眼睛虹膜炎、視網膜脫離等等，醫師需要針對這些情況謹慎用藥，因此在使用此藥前，應該事先通知醫師。

如果使用後不將藥瓶蓋好，不但藥水容易遭到細菌感染，同時由於藥物接觸到空氣及光線後，藥水的顏色容易變暗，並且可能會降低藥效。因此，在使用完藥物後，一定要將瓶蓋蓋好，將藥瓶安置於室溫，及避免陽光和溫度過高的地方。

此藥只能用來控制青光眼，但是並不能完全根治它。因此，除非有醫師的特別指示，即使覺得眼睛的狀況良好，仍然需要繼續依照醫師的指示使用，停止用藥有可能會使青光眼的情況惡化。

在點眼藥之前，應該先用肥皂將手徹底清洗乾淨。爲了避免汙染整瓶的藥水，應該避免將藥瓶的前端接觸到手或眼睛。用完藥後，亦不可用紙巾或布擦拭或者用水清洗藥瓶的前端，並且應該盡快將藥瓶蓋住。

雖然是眼藥水，但是也不能使用超出醫師所指示的劑量或次數。過多的藥物有可能會被吸收入體內，而經由血液到達身體其他的部位，造成許多不良的作用。

在使用此藥幾天後，如果仍然有視覺模糊或眼睛痛等症狀，就應該通知醫師。在使用此藥一陣子後，也應該定期做檢查。醫師會根據藥效，做進一步的診治或做劑量的調整。

☞副作用

在正常的劑量下，此藥造成副作用的機率並不是很高，只有在剛開始點眼藥水的時候，可能會造成眼睛輕微的刺痛、視覺模糊、視覺改變、眼睛不舒服及頭痛等等。但是經過幾分鐘後，此現象應該會消失。不過，如果症狀嚴重到不能忍受的程度，或者有肌肉顫抖、呼吸困難、拉肚子、流汗增加、惡心、嘔吐等等情況發生的話，就應該盡快通知醫師。

☞懷孕及哺乳

此藥雖然爲一眼藥水，但是仍然能經由眼睛的吸收而到達母親的血液循環，如果使用的劑量過大或過於頻繁，仍有可能會造成對胎兒的影響。動物實驗顯示，在超過人類26倍的口服劑量下，此藥會影響動物胎兒骨骼的成長及降低胎兒的體重。爲了避免萬一，懷孕的婦女在使用此藥前，應該經醫師的同意，並且嚴格遵守醫師的指示用藥。

目前爲止，尚不知此藥是否會經由母乳到達嬰兒體內，但尚無報告顯示會造成新生兒的不良作用。餵奶的母親在餵食嬰兒時，最好能夠通知醫師或密切地注意藥物可能對嬰兒的反應，如果有不良作用產生，就應該改用其他乳製品取代。

☞忘記用藥

如果忘記點眼藥水的話，應該在記得時，立即使用。並將當天未用完的劑量，依照相等的時間間隔使用完。但是，如果距離下次用藥的時間太近，就應該捨棄此次的藥物，恢復到下次正常用藥的時間，千萬不可一次使用雙倍的劑量。

Piroxicam(匹洛西卡)

商品名(台灣)

Arudein®(日·Choseido)
Carnet®(美時)
Cuntong®(羅得)
Fedne®(西德有機)
Felcam®(榮民)
Feldene®(輝瑞)
Feldine®(景德)
Felon®(安生)
Feren®(葡萄王)
Focus®(永信)
Foldcam®(吉田)
Furokan®(居禮)
Goodgen®(派頓)
Initon®(中美)
Konshien®(優生)
Pesugen®(世達)
Piram®(紐·Pacific)
Pirocam®(政德)
Pirocon®(龍興)
Pirodene®(衛達)
Pirox®(元宙)
Piroxicam®(十全)
Piroxim®(生達)
Piton®(新喜)
Poudercon®(華興)
Reucam®(溫士頓)
Rheucam®(溫士頓)
Riacen®(日·Chiesi)
Sotilen®(塞·Medo)
Suit®(金塔)
Tecon®(汎生)
Tonmex®(汎生)

商品名(美國)

Feldene®(Pfizer)

☞藥物作用

本藥爲一種「非固醇類止痛及抗發炎」的藥物，主要的作用就是能阻止體內一種「前列腺素」的產生，此一化學物質通常是造成關節疼痛和發炎的主要原因，因此它可以解除風濕性關節炎和骨關節炎所引起的關節僵硬、疼痛、發炎以及發腫的現象。此藥同時可以短期使用於解除急性痛風引起的疼痛。

☞用法

爲了減輕對胃的刺激，此藥最好與食物或飯後服用，並於服藥時同時飲用一杯水。在服完藥物後的30分鐘內，最好不要立即躺下，以免藥物對上消化道的直接刺激。如有必要時，此藥的膠囊可以打開來服用。

☞注意事項

服用此藥後，可能會產生輕微頭暈目眩及視覺模糊的副作用，並且可能會產生疲乏的感覺。因此，在尚未完全適應此藥之前，當開車或操作危險機械時，應該格外地小心謹慎。

如果懷孕或餵哺嬰兒，對藥物過敏，或者有胃出血、氣喘、胃潰瘍、糖尿病、充血性心衰竭、肝臟疾病、血液凝固方面的問題、紅斑性狼瘡、腎臟病、高血壓等等，醫師需要針對這些情況謹慎用藥，因此在使用此藥前，應該事先通知醫師。

長期服用此藥對胃的刺激非常大，因此應該隨時留意是否有胃出血或胃潰瘍的發生。如果有暗黑色條紋或塊狀的糞便時，此爲內出血的徵兆，應該通知醫師做進一步的檢查。

服用阿斯匹靈或酒精會增加此藥對胃腸的刺激作用，應該盡量避免與此藥合用。同時一些抗關節炎的藥物或者抗凝血劑，也會增加胃腸的刺激作用、降低血液凝固的能力，如果長期與此藥合用，有造成胃出血的可能。同時使用這些藥物時，應該事先得到醫師的許可。

如果服用此藥的目的在治療關節炎，通常在服藥後的兩個星期內，四肢關節的症狀應該有所改善，但是通常此藥至少必須經過4到12個星期，才能達到最大的藥效。另外此藥只能改善症狀，並不能完全治癒關節炎，必須長期按時服用，才能達到最好的效果，也不能因爲一時覺得症狀已經改善而停止服藥。

此藥會抑制血液的凝固而使流血的時間增長，因此在拔牙或動手術之前，應該事先通知醫師。通常在手術的前幾天，醫師會要求停止服用此藥，以免手術進行當中造成過量流血的現象。

此藥有可能會增加水分在體內的滯留，間接地有可能會使血壓升高或增加心臟的工作量。因此應該隨時留意四肢，如果發現有腫脹的情況時，就應該通知醫師。

老年人對此藥所引起的胃腸副作用如胃潰瘍、胃出血等等，較一般人敏感。同時，由於老年人的腎臟功能較一般人爲差，藥物經由腎臟排出體外的能力也相對地降低，最後有可能會導致藥物的積聚，而引起腎臟及肝臟的毒性。

醫師可能會要求此類病人，服用較一般人爲低的劑量，甚至達到減半的程度。因此當使用此藥時，應該完全遵照醫師所指示的劑量服用。

☞副作用

此藥常見的副作用爲：下痢、胸口灼熱、胃口增加或降低、便秘、胃腸不適或疼痛、消化不良、惡心、腹部脹氣、輕微的思睡、頭痛等。這些副作用，通常在服用藥物一陣子後，應該會漸漸地消失。不過，如果這些副作用強到困擾你的程度，或者經過一段時間後，這些症狀還不能完全消除，就應該通知醫師。

此藥較嚴重的副作用爲：心跳不正常、皮膚起紅疹或發癢、吐血或含暗黑色的物質、含有帶黑色的糞便、呼吸困難、氣喘、胸痛、發冷及喉嚨痠痛、發熱、腹痛或胃痛、嚴重的頭痛等。通常這些副作用發生的機率較低，但是如果發生時，此可能是藥物造成的不良反應，或者是劑量需要調整，應該盡快通知醫師。

☞懷孕及哺乳

目前爲止，尙無資料顯示此藥會造成胎兒生長缺陷，但是懷孕婦女最好不要服用此藥。因爲根據動物實驗顯示，孕婦於懷孕後期，尤其是最後三個月服用此藥的話，可能會造成胎兒心臟血管及血液循環方面的問題。同時，此藥會增長孕婦懷孕及生產的時間，以及其他生產過程中的問題。

少量的藥物會經由母乳到達新生兒體內，造成新生兒血液循環及心臟血管方面的問題，餵奶的母親應該考慮用其他乳製品以取代母乳。

☞忘記用藥

如果忘記服藥，應該在記得時，立即服用。但是如果一天服藥一次，而距離下次服藥的時間少於8小時，就應該捨棄此次的藥物，恢復到下次正常服藥的時間，但是不可以一次服用雙倍的劑量。

Potassium Chloride(氯化鉀)

商品名(台灣)

Addi K®(丹・Leo)　Micro-K®(勞敏士)　Slow-K®(汽巴嘉基)
KCL®(金馬)　Pokali®(皇佳)
Klotrix®(必治妥)　Potasalt®(康福)

商品名(美國)

K-Dur®(Key)　K-Tab®(Abbott)　Micro-K®(Robins)
K-Lor®(Abbot)　Kaochlor® SF(Adria)　Slow-K®(Summit)
K-Lyte®(Bristol)　Kaon-CL®(Adria)

☞藥物作用

本藥爲一種含「鉀離子」的化合物，可以補充體內鉀的缺乏。鉀在體內占有極重要的地位，它存在於體內的組織細胞內，負責體內酸鹼的平衡、細胞的張力、神經的傳導、心臟和肌肉的收縮以及維持正常的腎功能等等。體內鉀的缺乏，常常會造成虛弱、疲乏、想睡覺、心跳不正常、肌肉抽筋、惡心、嘔吐等等。造成鉀離子缺乏的原因，主要是長期使用降血壓的利尿劑、嚴重腹瀉、嘔吐以及其他的疾病等等。

☞用法

爲了減輕對胃的刺激或引起腹瀉，此藥最好與食物或飯後服用，並於服藥時同時飲用一杯水。如使用的是長效型的錠劑或膠囊時應該吞服整顆的藥物，不可將藥物壓碎或打開來服用。如使用的是液體藥物或粉狀製劑，應該事先將藥粉或藥水與大約240cc.的冷開水或果汁調和服用，千萬不可直接服用。使用冷開水或果汁可以減低此藥的不良味覺。在某些特殊的情況下，如果實在無法吞服整粒膠囊的話，可將膠囊打開，把裡面的小顆粒灑在柔軟的食物上使用，但切忌在嘴中咀嚼，以免膠囊破碎，使大量的藥物被迅速地吸收入體內，造成藥物過量的危險。

☞注意事項

本藥分為普通劑型及長效錠劑。如果服用的是長效錠劑，當發現排出物中含有類似藥狀的物體時，這是正常的現象。此一物體只是長效錠劑中不能溶解的蠟狀外膜，其主要的藥效成分已經慢慢地釋放入體內。

如果懷孕，對藥物過敏，或者有心臟病、胃潰瘍、拉肚子或身體嚴重的脫水、糖尿病、腎臟病、腎上腺疾病等等，醫師需要針對這些情況謹慎用藥，因此在使用此藥前，應該事先通知醫師。

服用此藥時，應該完全遵守醫師的指示服藥。當服用此藥一段時間後，醫師需要定期評估藥效，尤其在服藥後的前幾個星期，醫師也許會要求測量心電圖或驗血，以測量此藥在血中的濃度，或者是否藥物過量引起心律不整等等。因此必須遵從醫師的指示，定期到醫院做檢查。

服用此藥一陣子後，除經醫師同意外，最好不要換別種廠牌的藥品。不同廠牌的藥品，雖然標示的劑量相同，但是由於各個藥品所含鉀鹽類的不同，和劑型的不同，都有可能會影響此藥在體內藥量的釋放及吸收，其在體內所產生的濃度及藥效也不見得會相同。

許多代用食用鹽含有鉀離子的成分，為了避免藥物的相加作用，造成鉀的過量吸收而導致藥物中毒的現象，使用任何代用鹽類之前，應該事先通知醫師，他會根據服用的代用鹽，適量地調整劑量。

此藥對胃壁的刺激相當大，尤其是錠劑對胃產生的刺激最高，因此如果有胃潰瘍的話，可要求醫師將使用的錠劑換為液體藥物，不過液體藥物的缺點是它可能會有不好的味道。另外，同時服用一些對胃腸有刺激作用的藥物，如阿斯匹靈、類固醇、治療關節炎等藥物的話，在使用這些藥物的時候，應該同時食用餅乾、食物或牛奶等等，以減少藥物的刺激。酒精會增加對胃的刺激作用，應當避免飲用或限制酒量。

☞副作用

此藥常見的副作用爲：拉肚子、胃腸不適、惡心、嘔吐、胃脹氣等等。這些副作用，通常在服用藥物一陣子後，應該會漸漸地消失。不過，如果這些副作用強到困擾你的程度，或者經過一段時間後，還不能完全消除，就應該通知醫師。

此藥較嚴重的副作用爲：手腳無力、手腳發麻或刺痛、心跳突然增強增快、皮膚發冷或變白、呼吸困難、極度的疲勞、精神恍惚、糞便帶血或有黑色的塊狀或條紋等等。通常這些副作用發生的機率較低，但是如果發生時，此可能是藥物造成的不良反應，或者是劑量需要調整，應該盡快通知醫師。

☞懷孕及哺乳

一般來講，此藥在身體的組織細胞及體液中，就含有此一化學成分，只有在身體缺乏時，才需要適當地加以補充，因此孕婦服用此藥是安全的。由於鉀離子的含量對於母體及胎兒的心臟功能占有極重要的份量，劑量過高或過低，都有可能造成對心臟的影響。因此，應該確實遵循醫師的指示服藥，並定期到醫院做血液的檢查。

雖然少量的藥物會經由母乳到達嬰兒體內，但只要能遵循醫師的指示服用，並隨時聽從醫師的指示到醫院做檢查，服用此藥對嬰兒應該是安全的。

☞忘記用藥

如果忘記服藥，時間不超兩小時，就應該立即服用。但是，如果超過兩小時，就應該捨棄此次的藥物，恢復到下次正常服藥的時間，千萬不可一次服用雙倍的劑量。

Pravastatin（降膽固醇藥）

商品名（台灣）

Mevalotin®（日・Sankyo）

商品名（美國）

Pravachol®（B.M.S）

☞藥物作用

本藥爲一種「降低膽固醇」的藥物。如果體內有太多的膽固醇或脂肪積聚於血管中，將會使血管阻塞使血液不能順暢地在血管中流通，由於血液不流通，將使血管內的壓力增加因而導致高血壓，甚至造成腦血管破裂而導致中風。由於血液的不流通，也會使血液運送氧氣的能力降低。本藥的作用就是能夠抑制膽固醇生產過程中所需要的一種化學物質，使膽固醇不能順利地生產，而導致膽固醇的降低。

☞用法

此藥通常是一天服用一次。此藥不受食物影響，因此可以空腹或與食物一起服用。由於膽固醇在晚上到清晨5點的時候分泌的最多，因此如果一天服藥一次，最好能夠安排於晚飯時服用。如有必要時，此藥的藥片可以壓碎與食物或水混合服用。

☞注意事項

如果懷孕，用母乳餵哺嬰兒，對藥物過敏，經常飲用大量的酒，或者有肝臟疾病、低血壓、癲癇等等，醫師需要針對這些情況謹慎用藥，因此在使用此藥之前，應該事先通知醫師。

此藥只能用來控制膽固醇過高，並不能根治此一病症。爲了更有效地降低膽固醇，除了定期服用藥物之外，仍舊需要遵循醫師的指示，食用低脂肪的食物、做適當的運動及減輕體重等等，才能達到穩定膽固醇的效果。

服用此藥一陣子後，除了得到醫師許可外，千萬不可突然停止服藥。突然停藥，有可能會造成膽固醇突然地升高。

膽固醇過高、高血壓、糖尿病、身體過度的肥胖、吸煙等等，都是造成血管硬化，導致中風及心臟病發作的主要因素。因此應該遵循醫師的指示，戒煙酒、食用低鹽量低脂肪的食物及使用適當的藥物，以控制高血壓、糖尿病和膽固醇過高等等。

此藥最值得關注及較嚴重的副作用，就是可能對肝臟的影響。由於酒精可能會增加此藥對肝臟的損傷，在服藥期間，應該盡量減少飲酒。

在服藥期間，醫師會定期要求驗血以測量肝功能是否正常，以及測量體內膽固醇的含量，以適當地調整劑量。患者應該依照醫師的指示，定期到醫院或診所做血液的檢驗。

在拔牙或動手術之前，應該事先通知醫師有服用此藥。

☞副作用

此藥常見的副作用爲：皮膚發紅、拉肚子、便秘、胸口灼熱或胃痛、排氣增加、惡心、頭痛、頭暈等。這些副作用，通常在服用藥物一陣子後，應該會漸漸地消失。不過，如果這些副作用強到困擾你的程度，或者經過一段時間後，還不能完全消除，就應該通知醫師。

此藥較嚴重的副作用爲：肌肉抽筋、肌肉痛、發燒、極度的疲倦或虛弱等。通常這些副作用發生的機率較低，但是如果發生時，此可能是藥物造成的不良反應，或者是劑量需要調整，應該盡快地通知醫師。

☞懷孕及哺乳

孕婦應該避免服用此藥。雖然根據動物實驗顯示，在正常劑量下，此藥尙不至於造成胎兒的生長缺陷。然而，另外一種與此藥屬於同一類型的藥品，則會影響到胎兒骨骼正常的發育或胎兒氣管、食道以及肛門方面的問題。另外，此藥也可能會降低胎兒體內所需要的膽固醇，間接地影響到胎兒腦部及神經的發展。爲了避免造成胎兒可能的危險性，如果在服藥期間懷孕，就應該立即停止服用，並且通知醫師。

此藥會經由母乳到達嬰兒體內，爲了避免造成新生兒發生嚴重副作用，餵奶的母親應該使用其他乳製品以取代母乳。

☞忘記用藥

如果忘記服藥，應該在記得時，立即服用。但是，如果距離下次服藥的時間太近，就應該捨棄所遺忘的藥物，恢復到下次正常服藥的時間，千萬不可一次服用雙倍的劑量。

Prazosin（普拉辛）

商品名（台灣）

Damin®（十全）
Downpress®（日・Takeshima）
Hyprosin®（紐・Pacific）
Minipress®（輝瑞）
Minison®（永信）
Nilpress®（中化）
Pratsiol®（芬・Orion）

商品名（美國）

Minipress®（Pfizer）

☞藥物作用

本藥爲一種治療「高血壓」和「前列腺肥大」的藥物。它能夠使血管擴張，使更多的血液能在血管內順暢流通，而達到降血壓的目的。此藥同時也能使膀胱及前列腺附近的平滑肌鬆弛，使得尿道不會受到壓迫而間接地擴張開來，讓尿液能夠順利地排出，解除尿急及頻尿的感覺。

☞用法

本藥不受食物的影響，空腹或與食物一起服用均可。此藥通常是一天服用3次，可安排於早餐、中午和睡前各服藥一次。如果是第一次服用此藥，可能會引起血壓過低，而產生頭暈目眩的感覺。因此，第一次服用此藥時，最好能安排於睡前服藥，並且在服用後立即躺下以減少頭暈目眩的可能。如有必要時，此藥的膠囊可以打開來服用。

☞注意事項

本藥只能控制高血壓或前列腺肥大的症狀，並不能完全治癒此一疾病。服用此藥後，高血壓或者前列腺肥大，可能需要經過幾個星期才能漸漸達到理想的程度。因此必須持續地服用此藥，甚至可能一生都需要服用此藥，才能有效地控制住。

如果懷孕，對藥物過敏，或者有心臟疾、昏睡病、腎臟病、精神沮喪等等，醫師需要針對這些情況謹慎用藥，因此在使用此藥之前，應該先通知醫師。

如果在服藥期間，有便秘發生的話，就應該多食用蔬菜或水果等幫助消化的食物，並且在身體許可下，多做運動或飲用多量的水。

剛開始服用此藥的時候，可能會產生頭暈目眩，因此醫師可能會要求從較低的劑量開始服用，然後再漸漸地增加劑量，直到完全適應並且控制住血壓爲止。剛開始服藥期間，應該完全遵守醫師的指示服用，在尙未適應此藥之前，當開車或操作危險機械時應該特別地小心謹慎。

剛開始服用此藥時，可能會產生頭暈目眩的感覺，尤其是突然站立或坐起時，不過如果能夠緩慢地站立或坐起，應該會減少此一現象。飲酒、長期的站立、過度的運動、過熱的氣溫、洗太熱的澡等等，都有可能會增加此藥降低血壓的效果，而加重頭暈甚至暈倒，因此應該盡量地避免。

如果使用此藥的目的在治療高血壓，爲了達到理想降血壓的作用，應該遵循醫師的指示，服用低鹽類、低脂肪的食物，戒煙酒，並且盡可能地依照醫師的指示做適當的運動。

市面上許多治療過敏、鼻塞、咳嗽、感冒和減肥的成藥中，經常含有會使血壓升高的成分。因此爲了避免造成血壓突然升高，在服用此種藥物前，應該先諮詢醫師或藥師。

經過一段時間藥物治療後，即使覺得血壓已恢復正常，亦不可間斷，或者是突然停止服藥。突然停止服藥有可能會使血壓有突然升高的危險。如須停藥，應該得到醫師的許可，並且在他的指示下，將藥物漸漸地降低然後再停藥。

要拔牙或動手術之前，應該事先通知醫師有服用此藥。

☞副作用

此藥常見的副作用爲：口乾、性欲降低、便秘或拉肚子、流汗增加、胃腸不適、惡心、虛弱、想睡覺、緊張、鼻塞、頻尿、頭痛、頭暈目眩等等。這些副作用，通常在服用藥物一陣子後，會漸漸地消失。不過如果這些副作用強到困擾你的程度，或者經過一段時間後，還不能完全消除，就應該通知醫師。

此藥較嚴重的副作用爲：手腳發麻、幻覺、皮膚發紅或發癢、耳鳴、呼吸困難、流鼻血、胸口疼痛、視覺模糊、暈倒、腳水腫、精神沮喪等等。通常發生這些副作用的機率較低，但是如果發生時，此可能是藥物造成的不良反應，或者是劑量需要調整，應該盡快地通知醫師。

☞懷孕及哺乳

根據動物實驗顯示，在正常的劑量下，此藥造成胎兒生長缺陷的機會並不大。雖然此藥常被用於解除孕婦急性高血壓的症狀，但是其安全性仍然需要更廣泛的醫學數據，做進一步的評估。當懷孕時，應該通知醫師，他會衡量狀況，決定是否應該服藥。

少量的藥物會經由母乳到達嬰兒體內，但是目前爲止，尚無報告顯示會造成嬰兒的不良反應。不過，餵奶的母親在使用此藥之前，應該徵求醫師的意見。

☞忘記用藥

如果忘記服藥，應該在記得時，立即服用。但是，如果距離下次服藥的時間太近，就應該捨棄所遺忘的藥物，恢復到下次正常服藥的時間，千萬不可一次服用雙倍的劑量。

Prednisolone(培尼皮質醇)

商品名(台灣)

Anthton-P®(道濟)
Chansian®(黃氏)
Delta-Cortef®(普強)
Docan®(居禮)
Donison®(中化)
Kingcort®(景德)
Paloson®(佑寧)
Pelonine®(強生)
Pidonin®(南都)
Predonine®(鹽野義)
Predron®(新東)
Prein®(永新)
Prelon®(永豐)
Prenin®(信隆)
Prenine®(井田)
Prenisone®(林化學)
Presolone®(中央)
Preson®(內外)
Presone®(金馬)
Presurin®(十全)
Prithmow®(元宙)
Pyreson®(福元)
Siulon®(壽元)
Tonfonrin®(瑞士)
Zesanine®(厚生)

商品名(美國)

Delta-Cortef®(Upjohn)

☞藥物作用

本藥爲一種「類固醇」的藥物，它的作用類似腎上腺皮質所分泌的一種荷爾蒙。它可以增加體內的抗體細胞，增強身體的抵抗力。本藥的外用軟膏亦有「抗發炎」的作用。所謂發炎，就是體內因爲化學物質，或者病菌等等的侵犯所引起的反應，它通常會產生皮膚發紅、發腫或疼痛的感覺。此藥抗發炎作用，可以使皮膚發紅、發腫或疼痛的感覺，盡早得到康復。

☞用法

體內自然分泌的固醇類荷爾蒙，主要是以清晨分泌爲主，同時由於此藥對胃的刺激大，因此如果一天服藥一次，最理想的服藥時間應該是早餐後。如果一天服藥超過兩次以上，則第一顆藥物應在早餐後服用，另外的則可做等量的時間間隔給藥。譬如一天服藥兩次，則每12個小時給藥一次；一天服藥3次，則每8小時給藥一次。如有必要時，此藥的藥片可以壓碎服用。如果使用的是液體藥物時，每次在使用前，應先將藥瓶輕微搖動使藥物能均勻分散，並使用有刻度的量杯或藥管，以量取正確的藥量。

☞注意事項

此類藥物就是俗稱的「美國仙丹」。由於此藥能增強身體的抵抗能力，使虛弱患病的身體，立即感覺到康復及舒暢，因此常爲一些病人視爲良藥仙丹使用，而達到危險濫用的程度。它確實是一種強有效的藥物，但是除了一些特殊疾病外，應該以短期使用爲主，並且應該經醫師的指示使用。長期大量濫用此藥的話，容易使身體抵抗力降低，較易產生青光眼、白內障、骨質疏鬆、精神異常、血壓升高、臉部和身體水腫等等不良的副作用。

如果懷孕或哺餵嬰兒，對藥物過敏，或者有糖尿病、肝臟疾病、腎臟病、心臟疾病、甲狀腺機能不足、高血壓、重症肌無力症、骨質疏鬆、肺結核、潰瘍性結腸炎、胃潰瘍、青光眼、全身性黴菌感染等等，醫師需要針對這些情況謹慎用藥，因此在使用此藥之前，應該事先通知醫師。

長期服用此藥後，會降低身體對病菌的抵抗能力，如果有麻疹或水痘等疾病時，應該通知醫師。同時此藥會降低身體對外來傷害的反應力，如果有較大的外傷或需要進行較大的外科手術或拔牙，應該通知醫師，他也許會在手術前調整劑量。

如果服用此藥超過一兩個星期，不可未經過醫師的許可就突然停藥。突然停藥有可能會產生腹痛、背痛、眩暈、疲乏、發燒、肌肉痛、關節痛、惡心、嘔吐、呼吸困難等等。醫師也許會要求經過一段時間，漸漸降低劑量或者增長服藥的間隔，然後再停藥。

服用此藥的時候，除了醫師允許外，不應該注射疫苗，因爲此藥會使疫苗失去效力。如果使用的是活性疫苗，由於此活性疫苗是經過減弱的病毒所造成的，因此也有可能遭到病毒的感染。

長期服用此藥，可能會發生體重增加、水腫、青光眼、白內障等情況。因此必須定期到醫院接受眼睛、血液、X光、血壓、體重及身高的檢查。此一身體檢查對小孩尤其重要，因爲長期服用此藥可能會干擾小孩骨骼的生長及發育。

此藥可能會使糖尿病患者的血糖升高，因此糖尿病患應該經常測量血糖的含量，如果血糖升高的話，應該通知醫師，他可能會調整所服用的劑量或飲食。

服用此藥一陣子後，醫師也許需要依照身體的狀況及藥效，適當地調整劑量。因此應該依照醫師的指示，定期到醫院或診所做檢查。服用此藥期間，醫師也許會要求定期測量體重，如果體重有不正常的增加，也應該通知醫師。

如果預備要懷孕，或者已經懷孕，或是現在在餵哺嬰兒，應該事先通知醫師。因爲此藥可能會造成成長中的胎兒或嬰兒，生長及發育方面的問題。

此藥對胃具有刺激作用，如果患有胃潰瘍，或者同時服用一些對胃腸有刺激作用的藥物，如阿斯匹靈、治療關節炎的藥物等等，在使用這些藥物的時候，應該同時服用餅乾、食物或牛奶等等，以減少藥物的刺激。同時酒精會增加此藥對胃的刺激，應該避免飲用或限制酒量。

☞副作用

此藥常見的副作用爲：失眠、皮膚變暗或變淺、胃口增加或降低、消化不良、臉部潮紅、頭痛、頭暈目眩等等。這些副作用，通常在服用藥物一陣子後，應該會漸漸地消失。不過，如果這些副作用強到困擾你的程度，或者經過一段時間後，還不能完全消除，就應該通知醫師。

此藥較嚴重的副作用爲：手腳及胸背骨骼痛、手腳及臉部有紫紅色的條紋、手腳水腫、心跳不正常、皮膚起紅疹、肌肉抽筋疼痛、連續的腹痛或惡心、虛弱無力、嘔吐、月經不順、精神恍惚或緊張不安、糞便變黑或吐血、臉部水腫變圓等。通常這些副作用發生的機率較低，但是如果發生時，此可能是藥物造成的不良反應，或者是劑量需要調整，應該盡快通知醫師。

☞懷孕及哺乳

根據動物實驗顯示，孕婦於懷孕期間長期或大量服用此藥，可能會影響胎兒的正常發育及成長，有造成胎兒缺陷的可能，尤其是懷孕前三個月的可能性最高。因此，除了有絕對的需要，並且經過醫師同意外，孕婦應該避免服用此藥。

此藥會經由母乳到達嬰兒體內，可能會影響新生兒的生長及腎上腺的正常功能，餵奶的母親，應該使用其他的乳製品，以取代母乳。

☞忘記用藥

如果每隔一天服藥一次，而在早晨忘記服藥時，就應該立即服用，但是如果在下午或晚上才記得時，就應該等到第二天早晨再服用，然後再重新安排每隔一天服用一次。如果一天服藥一次，應該在當天記得時，立即服用；但是，如果等到第二天才記得，就應該捨棄所遺忘的藥物，只服用當天的藥物，不可一次服用雙倍的劑量。如果一天服藥超過兩次，應該在記得時，立即服用。並將當天未用完的劑量，依照等分的時間間隔使用完。但是，如果距離下次用藥的時間太近，可以一次服用雙倍的劑量，然後恢復到下次正常服藥的時間。

Procainamide(普卡因醯胺)

商品名(台灣)

Procamide®(義・西密斯)
Pronestyl®(必治妥)
Pronestyl-SR®(必治妥)
Ritmocamid®(比・Rorer)

商品名(美國)

Procan SR®(Parke-Davis)
Pronestyl®(Princeton)
Pronestyl-SR®(Princeton)

☞藥物作用

本藥為一種治療「心律不整」的藥物。心臟如果跳動得太快，將導致血液不易回流入心臟，心臟也不能將血液充分地壓縮到身體各部位的組織器官，同時過分運動的心臟亦容易造成疲乏，而導致心臟更進一步的病變。此藥的作用，就是能降低過快的心跳，使心臟能夠達到正常韻律的跳動，進而更有效率地將心臟血液壓縮到身體各部位，以及使心臟能達到適度的休息。

☞用法

為了增強藥物的吸收，使用本藥時，最好在空腹的時候服用。但是，如果覺得此藥對胃的刺激過大，造成胃的不舒服，與食物或飯後服用均可。此藥若能在體內達到固定的濃度，則可達到最佳的藥效。因此，應該確實遵守醫師的指示服用，以達到最佳的藥效。本藥分為普通藥片及持續型釋放錠劑兩種，如有必要時，此藥之藥片可以壓碎服用，但是持續錠應整顆吞服，不可咀嚼或壓碎服用。

☞注意事項

經過一段時間藥物治療後，即使覺得心臟已經恢復正常，亦不可間斷或者是突然停止服藥。突然停藥有可能使心臟的情況惡化。如有停藥的必要時，應該事先得到醫師的許可，並且在他的指示下，漸漸降低服藥的次數或劑量，然後再停藥。

如果懷孕，對藥物過敏，或者有重症肌無力、低血壓、肝臟疾病、腎臟病、心臟疾病、紅斑性狼瘡等等，醫師需要針對這些情況謹慎用藥，因此在使用此藥之前，應該事先通知醫師。

爲了達到最佳的藥效，此藥必須在血中達到固定的濃度，因此最好每天在相等的時間間隔下服藥。譬如一天服藥4次，則每6個小時服用一次，並且不可忘記。

服用此藥後，也許要定期測量心電圖、評估藥效，因此必須遵從醫師的指示，定期到醫院做檢查。

在拔牙或動手術之前，應該事先通知醫師有服用此種藥物。此藥可能會造成頭暈目眩的副作用，除非已經習慣了此藥的作用，在操作危險機械或開車時，應該格外地小心謹慎。

本藥分爲普通劑型及長效錠劑，如果服用的是長效錠劑，則不能在嘴內咀嚼，應該整顆吞服。服用長效錠劑而發現在排出物中，含有類似藥狀的物體時，這是正常的現象。此一物體只是長效錠劑中不能溶解的蠟狀外膜，其藥物的有效成分已經經過一段時間，緩慢地釋放入體內。

長期服用此藥後，如果有發燒、寒冷及關節腫痛的現象，呼吸時感覺疼痛、皮膚有發紅及發癢的症狀時，應當通知醫師，這可能是較爲嚴重副作用發生的前兆，醫師也許會要求做進一步的檢查。

許多感冒、咳嗽及抗過敏類的成藥中，含有刺激心臟的藥物成分，其可能會加重心臟的負荷造成危險。購買此類藥物時，應該事先請教醫師或藥師是否含有此一成分。

☞副作用

此藥常見的副作用爲：口含苦味、口乾、胃口降低、拉肚子、胃腸不適、惡心、嘔吐、頭暈目眩等。這些副作用，通常在服用藥物一陣子後，應該會漸漸地消失。不過，如果這些副作用強到困擾你的程度，或者經過一段時間後，還不能完全消除，就應該通知醫師。

此藥較嚴重的副作用為：皮膚突然產生青紫色的瘀傷、突然發熱、迷幻、發冷或喉嚨痛、極端的疲倦、精神沮喪、精神恍惚、關節腫脹或疼痛等。通常這些副作用發生的機率較低，但是如果發生時，此可能是藥物造成的不良反應，或者是劑量需要調整，應該盡快地通知醫師。

☞懷孕及哺乳

此藥對孕婦的資料不是很充分，其安全性並未完全建立。不過目前為止，尚無報告顯示此藥會對胎兒造成不良作用。當懷孕時，應該與醫師討論此藥可能對胎兒的影響，他會衡量狀況，決定是否應該服用。

此藥可能會經由母乳到達嬰兒體內，但是尚無醫療報告顯示會對餵奶的嬰兒造成不良的影響。然而，為了嬰兒的安全著想，餵哺嬰兒前，最好能徵求醫師的意見。

☞忘記用藥

如果忘記服藥，可先將服藥的時間間隔分為相等的兩段，譬如每6小時服藥一次的話，可區分為前三小時以及後三小時。如果在前半段時間內記得服藥的話，就應該立即服用，然後接著下次正常的時間服用；如果在後半段時間才記得的話，也應該立即服用，但是必須跳過一次用藥的時間，再恢復到另外一次正常用藥的時間。

Prochlorperazine(普洛陪拉辛)

商品名(台灣)

Daolin®(陽生)
Dorimin®(金馬)
Genlin®(西德有機)
Lotamin®(瑞士)
Mormal®(金馬)
Novamin®(鹽野義)
Novomit®(應元)
Proazine®(合誠)
Promin®(世紀)
Roumin®(優生)
Volimin®(好漢賓)

商品名(美國)

Compazine®(SKF)

☞藥物作用

本藥為一種「預防嘔吐」藥物,可以抑制腦部的嘔吐中心,防止手術後或癌症化學治療後所引起的惡心及嘔吐。本藥亦可用來治療精神病,它可以平衡腦部某些化學物質,以控制嚴重的精神失常,如情緒緊張、恍惚或幻想等等。

☞用法

本藥分為錠劑、糖漿液、肛門栓劑及長效釋放型膠囊。為了減輕對胃的刺激,此藥最好與食物或一杯水一起服用。如有必要時,此藥的普通錠劑可以壓碎服用,但是長效釋放型膠囊,則須整粒吞服不可咀嚼或打開服用。使用糖漿液時,應該使用有刻度的量杯或藥管,以量取正確的藥量。

本藥另外含有肛門栓劑,其使用的方法請參見頁5。

☞注意事項

此藥會造成極大的思睡副作用,除非已經適應了此藥的作用,當開車或操作危險機械時，應該格外地小心謹慎。酒精會增加此藥思睡的副作用，應當避免或限制飲酒。

如果懷孕，對藥物過敏，經常飲用大量的酒，或者有心臟疾病、肝臟疾病、青光眼、氣喘、支氣管炎、前列腺腫大、排尿困難、癲癇症、血液方面的疾病等等，醫師需要針對這些情況謹慎用藥，因此在使用此藥之前，應該事先通知醫師。

安眠藥、肌肉鬆弛劑、鎮靜劑、抗過敏藥、感冒藥、抗抑鬱藥、止痛藥等等，這些藥物都有可能會增加此藥思睡的副作用。同時服用這些藥物時，應當特別注意其彼此增加思睡的相乘效果。

經過長期大量服用此藥後，不能突然停藥，因爲突然停藥有可能會產生心跳過快、失眠、頭痛、惡心嘔吐、顫抖，並有可能使病症惡化。應該遵循醫師的指示，漸漸地降低劑量或次數，然後再停藥。

長期大量服用本藥後，可能會增加皮膚對陽光的敏感性，如果在陽光下曝曬太久，可能會導致皮膚顏色加深，應該避免陽光直接曝曬，並同時穿著長袖衣物，以保護皮膚。此藥也會使眼睛對陽光敏感，如果能戴太陽眼鏡，應該會使眼睛感覺較爲舒適。此藥會降低正常的排汗及散熱的能力。應該避免在陽光及過熱的地方太久，以免中暑，同時，洗澡時也應該避免水溫太熱，以免散熱不良及血壓下降而造成暈倒。

服用此藥後，如果感覺到口乾時，嚼一塊糖果或冰塊，應該能減輕此一現象。但是如果此一現象超過兩個星期以上，就應該請教醫師。在服藥期間，如果有便秘發生的話，就應該多食用蔬菜或水果等幫助消化的食物，並且在身體的許可下，多做運動或飲用多量的水。

如果長期服藥後，頭部、臉部或頸部產生重複而且不能自行控制的運動，應當盡快通知醫師。

使用肛門栓劑時，如果覺得過於柔軟，不易放入肛門內，可事先將栓劑連同外在包裝紙放入冰箱內冷凍一陣子，或使用冷水沖淋兩三分鐘，而在使用前再將包裝紙撕開，將栓劑頂端用水稍微滋潤一下，應該有利於肛門的插入。

☞副作用

此藥常見的副作用爲：口乾、便秘、想睡覺、鼻塞、頭暈等。這些副作用，通常在服用藥物一陣子後，應該會漸漸地消失。不過，如果這些副作用強到困擾你的程度，或者經過一段時間後，還不能完全消除，就應該通知醫師。

此藥較嚴重的副作用爲：皮膚有紅色的斑點或不正常的瘀血、肌肉僵硬、突然的發燒或咳嗽、視覺模糊、極端的疲倦、臉部或手腳不能自主地運動等等。通常這些副作用發生的機率較低，但是如果發生時，此可能是藥物造成的不良反應，或者是劑量需要調整，應該盡快地通知醫師。

☞懷孕及哺乳

雖然此藥經常被用來治療孕婦嚴重的惡心及嘔吐，但是其安全性仍未完全建立。由於有資料指出，孕婦於懷孕後期尤其是最後兩個星期服用此藥的話，有可能會造成新生兒黃疸及肌肉顫抖。因此，孕婦如果要服用此藥的話，必須密切地依照醫師的指示服用。

此藥會經由母乳吸收入嬰兒體內，可能會造成新生兒過度的安睡，以及不正常的肌肉運動。因此，餵奶的母親應該考慮使用其他乳製品，以取代母乳。

☞忘記用藥

如果忘記服藥的話，應該在記得時，立即使用，並將當天未用完的劑量，依照相等的時間間隔使用完。但是，如果距離下次用藥的時間太近，就應該捨棄此次的藥物，恢復到下次正常用藥的時間，千萬不可一次使用雙倍的劑量。

Promethazine(普美苯)

商品名(台灣)

Hiberna®(武田)
Pyrethia®(鹽野義)

商品名(美國)

Phenergan®(Wyeth-Ayerst)

☞藥物作用

本藥爲一種抗組織胺的「抗過敏」藥，主要使用於許多過敏反應所引起的皮膚發紅、發癢的現象，以及其他過敏(如花粉過敏)或傷風感冒引起的流鼻水、打噴嚏、眼睛發紅及眼睛發癢等等。本藥亦可用來治療暈車和手術後所引起的惡心及嘔吐。

☞用法

本藥分爲錠劑、糖漿液和肛門栓劑。爲了減輕對胃的刺激，此藥最好與食物或一杯水一起服用。如有必要時，此藥的藥片可以壓碎服用。當使用糖漿液時，應該使用有刻度的量杯或藥管，以量取正確的藥量。

本藥另外含有肛門栓劑，其使用的方法請參見頁5。

使用肛門栓劑時，如果覺得過於柔軟，不易放入肚門內，可事先將栓劑連同外在包裝紙放入冰箱內冷凍一陣子，或使用冷水沖淋兩三分鐘，而在使用前再將包裝紙撕開。在使用前將栓劑頂端用水稍微濕潤一下，應該有利於肛門的插入。

☞注意事項

此藥會造成極大的思睡副作用，除非已經適應了此藥的作用，當開車或操作危險機械時，應該格外地小心謹慎。酒精會增加此藥思睡的副作用，應當避免或限制酒量。

如果懷孕，對藥物過敏，或者有氣喘、青光眼、排尿困難、前列腺腫大、肝臟疾病、黃疸等等，醫師需要針對這些情況謹慎用藥，因此在使用此藥前，應該事先通知醫師。

安眠藥、肌肉鬆弛劑、鎮靜劑、抗過敏藥、感冒藥、抗抑鬱藥、止痛藥等等，這些藥物都有可能會增加此藥思睡的副作用，同時服用這些藥物時，應當特別注意其彼此增加思睡的相乘效果。

本藥會增加皮膚對陽光的敏感性，如果在陽光下曝曬太久，有可能會導致皮膚的過敏或灼傷，應該盡量避免陽光直接曝曬，並穿著長袖衣物，以保護皮膚。

小孩及老年人對此藥較一般人敏感，可能會引起噩夢、不正常的興奮及情緒不安等。另外，老年人也較易引起虛幻、排尿困難、頭暈、口舌乾燥、低血壓等等。

如果在服藥期間有便秘發生的話，就應該多食用蔬菜或水果等幫助消化的食物，並且在許可下，多做運動或飲用多量的水。服用此藥後也許會產品口渴的現象，但是如果能夠含一塊冰塊或糖果在嘴內的話，應該可以減少此一副作用。

在做皮膚過敏反應的測試前，應該事先通知醫師有服用此藥。因為此藥的抗過敏作用，可能會干擾測試的結果。

如果在長期服藥後，頭部、臉部或頸部產生重複而且不能自行控制的運動時，就應當盡快通知醫師。

☞副作用

此藥常見的副作用為：口乾、心跳增快、皮膚對陽光敏感、耳鳴、思睡、流汗增加、排尿困難、視覺模糊、精神恍惚、頭暈等。這些副作用，通常在服用藥物一陣子後，應該會漸漸地消失。不過，如果這些副作用強到困擾你的程度，或者經過一段時間後，還不能完全消除，就應該通知醫師。

此藥較嚴重的副作用爲：幻覺、失眠、皮膚起紅疹或有青紫色的瘀傷、行動笨拙、極端的疲倦、恍惚或沮喪、突然發燒、發冷或喉嚨痛、精神極度的興奮等。通常這些副作用發生的機率較低，但是如果發生時，此可能是藥物造成的不良反應，或者是劑量需要調整，應該盡快地通知醫師。

☞懷孕及哺乳

雖然此藥常被用來治療孕婦嚴重的惡心及嘔吐，但是其安全性仍未完全建立。有資料指出，孕婦於懷孕後期服用此藥的話，有可能會造成新生兒黃疸及肌肉顫抖等副作用。孕婦如果要服用此藥的話，必須依照醫師的指示。

餵奶的母親服用此藥後，最好能避免使用母乳餵哺嬰兒，因爲曾有資料指出此藥可能會導致嬰兒呼吸困難、想睡覺或其他嚴重副作用的發生。

☞忘記用藥

如果忘記服藥的話，應該在記得時，立刻使用。並將當天未用完的劑量，依照相等的時間間隔使用完。但是，如果距離下次用藥的時間太近，就應該捨棄此次的藥物，恢復到下次正常用藥的時間，千萬不可一次使用雙倍的劑量。

Propoxyphene(普帕西芬)

商品名(台灣)

Dacoton®(生達)
Depain X®(寶齡富錦)
Kingesic®(景德)
U-Phene®(優良)

商品名(美國)

Darvon®(Lilly)
Dolene®(Lederle)

☞藥物作用

本藥為一種「止痛藥」，可以用來消除頭痛、月經痛、牙齒痛、肌肉痠痛和小手術後等輕微到中度的疼痛。

☞用法

此藥為一輕微到中度的止痛藥，如果在疼痛剛發生時立即服用，可以達到最佳的效果，最好不要等到疼痛加劇時才服用。此藥可以空腹或與食物一起服用。不過，為了減輕對胃的刺激作用，最好能與食物或開水一起服用。如有必要時，此藥的膠囊可以打開來服用。

☞注意事項

此藥會產生想睡覺及頭暈的感覺，尤其是剛開始服藥期間，除非已經適應了此藥的作用，當開車或操作危險機械時，應該格外地小心謹慎。酒精會增加此藥思睡的副作用，應當避免飲酒或限制用量。

如果懷孕，對藥物過敏，經常飲用大量的酒，或者有肝臟疾病、腎臟病、氣喘、癲癇、膽囊疾病或膽結石、頭部受傷、前列腺腫大、排尿困難等等，醫師需要進一步考量這些情況並且謹慎用藥，因此在使用此藥前，應該事先通知醫師。

此藥具有成癮性，除了醫師許可外，不該連續使用超過10天的劑量。同時，也不可服用超過醫師所指示的劑量或使用的時間。經過一段時間服藥後，此藥的止痛效力可能會漸漸地降低，如果此一現象發生時，應該徵求醫師的指示，千萬不可自行增加劑量。

安眠藥、肌肉鬆弛劑、鎮靜劑、抗過敏藥、抗抑鬱藥、精神病藥及其他的止痛藥等等，這些藥物都有可能會增加此藥思睡的副作用。同時服用這些藥物時，應當特別注意其思睡的相乘效果。

長期服用此藥後，不能突然停藥，因爲突然的停藥有可能會產生失眠、精神緊張激動、顫抖、惡心嘔吐、胃痛等症狀。如果要停藥的話，應該遵循醫師的指示，漸漸地降低服藥的劑量或次數，然後再停藥。剛開始服用此藥時，可能會產生頭昏眼花的感覺，尤其是突然站立或坐起時，不過如果能夠緩慢地站立或坐起，應該會減少此一現象。在服藥期間，如果有便秘發生的話，就應該多食用蔬菜或水果等幫助消化的食物，並且在許可下，多做運動或飲用多量的水。

此藥可能會與Carbamazepine(治療癲癇的藥物)產生藥物間的不良反應。由於此藥會阻止Carbamazepine的代謝，因此有可能會造成該藥物在體內積聚，甚至有可能會導致藥物中毒，如頭暈、頭痛、想睡覺、惡心及肌肉運動不協調等等。使用此藥期間，如果同時服用上述抗癲癇的藥物，就應該通知醫師，他應該會考慮改換另外一種止痛藥物以取代此藥。

☞副作用

此藥常見的副作用爲：口乾、尿急或小便疼痛、思睡、便秘、做噩夢、惡心、虛弱無力、視覺模糊、感覺不舒服、嘔吐、緊張不安、頭痛、頭暈目眩等。這些副作用，通常在服用藥物一陣子後，應該會漸漸地消失。不過，如果這些副作用強到困擾你的程度，或者經過一段時間後，還不能完全消除，就應該通知醫師。

此藥較嚴重的副作用爲：皮膚發紅、血壓升高、肌肉顫抖、呼吸困難、眼睛或皮膚發黃、視覺改變、極度的興奮不安、精神沮喪、臉部水腫等。通常這些副作用發生的機率較低，但是如果發生時，此可能是藥物造成的不良反應，或者是劑量需要調整，應該盡快地通知醫師。

☞懷孕及哺乳

此藥對懷孕初期孕婦的影響並無很完備的資料，但是如果孕婦於懷孕後期，長期大量服用的話，可能會造成胎兒上癮，並於產後有可能會造成新生兒緊張不安、顫抖等症狀。

此藥可經由母乳吸收入嬰兒體內，可能造成新生兒過度的安睡，餵奶的母親應該使用其他的乳製品以取代母乳。

☞忘記用藥

如果忘記服藥，應該在記得時，立即服用。但是，如果距離下次服藥的時間太近，就應該捨棄此次的藥物，恢復到下次正常服藥的時間，千萬不可一次服用雙倍的劑量。

Propranolol(普潘奈)

商品名(台灣)

Adreblock®(佑寧)
Anderan®(安星)
Cadioral®(北進)
Cardiolol®(優良)
Carditonin®(明德)
Cardolol®(榮民)
Chierhsin®(好漢賓)
Cinderal®(派頓)
Endure®(人人)
Hemalol®(瑞士)
Hersun®(福元)
Indal®(世紀)
Inderal®(瑞華)
Indonol®(乖乖)
Kidoral®(景德)
Lisuen®(培力)
Pranol®(元宙)
Pranol®(強生)
Pranolol®(杏林堂)
Pronalol®(應元)
Propra®(皇佳)
Prosanol®(合誠)
Sinal®(杏輝)
Sinlihaul®(華興)
Sudenol®(金馬)
Wapinin®(華盛頓)

商品名(美國)

Inderal LA®(Wyeth-Ayerst)
Inderal®(Wyeth-Ayerst)

☞藥物作用

本藥為一種「貝它阻斷劑」的降血壓藥，能夠作用於心臟，使心跳的速率、心臟血液的輸出量降低及間接地使血管放鬆，因而能達到降血壓的目的。本藥同時能降低心臟的工作量、減輕心臟所需氧氣的消耗，因此可用來預防心絞痛的發生。本藥另一作用就是能穩定心臟電位的傳導，因此又可用來預防心律不整的發生。本藥亦可作為消除緊張、頭痛和手顫抖的輔助藥物使用。

☞用法

此藥分為普通藥片及長效釋放型錠劑兩種。此藥在空腹或飯前一小時服用效果最佳，但是如果覺得此藥對胃的刺激過大，造成胃的不舒服，與食物一起服用，亦無多大的妨害。如有必要時，此藥之普通藥片可以壓碎服用，但是長效釋放型錠劑應該整顆吞服，不可咀嚼或壓碎服用。服用壓碎後的藥物，可能會造成舌頭輕微發麻的感覺，但可與少許的食物一起服用以減少此一作用。

☞注意事項

服用此藥後，可能會產生頭昏眼花的副作用，尤其在剛開始服藥期間。因此，在尚未完全適應此藥前，當開車或操作危險機械時，必須小心謹慎。

如果懷孕，對藥物過敏，或者有心臟疾病、心跳過慢、手腳血液循環不良、氣喘、支氣管炎、肺氣腫或其他的肺部疾病、糖尿病、甲狀腺機能亢進、精神沮喪、重症肌無力症、腎臟病、肝臟疾病等等，醫師需要針對情況謹慎用藥，因此在使用此藥前，應該先通知醫師。

本藥只能控制血壓的升高，並不能完全治癒高血壓。服用此藥後，血壓可能要經過幾個星期才能漸漸地降到理想的程度。必須持續服用此藥，才能有效控制住血壓。

經過一段時間藥物治療後，即使覺得血壓已恢復正常，亦不可間斷，或者是突然停止服藥。突然停止服藥有可能會使血壓升高，甚至導致心臟病發作。如有停藥的需要，應該得到醫師的許可，並且在他的指示下，在兩個星期內，將藥物漸漸地降低然後再停藥。

在服用此藥前，應該事先請教護士或醫師如何測量脈搏。如果覺得脈搏跳動得較平常為慢或者低於50，就應該通知醫師。

爲了達到理想降血壓的作用，應該遵循醫師的指示，服用低鹽類、低脂肪的食物，戒煙酒，並且盡可能地依照醫師的指示做適當的運動。

剛開始服用此藥時，可能會產生頭暈目眩的感覺，尤其是突然站立或坐起時，不過如果能夠緩慢地站立或坐起，應該會減少此一現象。

服用此藥後，如果覺得口乾，在嘴內含一塊冰塊或嚼一片口香糖，應該會紓解此一現象。通常口渴的現象在服藥一陣子後會自然地消失。服用此藥後可能會影響運動時反應的敏覺性，應該在服藥前事先與醫師商討何種運動較適合，或多大的運動量才不會造成傷害。

此藥會使血糖降低，同時會遮蓋低血糖所引起的症狀。如果患有糖尿病就應該密切地注意並經常測量血糖。

在拔牙或動手術前，應該先通知醫師有服用此藥。此藥在手術當中，可能會造成心臟方面的問題，醫師也許會建議在手術的前兩天漸漸地停止服用。

市面上許多治療過敏、鼻塞、咳嗽、感冒和減肥的成藥中，經常含有會使血壓升高的成分。爲了避免血壓突然升高，在服用此類藥物前，應該事先諮詢醫師或藥師。

☞副作用

此藥常見的副作用爲：下痢、思睡、便秘、性欲降低、胃腸不適、疲倦、做噩夢、眼乾、噁心嘔吐、精神緊張及焦慮、睡眠困難、頭暈等。這些副作用，通常在服用藥物一陣子後，應該會漸漸地消失。不過，如果這些副作用強到困擾你的程度，或者經過一段時間後，還不能完全消除，就應該通知醫師。

此藥較嚴重的副作用爲：心跳過快、心跳過慢(低於50)、幻覺、皮膚起紅疹、皮膚產生不正常的青紫色及瘀傷、呼吸困難、指甲或手掌產生青紫色、胸痛、發燒及喉嚨痛、腳部或關節腫脹、精神沮喪、精神恍惚、嚴重的頭暈或暈倒等。通常這些副作用發生的機率較低，但是如果發生時，此可能是藥物造成的不良反應，或者是劑量需要調整，應該盡快通知醫師。

☞懷孕及哺乳

醫學報告對此類藥物的影響，沒有一定的結論。目前爲止，尚無報告顯示此藥會造成胎兒的缺陷，但曾有醫學報告指出，孕婦在生產前服用此類藥物，可能會造成胎兒出生後體重減輕、血壓下降、血糖降低、心跳減慢及呼吸困難等。另外，也有報告顯示此類藥物不會造成胎兒任何問題。當懷孕時，應該與醫師討論此藥可能對胎兒的影響，他會衡量狀況，決定是否應該服用。

少量的藥物會經由母乳到達嬰兒體內，但是目前爲止尚無報告顯示會造成嬰兒的不良反應。不過，如果劑量大到某種程度，仍有可能會造成血壓下降及心跳減慢的作用，餵哺嬰兒前，應該與醫師討論此藥可能對胎兒的影響。

☞忘記用藥

如果忘記服藥，應該在記得時，立即服用。但是，如果一天服藥一次，而距離下次服藥的時間只有8小時；或一天服藥兩次，而距離下次服藥的時間只有4小時，就應該捨棄此次的藥物，恢復到下次正常服藥的時間，不可一次服用雙倍的劑量。

Pseudoephedrine(假麻黄鹼)

商品名(台灣)

Dc-Stuffy®(仁興)	Seudorin®(信元)	Subilin®(元澤)
Novazil®(世紀)	Smooth®(金馬)	Suffin®(中菱)
Pseubyirin®(根達)	Soothing®(優良)	Supian®(世紀)

商品名(美國)

Afrin®(Schering)	Genaphed®(Goldline)	Pseudo®(Major)
Cenafed®(Century)	Halofed®(Halsey)	Pseudogest®(Major)
Decofed®(多家廠商)	Novafed®(Marion)	Sudafed®(BW)

☞藥物作用

本藥爲一種「血管收縮劑」。過敏或感冒所引起的鼻塞，主要是鼻腔內微血管充血而腫脹的關係。此藥主要的作用是可以使鼻子內層的血管收縮，使充血腫脹的鼻腔恢復正常，而達到呼吸順暢的目的。此藥同時亦可消除鼻竇周圍微血管的充血、增加鼻竇內的液體流出鼻腔，因此可以紓解因爲鼻竇腫脹而引起的不舒服、疼痛和呼吸不適。

☞用法

本藥分爲普通藥片、長效釋放型膠囊及糖漿液。本藥不受食物的影響，因此，空腹或與食物一起服用均可。如有必要時，此藥的藥片可以壓碎與食物或水混合使用，但是長效釋放型膠囊則須整粒吞服，不可打開來服用。如果是使用液體藥時，應該使用有刻度的量杯或藥管，以量取正確的藥量。此藥有造成失眠的可能，因此，最後一次服藥的時間，最好能夠安排於睡前的幾小時。

☞注意事項

茶、咖啡、可樂等含咖啡因的飲料，會增加此藥失眠、緊張不安、手顫抖及心跳加快等副作用，在服藥期間，應該避免服用此類飲料。另外，一些中樞神經的興奮劑，如避免疲勞想睡覺的藥物、某類的減肥藥等等，也可能增加此類的副作用，因此在使用此類藥物期間，應該特別注意彼此可能產生的副作用。

如果懷孕或餵哺嬰兒，對藥物過敏，或者高血壓、心臟疾病、青光眼、糖尿病、甲狀腺機能亢進、前列腺腫大等等，醫師需要針對這些情況謹慎用藥，因此在使用此藥前，應該事先通知醫師。

在動手術或拔牙前，應該事先通知醫師有服用此藥，因爲手術中使用的麻醉劑，可能會增加此藥產生心律不整，或者其他心臟方面的不良作用，如果有心臟病的話，更可能增加手術的複雜及危險性，醫師可能會要求在手術之前，停止服藥一段時間。

市面上許多咳嗽、過敏、傷風感冒藥等成藥，通常含有此類「血管收縮劑」的藥用成分。服用此藥期間，如果購買上述成藥服用的話，應該詢問藥師是否含有此一成分，以免服用雙倍劑量造成血壓突然升高，心臟負荷加重或者藥物過量的危險。

許多減肥藥是由類似此一藥物的化學藥品所構成的，服用此藥期間，如果要使用任何減肥藥的話，應該詢問藥師是否含有此一成分，以免藥物彼此間的增強作用，造成副作用過強或中毒的危險。

此藥爲一成藥，在一般藥房或超級市場就可購買得到，但是，除了醫師特別允許外，應該避免讓低於6歲的孩童服用此藥。如果使用的是長效的錠劑或膠囊，應該避免讓低於12歲的孩童服用此藥。

服用此藥後，可能會使血壓和心跳的速率升高，同時也有可能會抵消一些降血壓藥物的降血壓作用，因此在服用此藥期間，應該更小心地測量血壓或心跳，如果有任何不尋常改變的話，就應該立即通知醫師。

☞副作用

此藥常見的副作用爲：手顫抖、小便困難或疼痛、心跳增快、失眠、惡心、緊張不安、頭暈目眩等。這些副作用，通常在服用藥物一陣子後，應該會漸漸地消失。不過，如果這些副作用強到困擾你的程度，或者經過一段時間後，還不能完全消除就應該通知醫師。

此藥較嚴重的副作用爲：心跳嚴重的增快或變慢、血壓升高、呼吸困難或增快、迷幻、過度的緊張不安或興奮等。通常這些副作用發生的機率較低，但是如果發生時，此可能是藥物造成的不良反應，或者是劑量需要調整，應該盡快通知醫師。

☞懷孕及哺乳

目前爲止，尚無資料顯示此藥會對胎兒造成不良作用，但是根據動物實驗顯示，此藥可能會影響胎兒骨骼的發育及成長。因此，除了有絕對需要，並且經醫師同意外，孕婦應該避免服用此藥。

此藥會經由母乳吸收入嬰兒體內，爲了避免藥物的不良作用，餵奶的母親應該在使用藥物期間，停止餵食母乳而用其他乳製品取代。

☞忘記用藥

如果忘記服藥，應該在記得時，立即服用。但是，如果距離下次服藥的時間太近，就應該捨棄所遺忘的藥物，恢復到正常服藥的時間，千萬不可一次服用雙倍的劑量。

Psyllium(車前子)

商品名(台灣)

Austin®(政德)
Colonlax®(壽元)
Exten®(臺裕)
Fiberall®(汽巴嘉基)
Natralax®(西德有機)
Psymuloid®(中化)

商品名(美國)

Effer-Syllium®(J & J)
Fiberall®(Ciba)
Hydrocil Instant®(Reid-Rowell)
Konsyl-D®(Lafayette)
Metamucil(Procter & G.)
Modane®(Adria)
Natural Vegetable®(多家廠商)
Perdiem Fiber®(Rorer)
Serutan®(Menley & J.)
Siblin®(Warner-Lambert)
Syllact®(Wallace)
V-Lax®(Century)

☞藥物作用

本藥爲一種紓解「便秘」的藥物，可以幫助從腸內吸收大量的水分，來和乾燥硬堅的糞便混合，使其膨脹成爲一團鬆軟的塊狀。另外此一塊狀物因爲體積的膨脹，刺激腸道肌肉的蠕動，能夠在不需要用極大的力氣下，達到幫助糞便排出的目的。此藥因爲能夠吸腸道內的水分，因此又可當作治療腹瀉的藥物。此藥也可用來降低膽固醇。

☞用法

此藥通常是一天服用1至3次，如果一天服用一次的話，最好能安排於早晨服藥。如使用的是粉狀製劑的話，應該事先將藥粉與大約240cc.的水或果汁一起調和服用，千萬不可將藥粉直接放入口中，以免引起呼吸道阻塞而造成危險。

☞注意事項

通常6歲以下的小孩，不能充分表達便秘的症狀與不適，爲了避免遺漏任何潛在的病症，和避免藥物對小孩可能造成的副作用。除非經過醫師的診斷及處方外，不該自行讓小孩服用此一藥物。

如果懷孕，對藥物過敏，或者有心臟疾病、腸道阻塞、糖尿病、肛門流血等等，醫師需要針對這些情況謹慎用藥，因此在使用此藥前，應該事先通知醫師。

爲了避免便秘的發生，平常應該多食用蔬菜或水果等含纖維及幫助消化的食物，並且在許可下，多做運動或飲用多量的水。

此藥也可用來治療膽固醇過高症。膽固醇過高、高血壓、糖尿病、身體過度的肥胖、吸煙等等，這些都是造成血管硬化、導致中風及心臟病發作的主要因素。如果使用此藥以治療膽固醇過高，就應該遵循醫師的指示，戒煙酒、食用低鹽量低脂肪的食物，及使用適當的藥物以控制高血壓、糖尿病等等。

通常此藥12至24小時就能產生藥效，但是對於某些人，可能需要3天的時間才能達到排便的目的。爲了幫助此藥增進糞便吸收水分，使用此藥期間，每天應該至少服用6至8杯(每杯約250cc.)的開水或飲料。

服藥期間，如果覺得藥物並沒有達到紓解便秘的作用、肛門有流血的現象、或者是藥效過強產生身體水分流失及電解質失衡的狀況，如身體抽筋疼痛、全身無力、頭暈等狀況時，就應該通知醫師。

本藥具有吸附的作用，可能會在腸內吸附其他藥物，使其藥效降低。當要服用其他藥物時，應該與此藥至少相隔約兩小時。

此藥可能會含有相當程度的糖分及鹽類，如果患有糖尿病、心臟病、高血壓、腎臟病等等，需要嚴格限制糖分及鹽類的疾病時，應該事先通知醫師。他會指導如何適當調整飲食、轉換其他類的藥物、或者選擇含最低糖分及鹽類的產品。

☞副作用

在正常的劑量下，此藥幾乎可以說是沒有副作用。不過在極少的情況，可能會造成吞嚥困難、胃腸不適、喉嚨的刺激、輕微的胃痛等等。這些副作用，通常在服用藥物一陣子後，應該會漸漸地消失。不過，如果這些副作用強到困擾你的程度，或者皮膚有發紅或發癢、呼吸困難的情況，此可能是藥物的過敏反應，應該盡快通知醫師。

☞懷孕及哺乳

目前爲止，尚無資料顯示此藥會對胎兒造成不良作用，但是此藥可能含有大量的糖分及鈉鹽，孕婦服用的話可能會造成水腫，因此服用此藥前，最好參考醫師的意見。

目前爲止，尚無醫療報告顯示會對餵奶的嬰兒造成不良的反應，不過當考慮餵哺嬰前，最好徵求醫師的意見。

☞忘記用藥

如果忘記服藥的話，應該在記得時，立即使用。並將當天未用完的劑量，依照相等的時間間隔使用完。但是，如果距離下次用藥的時間太近，就應該捨棄此次的藥物，恢復到下次正常用藥的時間，千萬不可一次使用雙倍的劑量。

Quinapril(降血壓、預防充血性心衰竭藥)

商品名(台灣)

Accupril®(派德)

商品名(美國)

Accupril®(Parke-Davis)

☞藥物作用

本藥爲一種「ACE抑制劑」的降血壓和預防「充血性心衰竭」的藥物，可壓制血管內某種會使血管收縮的化學物質，由於此種化學物被壓制，血管便能適當地擴張，使更多的血液能在血管內順暢地流通，終而能達到降血壓的目的。過多的血液長久滯留在心臟，會使心臟的工作量增加，最後心臟不能負荷而導致心衰竭。本藥可使血管擴張，積壓於心臟的血液便可以回流入身體的各個部位，間接地可以預防心衰竭的發生。

☞用法

本藥不受食物的影響，空腹或與食物一起服用均可，如有必要時，此藥的藥片可以壓碎服用。此藥通常是一天服用一至兩次，如一天服藥一次，最好在早上服用；如一天服藥兩次，則早晚各服用一次，不論是早上或晚上服用，最好能養成每天在固定時間服藥的習慣，以減少忘記。酒精可能會增加此藥造成頭暈或目眩的可能，服用此藥時，應該避免喝酒。

☞注意事項

服用此藥後，可能會產生輕微頭暈目眩的感覺，尤其在剛開始服藥期間。因此，在尚未完全適應此藥前，當開車或操作危險機械時，必須小心謹慎。

如果懷孕，對藥物過敏，或者有心臟疾病、肝臟疾病、糖尿病、腎臟病、紅斑性狼瘡等，醫師需要針對這些情況謹慎用藥，因此在使用此藥之前，應該事先通知醫師。

服用此藥後，血壓可能要經過幾個星期才會漸漸地降到理想的程度。在經過一段時間藥物治療後，即使血壓已恢復正常，亦不可間斷，甚至可能一生都需要服用此藥以控制血壓。

爲了達到理想降血壓的作用，應該遵循醫師的指示，服用低鹽類、低脂肪食物，戒煙酒，並且盡可能依照醫師的指示做適當的運動。

爲了避免忘記服藥，最好養成每天在固定時間服藥的習慣，並且在經過一段時間服藥後，不可突然停止服用，突然停藥，有可能會造成血壓升高，甚至會造成心臟方面的問題。應該得到醫師的許可，並且在他的指示下，將劑量漸漸地降低然後再停。

此藥只能用來控制高血壓或心衰竭，並不能根治此一病症，必須長期服用此一藥物，才能適當地控制病情。如果使用此藥主要是用於心衰竭，就應該避免做太激烈的運動，並且在使用此藥前，應該事先請教醫師何種活動或運動量最適合。

剛開始服用此藥時，可能會產生頭暈目眩的感覺，尤其是突然站立或坐起時，不過如果能夠緩慢地站立或坐起，應該會減少此一現象。飲酒、洗太熱的澡、太陽下站立太久、流太多的汗等，都有可能會增加此藥降低血壓的效果，應該盡量避免此類因素，以免血壓過度下降，而造成頭暈目眩，甚至暈倒的可能。

市面上許多治療過敏、鼻塞、咳嗽、感冒和減肥的成藥中，經常含有會使血壓升高的成分，爲了避免血壓突然升高，在服用此類藥物之前，應該事先諮詢醫師或藥師。

☞副作用

此藥常見的副作用爲：口乾、下痢、味覺降低、咳嗽、疲倦、惡心、頭痛等等。這些副作用，通常在服用藥物一陣子後，應該會漸漸地消失。不過，如果這些副作用強到困擾你的程度，或者經過一段時間後，還不能完全消除，就應該通知醫師。

此藥較嚴重的副作用為：心跳增快、四肢關節疼痛、皮膚產生紅疹、因為血壓太低而暈倒、呼吸及吞嚥困難、突然的胸部疼痛、發熱或發冷、腹部疼痛及惡心嘔吐、臉部或四肢腫大等等。通常這些副作用發生的機率較低，但是如果發生時，此可能是藥物造成的不良反應，或者是劑量需要調整，應該盡快地通知醫師。

☞懷孕及哺乳

此藥可經由胎盤進入胎兒體內，根據動物實驗顯示，在高劑量下，此類ACE抑制劑，可能會影響到胎兒腎臟和頭骨正常的發育，並會使血壓降低，甚至造成胎兒死亡的可能，尤其是懷孕最後六個月的可能性最高。發現已懷孕時，應該停止服藥，並立即通知醫師。

目前為止，尚不知此藥是否會經由母乳到達嬰兒體內，為了避免藥物可能造成新生兒的不良影響，餵奶的母親在使用此藥之前，應該徵求醫師的指示或使用其他乳製品，以取代母乳。

☞忘記用藥

如果忘記服藥，應該在記得時，立即服用。但是，如果一天服藥一次，而距離下次服藥的時間少於8小時，就應該捨棄此次藥物，恢復到下次正常服藥的時間，千萬不可一次用雙倍的劑量。如果一天服藥兩次，而距離下次服藥的時間只有4小時，應該立即服藥，然後等到5至6小時後服用另一次的藥物，最後再恢復到下次正常服藥的時間。

Quinidine Sulfate(Gluconate，奎尼丁)

商品名(台灣)

Quinaglute®(美・Berlex)　　Quinidine®(尼斯可)
Quinidex®(勞敏士)　　Wanidine®(華盛頓)

商品名(美國)

Quinaglute®(Berlex)　　Quinidex Extentabs®(Robins)
Quinalan®(Lannett)　　Quinora®(Key)

☞藥物作用

本藥爲治療「心律不整」的藥物。心臟如果跳動得太快，將導致血液不易回流入心臟，心臟也不能將血液充分地壓縮到身體各部位，同時，過分運動的心臟亦容易造成疲乏，而導致心臟更進一步的病變。此藥的作用，就是能降低過快的心跳，使心臟能夠達到正常韻律的跳動，進而更有效率地將心臟血液壓縮到身體各個部位，並且使心臟能達到適度的休息。

☞用法

爲了增強藥物的吸收，使用本藥時，最好在空腹時服用。但是，如果覺得此藥對胃的刺激過大，造成胃的不舒服，與食物一起服用亦可。本藥分爲普通藥片及持續型釋放錠劑兩種，如有必要時，此藥之藥片可以壓碎服用，但是持續錠應該整顆吞服，不可咀嚼或壓碎服用。

☞注意事項

服用此藥後，可能會產生輕微頭暈目眩的副作用，尤其在剛開始服藥期間。因此，在尚未完全適應此藥之前，當開車或操作危險機械時，必須小心謹慎。

如果懷孕，對藥物過敏，或者有氣喘、肝臟疾病、腎臟病、重症肌無力症、甲狀腺機能亢進、心臟疾病、血液中負責血液凝結的血小板過少等等，醫師需要針對這些情況謹慎用藥，因此在使用此藥之前，應該事先通知醫師。

為了達到最佳的藥效，此藥必須在血中達到固定的濃度，因此最好每天在相等的時間間隔下服藥。如一天服藥3次，則每8個小時服用一次；一天服藥4次，則每6個小時用一次，並且不可忘記服用。

服用此藥一陣子後，除非經過醫師許可外，應該避免換其他廠牌或不同劑型的藥物。因為不同廠牌或劑型的藥物，雖然標示的劑量或成分相同，但是在體內釋放及吸收的速度不見得會相同，其藥效可能也會有點差異。

服用此藥後，醫師需要定期測量心電圖或者驗血，以測量此藥在血中的濃度，以便評估此藥的藥效及可能產生的副作用。因此必須遵從醫師的指示，定期到醫院做檢查。

經過一段時間藥物治療後，即使覺得心臟已經恢復正常，亦不可間斷，或者是突然停止服藥。突然停藥有可能使心臟情況惡化。如有停藥的必要時，應該事先得到醫師的許可，並且在醫師指示下，漸漸地降低服藥的次數或劑量，然後再停藥。

酒精可能會增加此藥降低血壓的副作用，而產生頭暈目眩的感覺；香煙中的尼古丁可能造成心臟跳動的不規則，應該盡量避免喝酒及抽煙。

許多感冒、咳嗽和抗過敏類的成藥中，含有刺激心臟的藥物成分，可能會加重心臟的負荷而造成危險。當購買此類藥物時，應該事先請教醫師或藥師是否會有此一成分。

在拔牙或動手術之前，應該事先通知醫師有服用此種藥物。

☞副作用

此藥常見的副作用為：胃口降低、有苦味、拉肚子、胃腸不適、噁心、嘔吐等。這些副作用，通常在服用藥物一陣子後，應該會漸漸地消失。不過，如果這些副作用強到困擾你的程度，或者經過一段時間後，還不能完全消除，就應該通知醫師。

此藥較嚴重的副作用爲：心跳過快、皮膚突然有青紫色的瘀傷或紅點、皮膚發紅、耳鳴、呼吸困難、視覺改變或模糊、發癢、極端的疲倦、嚴重的頭痛、頭暈目眩等。通常這些副作用發生的機率較低，但是如果發生時，此可能是藥物造成的不良反應，或者是劑量需要調整，應該盡快地通知醫師。

☞懷孕及哺乳

此藥對孕婦的影響，並無很完全的資料，當懷孕時，最好能通知醫師，他會衡量狀況，決定是否應該服藥。

此藥會經由母乳到達嬰兒體內，爲了避免藥物可能對新生兒造成影響，餵奶的母親在服用期間，最好使用其他的乳製品，以取代母乳。

☞忘記用藥

如果忘記服藥，可先將服藥的時間間隔分爲相同的兩段，譬如每8小時服藥一次的話，可區分爲前四小時和後四小時。如果在前半段時間內記得服藥的話，應該立即服用，然後接著下次正常的時間服藥；如果在後半段才記得的話，也應該立即服用，但是必須跳過下次正常用藥的時間，再恢復到另一次正常用藥的時間。

Ramipril(降血壓、預防充血性心衰竭藥)

商品名(台灣)

Tritace®(赫司特)

商品名(美國)

Altace®(Hoechst)

☞藥物作用

本藥爲一種「ACE抑制劑」的降血壓和預防「充血性心衰竭」的藥物。此藥可壓制血管內某種會使血管收縮的化學物質，由於此種化學物被壓制，血管便能適當地擴張，使更多的血液能夠在血管內順暢地流通，終而達到降血壓的目的。過多的血液長久滯留在心臟，可使心臟的工作量增加，最後不能負荷而導致心衰竭。本藥可使血管擴張，積壓於心臟的血液便可以回流入身體的各個部位，間接地預防充血性心衰竭的發生。

☞用法

本藥不受食物的影響，空腹或與食物一起服用均可，如有必要時，此藥的膠囊可打開來服用。此藥通常是一天服用一至兩次，如一天服藥一次，最好在早上服用；如一天服藥兩次，則早晚各服用一次，不論是早上或晚上服用，最好養成每天在固定時間服藥的習慣，以減少忘記服藥的可能。酒精可能會增加此藥產生頭暈或目眩的感覺，因此，當服用此藥時，應該避免喝酒。

☞注意事項

服用此藥後，可能會產生輕微頭暈目眩的副作用，尤其剛開始服藥期間。因此，在尚未完全適應此藥之前，當開車或操作危險機械時，必須小心謹慎。

服用此藥後，血壓可能要經過幾個星期才能降到理想的程度。在經過一段時間的藥物治療後，即使覺得血壓已恢復正常，亦不可間斷服藥。爲了達到理想的降血壓作用，應該遵循醫師的指示服用低鹽類、低脂肪食物，戒煙酒，並且盡可能地依照醫師的指示做適當的運動。

爲了避免忘記服藥，最好養成每天在固定時間服藥的習慣，並且在經過一段時間服藥後，不可突然停止服藥。突然停藥，有可能會造成血壓升高，甚至會產生心臟方面的問題，應該得到醫師的許可，並且在他的指示下，將劑量漸漸地降低然後停藥。

此藥只能用來控制高血壓或心衰竭，並不能根治此一病症，因此必須長期服用此一藥物，才能適當地控制病情。如果使用此藥主要是用於心衰竭，就應該避免做太激烈的運動，並且在使用此藥之前，應該事先請教醫師何種活動或運動量最適合。

剛開始服用此藥時，可能會產生頭暈目眩的感覺，尤其是突然站立或坐起時，不過如果能夠緩慢地站立或坐起，應該會減少此一現象。飲酒、洗太熱的澡、太陽下站立太久、流太多的汗等，這些因素都有可能會增加此藥降低血壓的效果，應該盡量地避免此類因素，以免血壓過度下降，而造成頭暈目眩，甚至暈倒的可能。

市面上許多治療過敏、鼻塞、咳嗽、感冒和減肥的成藥中，經常含有會使血壓升高的成分。爲了避免造成血壓突然地升高，服用此類藥物之前，應該事先諮詢醫師或藥師。

☞副作用

此藥常見的副作用：口乾、下痢、味覺降低、咳嗽、疲倦、噁心、頭痛等。這些副作用，通常在服用藥物一陣子後，應該會漸漸地消失。不過，如果這些副作用強到困擾你的程度，或者經過一段時間後，還不能完全消除，就應該通知醫師。

此藥較嚴重的副作用爲：心跳增快、四肢關節疼痛、皮膚產生紅疹、因爲血壓太低而暈倒、呼吸及吞嚥困難、胸部疼痛、發熱或發冷、腹部疼痛及惡心嘔吐、臉部或四肢腫大等等。通常這些副作用發生的機率較低，但是如果發生時，此可能是藥物造成的不良反應，或者劑量需要調整，應該盡快通知醫師。

☞懷孕及哺乳

此藥可經由胎盤進入胎兒體內，根據動物實驗顯示，在高劑量下，此類ACE抑制劑可能會影響到胎兒腎臟和頭骨正常的發育，並會使血壓降低，甚至造成胎兒的死亡，尤其是懷孕最後六個月的可能性最高。當發現已懷孕時，應該停止服藥，並立即通知醫師。

目前為止，尚不知此藥是否會經由母乳到達嬰兒體內，為了避免藥物可能對新生兒造成不良影響，餵奶的母親在使用此藥之前，應該徵求醫師的指示，或使用其他乳製品，以取代母乳。

☞忘記用藥

如果忘記服藥，應該在記得時，立即服用。但是，如果一天服藥一次，而距離下次服藥的時間少於8小時，就應該捨棄此次的藥物，恢復到下次正常服藥的時間，千萬不可一次使用雙倍的劑量。如果一天服藥兩次，而距離下次服藥的時間只有4小時，應該立即服藥，然後等到5至6小時後再服用另一次的藥物，最後才恢復到下次正常服藥的時間。

Ranitidine(雷尼得定)

商品名(台灣)

Apo-Ranitidine®(加・Apotex)
Lumaren®(健喬)
Nicewe®(南光)
Novo-Ranitidine®(加・Novo)
Quicran®(中化)
R.N.D.®(生達)
Ranidine®(信東)
Ulsafe®(回春堂)
Vesyca®(永信)
Weichilin®(培力)
Weidos®(衛達)
Zantac®(英・Glaxo)

商品名(美國)

Zantac®(Glaxo)

☞藥物作用

本藥爲一種「抑制胃酸分泌」的藥物。胃潰瘍的發生，往往是由於胃分泌過量的胃酸，導致胃或食道因爲胃酸的刺激而產生潰爛。此藥的作用，即是能抑制胃酸的分泌，減少胃的刺激，使潰瘍得以漸漸地康復。

☞用法

本藥可空腹或與食物一起服用，但是，如果能於飯後服用的話，則可達到最好的效果。此藥通常是一天服用一到兩次，如果一天服藥一次，可安排於睡前給藥，如果一天服藥兩次，則可安排於早餐後和睡前給藥。如有必要時，此藥的藥片可以壓碎與食物或水混合服用。如使用的是液體藥物時，每次在使用之前，應先將藥瓶輕微搖動，使藥物能夠勻分散，並使用有刻度的量杯或藥管，以量取正確的藥量。

☞注意事項

服用此藥後，可能會產生輕微頭暈目眩的副作用，尤其在剛開始服藥期間。因此，在尚未完全適應此藥之前，當開車或操作危險機械時，必須小心謹慎。

如果懷孕，對藥物過敏，或者有肝臟疾病、腎臟病等等，醫師會針對這些情況謹慎用藥，因此使用此藥之前，應該先通知醫師。

市面上許多治療頭痛、關節痛和肌肉痛等的止痛藥物，對胃會產生極大的刺激，也許會使胃潰瘍的程度惡化。因此在使用此類藥物之前，應該詢問醫師或藥師，何種藥物對胃部最不會造成傷害。

服藥期間，最好能戒煙酒，因爲煙酒有可能會妨礙潰瘍的康復；同時也應該避免服用辛辣等刺激胃壁的食物。

通常在服用此藥一至兩個星期後，胃潰瘍的症狀，應該會到相當程度的改善，但是千萬不可因爲一時覺得潰瘍已經痊癒或者不痛，就停止服藥。應該依照醫師的指示，完成整個服藥的過程。對於某些程度的潰瘍，也許需要6至8個星期時間，才可痊癒。

此藥會經肝臟的分解，並由腎臟排出，因此如果有肝臟或腎臟方面的問題，應該事先通知醫師。

此藥會干擾許多藥物的作用，爲了避免突然增強或降低其他藥物的藥效，服用此藥之前，最好能事先告訴醫師有服用那些藥物。

爲了要更迅速治療胃痛或胃潰瘍，醫師也許會要求同時服用另外一種制酸劑。但是由於制酸劑會降低此藥的作用，同時服用此兩種藥物時，彼此至少應該相隔一至兩小時。

☞副作用

此藥常見的副作用爲：肌肉或關節痛、拉肚子、便秘、掉髮、惡心、視覺模糊、想睡覺、嘔吐、頭痛、頭暈等。這些副作用，通常在服用藥物一陣子後，應該會漸漸地消失。不過，如果這些副作用強到困擾你的程度，或者經過一段時間後，還不能完全消除，就應該通知醫師。

此藥較嚴重的副作用爲：心跳突然加快、皮膚發紅、性欲降低、呼吸困難、喉嚨痠痛、發腫、發癢、精神恍惚等等。通常這些副作用發生的機率較低，但是如果發生時，此可能是藥物造成的不良反應，或者是劑量需要調整，應該盡快地通知醫師。

☞懷孕及哺乳

根據動物實驗顯示，在正常劑量下，此藥尚不至於造成胎兒的缺陷，然而動物實驗的結果並不一定完全與人類的反應相同，當懷孕時，應該與醫師討論此藥可能對胎兒的影響，他會衡量狀況，決定是否應該服藥。

少量的藥物會經由母乳到達嬰兒體內，但是目前爲止，尙無報告顯示會造成嬰兒的不良反應。餵奶的母親應該密切注意嬰兒的反應，或使用其他製品以取代母乳。

☞忘記用藥

如果忘記服藥，應該在記得時，立即服用。但是，如果距離下次服藥的時間太近，就應該捨棄所遺忘的藥物，恢復到下次正常服藥的時間，千萬不可一次服用雙倍的劑量。

Rifampin(利汎黴素)

商品名(台灣)

Gefocin®(政德)
RIF Capsule®(中化)
RIFA®(林化學)
Rifadin®(仁興)
Rifamin®(西德有機)
Rifampisin®(信東)
Rifamtibi®(王子)
Rifamtibi®(新東)
Rifapin®(久保)
Rifaren®(塞・Remedica)
Rimactane®(汽巴嘉基)
Rimancin®(培力)
Rimycin®(澳・Alphapharm)
Ripin®(景德)
Ripolin®(永豐)
Servifamin®(瑞士・SVP)

商品名(美國)

Rifadin®(Marion Merrell Dow)
Rimactane®(Ciba)

☞藥物作用

本藥為一種「抗生素」，主要的作用是能夠阻止細菌的生長及繁殖。它通常用來預防腦膜炎菌的感染，和消除腦膜炎帶菌者細菌的感染。本藥同時為一種「抗肺結核」的藥物，通常需要與其他的抗結核藥物合用，以達到最有效的治療效果和避免結核菌抗藥性的產生。

☞用法

為了增強藥物的吸收，使用本藥時，最好在空腹的時候服用，譬如飯前一小時，或飯後兩小時，並且在服藥後，最好能飲用一大杯的開水，以減低藥物對胃的刺激。如有必要時，此藥的膠囊可以打開來與食物或果汁等一起服用。

☞注意事項

服用此藥後，可能會產生輕微頭暈目眩的副作用，尤其在剛開始服藥期間。因此，在尚未完全適應此藥之前，當開車或操作危險機械時，必須小心謹慎。

如果懷孕、對藥物過敏、每天飲用大量的酒、或者有肝臟疾病等等，醫師需要針對這些情況謹慎用藥，因此在使用此藥之前，應該事先通知醫師。

服用此藥以後，可能會使尿液或汗液產生紅色到橘紅的顏色，此一現象是正常而且無害的。不過，應該注意避免汙染到衣物而使衣物變色。另外，此藥也有可能會使隱形眼鏡變色，因此在服藥期間，最好能夠配戴一般的眼鏡。

本藥爲醫師針對病情所下的處方，如果下次有類似的感染，雖然產生的症狀相同，也許造成感染的病菌不同，服用此藥不見得有效，更有可能會延誤病情。因此必須經過醫師的診斷及指示服藥，更不可將此藥留給他人使用。

服用此藥後，有可能會降低口服避孕藥的作用，因此當服用此藥時，最好能同時使用其他有效的避孕方法，譬如使用保險套等來避孕。

長期服用此藥較值得注意的副作用，就是藥物可能會造成肝臟的損傷，如果又經常飲酒的話，更可能加重此一副作用。如果有肝臟方面的疾病，或經常大量飲酒的話，在使用此一藥物前，應該通知醫師。

服用此藥時，必須依照醫師的指示服用完所有的處方藥物。如果使用此藥是用來治療肺結核的話，就必須長期服用才能見效。通常服藥的時間是6個月到兩年。經過一段時間治療後，即使覺得感染的症狀已經完全消除，仍舊需要服用完所有處方的份量，以免萬一病菌沒有完全消除，而造成感染復發，或將來病菌產生抗藥性。

☞副作用

此藥常見的副作用爲：汗液或體液變紅、尿液變紅、拉肚子、胃口降低、胃部抽痛、胃腸不適、胸口灼熱、排氣增加、惡心、嘔吐、頭暈等。這些副作用，通常在服用藥物一陣子後，應該會漸漸地消失。不過，如果這些副作用強到困擾你的程度，或者經過一段時間後，還不能完全消除，就應該通知醫師。

此藥較嚴重的副作用爲：小便困難或疼痛、皮膚或眼睛變黃、皮膚發紅或發癢、肌肉無力、喉嚨痠痛、發燒、視覺改變、極度的疲勞、精神恍惚等。通常這些副作用發生的機率較低，但是如果發生時，此可能是藥物造成的不良反應，或者是劑量需要調整，應該盡快地通知醫師。

☞懷孕及哺乳

目前爲止，此藥對孕婦實驗的數據並不完全，但是根據動物實驗顯示，在極高劑量下，此藥可能會影響胎兒的發育，也有可能造成胎兒的缺陷。由於肺結核屬於傳染病的一種，其對社會會造成深遠的影響，醫師也許會要求繼續使用此藥，但是他可能會合併使用幾種較安全的藥物，以降低此藥的副作用。如果使用此藥的目的在預防肺結核的發生，醫師也許會要求在生產後才使用。

此藥會經由母乳到達嬰兒體內，爲了避免造成新生兒的不良作用，服藥期間，應該停止餵食母乳，而改用其他的乳製品來取代。

☞忘記用藥

如果忘記服藥，應該在記得時，立即服用。但是，如果距離下次服藥的時間太近，就應該捨棄所遺忘的藥物，恢復到下次正常服藥的時間，千萬不可一次用雙倍的劑量。

Salmeterol(使立穩吸入劑)

商品名(台灣)

Serevent®(葛蘭素)

商品名(美國)

Serevent®(Allen & H.)

☞藥物作用

本藥爲一種「支氣管擴張劑」，可以作用於支氣管的肌肉細胞，使支氣管能夠擴張，以便讓更多的空氣能夠進入肺部，幫助病人的呼吸。它可以用來紓解氣喘病、過敏、支氣管發炎和肺氣腫病人所引起的呼吸困難。但是它對於急性氣喘的發作，並沒有立即擴張支氣管的作用，因此不可當作急性氣喘發作時的急救藥物使用。

☞用法

使用噴霧劑的方法，請參見頁18。

☞注意事項

本藥通常附有使用說明書，在使用此藥之前，應該詳細地加以閱讀，如果有任何疑問時，或者不知道正確的使用方法，可請教醫師或藥師。

如果懷孕或餵哺嬰兒，對藥物過敏，或者有癲癇、心臟病、高血壓、前列腺腫大、青光眼、或甲狀腺機能亢進等等，醫師需要針對這些情況謹慎用藥，因此在使用此藥之前，應該事先通知醫師。

此藥爲一長效型的口腔噴霧劑，使用一次後通常可維持藥效12個小時，因此最適合給藥的時間應該是早餐及晚上各使用一次，兩次給藥的時間間隔，不應該低於12個小時。在12小時中，如果有氣喘症狀發生時，應該使用醫師處方的另一種短效藥物來紓解症狀。

使用口腔噴霧劑時，應該避免接觸到眼睛，並且不可接觸到火源以免造成藥瓶的爆炸。

本藥的口服噴霧劑用來紓解氣喘的症狀，必須長期使用才有效。但是對於急性氣喘的發作，並沒有立即擴張支氣管的作用，因此不能當作急性氣喘發作的急救藥物使用。

如果覺得所使用的劑量不能紓解症狀，或者呼吸的頻率加快，使用藥物的次數增多等等，這也許是氣喘病情加重或支氣管痙攣的先兆，醫師需要對病情做重新的檢查或評估，以便適當地更換或調整藥物的劑量，應該盡快通知醫師。

服用此藥時，應該完全依照醫師的指示，不可超過醫師所推薦的劑量或次數。過多的劑量有可能會造成嚴重的併發症，甚至可能會氣喘加重。依照醫師的指示用藥後，如果呼吸的狀況還不能改善的話，就應該通知醫師。

使用完口腔噴霧劑後，應該用溫水將噴霧劑開口處徹底清洗乾淨，並且用紙巾擦乾。一天至少應該清潔一次，以保持正常的清潔衛生。

如果要出遠門的話，最好能夠攜帶充分的藥物補給。在拔牙或動手術之前，應該事先通知醫師有服用此藥。

☞副作用

此藥常見的副作用爲：口乾或喉乾、心跳加快、肌肉抽筋、肌肉痠痛、拉肚子、咳嗽或喉部刺激、流汗增加、噁心、腹痛、緊張不安、顫抖、四肢無力、頭痛等。這些副作用，通常在服用藥物一陣子後，應該會漸漸地消失。不過，如果這些副作用強到困擾你的程度，或者經過一段時間後，還不能完全消除，就應該通知醫師。

此藥較嚴重的副作用爲：心跳過快或不規則、皮膚發紅或發癢、肌肉嚴重的顫抖、呼吸困難或加快、胸口不舒服或疼痛、連續及嚴重的噁心嘔吐、連續及嚴重的頭暈目眩、極度的緊張不安、嚴重的頭痛、臉部或嘴唇發腫等。通常這些副作用發生的機率較低，但是如果發生時，此可能是藥物造成的不良反應，或者是劑量需要調整，應該盡快地通知醫師。

☞懷孕及哺乳

此藥對孕婦的資料不足，但是動物實驗顯示，在極高的劑量下，此藥有可能會影響胎兒骨骼的發育或造成其他不良的副作用。另外孕婦使用此藥可能會減緩生產的時間，同時有可能使母親的心跳增快、血糖升高，使胎兒心跳增快而血糖降低。當懷孕時，應該通知醫師，他會衡量狀況，決定是否應該服藥。

此藥會經由母乳到達嬰兒體內，爲了避免造成新生兒的不良作用，最好考慮使用其他的乳製品，以取代母乳。

☞忘記用藥

如果忘記服藥，應該在記得時，立即使用。但是，如果距離下次服藥的時間太近，就應該捨棄此次的藥物，恢復到下次正常服藥的時間，千萬不可一次服用雙倍的劑量。

Sertraline(思卓林)

商品名(台灣)

Zoloft®(輝瑞)

商品名(美國)

Zoloft®(Roerig)

☞藥物作用

本藥爲一種治療「憂鬱症」的藥物，可以治療因爲腦部化學物質不平衡所引起的憂鬱。此類的憂鬱症通常會引起食慾的改變、睡眠失常、疲乏、性欲減退、感覺罪惡或無力感，甚至可能會有自殺的傾向。此藥不能治療日常生活的挫折或心理因素所引起的憂鬱。

☞用法

爲了減輕對胃的刺激，此藥最好與食物或一杯水一起服用。此藥通常是一天服用一次，不論是早上或晚上服用，最好能養成每天在固定時間服藥的習慣，以減少忘記。如有必要時，此藥的藥片可以壓碎服用。

☞注意事項

此藥通常需要4至8個星期的時間，才能漸漸地達到完全的藥效。因此，不可以因爲剛開始的頭一兩個星期，覺得沒有藥效，而停止服用藥物。

如果懷孕或餵哺嬰兒，對藥物過敏或者有肝臟疾病、腎臟病、癲癇、帕金森症等等，醫師需要針對這些情況謹慎用藥，因此在使用此藥之前，應該事先通知醫師。

此藥有可能會造成頭暈或思睡，因此，當操作危險機械或開車時，應該格外地小心謹慎。安眠藥、肌肉鬆弛劑、鎮靜劑、抗過敏藥、抗抑鬱藥、精神病藥、止痛藥等等，都有可能會增加此藥思睡的副作用。同時服用這些藥物時，應當特別注意其所引起的思睡的相乘效果。

服藥期間，應該定期拜訪醫師，因爲他需要適當地調整所使用的劑量，以達到最適合身體的需要。

如果在服藥期間，有便秘發生的話，就應該多食用蔬菜或水果等幫助消化的食物，並且在許可下，多做運動或飲用多量的水。服用此藥後，如果感到口乾時，嚼一塊糖果或冰塊，應該能減輕此一現象。但是如果此一現象超過兩個星期以上，就應該請教醫師。

許多藥物會干擾此藥的作用，也許會增強或減弱彼此的作用，甚至會造成不良的作用，因此服用其他藥物時，無論所服用的是成藥或者是處方藥，最好養成事先徵求醫師或藥師的良好習慣。

剛開始服用此藥時，可能會產生頭暈目眩的感覺，尤其是當突然站立或坐起時，不過如果能夠緩慢地站立或坐起，應該會減少此一現象。如果經過一段時間後此一現象繼續存在，就應該請教醫師。

☞副作用

此藥常用的副作用爲：手顫抖、口乾、失眠、拉肚子或便秘、流汗、流鼻水、胃口降低、疲倦、排氣增加、惡心、視覺干擾、想睡覺、緊張、頭痛、頭暈等等。這些副作用，通常在服用藥物一陣子後，應該會漸漸地消失。不過，如果這些副作用強到困擾你的程度，或者經過一段時間後，這些症狀還不能完全消除，就應該通知醫師。

此藥較嚴重的副作用爲：手指或腳趾發麻、小便困難、心跳突然加快或增強、皮膚發紅或發癢、耳鳴、性欲降低、呼吸困難、胸口痛、極度的緊張不安、精神恍惚等等。通常這些副作用發生的機率較低，但是如果發生時，此可能是藥物造成的不良反應，或者是劑量需要調整，應該盡快地通知醫師。

☞懷孕及哺乳

根據動物實驗顯示，在正常的劑量下，此藥造成胎兒生長缺陷的機會並不高。不過，由於此藥對人體實驗的數據有限，當懷孕時，最好能在醫師的許可及指示下服用。

目前爲止，尙不知此藥是否會經由母乳到達嬰兒體內，爲了避免藥物可能對新生兒造成不良影響，餵奶的母親在使用此藥之前，應該遵照醫師的指示服藥或使用其他乳製品以取代母乳。

☞忘記用藥

如果忘記服藥，應該在記得時，立即服用。但是，如果在幾個小時後才記起來的話，就應該捨棄此次所遺忘的藥物，恢復到下次正常服藥的時間，千萬不可一次服用雙倍的劑量。

Simvastatin（降膽固醇藥）

商品名（台灣）

Zocor®（默克）

商品名（美國）

Zocor®（Merck）

☞藥物作用

本藥爲一種「降低膽固醇」的藥物。如果身體有太多的膽固醇或脂肪積聚於血管中，將會使血管阻塞、血液不能順暢地在血管中流通，由於血液不流通，將使血管內的壓力增加，因而導致高血壓，甚至造成腦血管破裂而導致中風。由於血液不流通，也會使運送氧氣的能力降低，而心臟氧氣的缺乏，可能會導致心臟病或心絞痛的發生。本藥的作用，就是能夠抑制膽固醇產生過程中所需要的一種化學物質，使膽固醇不能順利產生，而降低膽固醇。

☞用法

此藥不受食物的影響，因此空腹或與食物一起服用均可。由於膽固醇在晚上到清晨5點的時候分泌最多，因此如果一天服藥一次，最好能安排於晚飯後服用。如有必要時，此藥的藥片可以壓碎與食物或水一起服用。

☞注意事項

在服藥期間如果發覺已懷孕，就應該立即停止服藥，並且通知醫師，因爲此藥可能會造成胎兒骨骼方面的缺陷。

如果懷孕，用母乳餵哺嬰兒，對藥物過敏，經常飲用大量的酒，或者有肝臟疾病、低血壓、癲癇症等，醫師需要針對這些情況謹慎用藥，因此在使用此藥前，應該事先通知醫師。

此藥只能用來控制膽固醇過高，並不能根治此一病症。為了更有效地降低膽固醇，除了定期服用藥物之外，仍舊需要遵循醫師的指示，食用低脂肪的食物、做適當的運動和減輕體重等等，才能徹底達到穩定膽固醇的效果。

服用此藥一陣子後，除了得到醫師的許可外，千萬不可突然地停止服藥。突然停藥，有可能會造成膽固醇突然升高的可能。

膽固醇過高、高血壓、糖尿病、身體過度肥胖、吸煙等等，這些都是造成血管硬化、導致腦中風及心臟病發作的主要因素。患者應該遵循醫師的指示，戒煙、食用低鹽量低脂肪的食物及使用適當的藥物以控制高血壓、糖尿病和膽固醇過高等等。

此藥最值得關注的副作用，就是可能對肝臟的影響。由於酒精可能會增加此藥對肝臟的損傷，服用此藥期間，應該盡量減少飲酒。

服用藥物期間，醫師會定期要求驗血以測量肝功能是否正常，以及測量膽固醇的含量以適當調整所服用的劑量。患者應該依照醫師的指示，定期到醫院或診所做血液的檢驗。

在拔牙或動手術之前，應該先通知醫師有服用此藥。

☞副作用

此藥常見的副作用為：皮膚發紅、拉肚子、便秘、胸口灼熱或胃痛、排氣增加、惡心、頭痛、頭暈等。這些副作用，通常在服用藥物一陣子後，應該會漸漸地消失。不過，如果這些副作用強到困擾你的程度，或者經過一段時間後，這些症狀還不能完全消除，就應該通知醫師。

此藥較嚴重的副作用為：肌肉抽筋、肌肉痛、發燒、視覺模糊或視覺改變、極度的疲倦或虛弱等等。通常這些副作用發生的機率較低，但是如果發生時，此可能是藥物造成的不良反應，或者是劑量需要調整，應該盡快地通知醫師。

☞懷孕及哺乳

孕婦應該避免服用此藥。雖然根據動物實驗顯示，在正常劑量下，此藥尚不至於造成胎兒的生長缺陷。然而另外一種與此藥屬於同一類型的藥品，則會影響到胎兒骨骼正常的發育或胎兒氣管、食道、肛門方面的問題。另外，此藥也可能會降低胎兒體內所需要的膽固醇，間接地影響到胎兒腦部及神經的發展。爲了避免造成胎兒可能的危險性，如果在服藥期間懷孕，就應該立即停止服藥，並且通知醫師。

目前爲止，尙不知此藥是否會經由母乳到達嬰兒體內，爲了避免造成新生兒發生嚴重的副作用，餵奶的母親應該使用其他乳製品以取代母乳。

☞忘記用藥

如果忘記服藥，應該在記得時，立即服用。但是，如果距離下次服藥的時間太近，就應該捨棄所遺忘的藥物，恢復到下次正常服藥的時間，千萬不可一次服用雙倍的劑量。

Spironolactone(蘇拉通)

商品名(台灣)

Aldactone®(希爾)
Alexan®(日・三和)
Almatol®(藤澤)
Lacalmin®(日・辰己)
Macacy-A®(日・菱山)
Servilactone®(瑞士・Cimex)
Shyy Louh®(陽生)
Spiron®(居禮)
Spirotone®(榮民)

商品名(美國)

Aldactone®(Searle)

☞藥物作用

本藥為一種「利尿劑」。它可以用來預防高血壓、消除身體的水腫和預防「充血性心衰竭」的發生。如果體內含過多的水分，此多餘的水分將會增加血管內部的壓力，而造成水腫或高血壓的發生，導致心臟因為長久的負荷，而可能產生衰竭。此藥的作用，就是能夠幫腎臟，將體內多餘的水分經由尿液排出，而達到治療的目的。

☞用法

此藥通常是一天服用一至兩次。由於此藥為一種利尿劑，如果在睡前服用的話，可能會因為夜晚起床小便而干擾睡眠。並且為了避免藥物可能對胃部的刺激，最理想的服藥時間，應該是早晨服用完早餐以後。如果一天服藥的時間超過一次以上，最後一次服藥時間的安排，應該以不超過晚上6點為準。如有必要時，此藥的藥片可以壓碎服用。

☞注意事項

如果使用此藥是要治療高血壓的話，本藥只能控制血壓，並不能真正治癒它。服用此藥後，必須經過幾個星期後，才能將血壓慢慢地降下來。爲了達到完全的降壓效果，必須每天固定地服用此藥，即使血壓已經控制穩定，也不可忘記或省略服藥。

如果懷孕，對藥物過敏，或者有糖尿病、腎臟病、肝臟疾病等等，醫師需要針對這些情況謹慎的用藥，因此在使用此藥之前，應該事先通知醫師。

市面上許多治療過敏、鼻塞、咳嗽感冒和減肥的成藥中，經常含有會使血壓升高的成分。因此，爲了避免造成血壓突然地升高，在服用此類藥物之前，應該事先徵求醫師或藥師的意見。

食用低鹽量的食物，可以增加本藥的降血壓效果，應該遵循醫師的指示，控制食物中鹽的含量。

此藥會增加小便的次數，如果在夜晚服用此藥的話，可能會因爲多次起床小便而影響到正常的睡眠。因此最後一次服藥的時間，最好能安排於晚上6點以前。

長期服用此藥後，可能會使體內的鉀離子含量增高。鉀的含量增高，會造成手腳發麻、焦慮不安、極度的疲倦、心跳不規則或加快等等。因此，醫師可能會要求定期到醫院做檢查，以測量血液中鉀的含量和藥物降血壓的效果。

剛開始服用此藥的時候，小便的次數及數量都會增加，並且會有極端疲倦的感覺，通常此一現象在幾天後應該會漸漸地減少。如果此一現象經過一陣子後仍然不能消除，就應該通知醫師。

此藥可能會引起頭暈目眩的副作用，尤其是早上剛起床的時候。但是如果能緩慢地起身或站立，應該可以減緩此一現象。另外，爲了避免此一副作用，應該避免站立太久、避免飲用大量的酒、不要在太陽下做太激烈的運動和洗太熱的熱水澡等等。

在拔牙或動手術之前，應該事先通知醫師有服用此藥。

☞副作用

此藥常見的副作用爲：口乾、性欲降低、拉肚子、思睡、胃腸不適、惡心、無力、嘔吐、頭痛、頭暈等。這些副作用，通常在服用藥物一陣子後，應該會漸漸地消失。不過，如果這些副作用強到困擾你的程度，或者經過一段時間後，這些症狀還不能完全消除，就應該通知醫師。

此藥較嚴重的副作用為：手腳發麻、心跳不正常、皮膚發紅、呼吸困難、發熱或發冷、發癢、極端的虛弱、精神恍惚、緊張。通常這些副作用發生的機率較低，但是如果發生時，此可能是藥物造成的不良反應，或者是劑量需要調整，應該盡快地通知醫師。

☞懷孕及哺乳

根據動物實驗顯示，在正常劑量下，此藥造成胎兒缺陷的機會並不大。不過此藥可能會影響胎兒荷爾蒙的平衡，使男性胎兒產生乳房脹大或其他女性化象徵。因此，除非有絕對必要並經過醫師同意外，孕婦應該避免服用此藥。

少量的藥物會經由母乳到達嬰兒體內，為了避免藥物的不良影響，餵奶的母親應該考慮使用其他的乳製品以取代母乳。

☞忘記用藥

如果忘記服藥的話，應該在記得時，立即使用。並將當天未用完的劑量，依照相等的時間間隔使用完。但是如果距離下次用藥的時間太近，就應該捨棄此次的藥物，恢復到下次正常用藥的時間，千萬不可一次使用雙倍的劑量。

Sucralfate(斯克拉非)

商品名(台灣)

Altsamin®(日・Taiyo)
Alufate®(中美)
Aso®(濟生)
Bigast®(元宙)
Bingast®(日・Maruko)
Keal®(東洋)
S.C.F®(政和)
Salet®(臺裕)
Scrat®(生達)
Shualmin®(日・R.P.R)
Sibonarl®(日・Moham)
Suca®(明大)
Sucafate®(皇佳)
Sucra®(華興)
Sucral®(榮民)
Sucralate®(以・ABIC)
Sucrate®(國嘉)
Sucway®(中化)
Suicrate®(信隆)
Ucer®(優良)
Ulcegban®(元宙)
Ulcerfate®(順生)
Ulsanic®(永豐)
Ulsate®(衛達)
Ulsawe®(大豐)
Weizip®(永信)

商品名(美國)

Carafate®(Marion Merrel Dow)

☞藥物作用

本藥爲一種「保護潰瘍」的藥物，可用來治療或預防胃潰瘍或十二指腸潰瘍的發生。此藥主要的作用是能在潰瘍的部位形成一層薄膜，可以避免胃酸對潰瘍更進一步的破壞，使潰瘍漸漸地康復。本藥同時可以幫助癌症的病人，由於放射性或化學藥物的治療，產生嘴部或食道內膜潰爛的症狀。

☞用法

本藥通常是一天服用4次，以空腹服用效果最佳。如果一天服用4次的話，則可安排於三餐飯前一小時及睡前服用。服用此藥片時，最好能夠整顆吞服，不要在嘴內咀嚼或壓碎服用。如果使用液體製劑的話，每次在使用之前，應將藥瓶輕微搖動，使藥物能均勻分散，並使用有刻度的量杯或藥管，以量取正確的藥量。

☞注意事項

此藥需要定期服用才能達到藥效，它通常需要幾個星期，才能使潰瘍徹底康復。除非經醫師指示外，使用此藥的時間不可超過8個星期。

如果懷孕，對藥物過敏，或者有吞嚥困難、胃腸道阻塞、腎臟病等等，醫師需要針對這些情況謹慎用藥，因此在使用此藥之前，應該事先通知醫師。

此藥如果能在空腹時服用的話，可以達到最好的藥效。假若同時服用制酸劑以治療胃痛的話，由於制酸劑可能會影響此藥的吸收，因此當同時使用制酸劑時，應該與此藥至少相隔一小時。

在治療期間，如果有任何胃出血的症狀，如糞便中含有紅色或暗黑色的塊狀或條紋，或者由胃中吐出紅色或咖啡色內容物的話，此可能是胃潰瘍的情況惡化，應該盡快通知醫師。

如果在服藥期間有便秘發生的話，就應該多食用蔬菜或水果等幫助消化的食物，並且在許可下，飲用多量的水。

雖然酒精並不會干擾此藥的作用，但是可能會延緩胃潰瘍康復的時間，因此在服用此藥期間，最好能夠避免飲酒。另外，咖啡會增加胃酸的分泌，同樣會延緩潰瘍康復的時間，應該避免飲用咖啡。

此藥可能會與許多的藥物在胃腸中結合，而降低這些藥物的作用，此類藥物包括Phenytoin、Norfloxacin、Digoxin、Warfarin等等，因此，服用這些藥物時，應該與此藥相隔兩個小時以上。

☞副作用

在正常的劑量下，此藥產生副作用的機會並不大。不過在極少的情況下，可能會產生口乾、拉肚子、消化不良、排氣增加、產生便秘、惡心、腹痛、頭暈等等副作用。通常在服用藥物一陣子後，這些症狀應該會漸漸地消失。不過，如果這些副作用強到困擾你的程度，或者皮膚產生發紅或發癢的情況，此可能是藥物的過敏反應，應該盡快通知醫師。

☞懷孕及哺乳

根據動物實驗顯示，在正常劑量下，此藥尚不至於造成胎兒的缺陷。然而動物實驗的結果，並不一定完全與人類的反應相同，當懷孕時，最好與醫師討論此藥可能對胎兒的影響，他會衡量狀況，決定是否應該停藥。

目前為止，尚不知此藥是否會經由母乳到達嬰兒體內，如果決定親自餵哺嬰兒，就應該隨時注意嬰兒的反應，或者可使用其他的乳製品以取代母乳。

☞忘記用藥

如果忘記服藥，應該在記得時，立即服用。但是，如果距離下次服藥的時間太近，就應該捨棄此次的藥物，恢復到下次正常服藥的時間，千萬不可一次服用雙倍的劑量。

Sulfacetamide Sodium(抗菌眼藥)

商品名(台灣)

Bleph-30 Liquifile®(愛力根)
Cetamid®(愛爾康)
Sodium Sulamyd®(先靈)
Sulf-10®(美・Maurry)

商品名(美國)

Ak-Sulf®(Akorn)
Bleph-10®(Allergan)
Ocusulf-10®(Optopics)
Sodium Sulamyd®(Schering)
Sulf-10®(Iolab)

☞藥物作用

本藥爲一種「磺胺類」的廣效抗生素。它主要的作用是能夠抑制細菌的生長和繁殖，可以用於某些細菌所引起的眼睛感染，如結膜炎、角膜炎、眼球炎等等。

☞用法

使用此眼藥水的步驟，請參見頁93。

使用此眼藥膏的步驟，請參見頁314。

☞注意事項

此藥會使眼睛對陽光更爲敏感。因此在陽光下，如果能夠戴太陽眼鏡，或者避免直接暴露太陽下，應該會使眼睛感覺較爲舒適。

使用此眼藥水或藥膏後的前幾分鐘，也許會產生短暫的視力模糊。因此，在眼睛尚未完全適應之前，當開車或操作危險機械時，必須小心謹慎。

如果同時需要使用兩種以上的眼藥水或藥膏時，除了醫師另外指示外，應該將兩次用藥的間隔，至少相隔約5分鐘的時間，以確保彼此不會干擾對方的吸收。同時，應該考慮先使用眼藥水，而眼藥膏應該留到最後才使用，因爲通常眼藥膏屬於油性軟膏，可能會干擾液體藥物的吸收。

使用此藥時，必須依照醫師的指示使用完所有的藥物處方(大約7至14天)，即使覺得感染的症狀已經完全消除，仍須使用完所有處方的份量，以免感染復發，或將來細菌會產生抗藥性。

如果長期大量使用此眼藥水的話，可能會過度消滅眼睛內某類細菌，而造成其他細菌或真菌過度的繁殖，反而會引起眼睛另外一次的感染。因此當使用此眼藥水時，應該完全按照醫師的指示使用，不可超出醫師所指示使用的劑量、次數及時間。

使用此藥兩至三天後，如果症狀沒有改善的話，也許此藥並不適用於此類的細菌的感染。應該盡快通知醫師，他也許會考慮改換其他類的抗生素來治療。另外如果在治療的過程中，眼睛有惡化的現象或者有疼痛、視力消退、眼睛發紅、發腫的話，也應該盡快地通知醫師。

爲了使眼睛的感染盡快得到康復，同時避免接觸而感染到另一隻眼睛，當使用化妝品時，應該盡量避免塗抹在眼睛四周的部位。

本藥爲醫師針對病情所下的處方，下次如果有類似的感染，雖然產生的症狀相同，但也許感染的病菌不同，使用此藥不見得有效，更有可能會延誤病情。因此必須經醫師的診斷及指示用藥，更不可將此藥留給他人使用。

☞副作用

在正常劑量下，此藥造成副作用的機率並不是很高，只有在剛開始點眼藥水的時候，可能會造成灼熱感、流眼淚、眼睛不舒服、眼睛發腫、眼睛輕微的刺痛、視覺模糊(眼藥膏)等等。但是經過幾分鐘後，此現象應該會消失。不過，如果症狀嚴重到不能忍受的程度，或者有呼吸困難、發熱或發冷的現象，就應該盡快通知醫師。

☞懷孕及哺乳

此藥雖然爲一眼藥水，但是仍然能經由眼睛的吸收而到達母親的血液循環，如果使用的劑量過大或過於頻繁，仍有可能會造成對胎兒的影響。雖然動物實驗顯示，在眼用的劑量下，此藥造成胎兒不良副作用的機會不大，但是爲了避免萬一，懷孕的婦女在使用此藥之前，最好經過醫師的同意，並且嚴格遵守醫師的指示用藥。

此藥會經由母乳到達嬰兒體內，但尙無報告顯示會造成新生兒的不良作用。餵奶的母親在使用此藥期間，應該密切注意嬰兒的反應或改用其他的乳製品取代。

☞忘記用藥

如果忘記點眼藥水，應該在記得時，立即使用。並將當天未用完的劑量，依照相等的時間間隔使用完。但是，如果距離下次用藥的時間太近，就應該捨棄此次的藥物，恢復到下次正常用藥的時間，千萬不可一次使用雙倍的劑量。

Sulindac(蘇林達克)

商品名(台灣)

Arthricid®(新豐)
Citireuma®(義・CT)
Clinoril®(美・Merck)
Dometon®(南光)
Imbaron®(韓・Samjin)
Lindac®(十全)
Sudac®(生達)
Sudanin®(臺裕)
Sulic®(居禮)
Sulimen®(國嘉)
Sulinda®(培力)
Sulindac®(永昌)
Sulinde-C®(世達)
Sulinton®(優生)
Suloril®(衛達)
Sumeton®(成大)
Sutac®(明大)
Tusuton®(恆信)
Unidac®(聯邦)

商品名(美國)

Clinoril®(MSD)

☞藥物作用

本藥爲一種「非固醇類止痛及抗發炎」的藥物。其主要的作用，就是能阻止體內一種「前列腺素」的產生，此一化學物質通常是造成關節疼痛和發炎的主要原因。因此，它可以解除風濕性關節炎及骨關節炎所引起的關節僵硬、疼痛、發炎和發腫的現象。此藥同時可以當作止痛藥使用，它可以消除多種輕微到中度的疼痛，如頭痛、牙疼、月經痛、肌肉扭傷所引起的疼痛，以及短期使用於解除急性痛風引起的疼痛。

☞用法

爲了減輕對胃的刺激，此藥最好與食物或飯後服用，在服藥時應該同時飲用一整杯的水。另外在服用完藥物後的30分鐘內，最好不要立即躺下，以免藥物對上消化道的直接刺激。如有必要時，此藥的藥片可以壓碎與食物或水一起服用。

☞注意事項

服用此藥後，可能會產生輕微頭暈目眩和視覺模糊的副作用，並且可能產生疲乏的感覺。因此，在尚未完全適應此藥之前，當開車或操作危險機械時應該格外地小心謹慎。

如果懷孕或餵哺嬰兒，對藥物過敏，或者有胃出血、氣喘病、胃潰瘍、糖尿病、充血性心衰竭、肝臟疾病、血液凝固方面的問題、紅斑性狼瘡、腎臟病、高血壓等等，醫師需要針對這些情況謹慎用藥，因此在使用此藥之前，應該事先通知醫師。

長期服用此藥對胃的刺激非常大，因此應該留意是否有胃出血，或胃潰瘍的發生。如果有暗黑色條紋或塊狀的糞便時，此爲內出血的徵兆，應該通知醫師做進一步的檢查。

服用阿斯匹靈或酒精會增加此藥對胃腸的刺激，因此應該盡量避免與此藥合用。另外一些抗關節炎的藥物或者抗凝血劑，也會增加胃腸的刺激作用、降低血液凝固的能力，如果長期與此藥合用，有造成胃出血的可能。因此當同時使用這些藥物時，應該事先得到醫師的許可。

如果服用此藥的目的在治療關節炎，通常在服藥後的一個星期內，四肢關節的症狀，應該有所改善。但是通常此藥至少必須經過兩三個星期，才能達到最大藥效。另外，此藥只能改善關節炎的症狀，並不能治癒關節炎，患者須長期服用才能達到最好的效果，也不能因爲一時覺得症狀已經改善而停止服藥。

此藥會抑制血液的凝固使流血的時間增長，因此在拔牙或動手術之前，應該事先通知醫師，通常在手術的前幾天，醫師會要求停止服用此藥，以免手術進行當中造成過量流血的現象。

此藥有可能會增加水分在體內的滯留，間接地有可能會使血壓升高，或增加心臟的工作量。因此應該隨時留意手腳四肢，如果發現有腫脹的情況時就應該通知醫師。

70歲以上的人對此藥所引起的胃腸副作用，如胃潰瘍、胃出血等等，較一般人敏感。同時，由於老年人的腎臟功能較一般人爲差，藥物經由腎臟排出體外的能力也相對地降低，有可能會導致藥物的積聚，而引起腎臟及肝臟的毒性。醫師可能會要求此類的病人，服用較一般人爲低的劑量，甚至到減半的程度。因此在使用此藥時，應該完全遵照醫師所指示的劑量。

☞副作用

此藥常見的副作用爲：下痢、胃口增加或降低、便秘、胃腸不適或疼痛、消化不良、胸口灼熱、惡心、腹部脹氣、嘔吐、精神緊張、頭痛、頭暈目眩等。這些副作用，通常在服用藥物一陣子後，應該會漸漸地消失。不過，如果這些副作用強到困擾你的程度，或者經過一段時間後，還不能完全消除，就應該通知醫師。

此藥較嚴重的副作用爲：心跳不正常、皮膚起紅疹或發癢、吐血或含暗黑色的物質、含有帶黑色的糞便、呼吸困難、氣喘、胸痛、發冷及喉嚨痠痛、發熱、腹痛或胃痛、嚴重的頭痛等。通常這些副作用發生的機率較低，但是如果發生時，此可能是藥物造成的不良反應，或者是劑量需要調整，應該盡快地通知醫師。

☞懷孕及哺乳

目前爲止，尙無資料顯示此藥會造成胎兒生長缺陷，但是懷孕婦女最好不要服用此藥。因爲根據動物實驗顯示，孕婦於懷孕後期尤其是最後三個月服用此藥的話，可能會造成胎兒心臟血管及血液循環方面的問題。同時，此藥也可能會增加孕婦懷孕及生產的時間以及其他生產過程中的問題。

少量的藥物會經由母乳到達新生兒體內，可能會造成新生兒血液循環及心臟血管方面的問題，餵奶的母親應該考慮用其他乳製品以取代母乳。

☞忘記用藥

如果忘記服藥，應該在記得時，立即服用。但是，如果一天服藥兩次以上，而距離下次服藥的時間少於4小時，就應該捨棄此次的藥物，恢復到下次正常服藥的時間，但是不可以一次服用雙倍的劑量。

Temazepam(安眠藥)

商品名(台灣)

Euhypnos®(英・R. P. Scherer)
Restoril®(山德士)

商品名(美國)

Restoril®(Sandoz)

☞藥物作用

本藥爲一種「安眠藥」，可以短期使用於失眠症，或消除睡眠不安穩的狀態，能睡得更安靜與祥和。此藥可以消除病人由手術前的緊張，和手術後疼痛所引起的失眠。

☞用法

此藥主要是幫助睡眠，因此最好能在睡前半個小時使用，通常此藥在15至45分鐘內即可發生藥效。如有必要時，此藥的膠囊可以打開來與食物或果汁混合使用。因爲制酸劑可能會干擾此藥的吸收作用，因此使用此藥的時候，應該避免與制酸劑一起服用。此藥通常只有在失眠，而且覺得有需要的時候才服用。

☞注意事項

此藥安眠的作用對某些人可能會持續到第二天的清晨，除非已經完全適應了此藥的作用，第二天開車或操作危險機械時，應該格外地小心謹慎。酒精會增加此藥思睡的副作用，應當避免飲用或限制酒量。

失眠或者是其他的狀況，如手術前後等等，需要服用安眠藥通常是短期的。使用安眠藥的期限通常是兩三天，最高的期限應該以不超過3個星期爲限。如果連續使用此藥超過10天以上，失眠的症狀可能是其他潛在的原因所引起的，應該盡快通知醫師做進一步診斷。

此藥以短期使用爲主，如果長期藉著藥物幫助安眠，可能會造成身體對此藥的成癮性或者是依賴性，同時藥物對身體的作用也可能會漸漸地減弱，導致必須不斷地增加劑量才能達到安眠的效果。

安眠藥、肌肉鬆弛劑、鎮靜劑、抗過敏藥、感冒藥、抗抑鬱藥、止痛藥等等，都有可能會增加此藥思睡的副作用。同時服用這些藥物時，應當特別注意其彼此增加思睡的相乘效果。

老年人對此藥頭暈及運動失調的副作用較一般人敏感，因此在服用此藥後，走路、爬樓梯或運動時應該格外地小心謹慎，以免摔倒而導致骨折。經過3至4個月服用此藥後，不能突然地停藥，因爲突然停藥有可能會產生戒斷症狀。如果要停藥的話，應該遵循醫師的指示，漸漸地降低服藥的劑量或次數，然後再停藥。

如果在服藥期間有便秘發生的話，就應該多食用蔬菜或水果等幫助消化的食物，並且在許可下，多做運動或飲用多量的水。服用此藥也許會產生口渴的現象，但是如果能夠含一塊冰塊或糖果在嘴內的話，應該可以減少此一副作用。

剛開始服用此藥時，可能會產生頭昏眼花的感覺，尤其是突然站立或坐起時，不過如果能夠緩慢地站立或坐起，應該會減少此一現象。

☞副作用

此藥常見的副作用爲：口乾、小便困難、下痢、思睡、便秘、疲倦、惡心、發抖、視覺模糊、嘔吐、頭痛、頭暈目眩等。這些副作用，通常在服用藥物一陣子後，應該會漸漸地消失。不過，如果這些副作用強到困擾你的程度，或者經過一段時間後，還不能完全消除，就應該通知醫師。

此藥較嚴重的副作用爲：手腳及眼睛有不能自主的運動、幻覺、皮膚有不正常的瘀傷或塊狀的青紫色、皮膚起紅疹或發癢、眼睛及皮膚發黃、發冷及喉嚨疼痛、發燒、極端的疲倦、精神不尋常的興奮、精神恍惚或沮喪等。通常這些副作用發生的機率較低，但是如果發生時，此可能是藥物造成不良反應，或者是劑量需要調整，應該盡快地通知醫師。

☞懷孕及哺乳

孕婦應該避免服用此藥。婦女於懷孕的前三個月服用此藥，有造成胎兒缺陷的可能，同時此藥具有成癮性，孕婦於最後六個月服用此藥，有可能會造成新生兒緊張不安、顫抖等症狀。孕婦於懷孕的最後一個星期服用此藥，則有可能造成嬰兒過度安眠、心跳減慢及呼吸困難等現象。

此藥會經由母乳到達嬰兒體內，造成新生兒過度的安睡。餵奶的母親應該考慮使用其他的乳製品以取代母乳。

☞忘記用藥

此藥只有在失眠，而且覺得有需要的時候才服用。如果在當天晚上忘記服藥，假如時間不超過一小時，就應該立即服用，但是如果睡著了，或是等到第二天早晨才記起來的話，就應該捨棄所遺忘的藥物。如果在第二天晚上感覺到失眠時，只可服用一次的藥物，千萬不可服用加倍的劑量。

Terazosin(治高血壓或前列腺肥大的藥物)

商品名(台灣)

Hytrin®(亞培)

商品名(美國)

Hytrin®(Abbott)

☞藥物作用

本藥爲一種治療「高血壓」或「前列腺肥大」的藥物。它主要的作用是能夠使血管的肌肉鬆弛擴張,讓更多的血液能夠順暢流通,終而達到降血壓的目的。此藥同時也能夠使膀胱及前列腺附近的平滑肌鬆弛,由於尿道不會被附近的組織壓迫,能夠順利地鬆弛擴張開來,使得尿液能夠順利排出,解除尿急及頻尿的感覺。

☞用法

本藥不受食物的影響,空腹或與食物一起服用均可。此藥通常是一天服用一次,如果是第一次服用此藥,可能會由於血壓過低,而產生頭暈目眩的感覺。因此,第一次服用此藥時,最好能安排於睡前,並且在服藥後應該立即躺下,以減少頭暈目眩。如有必要時,此藥的藥片可以壓碎服用。

☞注意事項

本藥只能控制高血壓或前列腺肥大,並不能治癒此一疾病,而且可能一生都需要服用此藥。服用此藥後,高血壓或者是前列腺肥大,可能要經過幾個星期才能漸漸達到理想的控制程度。因此必須持續服用此藥，才能有效控制住病情。

如果懷孕，對藥物過敏，或者有心臟疾病、肝臟疾病、腎臟病等等，醫師需要針對這些情況謹慎用藥，因此在使用此藥之前，應該事先通知醫師。

如果在服藥期間，有便秘發生的話，就應該多食用蔬菜或水果等幫助消化的食物，並且在身體許可下，多做運動或飲用多量的水。

剛開始服用此藥的時候，可能會產生頭暈目眩的感覺，醫師可能會要求從較低的劑量開始服用，然後再漸漸地增加劑量，直到完全適應並且控制住血壓為止。因此在剛開始服藥期間，應該完全遵守醫師的指示服藥，並且在尚未完全適應此藥之前，當開車或操作危險機械時，必須了解此藥可能造成頭暈目眩的副作用，並且特別小心謹慎。

剛開始服用此藥時，可能會產生頭暈目眩的感覺，尤其是突然站立或坐起時，不過，如果能夠緩慢地站立或坐起，應該會減少此一現象。飲酒、長期的站立、過度的運動和過熱的氣溫等，這些因素都有可能會增加此藥降低血壓的效果，而加重頭暈甚至造成暈倒。

市面上許多治療過敏、鼻塞、咳嗽、感冒以及減肥的成藥中，經常含有會使血壓升高的成分。因此，為了避免造成血壓突然的升高，在服用此類藥物之前，應該事先徵詢醫師或藥師的意見。

經過一段時間的藥物治療後，即使覺得血壓已恢復正常，亦不可間斷，或者是突然停止服藥。突然停止服藥有可能會導致血壓突然升高的危險。如有停藥的需要，應該得到醫師的許可，並且在醫師的指示下，將藥物漸漸地降低然後停藥。

如果使用此藥的目的在治療高血壓，為了達到理想的降血壓作用，應該遵循醫師的指示，服用低鹽類、低脂肪的食物，戒煙、酒。並且盡可能地依照醫師的指示做適當的運動。

要拔牙或動手術之前，應該事先通知醫師有服用此藥。

☞副作用

此藥常見的副作用為：口乾、便秘或拉肚子、流汗增加、胃腸不適、惡心、虛弱、想睡覺、緊張、鼻塞、頻尿、頭痛、頭暈目眩等等。這些副作用，通常在服用藥物一陣子後，應該會漸漸地消失。不過，如果這些副作用強到困擾你的程度，或者經過一段時間後，還不能完全消除，就應該通知醫師。

此藥較嚴重的副作用爲：手腳發麻、心跳突然增快加強、幻覺、皮膚發紅或發癢、耳鳴、性欲降低、呼吸困難、流鼻血、胸口疼痛、排尿困難、視覺模糊、暈倒、腳部水腫、精神沮喪等等。通常這些副作用發生的機率較低，但是如果發生時，此可能是藥物造成的不良反應，或者是劑量需要調整，應該盡快地通知醫師。

☞懷孕及哺乳

根據動物實驗顯示，在正常的劑量下，此藥尚不至於造成胎兒的生長缺陷。但是，由於此藥對人體實驗的數據有限，其安全性並未完全建立。因此當懷孕時，最好能通知醫師，他會衡量狀況，決定是否應該服藥。

目前爲止，尙不知此藥是否會經由母乳到達嬰兒體內，如果決定親自餵哺小孩，就應該隨時注意嬰兒的反應，或者使用其他的乳製品，以取代母乳。

☞忘記用藥

如果忘記服藥，應該在記得時，立即服用。但是，如果距離下次服藥的時間太近，就應該捨棄所遺忘的藥物，恢復到下次正常服藥的時間，千萬不可一次服用雙倍的劑量。

Terbutaline(特必林)

商品名(台灣)

Beta-Two®(韓・Chung Gei)
Bricanyl®(瑞典・Astra)
Brothine®(元宙)
Glin®(永信)
Terbuline®(合誠)
Tersultran®(永新)
Tusoloc®(順生)

商品名(美國)

Brethaire®(Geigy)
Brethine®(Geigy)
Bricanyl®(Marion)

☞藥物作用

本藥爲一種「支氣管擴張劑」,可以作用於支氣管的肌肉細胞,使支氣管能夠放鬆而擴張開來,以便更多的空氣能夠進入肺部,有助於病人的呼吸。此藥可以用來紓解氣喘病、支氣管發炎和肺氣腫所引起的呼吸困難。

☞用法

此藥包括多種劑型,有普通錠劑、長效錠、糖漿液和口腔噴霧劑等等。它的錠劑分爲普通藥片及持續型釋放錠劑兩種。此藥的錠劑不受食物的影響,空腹或與食物一起服用均可,但是爲了避免對胃的刺激,最好與食物一起服用。如果使用的是液體藥物時,每次在使用之前,應先將藥瓶輕微搖動使藥物能均勻分散,並使用有刻度的量杯或藥管以量取正確的藥量。如有必要時,此藥之藥片可以壓碎服用,但是持續錠應該整顆吞服,不可咀嚼或壓碎服用。如使用的是口腔噴霧劑時,爲了達到完全的藥效,應該在一次使用之前,詳細閱讀說明書,或請教醫師或藥師正確的使用方法。

☞注意事項

本藥的口腔噴霧劑通常附有使用說明書，在使用此藥前，應該詳細加以閱讀，如果有任何疑問或者不知道正確的使用方法，可請教醫師或藥師。

服用此藥可能會造成頭暈目眩的副作用和降低身體正常的警覺性，尤其是剛開始服藥期間，發生此一副作用的機會最大。除非已經適應了此藥的作用，當開車或操作危險機械時，應該格外地小心謹慎。

如果懷孕或餵哺嬰兒，對藥物過敏，或者有癲癇、心臟病、高血壓、糖尿病或甲狀腺機能亢進等等，醫師需要針對這些情況謹慎用藥，因此在使用此藥之前，應該事先通知醫師。

使用噴霧劑的方法，請參見頁18。

使用口腔噴霧劑時，應該避免接觸到眼睛，並且不可接觸到火源，以免造成藥瓶的爆炸。

當使用噴霧劑時，醫師也許會要求同時另外使用Beclomethasone或是Ipratropium的噴霧劑。同時使用此類噴霧劑時，應該先使用本藥，大約等5分鐘後再使用前述提到的藥物。如此一來，本藥物可以藉著支氣管鬆弛擴張的作用先將支氣管打開來，幫助另外一種藥物更深入肺部的微小支氣管，以達到治療氣喘的最大效果。如果覺得所使用的劑量不能紓解症狀、呼吸的頻率加快或者使用藥物的次數增多等等，通常是氣喘加重或支氣管痙攣的先兆。應該盡快通知醫師，他會對病情重新檢查以及評估，以便適當更換或調整藥物的劑量。

服用此藥時，應該完全依照醫師的指示，不可超過醫師所推薦的劑量或次數。過多的劑量有可能會造成嚴重的併發症，甚至可能會使氣喘加重。依照醫師的指示用藥後，如果呼吸的狀況還不能改善的話，就應該通知醫師。

用完口腔噴霧劑後，應該用溫水將噴霧劑的開口處徹底清洗乾淨，並且用紙巾擦乾，一天至少應該清潔一次以保持正常的清潔衛生。在每次使用完噴霧劑後，如果覺得口部或喉嚨乾燥的話，可使用開水漱口，以減少此一副作用。

如果藥物會造成失眠的話，可詢問醫師是否允許將最後一次服藥的時間提前於睡覺前的幾小時服用，以便減少此一副作用。如果在服藥期間，有頭暈目眩副作用發生的話，假使能夠緩慢地起身或站立，應該可減輕此一副作用。

如果要出遠門的話，最好能夠攜帶充分的藥物補給。而在拔牙或動手術之前，應該事先通知醫師有服用此藥。

☞副作用

此藥常見的副作用爲：口乾或喉乾（噴霧劑）、心悸、心跳加快、四肢無力、失眠、血壓升高、肌肉、抽筋、思睡、流汗增加、惡心、嘔吐、緊張不安、顫抖、頭痛、頭暈目眩等。這些副作用，通常在服用藥物一陣子後，應該會漸漸地消失。不過，如果這些副作用強到困擾你的程度，或者經過一段時間後，還不能完全消除，就應該通知醫師。

此藥較嚴重的副作用爲：胸口不舒服或疼痛、連續及嚴重的頭暈目眩、心跳過快或不規則、血壓過高、嚴重的頭痛、連續及嚴重的惡心嘔吐、極度的緊張不安、嚴重的顫抖等。通常這些副作用發生的機率較低，但是如果發生時，此可能是由藥物造成的不良反應，或者是劑量需要調整，應該盡快地通知醫師。

☞懷孕及哺乳

雖然此藥曾經被用來預防孕婦的早產，並且根據動物實驗顯示此藥造成胎兒損傷及缺陷的機會不大，但有報告指出孕婦服用此藥可能會影響子宮的收縮，因而減緩生產的時間，同時有可能使母親的心跳增快、血糖升高，使胎兒心跳增快而血糖降低。當懷孕時，應該通知醫師，他會衡量氣喘的嚴重性以及藥物可能對胎兒的影響，決定是否應該服藥。

此藥會經由母乳到達嬰兒體內，爲了避免造成對嬰兒的不良影響，應該考慮使用其他的乳製品，以取代母乳。

☞忘記用藥

如果忘記服藥的話，應該在記得時，立即使用，並將當天未用完的劑量，依照相等的時間間隔使用完。但是，如果距離下次用藥的時間太近，就應該捨棄此次的藥物，恢復到下次正常用藥的時間，千萬不可一次使用雙倍的劑量。

Terfenadine(特芬那定)

商品名(台灣)

Anconin®(十全)
Arzdane®(利達)
Beloton®(瑞士)
Effie®(塞・Codal)
Ferdin®(衛達)
Harnic®(溫士頓)
Kermine®(永昌)
Mindane®(回春堂)
Nunmine®(永信)
Pantadin®(中化)
Pumiro®(國嘉)
Rocomine®(皇佳)
Swomine®(世達)
T.F® Tablet(正和)
Tamagon®(塞・Medo)
Teldane®(法・Marion)
Telfen®(杏輝)
Tenadine®(優生)
Teramin®(應元)
Terdin®(永盛)
Terdine®(信東)
Terfemine®(華興)
Termin®(安主)
Ternadine®(景德)
Ternamin®(大豐)
Tinmin®(仁興)
Vinna®(中美)
Wamin®(華盛頓)

商品名(美國)

Seldane®(Marion Merrell Dow)

☞藥物作用

本藥爲一種抗組織胺類的「抗過敏」藥。它主要使用於許多過敏反應所引起的皮膚發紅、發癢的現象，以及其他過敏(如花粉過敏)或傷風感冒引起的流鼻水、打噴嚏、眼睛發紅及眼睛發癢等等。本藥較大的優點，就是較其他一般的抗過敏藥有較低的思睡副作用。

☞用法

本藥不受食物的影響，因此空腹或與食物一起服用均可。但是，如果覺得此藥對胃的刺激過大，造成胃的不舒服，與食物或一杯水一起服用，應該可以降低此一症狀。如有必要時，此藥的藥片可以壓碎服用。

☞注意事項

雖然此藥和其他抗過敏藥比較起來，它造成思睡副作用相當低，但是老年人和肝病病人等對它的敏感度較高，仍有可能會造成頭暈及思睡的可能。因此當開車或操作危險機械時，應該格外地小心謹慎。酒精會增加此藥思睡的副作用，應當避免服用。

如果懷孕，對藥物過敏，或者有肝臟疾病、氣喘、青光眼、排尿困難、前列腺腫大、甲狀腺機能亢進、心臟疾病等等，醫師需要針對這些情況謹慎用藥，因此在使用此藥之前，應該事先通知醫師。

安眠藥、肌肉鬆弛劑、鎮靜劑、抗過敏藥、感冒藥、抗抑鬱藥、止痛藥等，都有可能會增加此藥思睡的副作用。同時服用這些藥物之時，應當特別注意其彼此增加思睡的相乘效果。

在做皮膚過敏反應的測試之前，應該事先通知醫師有服用此藥。因爲此藥的抗過敏作用，可能會干擾皮膚過敏測試的結果。

本藥會增加皮膚對陽光的敏感性，如果在陽光下曝曬太久，可能會導致皮膚的過敏或灼傷，應該盡量避免陽光的直接曝曬，同時穿著長袖衣物，以保護皮膚。

如果覺得服用此藥會覺得口渴，放一塊冰塊或者含一顆糖果在嘴內，應該能改善此一口渴的現象。如果口渴的現象超過兩個星期，就應該通知醫師。

此藥可能會與其他藥物產生不良的作用，譬如與Ketoconazole、Itraconazole、Fluconazole等抗黴菌的藥物，或者與Erythromycin、Clarithromycin等抗生素合用的話，則可能會產生嚴重的心律不整。因此服用其他藥物時，無論所服用的是成藥或是處方藥，最好事先能夠徵求醫師或藥師的意見。

☞副作用

此藥常見的副作用爲：口乾、心跳增快、皮膚對陽光敏感、耳鳴、流汗增加、胃口降低、胃腸不適、神經緊張及不正常的興奮、做噩夢、排尿困難、視覺模糊、精神恍惚、輕微的思睡、頭暈等。這些副作用，通常在服用藥物一陣子後，應該會漸漸地消失。不過，如果這些副作用強到困擾你的程度，或者經過一段時間後，還不能完全消除，就應該通知醫師。

此藥較嚴重的副作用爲：心跳不正常、幻覺、失眠、皮膚起紅疹或有青紫色的瘀傷、呼吸困難、恍惚或沮喪、突然發燒、眼睛及皮膚發黃、發冷或喉嚨痛、極端的疲倦、精神極度的興奮等。通常這些副作用發生的機率較低，但是如果發生時，此可能是藥物造成的不良效應，或者是劑量需要調整，應該盡快地通知醫師。

☞懷孕及哺乳

根據動物實驗顯示，在正常的劑量下，此藥尚不至於造成胎兒的生長缺陷。然而也有資料顯示，在高於人類63倍劑量下，此藥會造成動物胎兒體重減輕及存活率降低。當懷孕時，應該通知醫師，他會衡量狀況，決定是否應該服藥。

少量的藥物會經由母乳到達嬰兒體內，爲了避免藥物可能對新生兒造成影響，餵奶的母親應該在服藥的期間，使用其他的乳製品以取代母乳。

☞忘記用藥

如果每天服用此藥，當忘記服藥時，應許在記得，立即服用。但是，如果距離下次服藥的時間太近，就應該捨棄此次的藥物，恢復到下次正常服藥的時間，千萬不可一次服用雙倍的劑量。

Tetracycline(四環黴素)

商品名(台灣)

Achromycin®(立達)
Bristacycline®(必治妥)
Cyclopar®(派德)
Diocyclin®(瑞士・Cimex)
Hostacycline®(赫司特)
Ibicyn®(義・生化)
Servite®(瑞士・SVP)
Teclin®(培力)
Tetocyn®(信東)
Tetracin®(新喜)
Tetralow®(久保)
Tetrarco®(瑞士・雅克)
Tetrasuiss®(瑞士・Lagap)
Wintel®(溫士頓)

商品名(美國)

Achromycin V®(Lederle)
Ala-Tet®(Del-Ray)
Nor-Tet®(Vortech)
Sumycin®(Squibb)

☞藥物作用

本藥爲一種「四環素」的抗生素。它主要的作用是能夠抑制細菌蛋白質的產生,使細菌不能正常地生長與繁殖,導致細菌的死亡。此藥可以治療一些細菌所引起的感染,如支氣管炎、角膜炎、中耳炎、胃腸道感染、咽喉炎、肺炎、鼻竇炎、尿道感染、皮膚感染和梅毒等等。

☞用法

爲了增強藥物的吸收,使用本藥時,最好能在空腹的時候服用,譬如飯前一小時,或飯後兩小時,服用時最好能同時飲用一杯開水。不過如果覺得藥物對胃的刺激過大,造成胃的不舒服,與食物或飯後服用亦可。由於制酸劑及綜合維他命含有礦物質,如鐵、鋁、鎂等,會影響此藥的吸收作用,另外牛奶中含有鈣質,亦會降低此藥的吸收作用,同時使用此類物質時,至少應該與此藥相隔兩小時。如有必要時,此藥的膠囊可以打開來,藥片可以壓碎服用。

☞注意事項

本藥會增加皮膚對陽光的敏感性。如果在陽光下曝曬太久，有可能會導致皮膚的過敏感或灼傷，應該盡量避免陽光直接曝曬，同時穿著長袖類衣物，以保護皮膚。

如果懷孕，用母乳餵哺嬰兒，對藥物過敏，或者有肝臟疾病、腎臟病等等，醫師需要針對這些情況，謹慎用藥，因此在使用此藥之前，應該先通知醫師。

此藥會使小孩的牙齒呈現灰暗色，造成牙齒外層琺瑯質的發育不全。因此懷孕的婦女、餵奶的母親和年齡少於8歲的小孩，不可服用此藥。

牛奶製品，制酸劑，治療貧血用的鐵製劑，或者是含鐵、鈣類的綜合維他命等，這些物質都有可能會降低此藥在體內的吸收，服用此類的藥物或食物時，至少應該與此藥相隔約兩三小時。

如果使用已過期的藥物，可能會造成對腎臟的極大毒性，因此在使用此藥之前，應該詳細檢查有效日期，如果過期了，就不該使用。另外在用完藥物之後，最好也能將未用完的藥物丟棄。

服用此藥時，必須依照醫師的指示服完所有的處方藥物，即使覺得症狀已經完全消除，仍舊需要服完所有處方的份量，以免感染復發，或將來細菌產生抗藥性。

爲了達到最佳的滅菌效果，此藥必須在血中達到固定的濃度，因此最好每天在相等的時間間隔下服藥。如果一天服藥3次，最好每隔8個小時服用一次，並且不可忘記。

服用此藥一陣子後，如有拉肚子的現象時，此可能是抗生素破壞了胃腸內細菌的平衡所引起的，不可自行服用止瀉藥物，因爲如果使用了錯誤的藥物，有可能會使腹瀉的現象更爲惡化。應該請教醫師，由他做適當的治療。

由於此藥爲一種廣效的抗生素，女性長期服用此藥後，可能會殺死陰道內某些種類的細菌，而造成其他真菌或黴菌類微生物過度的繁殖，間接地影響到陰道內生態的平衡，最後可能會造成陰道的搔癢。如果有此一現象發生時，應該通知醫師。

服用此藥後，有可能會降低服避孕藥的作用，服用此藥時最好能同時使用其他有效的避孕方法，譬如使用保險套等來避孕。此藥會干擾糖尿病患者尿液血糖測量的結果，因此如果要依照此一測量結果而改變飲食或劑量時，應該事先徵求醫師的意見。

☞副作用

此藥常見的副作用爲：皮膚對陽光敏感、胃腸不適、陰道或肛門搔癢、噁心、嘔吐、頭暈目眩等。這些副作用，通常在服用藥物一陣子後，應該會漸漸地消失。不過，如果這些副作用強到困擾你的程度，或者經過一段時間後，還不能完全清除就應該通知醫師。

此藥較嚴重的副作用爲：口渴、皮膚變暗、頻尿及尿量增加。通常這些副作用發生的機率較低，但是如果發生時，此可能是藥物造成的不良反應，或者是劑量需要調整，應該盡快地通知醫師。

☞懷孕及哺乳

此藥會影響胎兒骨骼及牙齒的發育，並且可能會使胎兒將來的牙齒呈現灰暗色、造成牙齒外層琺瑯質的發育不全。因此，除了有絕對的需要並經醫師許可外，懷孕的婦女應該避免服用此藥。

此藥會經由母乳到達嬰兒體內，可能會影響新生兒骨骼及牙齒的發育，造成嘴部真菌等微生物的感染。餵奶的母親應該停止用母乳餵哺嬰兒，而改用其他的乳製品以取代母乳。

☞忘記用藥

如果忘記服藥，應該在記得時，立即服用。但是，如果距離下次服藥的時間太近，而又是一天服藥一次，就應該先服用所遺忘的藥物，然後等約10至12小時後，再服用下次的劑量；如一天服藥兩次，應該先服用所遺忘的藥物，然後等約5至6小時後，再服用下次的劑量；如果一天服藥3次以上，應該先服用所遺忘的藥物，然後等約兩三小時後，再恢復到下次正常服藥的時間。

Theophylline(茶鹼)

商品名(台灣)

Austyn®(澳・Faulding)
Chijuchuan®(大全榮)
Euphyllin®(德・BYK)
Nuelin SR®(澳・3M)
Theo-2®(葡・SMB)
Theo-24®(希爾)
Theoclear®(美・中央)
Theolan SR®(愛・Elan)
Theovent®(美・先靈)
Uni-Dur®(先靈)
Uniphyllin®(英・Napp)
Ventol®(瑞安)
Xanthium®(葡・Galephar)

商品名(美國)

Constant-T®(Geigy)
Elixophyllin®(Forest)
Slo-Bid®(Rhone-P.)
Slo-Phyllin®(Rorer)
Theo-24®(Searle)
Theo-Dur®(Key)
Theolair®(3M)
Uniphly®(Purdure)

☞藥物作用

本藥爲一種「支氣管擴張劑」，可以直接作用於支氣管的肌肉細胞，使支氣管能夠放鬆而擴張，讓更多的空氣能夠順利地進入的肺部，有助於病人的呼吸。此藥可以用來紓解氣喘病、支氣管炎和肺氣腫引起的呼吸困難。

☞用法

爲了增強藥物的吸收，使用本藥時，最好能在空腹的時候服用，譬如飯前一小時，或飯後兩小時，服用時最好能同時飲用一杯開水，以減少胃的刺激。如果使用的是長效型藥片，服用此藥片時，應該吞服整顆的藥物，不可在嘴內咀嚼或壓碎服用。如果覺得此藥的藥片過大，會造成吞嚥的困難，可沿著藥片的中線切開兩半使用。當使用膠囊時，如果覺得膠囊過大，則可將它打開，將裡面的小顆粒擺在柔軟的食物上使用，切忌在嘴中咀嚼，以免膠囊裡面的小顆粒破碎，使得大量的藥物立即被吸收入體內，造成藥物過量中毒的危險。如使用液體藥物時，每次在使用之前，應該使用有刻度的量杯或藥管，以量取正確的藥量。

☞注意事項

本藥的化學結構與咖啡因極爲類似，它具有咖啡因的許多特性，譬如可能產生失眠、精神緊張和胃不舒服等等。另外也應當避免服用大量含有咖啡因的飲料，如咖啡、可可、可樂等等，以免增加此藥的副作用。同時，如果對咖啡過敏的話，也不該服用此藥。

如果懷孕，對藥物過敏，經常飲用大量的酒，或者有胃潰瘍、甲狀腺機能亢進、高血壓、腎臟病、肝臟疾病、心臟病等等，醫師需要針對這些情況謹慎用藥，因此在使用此藥之前，應該事先通知醫師。

服用此藥後，醫師需要定期評估藥效，尤其在服藥後的頭幾個星期，醫師也許會要求驗血以測量此藥在血中的濃度，患者必須遵從醫師的指示，定期到醫院做檢查。

由於此藥在體內的濃度、藥效、副作用和安全性占有極大的重要性。因此，應當完全依照醫師指示服藥。如果服用的次數或劑量過高，可能會造成極大的副作用及危險性；如果服用的次數或劑量過低，則不容易達到治療效果。

剛開始服用此藥時，可能會覺得情緒緊張不安、睡不著覺和有惡心的感覺。但是在經過一段時間後，此一狀況會漸漸地消失。不過，如果此一狀況繼續下去時，也許是藥物的劑量太大，應當通知醫師，他也許會考慮減少劑量。

如果服藥後，經常有拉肚子的現象，此可能是劑量過高，應當通知醫師，他可能會考慮調整劑量。

此藥在體內若能達到固定的濃度，則可達到最好的藥效，因此，最好能將一天24小時分隔爲相等的時段給藥。如一天服藥4次，則分隔爲每6個小時給藥一次；如一天服藥3次，則分隔爲每8個小時給藥一次。並且應該完全遵照醫師的處方服藥，更不可忘記。

使用準確的劑量對現有的病況相當重要，服用此藥一段長時間後，除非經過醫師的許可外，最好不要換別種廠牌的藥品。不同廠牌的藥品，雖然標示的劑量或成分相同，但是由於各個藥廠品管的能力、藥物劑型的不同，都有可能會影響藥物在體內的釋放及吸收，其在體內所產生的濃度及藥效也不見得相同。

市面上許多治療氣喘、過敏、感冒、咳嗽的成藥或處方藥中，含有會增加此藥副作用的成分，因而造成緊張、不安、惡心、嘔吐的副作用。因此在服用此類藥物之前，最好能諮詢醫師或藥師。

在拔牙或動手術之前，應該事先通知醫師有服用此藥。

如果覺得所使用的劑量不能紓解症狀、呼吸的頻率加快或者使用的次數增多等等，通常這是氣喘病情加重或支氣管痙攣的先兆。應該盡快通知醫師，他會對病情重新做檢查及評估，以便更換或調整藥物的劑量。

☞副作用

此藥常見的副作用爲：失眠、胃口消失、拉肚子、胃抽痛、胸口灼熱、惡心、腹部抽痛、嘔吐、緊張不安、頭痛、頭暈目眩等。這些副作用，通常在服用藥物一陣子後，應該會漸漸地消失。不過，如果這些副作用強到困擾你的程度，或者經過一段時間後，還不能完全消除，就應該通知醫師。

此藥較嚴重的副作用爲：心跳不正常、肌肉顫抖、呼吸加快、呼吸困難、昏迷、疲倦無力、痙攣發作、精神恍惚、糞便變黑、嚴重的腹痛等。通常這些副作用發生的機率較低，但是如果發生時，此可能是藥物造成的不良反應，或者是劑量需要調整，應該盡快地通知醫師。

☞懷孕及哺乳

目前爲止，尚無資料顯示此藥會造成胎兒的缺陷。但是動物實驗顯示，在高於人類30倍劑量的情況下，則有可能會引起老鼠胎兒的缺陷。另外此藥可經由胎盤進入胎兒體內，孕婦服用此藥可能會造成新生兒出生後，心跳加快、緊張不安和嘔吐等等副作用。當懷孕時，應該通知醫師，他會衡量情況，決定是否應該服藥。

此藥可經由胎盤到達嬰兒體內，可能會造成新生兒的煩躁不安、失眠以及胃腸不適等副作用，因此，在使用此藥期間，應該停止餵食母乳，而改用其他的乳製品來取代。

☞忘記用藥

如果忘記服藥，應該在記得時，立即服用。但是，如果距離下次服藥的時間太近，就應該捨棄此次的藥物，恢復到下次正常服藥的時間，千萬不可一次服用雙倍的劑量。如果因爲忘記服藥而產生嚴重氣喘的話，就應當立即通知醫師。

Thyroid(甲狀腺素)

商品名(台灣)

Thyrodin®(優良)
Thyroid®(多家藥廠)

商品名(美國)

Armour Thyroid®(R.P.R)
Thyrar®(R.P.R)
Thyroid®USP(多家藥廠)

☞藥物作用

本藥為一種從動物甲狀腺提煉出的「甲狀腺素」。甲狀腺素為一種荷爾蒙，如果體內缺少了它，則許多正常的功能將會受到干擾，可能會影響到身體正常的發育生長及新陳代謝，並且可能會產生便秘、皮膚乾燥膨鬆、掉髮、精力缺乏、頭痛、怕冷、體重增加等症狀。此藥主要是補充先天性甲狀腺機能不足，或者後天手術或放射線摘除甲狀腺所引起的甲狀腺不足。

☞用法

此藥應該在空腹的時間服用，並且最好在早餐之前服用。由於可能需要使用此藥一輩子，因此，最好養成每天在早晨起床後立刻服藥的習慣，以減少忘記。如有必要時，此藥的藥片可以壓碎服用。小孩服用此藥，如有必要時，可以將此一藥片壓碎與少量食物或水一起服用。但是，切記不可將壓碎的藥粉倒入整杯的水中，以免藥物過於稀釋，未能服用完所有的藥物而影響到病情。

☞注意事項

如果懷孕，對藥物過敏，或者有腎臟病、腎上腺機能不足、糖尿病、血管硬化、心臟疾病、高血壓等等，醫師需要針對這些情況謹慎用藥，因此在使用此藥之前，應該事先通知醫師。

服用此藥後，醫師必須定期測試體內甲狀腺素的含量以及身體對此藥的反應，然後再適當地調整劑量。因此必須按照醫師的指示，定期到醫院或診所做檢查。劑量適當地調整對小孩尤其重要，劑量不足可能會影響到小孩的智能發展和身體正常的成長。

如果服用此藥的目的是治療體內分泌過低的甲狀腺素，則可能一生都需要服用此藥，除非醫師在某種情況下要求停藥外，千萬不可自行停止服用此藥。

小孩剛服用此藥後，可能會發生脫髮的現象，但是經過幾個月後，頭髮應該會漸漸地恢復。由於此藥對小孩將來智能的發育及身體正常的生長有極密切的關係，孩子的父母必須每天定時餵小孩服藥，並且每隔一段時間後，應該按照醫師的指示到醫院驗血，以作爲醫師調整劑量的參考。

如果同時服用降膽固醇的藥物Cholestyramine時，由於此藥具有極大的吸附作用，很可能會降低此甲狀腺藥物的作用。因此必須等到吃完Cholestyramine的4小時後，才能服用此藥。要不然，可先服用此甲狀腺藥，然後等到一個小時後，才服用Cholestyramine。

服用此藥一段長時間後，除了醫師同意外，最好不要換別種廠牌的藥品。不同廠牌的藥品，雖然標示的劑量或有效成分相同，但是由於各個藥廠品管的能力，以及生產過程中所使用的添加物不同，都有可能會影響此藥在體內的吸收，因此其在體內所產生的濃度及藥效也不見得會相同。

當懷孕時，應該通知醫師有服用此藥，雖然此藥不見得會對胎兒造成不良的影響，但是醫師可能會因爲患者懷孕而適當地調整服用劑量。

☞副作用

此藥常見的副作用爲：皮膚乾燥膨鬆、怕冷、便秘、掉髮、精力缺乏、體重增加、頭痛等等，這些通常是甲狀腺機能不足的症狀。此藥其他可能的副作用爲：月經不規則、心跳加快或加強、失眠、肌肉痛、怕熱、呼吸加快、拉肚子、流汗、胸口疼痛、發燒、腳抽筋、緊張不安、顫抖、體重降低等等，這些通常是甲狀腺機能亢進的症狀。如果有上述綜合症狀發生的話應該通知醫師，他會要求重新驗血並適當地調整劑量。

☞懷孕及哺乳

一般來講，孕婦使用此藥是安全的。僅有極微量的藥物可能會經由胎盤進入胎兒體內，並且從臨床經驗顯示，此藥造成胎兒不良反應的可能性相當低。孕婦可能需要服用不同於平常的劑量，當懷孕時，應該確實遵照醫師所指示的劑量服用。

在正常的情況下，餵奶的母親在使用此藥時，一般而言對嬰兒是安全的。

☞忘記用藥

如果忘記服藥，應該在記得時，立即服用。但是，如果距離下次服藥的時間太近，就應該捨棄所遺忘的藥物，恢復到正常服藥的時間，千萬不可一次服用雙倍的劑量。

Ticlopidine(梯可比定)

商品名(台灣)

Declot®(衛達)
Kaniya®(新東)
Licodin®(東洋)
Menchuan®(瑞士)
Nichistate®(日・Nihon)
Panaldine®(第一)
Pietenale®(日・Yoshindo)
T.C.P®(景德)
Ticlid®(法・賽諾菲)
Ticlopine®(厚生)

商品名(美國)

Ticlid®(Syntex)

☞藥物作用

本藥爲一種「增進血液循環」的藥物，可以使血管內血液的黏度降低，使血液更易在體內流通，以便攜帶更多的氧氣到身體各組織器官，因此可以用來改善腳部血液不流通及缺氧所造成的行動困難、疲乏和疼痛。此藥並能抑制血液中血小板的凝結作用，防止血液凝結爲小的血塊，堵塞住腦部的微血管而造成血管的破裂，因此也可用來預防腦中風的發生。

☞用法

爲了加強藥物的吸收、減輕藥物造成的頭暈目眩，以及避免藥物產生對胃腸的刺激作用，服用此藥時，最好能與食物或飯後服用。如果一天服藥兩次，可於早餐及晚餐後各服藥一次。如有必要時，此藥的藥片可以壓碎服用。

☞注意事項

服用此藥後，可能會產生輕微的頭暈目眩，因此，在尚未完全適應此藥之前，當開車或操作危險機械時，應該格外地小心謹慎。

如果懷孕或餵哺嬰兒，對藥物過敏，或者有不正常流血的症狀、胃潰瘍、肝臟疾病、血球數量過低等等，醫師需要針對這些情況謹慎用藥，因此在使用此藥之前，應該事先通知醫師。

此藥可能會降低血液內白血球的產生，由於白血球在體內能夠抵抗外來病菌的侵犯，使身體不受細菌感染而生病，如果白血球減少，將容易遭受到細菌的感染。因此在服藥後，尤其在前三個月，醫師需要定期評估藥效、檢查體內白血球的含量，因此必須遵從醫師的指示，定期到醫院做檢查。在服藥期間，如果產生細菌感染的症狀，如發熱、發冷、喉嚨痛或咳嗽等，就應該盡快地通知醫師。

此藥會抑制血液的凝固使流血的時間增長，因此在拔牙或動手術之前，應該事先通知醫師。他也許會在動手術前的10至14天內，要求停止服用此藥，以免到時造成過量的流血。

此藥與阿斯匹靈或其他的抗凝血藥物，如Warfarin等一起服用的話，可能會使流血的機會增高。爲了降低此一危險性，應該在購買成藥或處方藥時，詳細詢問藥師所購買的是否含有阿斯匹靈，或其他抗凝血的藥物。

服用此藥期間，應該避免從事高危險性的運動，以免萬一受傷，可能會造成體內或外部器官大量流血。同時，也應該避免受到器械的割傷或身體碰撞而產生瘀傷。在刷牙時，應該使用柔軟的牙刷以免刺激牙齦出血，刮鬍子時最好能使用電動刮鬍刀，而不要使用刀片。

☞副作用

此藥常見的副作用爲：拉肚子、胃口降低、胃痛、排氣增加、惡心、嘔吐、頭痛、頭暈等。這些副作用，通常在服用藥物一陣子後，應該會漸漸地消失。不過，如果這些副作用強到困擾你的程度，或者經過一段時間後，還不能完全消除，就應該通知醫師。

此藥較嚴重的副作用爲：皮膚突然產生青紫色的瘀傷、皮膚起紅疹或發癢、突然發熱、眼睛或皮膚發黃、發冷或喉嚨痛等。通常這些副作用發生的機率較低，但是如果發生時，此可能是藥物造成的不良反應，或者是劑量需要調整，應該盡快地通知醫師。

☞懷孕及哺乳

根據動物實驗顯示，在正常劑量下，尚無資料顯示此藥會造成動物胎兒的不良作用。然而，此藥對孕婦的影響，仍須更廣泛的醫學數據做進一步的評估，當懷孕時，最好能與醫師討論此藥可能對胎兒的影響，他會衡量，決定是否應該服藥。

目前為止，尚不知此藥是否會經由母乳到達嬰兒體內，為了避免藥物可能對新生兒造成不良的影響，餵奶的母親在使用此藥之前，應該徵求醫師的指示或使用其他乳製品，以取代母乳。

☞忘記用藥

如果忘記服藥時間不超過4小時，就應該立即服用。但是，如果超過4小時，就應該捨棄此次的藥物，恢復到下次正常服藥的時間，千萬不可一次服用雙倍的劑量。

Timolol(梯莫洛)

商品名(台灣)

Apo-Timop®(加・Apotex)
Cusimolol®(西・Cusi)
Demorol®(西德有機)
Himitan®(中美)
Oftan Timolol®(芬・Leiras)
Timohexal®(德・Hexal)
Timol®(聯邦)
Timoptol®(美・Merck)
U-Timol®(優良)
Waucosin®(希・Proel)

商品名(美國)

Timoptic®(Merck)

☞藥物作用

本藥爲一種治療「青光眼」的眼藥水。青光眼的造成，主要是由於眼球內部液體不正常的增加，或者是液體堵塞不能流出，迫使眼球內部的壓力亦隨之增加，最後壓迫到視覺神經，使視神經受損，如果不加以治療的話，有造成瞎眼的可能。本藥的作用，就是能降低眼球內液體的產生，間接地降低眼內壓，而達到治療的目的。

☞用法

此藥通常是一天使用一次或兩次。使用此眼藥水的步驟，請參見頁93。

☞注意事項

剛使用此眼藥水後的幾分鐘內，也許會造成眼睛短暫的模糊不清。因此，在眼睛尚未完全適應之前，當開車或操作危險機械時，必須小心謹慎。

如果懷孕，對藥物過敏，或者有氣喘、支氣管炎、肺氣腫、心臟疾病、糖尿病、重症肌無力症、甲狀腺機能亢進等等，醫師會針對這些情況謹慎用藥，因此在使用此藥之前，應該事先通知醫師。

此藥只能用來控制青光眼，並不能完全根治它。因此，除非有醫師的特別指示，即使覺得眼睛的狀況良好，仍然需要繼續依照醫師的指示使用；停止用藥有可能會使青光眼的情況惡化。

在點眼藥之前，應該先用肥皂將手徹底清洗乾淨。爲了避免汙染整瓶藥水，應該避免將藥瓶的前端接觸到手或眼睛。用完藥水後，亦不可用紙巾或布擦拭或者用水清洗藥瓶的前端，並盡快地將藥瓶蓋住。

雖然此藥爲一眼藥水，但是亦不能使用超出醫師所指示的劑量或次數。過多的藥物有可能會被吸收入體內，而經由血液到達身體其他的部位，造成許多全身性的不良副作用。

在使用此藥幾天後，如果仍然有視覺模糊或眼睛痛等症狀，就應該通知醫師。在使用此藥一陣子後，也應該定期到醫院或診所做檢查。醫師會根據此藥的藥效，做進一步的診治或劑量的調整。

在拔牙或動手術之前，應該事先通知醫師有使用此藥。

☞副作用

在正常劑量的情況下，此藥造成副作用的機率並不是很高，只有在剛開始點眼藥水的時候，可能會造成灼熱感、流眼淚、眼睛不舒服、眼睛輕微的刺痛等等。但是經過幾分鐘後，此現象應該會消失。不過，如果症狀嚴重到不能忍受的程度，或者有心跳變慢、失眠、呼吸困難、腳部腫脹、精神沮喪、體重突然增加等等情況發生的話，就應該盡快地通知醫師。

☞懷孕及哺乳

此藥能經眼睛的吸收而到達母親的血液循環，如果使用的劑量過大或過於頻繁，仍有可能會對胎兒造成影響。雖然動物實驗顯示此藥並不會造成胎兒的生長缺陷，但仍有實驗顯示，在超過人類50倍的劑量下，此藥會影響動物胎兒骨骼的成長，造成胎兒的損傷。爲了避免萬一，懷孕的婦女在使用此藥之前，應該經醫師的同意，並且嚴格遵守醫師的指示用藥。

此藥會經由母乳到達嬰兒體內，但尚無報告顯示會造成新生兒的不良作用。餵奶的母親在使用此藥期間，應該密切注意嬰兒的反應或改用其他的乳製品取代。

☞忘記用藥

如果一天使用此藥物一次，應該在記得時，立即使用。但是如果等到第二天才記起來，就應該捨棄所遺忘的藥物，恢復到正常用藥的時間，不可使用雙倍的劑量。如果一天使用兩次或兩次以上，應該在記得時，立即使用。但是，如果距離下次用藥的時間太近，就應該捨棄此次的藥物，恢復到下次正常用藥的時間，千萬不可一次使用雙倍的劑量。

Tobramycin(泰北黴素)

商品名(台灣)

Cleo®(瑞安)
Tobra®(優良)
Tobrex®(比・愛爾康)

商品名(美國)

AKbrex®(Alcon)
Tobrex®(Alcon)

☞藥物作用

本藥為一種「抗生素」。它主要的作用是能阻礙細菌蛋白質的合成與複製，使細菌不能正常生長和繁殖，最後導致細菌的死亡。此藥為一種強力及廣效的抗生素，可用於某些細菌所引起的眼睛感染，如結膜炎、角膜炎、眼球炎等等。

☞用法

此眼藥水通常是每4個小時使用一次，而眼藥膏通常一天使用兩三次。使用此眼藥水的步驟，請參見頁93。

使用此眼藥膏的步驟，請參見頁314。

☞注意事項

使用此眼藥水或藥膏後的頭幾分鐘，也許會產生眼睛短暫的模糊不清。因此，在眼睛尚未完全適應之前，當開車或操作危險機械時，必須小心謹慎。

如果同時需要使用兩種以上的眼藥水或藥膏時，除了醫師的指示外，應該將兩次用藥的時間至少相隔約5分鐘，以確保彼此不會干擾對方的吸收。同時也應該考慮先使用眼藥水，後用眼藥膏，因為藥膏屬於油性軟膏，可能會干擾其他液體藥物的吸收。

使用此藥時，必須依照醫師的指示使用完所有的處方藥物(大約7至14天)，即使覺得感染的症狀已經完全消除，仍須使用完所有處方的份量，以免感染復發或將來細菌產生抗藥性。

如果長期或過度使用此眼藥水的話，可能會造成眼睛其他細菌或真菌過度的繁殖，反而會導致眼睛另外一次的感染。因此當使用此眼藥水時，應該完全按照醫師的指示使用，不可超出使用的劑量、次數及時間。

使用此藥兩三天後，如果感染的症狀完全沒有改善的話，也許此藥並不適用於此類細菌所造成的感染，應該盡快地通知醫師，醫師也許會考慮改換其他類的抗生素來治療。另外，如果在治療的過程中，眼睛有惡化或者有疼痛、視力消退、眼睛發紅、發腫現象的話，也應該盡快通知醫師。

為了使感染的眼睛盡快康復，以及避免接觸感染到另一隻眼睛，使用化妝品時，應該盡量避免塗抹在眼睛四周。

本藥為醫師針對病情所下的處方，如果下次有類似的感染，雖然產生的症狀相同，也許感染的病菌不同，使用此藥不見得有效，更有可能會延誤病情。因此須依照醫師的指示用藥，更不可將此藥留給他人使用。

☞副作用

在正常劑量的情況下，此藥造成副作用的機率並不是很高，只有在剛開始點眼藥水的時候，可能會造成灼熱感、流眼淚、眼睛不舒服、眼睛發腫、眼睛輕微的刺痛、視覺模糊(眼藥膏)等等。但是經過幾分鐘後，此現象應該會消失。不過，如果症狀嚴重到不能忍受的程度，就應該盡快地通知醫師。

☞懷孕及哺乳

此藥雖然為一眼藥水，但是仍然能經由眼睛的吸收而到達母親的血液循環，如果使用的劑量過大或過於頻繁，仍有可能會對胎兒造成影響。由於曾有資料顯示，孕婦使用此藥可能會造成嬰兒聽覺方面的障礙，因此，除了有絕對的需要，並且經由醫師同意外，孕婦應該避免服用此藥。

此藥會經由母乳到達嬰兒體內，但在正常的眼用劑量下，尚無報告顯示會造成新生兒的不良作用。餵奶的母親在使用此藥期間，應該密切地注意嬰兒的反應，或改用其他的乳製品取代。

☞忘記用藥

如果忘記點眼藥水的話，應該在記得時，立即使用。並將當天未用完的劑量，依照相等的時間間隔使用完。但是，如果距離下次用藥的時間太近，就應該捨棄此次的藥物，恢復到下次正常用藥的時間，千萬不可一次使用雙倍的劑量。

Tolmetin(妥美汀)

商品名(台灣)

Tolectint®(美・McNeil)

商品名(美國)

Tolectin DS®(McNeil)
Tolectin®(McNeil)

☞藥物作用

本藥為一種「非固醇類止痛及抗發炎」的藥物，其主要的作用，就是能阻止體內「前列腺素」的產生，此一化學物質通常是造成關節疼痛和發炎的主要原因，因此可以用來解除風濕性關節炎和骨關節炎所引起的關節僵硬、疼痛、發炎以及發腫的現象。此藥同時可以當作止痛藥使用，可以消除多種輕微到中度的疼痛，如頭痛、牙疼、月經痛和肌肉扭傷所引起的疼痛等。

☞用法

為了減輕對胃的刺激，此藥最好與食物或飯後服用，並同時飲用一杯水(約240cc.)。在服用完藥物後的15至30分鐘內，最好不要立即躺下，以免藥物對上消化道直接刺激。如有必要時，此藥的藥片可以壓碎，膠囊可以打開來服用。

☞注意事項

服用此藥後，可能會產生輕微頭暈目眩及視覺模糊的副作用，並且可能會產生疲乏的感覺。因此，在尚未完全適應此藥之前，當開車或操作危險機械時應該格外小心謹慎。

如果懷孕或餵哺嬰兒，對藥物過敏，或者有胃出血、氣喘、胃潰瘍、糖尿病、心臟疾病、血液凝固方面的問題、腎臟病、高血壓等等，醫師需要針對這些情況謹慎用藥，因此在使用此藥之前，應該事先通知醫師。

長期服用此藥對胃的刺激非常大，因此應該隨時留意是否有胃出血或胃潰瘍的發生。如果有暗黑色條紋或塊狀的糞便時，此爲內出血的徵兆，應該通知醫師做進一步的檢查。

服用阿斯匹靈或酒精會增加此藥對胃腸的刺激作用，應該盡量避免與此藥一起合用。同時一些抗關節炎的藥物，或者抗凝血劑也會增加胃腸的刺激作用、降低血液凝固的能力，如果長期與此藥合用，有造成胃出血的可能。因此同時使用這些藥物時，應該事先得到醫師的許可。

如果服用此藥的目的在治療關節炎，通常在服藥的一個星期之內，四肢關節的症狀應該有所改善，但是通常此藥至少必須經過兩三個星期的時間，才能完全達到藥物最大的作用。另外，由於此藥只能改善關節炎的症狀，並不能完全治癒關節炎，必須長期按時服用，才能達到最好的效果，也不能因爲一時覺得症狀已經改善而停止服藥。

此藥會抑制血液的凝固而使流血的時間增長，因此在拔牙或動手術之前，應該事先通知醫師，通常在手術前的幾天內，醫師會要求停止服用此藥，以免手術進行當中造成過量流血的現象。

此藥有可能會增加水分在體內的滯留，間接地有可能會使血壓升高，或增加心臟的工作量。因此應該隨時留意四肢，如果發現有腫脹的情況時，就應該通知醫師。

老年人對此藥所引起的胃腸副作用，如胃潰瘍、胃出血等等較一般人敏感。同時，由於老年人的腎臟功能較一般人爲差，藥物經由腎臟排出體外的能力也相對地降低，最後有可能會導致藥物的積聚，而引起腎臟及肝臟的毒性。醫師可能會要求此類的病人服用較一般人爲低的劑量，甚至到減半的程度。因此當使用此藥時，應該完全遵照醫師所指示的劑量使用。

☞副作用

此藥常見的副作用爲：下痢、失眠、便秘、胃腸不適或疼痛、消化不良、疲倦、胸口灼熱、惡心、腹部脹氣、嘔吐、精神緊張、輕微的思睡、體重降低、頭痛、頭暈目眩等。這些副作用，通常在服用藥物一陣子後，應該會漸漸地消失。不過，如果這些副作用強到困擾你的程度，或者經過一段時間後，還不能完全消除，就應該通知醫師。

此藥較嚴重的副作用爲：心跳不正常、皮膚起紅疹或發癢、吐血或含暗黑色的物質、含有帶黑色的糞便、呼吸困難、氣喘、胸痛、發冷及喉嚨痠痛、發熱、腹痛或胃痛、嚴重的頭痛等。通常這些副作用發生的機率較低，但是如果發生時，此可能是藥物造成的不良反應，或者是劑量需要調整，應該盡快地通知醫師。

☞懷孕及哺乳

目前爲止，尙無資料顯示此藥會造成胎兒生長缺陷，但是懷孕婦女最好不要服用此藥。因爲根據動物實驗顯示，孕婦於懷孕後期，尤其是最後三個月服用此藥的話，可能會造成胎兒心臟及血液循環方面的問題。同時，此藥可能會增長孕婦懷孕及生產的時間以及其他生產過程中的問題。

少量的藥物會經由母乳到達新生兒體內，造成新生兒血液循環及心臟血管方面的問題。餵奶的母親應該考慮用其他乳製品以取代母乳。

☞忘記用藥

如果忘記服藥，應該在記得時，立即服用。但是，如果一天服藥兩次以上，而距離下次服藥的時間少於4小時，就應該捨棄此次的藥物，恢復到下次正常服藥的時間，但是不可以一次服用雙倍的劑量。

Tramadol(安美度)

商品名(台灣)

Limadol®(南光)
Tramal®(德・Grunenthal)

商品名(美國)

Ultram®(0rtho-McNeil)

☞藥物作用

本藥爲一種化學合成的中度到強度的「非麻醉品類止痛劑」,主要作用於腦部的止痛受體細胞,而達到止痛的作用。此藥可用於手術後、身體重大傷害和癌症等所引起的中度到強烈的疼痛。

☞用法

本藥不受食物的影響,因此空腹或與食物一起服用均可,不過最好與食物一起服用,以免引起對胃的刺激。如有必要時,此藥的藥片可以壓碎服用。除非醫師特別指示,此藥通常在感覺疼痛的時候才服用。

☞注意事項

此藥會產生想睡覺及頭暈目眩的感覺,並且可能會降低正常的判斷能力,尤其是剛開始服藥期間,發生的可能較大,因此除非已經適應了此藥的作用,當開車或操作危險機械時,應該格外小心謹慎。酒精會增加此藥思睡的副作用,應當避免飲用或限制酒量。

如果懷孕,對藥物過敏,經常飲用大量的酒,或者有肝臟疾病、腎臟病、氣喘或呼吸系統的毛病、癲癇、頭部受傷等等，醫師需要進一步考慮這些情況，並且謹慎用藥，因此在使用此藥之前，應該事先通知醫師。

安眠藥、肌肉鬆弛劑、鎮靜劑、抗過敏藥、感冒藥、抗抑鬱藥、止痛藥等等，這些藥物都有可能會增加此藥思睡的副作用。同時服用這些藥物時，應當特別注意彼此增加思睡的相乘效果。

服藥時，應該完全遵照醫師所處方的劑量。如果使用的劑量過大，則有造成呼吸抑制及產生痙攣的可能。同時，飲酒也會增加此一危險性，因此在服用此藥時應該避免喝酒。

服用此藥後也許會產生口渴的現象，但是如果能夠含一塊冰塊或糖果在嘴內的話，應該可以減少此一副作用。如果在服藥期間有便秘發生的話，就應該多食用蔬菜或水果等幫助消化的食物，並且在許可下，多做運動或飲用多量的水。

剛開始服用此藥時，可能會產生頭昏眼花的感覺，尤其是突然站立或坐起時，不過如果能夠緩慢地站立或坐起，應該會減少此一現象。

☞副作用

此藥常見的副作用爲：口乾、皮膚發癢、全身無力、拉肚子、便秘、流汗增加、惡心、嗜眠、嘔吐、頭痛、頭暈目眩等等。這些副作用，通常在服用藥物一陣子後，應該會漸漸地消失。不過，如果這些副作用強到困擾你的程度，或者經過一段時間後，還不能完全消除，就應該通知醫師。

此藥較嚴重的副作用爲：心跳過快、皮膚起紅疹、肌肉顫抖、呼吸困難、極度的興奮不安、精神沮喪、精神恍惚等等。通常這些副作用發生的機率較低，但是如果發生時，此可能是藥物造成的不良反應，或者是劑量需要調整，應該盡快地通知醫師。

☞懷孕及哺乳

動物實驗顯示，在正常劑量下，此藥並不會造成動物胎兒的生長缺陷，然而在極高的劑量下，則會影響到動物胎兒骨骼的成長、降低胎兒的體重。由於動物實驗的結果，與人體的反應並不一定完全相同，並且此藥對人體實驗的數據有限，因此當懷孕時，最好能通知醫師，他會衡量狀況，決定是否應該服藥。

此藥會經母乳到達新生兒體內，爲了避免藥物對嬰兒造成不良的副作用，餵奶的母親應該使用其他的乳製品，以取代母乳。

☞忘記用藥

如果忘記服藥，應該在記得時，立即服用。但是，如果距離下次服用的時間太近，就應該捨棄所遺忘的藥物，恢復到正常服藥的時間，千萬不可一次服用雙倍的劑量。

Trazodone(查諾頓)

商品名(台灣)

Mesyrel®(美時)

商品名(美國)

Desyrel®(Mead Johnson)

☞藥物作用

本藥爲一種「抗憂鬱」藥物。病變所引起的憂鬱或沮喪，是由於腦部負責神經傳導的化學物質，失去了平衡所造成的。此藥的作用就是能使此類的化學物質，恢復到正常的含量，使病人的心情漸漸恢復到開朗與自信。

☞用法

此藥應該與食物或者在飯後服用，以減輕藥物對胃的刺激和藥物所產生的頭暈目眩的副作用。如有必要時，此藥的藥片可以壓碎與食物或開水一起服用。

☞注意事項

此藥會產生想睡覺或視覺模糊的感覺，尤其是當剛開始服藥期間，除非已經適應了此藥的作用，當開車或操作危險機械時，應該格外小心謹慎。酒精會增加此藥思睡的副作用，應當避免飲用或限制酒量。

如果懷孕，對藥物過敏，經常飲用大量的酒，或者有心臟疾病、腎臟病、肝臟疾病等等，醫師需要針對這些情況謹慎用藥，因此在使用此藥之前，應該事先通知醫師。

安眠藥、肌肉鬆弛劑、鎮靜劑、抗過敏藥、感冒藥、抗抑鬱藥、止痛藥等，這些藥物都有可能會增加此藥思睡的副作用。同時服用這些藥物時，應當特別注意其彼此增加思睡的相乘效果。

剛開始服用此藥的時候，必須經過幾個星期的時間，才能完全達到藥物的作用。因此不能因爲一時覺得藥物無效而放棄服用。同時，此藥必須定期服用才能達到最好的效果，也不能因爲覺得症狀已經改善而停止服藥。

經過長期大量服用此藥後，不能突然停藥，因爲突然停藥有可能會產生頭痛、惡心、極端的不舒服等症狀，應該遵循醫師的指示，漸漸地降低服藥劑量或次數，然後再停藥。

本藥會增加皮膚對陽光的敏感性，如果在陽光下曝曬太久，有可能會導致皮膚的過敏或灼傷，應該盡量避免陽光直接曝曬，同時穿著長袖類衣物，以保護皮膚。

服用此藥後，如果突然地起立或坐起，也許會覺得頭暈目眩，不過假如能夠減慢速度，應該能改善此一現象。

如果服用此藥會覺得口渴，放一塊冰塊或者含一顆糖果在嘴內，應該能改善此一現象。如果在服藥期間，有便秘發生的話，就應該多食用蔬菜或水果等幫助消化的食物，並且在許可下，多做運動或飲用多量的水。

☞副作用

此藥常見的副作用爲：口乾、失眠、肌肉痠痛或疼痛、思睡、便秘或拉肚子、疲倦、胸口灼熱、排氣增多、惡心、視覺模糊、頭痛、頭暈目眩等。這些副作用，通常在服用藥物一陣子後，應該會漸漸地消失。不過，如果這些副作用強到困擾你的程度，或者經過一段時間後，還不能完全消除，就應該通知醫師。

此藥較嚴重的副作用爲：手指及腳趾發麻或顫抖、小便困難或疼痛、心跳不正常或突然加快、幻覺、皮膚有不正常的瘀傷或塊狀的青紫色、皮膚起紅疹或發癢、耳鳴、呼吸困難、情緒改變、陰莖不正常的勃起或持久、極端的疲倦、精神恍惚等。通常這些副作用發生的機率較低，但是如果發生時，此可能是藥物造成的不良反應，或者是劑量需要調整，應該盡快通知醫師。

☞懷孕及哺乳

此藥對孕婦的影響，並無很完備的資料，但是根據動物實驗顯示，在極高的劑量下，可能會導致胎兒的生長缺陷。因此，除了有絕對的必要，並且在醫師的同意下，孕婦應該避免服用此藥。

少量的藥物會經由母乳達到嬰兒體內，可能會造成新生兒過度的興奮及緊張不安，因此，餵奶的母親應該使用其他的乳製品，以取代母乳。

☞忘記用藥

如果忘記服藥，假如時間不超過4小時，就應該立即服用。但是，如果時間超過4小時，就應該捨棄此次的藥物，恢復到下次正常服藥的時間，千萬不可一次服用雙倍的劑量。

Tretinoin(瑞婷羅)

商品名(台灣)

A.A® Cream(回春堂)
Abet® Cream(明大)
Acne® Gel(南光)
Acned®(杏輝)
Acnnin®(安主)
Airful®(中美)
Airol®(羅氏)
Anine®(新喜)
Avo® Cream(溫士頓)
Betac®(葡萄王)
Dermairol®(寶齡富錦)
Eudyna®(德・諾馬)
F.J® Cream(明華)
Facely®(皇佳)
Kenfu®(永信)
Lefemon®(元宙)
Lifu® Cream(應元)
Paily®(西德有機)
Relief®(生達)
Retin-A®(英・奧素)
Retiol® Cream(衛達)
Seedo-Airfu®(安主)
Skinly®(世達)
Tinoin®(瑞安)
Trendo®(井田)
Tsmeifon®(恆安)
Ulfo®(永昌)
Wedo®(黃氏)

商品名(美國)

Retin-A®(Ortho)

☞藥物作用

本藥爲一種治療「青春痘或粉刺」的外用藥劑。其主要的作用是能夠增進皮膚老化細胞的排除或脫落，可以用來治療輕度至中度的青春痘或粉刺。此藥也可用來消除老化起皺紋的皮膚、治療皮膚癌和其他皮膚病。

☞用法

此藥通常是一天或每兩三天使用一次，並且是在睡前塗藥。在塗用此藥之前，應當使用溫和無刺激的肥皂清洗患部，用清水沖洗後，再用紙巾輕拍患部，等到皮膚完全乾後，再將藥物均勻地塗抹於患部並輕微地加以按摩。本藥不應該使用於破損或陽光灼傷的皮膚上，亦不可將藥物塗抹於眼睛、嘴巴和鼻孔內部。

☞注意事項

剛開始用藥期間，如果覺得皮膚有溫熱刺痛的感覺，就應當減少藥量，等到皮膚漸漸適應後，再逐漸地增加劑量。過量塗用本藥，並不會加速改善皮膚，反而會造成皮膚過度的刺激而產生脫皮的現象。

在使用此藥的前7至10天當中，皮膚的情況也許會稍微地惡化，也許會發紅、脫皮、或面皰潰爛。如果此種情況不是很嚴重，可繼續塗用。經過兩三個星期的治療後，皮膚的狀況應該會漸漸地改善。

在使用此藥期間，可以用中性化妝品，但是應該以含水性的化妝品爲主，並且在塗抹藥物之前，應將皮膚上殘留的化妝品徹底清洗乾淨。

此藥會增加太陽紫外線有造成皮膚癌的可能，因此在塗抹藥物的期間，應當盡量避免陽光直接曝曬或從事日光浴。如果在無法避免的情況下，應當使用陽傘或衣物遮蓋。

此藥對皮膚是屬於一種刺激性的藥物，因此在使用期間，應當盡量避免皮膚經由日曬、風吹、寒冷，以及酒精、化妝品、檸檬等等化學物，再一次的刺激。並且除了經醫師的許可外，不該同時塗用其他治療面皰的藥物。每天洗臉的次數，也應當限制在兩三次，並且應該選用溫和無刺激性的肥皂。

使用本藥時，不可塗抹超過醫師所指示的劑量與次數，同時應該避免將藥物擦在皮膚破損的地方、眼睛、鼻子和嘴巴內部。

☞副作用

此藥常見的副作用爲：皮膚發紅、皮膚發熱或發癢、皮膚顏色加深或變淺、輕微的起水泡、輕微的脫皮等。這些副作用，通常在使用藥物一陣子後，應該會漸漸地消失。不過，如果這些副作用強到困擾你的程度，或者經過一段時間後，還不能完全消除，就應該通知醫師。

☞懷孕及哺乳

根據動物實驗顯示，在正常的劑量下，此藥尚不至於造成胎兒的生長缺陷。然而，此藥對孕婦的影響，仍須更廣泛的醫學數據做進一步的評估。當懷孕時，最好與醫師討論此藥可能對胎兒的影響。

目前爲止，尚不知此藥是否會經由母乳到達嬰兒體內，但是爲了避免萬一，當餵哺嬰兒前，最好能密切注意嬰兒的反應，或使用其他的乳製品，以取代母乳。

☞忘記用藥

如果一天塗藥一次，假如忘記用藥，就應該完全捨棄此次的藥物，恢復到下次正常用藥的時間，但在一天當中，不可一次使用超過兩次的劑量。如果兩三天才塗藥一次，假如忘記用藥在12小時之內，可立即使用，要不然就應該捨棄此次的藥物，恢復到下次正常用藥的時間，但是不可使用雙倍的劑量。

Triamcinolone(安西諾隆，皮膚外用藥)

商品名(台灣)

Afulon®(十全)
Amcicort®(內外)
Coupe-A®(日・Fukuchi)
Encort®(永勝)
Enderma®(優良)
Gentlecort®(政德)
Kenacort-A®(必治妥)
Kingtrilone®(景德)
Kosuler®(汎生)
Ledercort-A®(立達)
Mecol®(中美)
Rineton®(日・Sanwa)
Rougsen®(威力)
Sekada®(東洲)
Seu-Su®(井田)
Sfusone®(黃氏)
Sunbin®(信元)
Tibicorten®(日・Sigma)
Trialean®(加・Harris)
Triamcort®(德・Funcke)
Triamsi®(培力)
Trianopollon®(日・Kaigai)
Zayunsi®(嘉信)

商品名(美國)

Aristocort®(Fujisawa)
Delta-Tritex®(Dermol)
Flutex®(Syosset)
Kenalog®(Westwood)
Triacet®(Lemmon)
Triderm®(Del-Rey)

☞藥物作用

本藥為一種「類固醇」的藥物，其化學結構類似腎上腺所分泌的一種荷爾蒙，此藥有許多的用途，其外用軟膏有「抗發炎」的作用，因此可以外用於各種皮膚的炎症或濕疹所引起的皮膚發紅、發腫，以及疼痛、乾燥、搔癢、乾硬、脫皮的症狀，並可用於皮膚過敏而產生的紅腫。

☞用法

本藥為一種皮膚外用藥物，它包括許多不同劑型的製劑，如乳膏、油性軟膏、水性軟膏、凝膠、噴霧劑等等。在使用藥物之前，應該詳細閱讀說明書，或者事先詢問醫師或藥師正確的使用方法。每次在使用噴霧劑和乳膏之前，應先將藥瓶輕微搖動，使藥物均勻分散後再使用。

在塗用外用軟膏之前，應當使用溫和無刺激的肥皂清洗患部，用清水沖洗後，再用紙巾輕拍患部，等到皮膚完全乾燥後，再將此藥均勻塗抹於患部並輕輕地加以按摩。如果覺得清洗時會刺激皮膚，可直接將藥物塗抹於患部。

如果使用的是噴霧劑，應該將噴口距離患部約15公分，使用的時間以不超過3秒鐘爲主，以免凍傷到皮膚。噴灑藥物的範圍，應該能涵蓋整個患部和外圍的一小部分。當噴灑藥物時，如果噴灑部位接近面部的話，應該避免接觸到眼睛並避免將藥物吸收入肺。

☞注意事項

此藥的噴霧劑，通常在罐內含有高壓充填的氣體，因此在貯藏的時候，應該避免高溫、太陽直接曝曬，或距離火源太近的地方。同時也應該避免直接在罐上鑽孔，以免造成藥罐爆炸。

當使用此藥於嬰兒尿布周圍的部位時，在塗完藥物後，不可用尿布將患部包得太緊，同時也應該避免使用塑膠類的尿布或褲子，以免增強藥物對皮膚的吸收，而導致藥品過量吸收入身體，造成阻礙嬰兒生長等等的副作用。

使用此藥期間，如果感覺皮膚刺激、疼痛，或有皮膚發癢、發紅、發腫的情況，就應該停止使用並通知醫師。如果皮膚有細菌感染的現象，如皮膚發紅、發熱、發腫、發膿等等，也應該盡快地通知醫師。

皮膚患部有乾燥或輕微龜裂的現象時，可在使用藥物之前，先使用乾淨的紙巾，沾以少許的水分將皮膚濕潤一下，擦乾多餘的水分，然後再塗抹藥物。通常油性的軟膏，吸收水分和保持在皮膚的時間較長，較適於一般的乾燥皮膚。

使用本藥時，不可塗抹超過醫師所指示的劑量與次數，同時應該避免將藥物擦在皮膚破損的地方、眼睛、鼻子和嘴巴內部。

使用本藥後，應該避免用不透氣或者是很緊的繃帶，以免藥物過量地吸收到體內，造成不必要的副作用。同時，如果皮膚症狀是由於黴菌或細菌感染所造成的，單純使用本藥是無效的，需要同時使用抗生素才能達成根治的目的。

使用此藥時，應該避免使用化妝品或其他乳劑或化學藥劑；如果確實有必要使用的話，最好能夠經過醫師的同意。此藥以短期使用爲主，如果長期大量使用的話，藥品容易吸收入血液循環而到達身體各部位，造成全身性的副作用，如血糖升高、血壓升高、失眠、肌肉無力、身體水腫肥胖、沮喪、身體易受細菌感染、骨質疏鬆等等。因此，在使用此藥期間，應該完全經過醫師的指示使用。

☞副作用

在正常劑量下，此藥造成副作用的機率並不是很高，通常皮膚只有輕微地感覺灼熱、乾燥、輕微的刺痛等等。但是，如果皮膚有毛髮增生、細菌感染、顏色改變、嚴重的刺痛、長粉刺、起水泡等等情況發生的話，就應該通知醫師。

☞懷孕及哺乳

孕婦在使用此藥之前，應該通知醫師。雖然此藥經由皮膚吸收入身體的劑量不較口服劑量爲高，但是如果使用大量的藥物，或使用一段長時間後，一些藥物可能會經由胎盤吸收入胎兒體內，影響胎兒的正常發育成長，阻礙嬰兒正常固醇類荷爾蒙的產生，以及造成胎兒缺陷。因此，當懷孕時，最好能與醫師討論此藥可能對胎兒的影響，他會衡量狀況，決定是否應該用藥。

在正常皮膚外用的劑量下，此藥經由母乳到達嬰兒體內的劑量有限，不過餵奶的母親仍然需要密切地注意藥物可能對嬰兒的反應，如果有不良副作用產生，就應改用其他奶水取代。

☞忘記用藥

如果忘記用藥，應該在記得時，立即使用。但是，如果距離下次用藥的時間太近，就應該捨棄此次藥物，恢復到下次正常用藥的時間，千萬不可一次使用雙倍的劑量。

Triamcinolone(安西諾隆，口腔噴霧劑)

商品名(台灣)

此藥尚未在台銷售。

商品名(美國)

Azmacort®(R.P.R)

☞藥物作用

本藥為一種「類固醇」的藥物，其化學結構類似腎上腺所分泌的一種荷爾蒙。此藥有許多的用途，此藥的口腔噴霧劑主要是與其他類治療氣喘的藥物一起合用，以預防及減輕慢性氣喘的發作。此藥對於急性氣喘的發作，並不能達到立即紓解的作用。當氣喘發作時，應該使用另外一種專門治療急性氣喘的藥物。

☞用法

使用此口腔噴霧劑時，為了達到完全的藥效，應該在第一次使用之前，詳細閱讀說明書，或者請教醫師或藥師正確的使用方法。使用完以後，應該用水漱口，以免藥物造成對口部或喉部的刺激，以及口腔內部真菌或黴菌的感染。

使用口腔噴霧劑的方法，請參見頁18。

☞注意事項

使用此口腔噴霧劑時，醫師也許會要求同時使用Albuterol或者是Metaproterenol的噴霧劑。當同時使用此類噴霧劑時，應該先使用前者的藥物，大約等5分鐘後再使用本藥。如此一來，先前的藥物可以藉著其支氣管鬆弛及擴張的作用，幫助本藥更深入肺部的微小支氣管，使其能夠達到治療氣喘的最大效果。

如果懷孕或餵哺嬰兒，對藥物過敏，或者有糖尿病、肝臟疾病、腎臟病、心臟疾病、甲狀腺機能不足、高血壓、重症肌無力症、骨質疏鬆、胃潰瘍、全身性或黴菌感染、青光眼等等，醫師需要針對這些情況謹慎用藥，因此在使用此藥之前，應該事先通知醫師。

剛開始使用此噴霧劑的時候，必須經過1至4個星期的時間，才能完全達到藥物的作用。因此不能因爲一時覺得藥物無效而放棄使用。同時，此藥必須定期使用才能有最好的效果，因此，必須依照醫師的指示用藥。

本藥的口服噴霧劑是用來預防氣喘的症狀，必須長期服用才有效。但是對於急性氣喘的發作，並沒有立即達到擴張支氣管的作用，因此不能當作急性氣喘發作的藥物使用。

如果覺得所使用的劑量不能紓解症狀，或者呼吸的頻率加快，使用的次數增多等等，這也許是氣喘病情加重或支氣管痙攣的先兆，醫師需要對病情重新做檢查及評估，以便適當更換或調整藥物的劑量，因此應該盡快地通知醫師。

使用完此口腔噴霧劑後，應該用溫水將噴霧劑的開口處徹底地清洗乾淨，並且用紙巾擦乾，以保持正常的清潔衛生。

使用此藥時，應該完全依照醫師的指示使用，不可超過醫師所推薦的劑量或次數。過多的劑量有可能會造成其他的併發症，甚至會使症狀加重。依照醫師的指示用藥後，如果病況還不能改善的話，就應該通知醫師。

使用完口腔噴霧劑以後，應該用水漱口，將口內剩餘的藥物完全清除，以免藥物對口部或喉部的刺激，以及避免因爲藥物破壞口內微生物的平衡，導致將來口部受到感染。

☞副作用

此藥常見的副作用爲：咳嗽、嘴部或鼻部乾燥刺激、聲音沙啞粗糙等等。這些副作用，通常在服用藥物一陣子後，應該會漸漸地消失。不過，如果這些副作用強到困擾你的程度，或者經過一段時間後，還不能完全消除，就應該通知醫師。

此藥較嚴重的副作用爲：口腔內部或舌頭上有白色的塊狀、皮膚發紅發癢、呼吸困難等等。通常這些副作用發生的機率較低，但是如果發生時，就應該盡快地通知醫師。

☞懷孕及哺乳

根據動物實驗顯示，孕婦於懷孕期間，長期或大量服用此藥，可能會影響胎兒的正常發育及成長，並且有造成胎兒缺陷的可能，尤其是懷孕前三個月的可能性最高。雖然此藥經由口部吸入體內的劑量有限，但是當懷孕時，仍然應該與醫師討論此藥可能對胎兒的影響，他會衡量狀況，決定是否應該服藥。

此藥會經由母乳到達嬰兒體內，爲了避免藥物可能對新生兒的影響，餵奶的母親，應該用其他的乳製品，以取代母乳。

☞忘記用藥

如果忘記服藥，應該在記得時，立即使用。並將當天未用完的劑量，依照相等的時間間隔使用完。但是如果距離下次用藥的時間太近，就應該捨棄此次的藥物，恢復到下次正常用藥的時間，千萬不可一次使用雙倍的劑量。

Triamterene/Hydrochlorothiazide（利尿劑）

商品名（台灣）

Anjal®（優生）
Dazid®（正氏）
Depress®（井田）
Diuren®（人人）
Diuret®（漢堡）
Dyazide®（美・SKB）
Edepress®（新豐）
Maxpress®（壽元）
Maxurine®（景德）
Maxzide®（美・Mylan）
Riyazine®（西華）
Triamzide®（衛達）
Triazid®（新豐）
Urinis®（應元）

商品名（美國）

Dyazide®（SKF）
Maxzide®（Lederle）

☞藥物作用

此藥爲一種「利尿劑」，是由Triamterene與Hydrochlorothiazide兩種不同利尿成分所組合而成，此兩種不同的成分合用的目的，是要平衡Triamterene造成體內鉀離子升高，而後者造成體內鉀離子降低的副作用。此藥主要的作用是預防高血壓，和治療體內水分積聚而引起心衰竭、腎臟疾病及肝臟疾病等等。如果體內含過多的水分，此多餘的水分將會增加血管內部的壓力，造成身體水腫或高血壓的發生，最後可能會導致心臟因爲長久的負荷，而產生衰竭。此藥的作用，就是能夠幫腎臟將體內多餘的水分及鹽分，經由尿液排出，而達到治療的目的。

☞用法

此藥通常是一天服用一兩次，由於是一種利尿劑，如果在睡前服用的話，可能會因夜晚起床小便而干擾睡眠，並且爲了避免藥物可能對胃的刺激，如果是一天服藥一次的話，最理想的服藥時間，應該是早晨用完早餐後。如果一天服藥兩次，可安排於早餐後和下午3至4點的時候給藥；或者可於早餐服藥一次，而最後一次服藥的時間，以不超過晚上6點爲準。如有必要時，此藥的藥片可以壓碎，膠囊可以打開來服用。

☞注意事項

如果使用此藥的目的，是用來治療高血壓的話，本藥只能控制血壓，並不能真正治癒高血壓。服用此藥後，必須經過幾個星期的時間，才能將血壓慢慢地降下來。爲了達到完全的降血壓效果，必須每天固定服用此藥，即使血壓已經控制穩定，也不可忘記或省略服藥，甚至可能需要終生服用此藥，才能達到穩定血壓的效果。爲了達到理想降血壓的作用，也應該遵循醫師的指示，服用低鹽類、低脂肪食物，戒煙酒，並且盡可能地依照醫師的指示做適當的運動。

如果懷孕，對藥物過敏(尤其是對磺胺藥過敏)，或者有小便困難、血液方面的疾病、肝臟疾病、紅斑性狼瘡、氣喘、腎結石、腎臟病、痛風、糖尿病等等，醫師需要進一步考慮這些情況，並且謹慎用藥，因此在使用此藥之前，應該事先通知醫師。

在服用某些利尿劑的同時，醫師會要求服用含鉀類的食物，譬如香蕉、橘子水等等，或者直接要求服用含鉀的藥物，以補充體內由於藥物而造成鉀離子的缺失。由於此藥是由兩種不同的利尿成分組合而成的，其中一種成分會增加體內鉀離子的產生，而另一成分卻會造成鉀離子的缺失，由於此兩種作用相互中和並達到平衡，因此在服用此一藥物時，除非醫師特別指示外，並不需要特別服用含鉀的食物或藥物。

剛開始服用此藥的時候，小便的次數及數量都會增加，也許會有極端疲倦的感覺。通常此一現象在幾個星期後應該會漸漸地減少。如果此一現象經過一陣子後仍然不能消除，就應該通知醫師。此藥可能會引起頭暈目眩的副作用，尤其是早上剛起床的時候。但是如果能緩慢地起身或站立，應該可以減緩此一現象。另外，爲了避免此一副作用，應該避免站立太久、避免飲用大量的酒、不要在太陽下做太激烈的運動以及洗太熱的熱水澡等等。

此藥可能會使血糖升高，患有糖尿病的人，應該更密切地測量尿液或血液中糖的含量。

服用此藥一段長時間後，如果要換別種廠牌的藥品，最好能夠徵求醫師或藥師的意見。雖然不同廠牌標示的成分相同，但是其主要成分Triamterene或Hydrochlorthiazide，兩者劑量的比例不見得會相同，因此其在體內所產生的藥效也不見得會相同。

此藥爲一利尿劑，其主要的作用是將身體多餘的水分排除出去。但是如果身體因爲某些病症而產生嚴重腹瀉或嘔吐的話，由於此兩種症狀會造成身體水分進一步的排除，可能會造成嚴重的脫水，甚至體內電解質(維持身體細胞正常生理功能的化學礦物質)也會伴隨著水分的流失，而導致不平衡甚至產生其他併發症的可能。如果在服藥期間有長期嚴重腹瀉或嘔吐發生的話，就應當通知醫師。本藥會增加皮膚對陽光的敏感性，如果在陽光下曝曬太久，有可能會導致皮膚的灼傷、過敏，以及造成脫水，應該盡量避免陽光的直接曝曬，並穿著長袖衣物，以保護皮膚。

市面上許多治療過敏、鼻塞、咳嗽、感冒和減肥的成藥中，經常含有會使血壓升高的成分。如果使用此藥的目的在治療高血壓或充血性心衰竭，爲了避免造成血壓突然地升高或心臟的惡化，在服用此類藥物之前，應該事先徵詢醫師或藥師的意見。

☞副作用

此藥常見的副作用爲：小便增加、拉肚子、便秘、胃口降低、胃腸不適、疲倦、想睡覺、腹部絞痛、頭痛、頭暈等等。這些副作用，通常在服用藥物一陣子後，應該會漸漸地消失。不過，如果這些副作用強到困擾你的程度，或者經過一段時間後，這些症狀還不能完全消除，就應該通知醫師。

此藥較嚴重的副作用爲：手指腳趾發麻、口乾、小便困難、小便疼痛、心跳不正常、皮膚發紅發癢、肌肉抽筋疼痛、舌頭發紅或發炎、身體有不正常的紫斑或瘀傷、呼吸困難、背痛、情緒改變、眼睛及皮膚發黃、喉嚨痛、焦慮、極度的虛弱及疲倦、關節突然的疼痛等。通常這些副作用發生的機率較低，但是如果發生時，此可能是藥物造成的不良反應，或者是劑量需要調整，應該盡快地通知醫師。

☞懷孕及哺乳

此藥由兩種藥品組合而成，根據此兩種藥品個別的動物實驗顯示，在正常劑量下，此兩種藥品都不會造成胎兒生長缺陷或損傷。由於此藥會經由胎盤到達胎兒體內，可能會造成胎兒出生後黃疸或血液凝固方面的問題。當懷孕時應該通知醫師，他會考慮狀況，決定是否應該服藥。

少量的藥物會經由母乳到達嬰兒體內，爲了避免藥物可能對新生兒造成不良的影響，餵奶的母親應該考慮使用其他的乳製品以取代母乳。

☞忘記用藥

如果忘記服藥，應該在記得時立即服用。但是，如果距離下次服藥的時間太近，就應該捨棄此次的藥物，恢復到下次正常服藥的時間，千萬不可一次服用雙倍的劑量。

Triazolam(阿若南)

商品名(台灣)

Andormyl®(加・Global)
Arring®(永信)
Dermin®(羅得)
Halcion®(普強)
Hauanmin®(井田)
Lime®(黃氏)
Loramin®(利達)
Sleep®(華興)
Sleeping Depot®(瑞人)
Somilin®(國嘉)
Tialam®(信東)
Triadorm®(英・Generics)
Trialam®(衛達)

商品名(美國)

Halcion®(Upjohn)

☞藥物作用

本藥屬於一種鎮靜類的「安眠藥」，可以短期使用於失眠症，或消除睡眠中不安穩的狀態，使睡得更安靜與祥和，並可以消除病人手術前的精神緊張，和手術後疼痛所引起的失眠。

☞用法

此藥主要是幫助睡眠用，因此最好能在睡前半個小時使用，通常此藥在15至45分鐘即可發生藥效。如有必要時，可將此藥的膠囊打開來與食物或果汁混合使用。因爲制酸劑會干擾此藥的吸收作用，因此在使用此藥的時候，應該避免與制酸劑一起服用。此藥只有在失眠，而且覺得有需要的時候才服用。

☞注意事項

此藥會產生想睡覺及頭暈的感覺，尤其是剛開始服藥期間，因此除非已經適應了此藥的作用，當開車或操作危險機械時，應該格外地小心謹慎。酒精會增加此藥思睡的作用，應當避免飲用或限制酒量。

安眠藥、肌肉鬆弛劑、鎮靜劑、抗過敏藥、感冒藥、抗抑鬱藥、止痛藥等，這些藥物都有可能會增加此藥思睡的作用。同時服用這些藥物時，應當特別注意其彼此增加思睡的相乘效果。

失眠或者是其他的狀況，如手術前後等等，需要服用安眠藥的情況通常是短期的，使用安眠藥的期限通常是兩三天，最高的期限應該以不超過3個星期爲主。如果連續使用此藥超過10天以上，失眠的症狀可能是身體其他潛在的原因所引起的，應該盡快地通知醫師做進一步的診斷。

長期大量服用此藥的話，可能會造成此藥的成癮性或者是依賴性，因此應該完全遵照醫師的指示服藥，千萬不可服用超過醫師所處方的劑量或使用的時間。

經過一段時間服藥後，此藥的作用可能會漸漸地減弱，當此一現象發生時，應該徵求醫師的指示，他也許會考慮改用其他藥物，千萬不可自行增加服藥的劑量。

老年人對此藥頭暈及運動失調的副作用較一般人敏感，因此當老年人服用此藥後，走路、爬樓梯或運動，應該格外地小心謹慎，以免摔倒而導致骨折。

經過3至4個月服藥後，不能突然地停藥，因爲突然停藥有可能會產生戒斷症狀。如果要停藥的話，應該遵循醫師的指示，漸漸地降低服藥的劑量或次數，然後再停藥。

如果在服藥期間有便秘發生的話，就應該多食用蔬菜或水果等幫助消化的食物，並且在許可下，多做運動或飲用多量的水。服用此藥後也許會產生口渴的現象，但是如果能夠含一塊冰塊或糖果在嘴內的話，應該可以減少此一副作用。

剛開始服用此藥時，可能會產生頭昏眼花的感覺，尤其是突然站立或坐起時，不過如果能夠緩慢地站立或坐起，應該會減少此一現象。

☞副作用

此藥常見的副作用爲：口乾、小便困難、下痢、思睡、便秘、疲倦、噁心、發抖、視覺模糊、嘔吐、頭痛、頭暈目眩等。這些副作用，通常在服用藥物一陣子後，應該會漸漸地消失。不過，如果這些副作用強到困擾你的程度，或者經過一段時間後，還不能完全消除，就應該通知醫師。

此藥較嚴重的副作用爲：手腳及眼睛有不能自主的運動、幻覺、皮膚有不正常的瘀傷或塊狀的青紫色、皮膚起紅疹或發癢、眼睛及皮膚發黃、發冷及喉嚨疼痛、發燒、極端的疲倦、精神不尋常的興奮、精神恍惚或沮喪等。通常這些副作用發生的機率較低，但是如果發生時，此可能是藥物造成的不良反應，或者是劑量需要調整，應該盡快通知醫師。

☞懷孕及哺乳

婦女於懷孕的前三個月服用此藥，有造成胎兒缺陷的可能，同時此藥具有成癮性，孕婦於最後六個月服用此藥，有可能會造成新生兒緊張不安、顫抖等症狀。孕婦於懷孕的最後一個星期服用此藥，則有可能造成嬰兒過度安眠、心跳減慢及呼吸困難等現象。因此，除了有絕對的需要並且經過醫師的同意外，孕婦應該避免服用此藥。

此藥會經由母乳到達嬰兒體內，可能會造成新生兒過度的安睡，餵奶的母親應該考慮使用其他的乳製品以取代母乳。

☞忘記用藥

此藥只有在失眠，而且覺得有需要的時候才服用。如果當天晚上忘記服藥，或者是睡著了，而等到第二天才記起來的話，就應該捨棄所遺忘的藥物。如果在第二天晚上感覺到失眠時，只能服用當晚的劑量，不可服用加倍的劑量。

Trihexyphenidyl(崔和費定)

商品名(台灣)

Aparkanel®(加・ICN)
Artane®(氰胺)
Atan®(內外)
Benzhexol®(英・Harris)
Benzox®(利達)
Ea Ten®(恆信)
Parkinidyl®(中化)
Partane®(順生)
Switane®(瑞士)

商品名(美國)

Artane®(Lederle)
Trihexy®(Lederle)

☞藥物作用

本藥爲一種治療「帕金森」症的藥物。帕金森症主要是由於腦內傳導訊息的Acetycoline和Dopamine兩種化學物質不平衡所造成的。Acetycoline的含量過高，或者Dopamine的含量過少，都會造成帕金森症的發生。病人剛開始的時候是顫抖，進而手腳僵硬，最後造成行動緩慢或困難。此藥的作用就是能降低Acetycoline在腦部細胞的含量，改善帕金森症的症狀。

☞用法

此藥不受食物影響，因此飯前或飯後服用均可。此藥分爲普通錠劑、液體製劑及長效劑型三種，如有必要時，此藥的藥片可以壓碎與食物或水一起服用，但是服用長效膠囊時，必須整粒服用，不可壓碎服用或在嘴內咀嚼。如果使用的是液體藥物時，應該使用刻度的量杯或藥管，以量取正確的藥量。服用此藥時，最好養成每天在固定時間服藥的習慣，以減少忘記。

☞注意事項

服用此藥後，可能會產生輕微頭暈目眩及視覺模糊的副作用，因此，在尚未完全適應此藥之前，當開車或操作危險的機械時，應該格外地小心謹慎。酒精會增加此藥頭暈目眩的副作用，應當避免飲用或限制酒量。

如果懷孕，對藥物過敏，或者有腎臟病、肝臟疾病、心臟病、青光眼、高血壓、重症肌無力、小腸阻塞、尿道阻塞、前列腺腫大等等，醫師需要針對這些情況謹慎用藥，因此在使用此藥之前，應該事先通知醫師。

服用此藥一陣子後，醫師可能需要依照身體的反應，適當地調整所服用的劑量，因此應該依照醫師的指示，定期到醫院或診所做檢查。

此藥會使眼睛對陽光更爲敏感。因此在陽光下，如果能戴太陽眼鏡，或者避免直接暴露在太陽下，應該會使眼睛感覺較爲舒適。剛開始服用此藥時，可能會產生頭暈目眩的感覺，尤其是突然站立或坐起時，不過如果能夠緩慢地站立或坐起，應該會減少此一現象。

服用此藥後也許會產生口渴的現象，但是如果能夠含塊冰塊或糖果在嘴內的話，應該可以減少此一副作用。如果在服藥期間，有便秘發生的話，就應該多食用蔬菜或水果等幫助消化的食物，並且在許可下，多做運動或飲用多量的水。

使用此藥一段時間後，如果覺得四肢運動的狀況逐漸好轉，應該漸漸地增加運動量，身體能夠適應外在的環境，不可過度地運動，以免身體一時無法適應跌倒而受傷。

制酸劑可能會降低此藥的藥物作用，因此服用制酸劑時，應該與此藥至少相隔約一至兩小時。

服用此藥一陣子後，不可未經醫師許可就突然停藥，突然停藥有可能會使病況轉壞。如有停藥的必要時，醫師也許會要求經過一段時間，漸漸地將劑量降低後再停。

此藥會降低身體正常的排汗及散熱的能力。因此，應該避免在陽光及過熱的地方太久以免中暑。同時洗澡時也應該避免水溫太熱，以免散熱不良及血壓下降而造成暈倒。

如果長期服藥後，頭部、臉部、舌頭或頸部產生重複而且不能自主控制的運動，就應當盡快地通知醫師。

☞副作用

此藥常見的副作用爲：手腳發麻或無力、口乾、小便困難或疼痛、思睡、便秘、眼睛怕光、惡心、視覺模糊、嘔吐、頭暈目眩等。這些副作用，通常在服用藥物一陣子後，應該會漸漸地消失。不過，如果這些副作用強到困擾你的程度，或者經過一段時間後，這些症狀還不能完全消除，就應該通知醫師。

此藥較嚴重的副作用爲：失眠、皮膚起紅疹、行動笨拙、呼吸困難、迷幻、眼睛痛、精神恍惚。通常這些副作用發生的機率較低，但是如果發生時，此可能是藥物造成的不良反應，或者是藥物的劑量需要調整，應該盡快地通知醫師。

☞懷孕及哺乳

目前爲止，尙無資料顯示此藥會對胎兒造成不良作用，然而，仍須更廣泛的醫學數據以確認其安全性。當懷孕時，應該與醫師討論此藥可能對胎兒的影響，他會衡量狀況，決定是否應該服藥。

少量的藥物會經由母乳到達嬰兒體內，雖然目前爲止尙無報告顯示會造成新生兒的不良作用，但由於此藥可能會降低母乳的產量，因此最好能考慮使用其他的乳製品，以取代母乳。

☞忘記用藥

如果忘記服藥的話，應該在記得時，立即服用。並將當天未用完的劑量，依照相等的時間間隔服用完。但是如果距離下次用藥的時間太近，就應該捨棄此次的藥物，恢復到下次正常用藥的時間，千萬不可一次使用雙倍的劑量。

Trimethoprim/Sulfamethoxazole（抗生素）

商品名（台灣）

Baccide®（美時）
Bacdan®（派頓）
Bacterial®（義・C. T）
Bactrim®（羅氏）
Bakrin®（應元）
Baktar®（鹽野義）
Batholin®（政德）
Borgal®（利達）
Chemitrim®（義・Biomed）
Chemix®（永信）
Cobacide®（汎生）
Codixin®（永豐）
Combicin®（內外）
Co-Trimo®（福元）
Co-Trimoxazole®（優生）
Co-Trizol®（元宙）
Coyenlin®（世紀）
Deyanjunn®（井田）
Dublecon®（永盛）
Duocide®（生達）
Jacide®（皇佳）
Koan-I®（十全）
Morcasin®（杏輝）
Pantrim®（合誠）
Polycide®（寶齡富錦）
Scanprin®（丹・Scanpharm）
Sepcidim®（永新）
Septrim®（中美）
Septrin®（寶威）
Sevatrim®（瑞士）
Sigaprim®（德・Siegf）
Sinoprin®（新豐）
Sinzuin®（永吉）
Someprim®（強生）
Sulfaprime®（溫士頓）
Sulfatrim®（人生）
Sulfatrim®（聯邦）
Sulfotrim®（丹・GEA）
Suprim®（北進）
Tonz®（三東）
Trimerin®（中化）
Trimesin®（林化學）
Trimezol®（明德）
Yungbayan®（永昌）

商品名（美國）

Bactrim®（Roche）
Cotrim®（Lemmon）
Septra®（BW）

☞藥物作用

本藥為一種「磺胺類的抗生素」，是由兩種不同抗生素成分組合而成的。細菌成長繁殖的過程中，必須利用葉酸作為它的養料，如果缺乏了此一葉酸，將使得細菌遺傳物質及蛋白質的合成受阻，最後將會導致細菌的死亡。此藥的兩種不同成分，分別會阻礙細菌利用葉酸作為其養分的兩個不相同的步驟，最後導致細菌因爲缺乏葉酸而死亡。此藥可以用來治療許多種類細菌所引起的感染，如尿道感染、呼吸道感染、胃腸道感染、中耳炎等等。

☞用法

爲了增強藥物的吸收，使用本藥時，最好在空腹的時候服用，譬如飯前一小時或飯後兩小時，並且在服用時，最好能飲用一大杯開水，以減輕藥物對胃腸的刺激，以及減少藥物造成腎結石的可能。不過如果覺得此藥對胃的刺激過大，造成胃不舒服，可安排與食物一起或飯後服用。如有必要時，此藥的膠囊可以打開，藥片可以壓碎服用。使用液體藥物時，每次在使用之前，應先將藥瓶輕微搖動，使藥物能夠均勻分散，並使用有刻度的量杯或藥管，以量取正確的藥量。

☞注意事項

爲了達到最佳的滅菌效果，此藥必須在血中達到固定的濃度，因此最好每天在相等的時間間隔下服藥。譬如一天服藥兩次，則應該每12個小時服用一次；一天服藥4次，則應該每6個小時一次，並且不可忘記。

如果懷孕，對藥物過敏(尤其是對磺胺藥、利尿劑或口服降血糖藥過敏)，或者有腎臟病、肝臟疾病、氣喘、葉酸缺乏性貧血和G6PD缺乏的血液疾病等，醫師需要針對這些情況謹慎用藥，因此在使用此藥前，應該事先通知醫師。

本藥爲一種「磺胺類的抗生素」，如果對其他磺胺類的抗生素過敏的話，對此藥也有可能會產生過敏，因此最好不要服用。服用此藥時，必須依照醫師的指示用完所有的處方藥物(大約7至14天)，即使覺得感染的症狀已經完全消除，仍須服用完所有處方的份量，以免萬一細菌沒有完全消除，而造成感染復發，或將來細菌產生抗藥性。

本藥會增加皮膚對陽光的敏感性，如果在陽光下曝曬太久，有可能會導致皮膚的過敏或灼傷，應該盡量避免陽光的直接曝曬，並穿著長袖類衣物，以保護皮膚。

本藥爲醫師針對病情所下的處方，如果下次有類似的感染，雖然產生的症狀相同，也許造成感染的病菌不同，服用此藥不見得有效，更有可能會延誤病情。因此必須依照醫師的指示服藥，更不可將此藥留給他人使用。

爲了降低藥物產生腎結石，除了醫師的特別指示外，每天必須服用大約8杯(每杯約250cc.)的開水。

☞副作用

此藥常見的副作用爲：拉肚子、胃口降低、胃腸不適、惡心、腹痛、嘔吐、頭痛、頭暈等等。這些副作用，通常在服用藥物一陣子後，應該會漸漸地消失。不過，如果這些副作用強到困擾你的程度，或者經過一段時間後，這些症狀還不能完全消除，就應該通知醫師。

此藥較嚴重的副作用爲：皮膚突然產生青紫色的斑點或瘀傷、皮膚發紅發癢、眼睛或皮膚發黃、喉嚨痠痛、發燒或發冷、關節痛等等。通常這些副作用發生的機率較低，但是如果發生時，此可能是藥物造成的不良反應，或者是劑量需要調整，應該盡快地通知醫師。

☞懷孕及哺乳

由於此藥會經由胎盤到達胎兒體內，可能影響成長中胎兒對葉酸的利用與需求，造成胎兒出生後產生黃疸或貧血。另外動物實驗顯示，在極大的劑量下，可能會造成胎兒的生長缺陷，因此，除了經過醫師同意外，孕婦應該避免服用此藥。

少量的藥物會經由母乳到達嬰兒體內，可能會影響嬰兒腸內細菌的平衡，造成嬰兒拉肚子，或腸胃不舒服，同時藥物可能會影響新生兒對葉酸的吸收，而造成貧血。因此餵奶的母親應該使用其他的乳製品，以取代母乳。此藥禁止低於兩個月以下的嬰兒服用。

☞忘記用藥

如果忘記服藥，應該在記得時，立即服用。但是，如果距離下次服藥的時間太近，又是一天服藥兩次，就應該先服用所遺忘的藥物，然後等約5至6小時後，再服用下次的劑量。如果一天服藥3次以上，應該先服用所遺忘的藥物，然後等約兩三小時後，再服用下次的劑量，最後再恢復到正常服藥的時間。同時，應該避免一次服用雙倍的劑量。

Valproic Acid(Valproate，偉伯益酸)

商品名(台灣)

Convulex®(澳・Gerot)　Depakote®(亞培)　Leptilan®(汽巴加基)
Depakine®(永信)　Epival®(亞培)　Valpro®(澳・Alpha)

商品名(美國)

Depakene®(Abbott)
Depakote®(Abbott)

☞藥物作用

本藥爲一種治療「癲癇發作」的藥物。癲癇的發生主要是由於腦部神經不正常放電所引起，其通常是周期性的。此藥主要的作用，就是能增加腦部GABA的腦神經傳導物質的功能，間接地使腦部的神經達到穩定的效果。此藥可以單獨使用於癲癇或者和其他的抗癲癇藥物一起合用。

☞用法

此藥應該在吃飯時或飯後服用，以減少對胃的刺激。服用此藥片時，應該整顆吞服而不可在嘴內咀嚼或壓碎服用。如有必要時，此藥的膠囊可以打開來，並將裡面的小顆粒與柔軟的食物一起服用。但是，在服用藥物的過程中，不可將此小顆粒加以咀嚼，而應該與食物一起吞服入胃，以免膠囊裡面的小顆粒破碎，使得大量的藥物立即被吸收入體內，造成藥物過量的危險。

☞注意事項

此藥會產生想睡覺及注意力不集中的副作用，尤其是剛開始服藥期間，除非已經適應了此藥的作用，當開車或操作危險機械時，應該格外地小心謹慎。酒精會增加此藥思睡的副作用，應當避免飲用或限制酒量。

如果懷孕，對藥物過敏，或者有肝臟疾病、腎臟病、血液凝結方面的疾病、腦部方面的病變等，醫師需要針對這些情況謹慎用藥，因此在使用此藥之前，應該事先通知醫師。

如果小孩使用此藥，應該記錄他平常一切不尋常的行爲、情緒和癲癇的發作。同時，也應該要求學校的老師做相同的紀錄。因爲這一切資料，都有助於醫師評估病情，做適當劑量的調整及治療。

出門在外時，應該隨身攜帶醫藥識別卡，在卡上應該詳細地記載癲癇的病況、所服用的藥物及劑量、醫師的姓名及聯絡的電話等等。以免萬一有意外或者是癲癇發作時，醫護人員可以立即了解病情，以便做適當的處理或者與醫師做進一步的討論。

此藥較值得關切的副作用，就是它可能造成肝臟的損害，尤其是剛服藥的前六個月。因此，如果有肝臟損害的症狀，如不舒服、皮膚及眼睛發黃、面目腫脹、暈眩、虛弱、無胃口、嘔吐等等，就應該立即通知醫師。

爲了達到最佳的藥效，此藥必須在血中達到固定的濃度，因此最好每天在相等的時間間隔下服藥。如果一天服藥兩次，則每12個小時服用一次；一天服藥3次，則每8個小時用一次，並且完全遵照醫師的處方服藥，更不可忘記。

服用此藥一段時期後，不可未經醫師的許可就突然地停藥，突然停藥有可能會使癲癇病況轉壞或發作。如有停藥的必要時，醫師也許會要求先服用另外一種藥物，並且經過一段時間後漸漸地將此藥的劑量降低，然後再停藥。

服用此藥一陣子後，醫師需要定期依照身體的狀況以及藥效，適當調整所使用的劑量，應該依照醫師的指示，定期到醫院或診所做檢查。

此藥可能會造成血液凝結方面的障礙，導致身體有不正常青紫色瘀血或出血的症狀。因此在服藥前後，醫師也許會要求定期做血液方面的檢查。同時，阿斯匹靈或其他的抗凝血藥物，如Wafarin等會增加此一抗凝血的副作用，因此在使用此類藥物時，應該先通知醫師。

此藥會干擾糖尿病患者尿液的檢驗，因此要調整糖尿病藥物的劑量前，必須事先徵詢醫師的意見。

此藥會抑制血液的凝固而使流血的時間增長，同時，也有可能會增加麻醉藥品的效力。因此在拔牙或動手術之前，應該事先通知醫師，以免到時造成過量的流血或麻醉過量的情況。

☞副作用

此藥常見的副作用爲：失眠、便秘或拉肚子、胃口降低、消化不良、掉髮、噁心、想睡覺、嘔吐、頭痛、頭暈等等。這些副作用，通常在服用藥物一陣子後，應該會漸漸地消失。不過，如果這些副作用強到困擾你的程度，或者經過一段時間後，這些症狀還不能完全消除，就應該通知醫師。

此藥較嚴重的副作用爲：月經不順、皮膚出現不正常青紫色的斑點或瘀傷、眼睛或皮膚變黃、喉嚨痠痛、發燒、視覺模糊、臉部腫脹、身體不正常的出血(如流鼻血、牙齦出血、耳朵出血等)等。通常這些作用發生的機率較低，但是如果發生時，此可能是藥物造成的不良反應，或者是劑量需要調整，應該盡快地通知醫師。

☞懷孕及哺乳

動物實驗顯示，孕婦服用此藥可能會造成胎兒出生後骨骼或脊柱方面的問題。不過，也有報告指出此可能與癲癇本身有關。此藥對預防癲癇的發作相當重要，而且在醫師的特別照顧下，絕大部分的孕婦都會生出正常的嬰兒。如果停止服藥，可能會導致母體及胎兒更大的危險，在利弊得失之間，醫師可能會要求繼續服藥，而將劑量及副作用降到最低程度。

少量的藥物會經由母乳到達嬰兒體內，因此餵哺嬰兒前，最好徵求醫師的同意。

☞忘記用藥

如果一天服藥一次，應該在記得時，立即服用。但是，如果等到第二天才想起來，就應該捨棄所遺忘的藥物，恢復到正常服藥的時間，但是不可同時服用雙倍的劑量。如果一天服藥超過兩次，同時忘記服藥的時間在6小時之內，就應該立即服用所遺忘的藥物，並將當天未用完的劑量，依照相等的時間間隔使用完。

Venlafaxine(抗憂鬱藥)

商品名(台灣)

此藥未在台銷售。

商品名(美國)

Effexor®(Wyeth-Ayerst)

☞藥物作用

本藥爲一種「抗憂鬱」的藥物。身體病變所引起的憂鬱或沮喪，是由於腦部負責神經傳導的化學物質，失去了平衡所造成的。此類的憂鬱症常會引起食慾的改變、睡眠失常、疲乏、性欲減退、感覺罪惡或無力感等等。此藥的作用就是能使此一失去平衡的化學物質，恢復到正常的含量，達到治療的目的，使病人的心情漸漸恢復到開朗與自信。

☞用法

本藥不受食物的影響，因此空腹或與食物一起服用均可，不過爲了減輕對胃的刺激，最好與食物或開水一起服用。如有必要時，此藥的藥片可以壓碎服用。

☞注意事項

剛開始服用此藥的時候，必須經過幾個星期的時間，才能完全達到藥物的作用。因此不能因爲一時覺得藥物無效而放棄服用。同時，此藥必須定期服用才能有最好的效果，也不能因爲覺得症狀已經改善而停止服藥。

如果懷孕，對藥物過敏，或者有肝臟疾病、腎臟病、心臟疾病、高血壓等等，醫師需要針對情況謹慎用藥，因此在使用此藥之前，應該事先通知醫師。

此藥有造成頭暈或思睡的可能，因此，當操作危險機械或開車時，應該格外地小心謹慎。安眠藥、肌肉鬆弛劑、鎮靜劑、抗過敏藥、抗抑鬱藥、精神病藥、止痛藥等，這些藥物都有可能會增加此藥思睡的副作用，同時服用這些藥物之時，應當特別注意其所引起思睡的相乘效果。

經過長期大量服用此藥後，不能突然地停藥，因為突然停藥有可能會產生頭痛、惡心、極端的不舒服等症狀，應該遵循醫師的指示，漸漸地降低服藥的劑量或次數，然後再停藥。

許多藥物可能會干擾此藥的作用，因此為了避免突然增強或減弱彼此藥物的作用，或造成其他不必要的副作用，服用其他藥物時，無論所服用是成藥或是處方藥，最好事先徵求醫師或是藥師的意見。

服用此藥後，如果感覺到口乾時，嚼一塊糖果或冰塊，應該能減輕此一現象。但是如果此一現象超過兩個星期以上，就應該請教醫師。如果在服藥的期間，有便秘發生，就應該多食用蔬菜或水果等幫助消化的食物，並且在醫師的許可下，多做運動或飲用多量的水。

剛開始服用此藥時，可能會產生頭暈目眩的感覺，尤其是突然站立或坐起時，不過如果能夠緩慢地站立或坐起，應該會減少此一現象。不過，如果此一現象繼續存在，就應該請教醫師。

☞副作用

此藥常見的副作用為：口乾、性欲降低、便秘或拉肚子、流汗、胃口降低、惡心、焦慮、視覺模糊、想睡覺、頻尿、頭痛、頭暈等等。這些副作用，通常在服用藥物一陣子後，應該會漸漸地消失。不過如果這些副作用強到困擾你的程度，或是經過一段時間後，這些症狀還不能完全消除，就應該通知醫師。

此藥較嚴重的副作用為：小便困難、心跳不正常或加快、皮膚發紅、肌肉或關節疼痛、呼吸困難、胸口疼痛、發熱或發冷、腳部水腫、癲癇或痙攣發作、嚴重的頭痛等等。通常這些副作用發生的機率較低，但是如果發生時，此可能是藥物造成的不良反應，或者是劑量需要調整，應該盡快地通知醫師。

☞懷孕及哺乳

此藥對孕婦的影響，並無很完備的資料，但是根據動物實驗顯示，在超過人類10倍的劑量下，可能會造成老鼠胎兒體重減輕甚至死亡。因此，除了有絕對的需要並且經醫師同意外，孕婦應該避免服用此藥。

目前爲止尙不知此藥是否會經由母乳到達嬰兒體內，但是爲了避免造成新生兒的不良作用，餵奶的母親應該考慮使用其他乳製品，以取代母乳。

☞忘記用藥

如果忘記服藥，應該在記得時，立即服用。但是，如果距離下次服藥的時間太近，就應該捨棄所遺忘的藥物，恢復到下次正常服藥的坊間，千萬不可一次服用雙倍的劑量。

Verapamil(維律脈必利)

商品名(台灣)

Anpec®(澳・Alphapharm)
Caveril®(塞・Remedica)
Cintsu®(永信)
Civicor®(紐・Douglas)
Geangin®(丹・GEA)
Isomil®(優生)
Isonine®(厚生)
Isoptin®(克諾)
Singen®(國嘉)
Sinrox®(皇佳)
Verapam®(安主)
Verelan SR®(愛・Elan)
Verpamil®(芬・Orion)
Vetrimil®(中化)

商品名(美國)

Calan SR®(Searle)
Calan®(Searle)
Isoptin SR®(Knoll)
Isoptin®(Knoll)
Verelan®(Lederle)

☞藥物作用

本藥爲一種「鈣離子阻斷劑」的降血壓及預防心絞痛的藥物。其作用是能使血管擴張，讓更多的血液能夠順暢地通過血管，而達到降血壓的目的。本藥亦可擴張心臟內的血管，使心臟能夠得到更多的血液和氧氣，解除因爲缺氧而造成的心臟壞死，最後導致心絞痛的發生。

☞用法

此藥的錠劑分爲普通劑型及長效劑型兩種，如有必要時，此藥的普通錠劑可以壓碎服用，但是服用長效錠劑或膠囊時，必須整粒服用，不可壓碎或在嘴內咀嚼。此藥不受食物影響，因此飯前或飯後服用均可。服用此藥時，最好養成每天在固定時間服藥的習慣，以減少忘記。

☞注意事項

服用此藥後，可能會產生頭昏眼花的副作用，尤其在剛開始服藥期間。因此，尚未完全適應此藥之前，當開車或操作危險機械時，必須小心謹慎。

如果懷孕，對藥物過敏，或者有心臟疾病、低血壓、肝臟疾病、腎臟病等等，醫師需要針對這些情況謹慎用藥，因此在使用此藥之前，應該事先通知醫師。

本藥同時具有預防心絞痛及降血壓的作用。如果服用此藥是預防心絞痛的發作，就必須定期服用才有預防的效果，若是在心絞痛發作時才服用此藥是無效的，而必須使用另外一種藥物以紓解心絞痛的急性發作。

本藥只能控制血壓的升高，並不能治癒高血壓。服用此藥後，血壓可能要經過幾個星期，才能漸漸地降到理想的程度。必須持續的服用此藥，才能有效地控制血壓。

經過一段時間藥物的治療後，即使覺得血壓已恢復正常，亦不可間斷，或者是突然地停止服藥。突然停止服藥，有可能會使血壓升高，甚至造成心臟病發作。如有停藥的需要，應該得到醫師的許可，並且在他的指示下，將藥物漸漸地降低然後再停。

在服用此藥之前，應該事先請教護士或醫師如何測量脈搏。如果覺得脈搏跳動較平常爲慢，或者脈搏低於50，就應該通知醫師。

爲了達到理想的降血壓作用，應該遵循醫師的指示，服用低鹽類、低脂肪的食物，戒煙酒，並且盡可能地依照醫師的指示做適當的運動。

剛開始服用此藥時，可能會產生頭暈目眩的感覺，尤其是突然站立或坐起時，不過如果能夠緩慢地站立或坐起，應該會減少此一現象。

如果使用此藥的目的在預防心絞痛的發作，在經過一陣子的服藥後，不可因爲一時覺得心絞痛不再發作，而突然增大運動量。應該事先在服藥前，與醫師商討何種運動較適合體能，或多大的運動量，才不會造成心臟過度的負荷，而導致心絞痛再次的發生。

在拔牙或動手術之前，應該事先通知醫師有服用此藥。

經過一段時間服用此藥後，可能會造成牙齦腫大、發炎或者流血。如果能經常用牙線或牙刷維護牙齒的正常衛生，並且經常按摩牙齦，應該能減少此一現象的發生。

剛開始服用此藥時，也許會有頭痛的感覺，但是經過一段時間服藥後，此現象應該會漸漸地消除。如果經過一段時間，仍然覺得頭痛，就應該通知醫師。

市面上許多治療過敏、鼻塞、咳嗽、感冒和減肥的成藥中，經常含有會使血壓升高的成分。因此，爲了避免造成血壓突然地升高，在服用此類藥物之前，應該事先徵詢醫師或藥師的意見。

☞副作用

此藥常見的副作用爲：便秘、疲倦、噁心、臉部發紅發熱、頭痛、頭暈目眩等。這些副作用，通常在服用藥物一陣子後，應該會漸漸地消失。不過，如果這些副作用強到困擾你的程度，或者經過一段時間後，這些症狀還不能完全消除，就應該通知醫師。

此藥較嚴重的副作用爲：心跳過快、心跳過慢(低於50)、皮膚起紅疹、呼吸困難、胸口疼痛、腳部水腫等。通常這些副作用發生的機率較低，但是如果發生時，此可能是藥物造成的不良反應，或者是劑量需要調整，應該盡快地通知醫師。

☞懷孕及哺乳

此藥對孕婦的影響，並無很完備的資料，但是根據動物實驗顯示，在高劑量的情況下，此藥可能會減緩胎兒的發育及成長，使胎兒的重量減輕，以及延長孕婦懷孕的時間。劑量愈高，可能發生的機率就更高。當懷孕時，應該通知醫師，他會衡量狀況，決定是否應該服藥。

少量的藥物會經由母乳到達嬰兒體內，爲了避免藥物可能對新生兒造成影響，餵奶的母親，應該考慮使用其他的乳製品以取代母乳。

☞忘記用藥

如果忘記服藥的話，應該在記得時，立即使用。並將當天未用完的劑量，依照相等的時間間隔使用完。但是，如果距離下次用藥的時間太近，就應該捨棄此次的藥物，恢復到下次正常用藥的時間，千萬不可一次使用雙倍的劑量。

Warfarin（活福寧）

商品名（台灣）

Athrombin-K®（加・Mallin）
Coumadin®（美・Dupont）
Marevan®（葛蘭素）

商品名（美國）

Coumadin®（Dupont）
Panwarfin®（Abbott）
Sofarin®（Lemmon）

☞藥物作用

此藥為一種「抗凝血劑」。它主要的作用是能夠干擾血液凝固過程中，幾個重要的步驟，因此能避免血管內的血液，因為不正常凝固而產生血塊的機會。我們體內的血液必須順暢地流動，才可使血液攜帶的氧氣成功地運送到身體各組織，但是如果血管被不正常形成的血塊阻塞，則會造成阻塞部位細胞的缺氧，導致壞死的現象。本藥可以防止血塊在腦部及心臟等血管的阻塞，因此又能夠預防腦中風，及心臟缺氧壞死所造成的併發症；亦可以用於預防手術後，由於血塊阻塞住血管而造成的併發症。

☞用法

使用本藥時，最好在空腹的時候，譬如飯前一小時，或飯後兩小時，並且最好能在服藥後飲用一杯開水，以減輕胃的刺激。此藥通常是一天服用一次，不論是早上或是晚上服用，最好能養成每天在固定時間服藥的習慣，以確保藥物在體內能保持穩定的濃度，以及減少忘記服藥。如有必要時，此藥的藥片可以壓碎服用。

☞注意事項

如果此藥與阿斯匹靈、其他的抗凝血藥物、大部分的非麻醉類止痛藥或抗關節藥物一起服用的話，可能會使身體流血的機會增高。爲了降低此一危險性，應該完全遵照醫師所指示的劑量服用，並且在購買成藥或處方藥時，應該詳細地詢問藥師，所購買的藥物是否含有阿斯匹靈或其他抗凝血的成分。

如果懷孕或餵哺嬰兒，對藥物過敏，最近動過手術，或者有胃潰瘍、經血過多或過長、糖尿病、腎臟病、肝臟疾病、腦中風、高血壓等等，醫師需要針對這些情況謹慎用藥，因此在使用此藥之前，應該事先通知醫師。

此藥會抑制血液的凝固而使流血的時間增長，因此在拔牙或動手術之前，應該事先通知醫師，以免造成過量的流血。酒精會影響此藥對身體的作用，因此應該避免飲用過量的酒。

經過一段時間藥物的治療後，不可間斷或者是突然地停止服藥。突然停藥有可能使身體產生血液凝固的機會增高。如有停藥的必要時，應該事先得到醫師的許可，並且在醫師的指示下，漸漸地降低服藥的次數或劑量，然後再停。

服用此藥一段時間後，除了醫師同意外，最好不要換別種廠牌的藥品。不同廠牌的藥品，雖然標示的劑量或成分相同，但是各個藥廠品管的能力，以及生產過程中使用的添加物不同，都有可能會影響此藥在體內的吸收，因此其在體內所產生的濃度及藥效也不見得會相同。

服用此藥期間，應該避免從事高危險性的運動，以免萬一受傷可能會造成體內器官或外部傷口大量流血的可能。同時，也應該避免受到器械的割傷，或身體碰撞而產生瘀傷。在刷牙時，應該使用柔軟的牙刷以免刺激牙齦出血；刮鬍子時，最好能使用電動刮鬍刀而不要使用刀片。

當懷孕的時候，應該立即告訴醫師，因爲此藥可能會造成胎兒出血的可能，醫師也許會要求改換另外一種注射用的抗凝血劑，因爲根據醫學數據顯示，此一注射用的抗凝血劑並不會經過胎盤，因此造成對胎兒的危險是非常微小的。

此藥最值得注意的副作用，就是它可能會造成出血。如果皮膚有突然的瘀傷、小便有紅色或橘色的顏色、糞便帶有黑色或棕黑的顏色、輕微的割傷就造成大量的出血、刷牙時牙齦大量的出血等等，這些症狀都有可能是體內出血。應該立即通知醫師，他可能會要求到醫院做血液凝固的檢驗，以便進一步調整劑量或做適當的治療。

出門在外時，應該隨身攜帶醫療識別卡，在卡上應該詳細地記載病況、所服用的藥物及劑量、醫師的姓名及聯絡的電話等等。以免萬一有意外或重大的傷害時，醫護人員可以立即了解病情，以便做適當的處理，並且可以防止其他的意外發生。

市面上許多成藥或者是處方藥，都有可能會干擾此藥的作用。有些藥物會增加此藥的作用，因而增多身體流血的危險性；有些藥物則可能會降低此藥的作用，造成藥效降低及血液凝固的危險。因此，在服用任何藥物之前，應該詳細地詢問醫師或藥師有關藥物的相互作用及可能對身體的影響。

☞副作用

此藥常見的副作用爲：拉肚子、胃口降低、掉髮、惡心、視覺模糊等。這些副作用，通常在服用藥物一陣子後，應該會漸漸地消失。不過，如果這些副作用強到困擾你的程度，或者經過一段時間後，這些症狀還不能完全消除，就應該通知醫師。

此藥較嚴重的副作用爲：手部或臉部水腫、皮膚起紅疹、突然的發熱或發冷或咳嗽、眼睛或皮膚發黃、小便困難或疼痛、手部或腳部有突然的瘀傷等。通常這些副作用發生的機率較低，但是如果發生時，此可能是藥物造成的不良反應，或者是劑量需要調整，應該盡快地通知醫師。

☞懷孕及哺乳

孕婦絕對禁止服用此藥。孕婦服用此藥後，可能會造成胎兒在子宮內流血以及出生後的生長缺陷，甚至有造成死亡的可能。如果病況需要控制血液凝固的話，醫師可能會要求使用較安全注射用的抗凝血劑。在服藥期間，如果發現懷孕，就應該立即通知醫師，並與他討論此藥可能對胎兒的影響，甚至考慮是否需要墮胎。

此藥會經由母乳到達嬰兒體內，可能會造成新生兒的不良作用，因此，餵奶的母親應該使用其他的乳製品，以取代母乳。

☞忘記用藥

如果忘記服藥，應該在記得時，立即服用。但是，如果等到第二天才想起來的話，就應該完全捨棄所遺忘的藥物，恢復到當天正常服藥的時間，千萬不可一次服用雙倍的劑量。使用雙倍的劑量可能會造成流血的危險。如果錯過了任何劑量，就應該通知醫師。

Zolpidem(安眠藥)

商品名(台灣)

Stilnox®(法‧Synthelabo)

商品名(美國)

Ambien®(Searle)

☞藥物作用

本藥爲一種「安眠藥」。它可以短期使用於失眠症或消除睡眠不安穩的狀態,使睡得更安靜與祥和。

☞用法

此藥應該在睡前空腹服用,如果覺得會刺激胃,可將其與食物或一杯開水一起服用。如果有吞嚥困難時,可將此藥壓碎服用。

☞注意事項

本藥的作用相當迅速,通常在15至30分鐘就能達到幫助安睡的目的,因此應該在睡前才服用此藥,並且在服藥後,應該避免從事需要注意力集中或操作危險的機械。

如果懷孕,對藥物過敏,經常飲用大量的酒,或者有肝臟疾病、腎臟病、氣喘、支氣管炎、肺部方面的疾病、嚴重的精神沮喪、睡覺時會突然停止呼吸等等,醫師需要針對這些情況謹慎用藥,因此在使用此藥之前,應該事先通知醫師。

此藥以短期使用爲主,使用的期限通常是7至10天,如果長期藉著藥物幫助安眠，可能會造成此藥的成癮性或者是依賴性，同時藥物的作用也可能會漸漸地減弱，導致必須不斷地增加劑量才能達到安眠的效果。

無論失眠是由於心理或生理的狀況所引起的，連續服用此藥超過10天以上，表示病況較為嚴重，或者身體的狀況需要醫師進一步的診斷，應該盡快地通知醫師。

如果連續使用此藥超出7至10天以上，不能突然地停藥，因為突然停藥有可能會產生焦慮、胃腸不適、顫抖、虛弱、頭暈、惡心、嘔吐、失眠等症狀。應該遵循醫師的指示，漸漸地降低服藥的劑量或次數，然後再停藥。

此藥具有極大的思睡作用，即使前晚服藥，其安眠作用也有可能會持續到第二天。除非已經適應了此藥的作用，當開車或操作危險機械時，應該格外地小心謹慎。酒精會增加此藥的思睡作用，應當避免飲用含有酒精的飲料。

安眠藥、肌肉鬆弛劑、鎮靜劑、抗過敏藥、抗抑鬱藥、止痛藥、感冒藥等，這些藥物都有可能會增加此藥思睡的副作用。同時服用這些藥物時，應當特別注意其彼此加強思睡的相乘效果。

☞副作用

此藥常見的副作用為：口乾、白天想睡覺、肌肉痛、拉肚子或便秘、胃腸不適、喉嚨痠痛、惡心嘔吐、頭痛、頭暈等。這些副作用，通常在服用藥物一陣子後，應該會漸漸地消失。不過，如果這些副作用強到困擾你的程度，或者經過一段時間後，這些症狀還不能完全消除，就應該通知醫師。

此藥較嚴重的副作用為：心跳突然加快或增強、皮膚發紅或發癢、行為改變、呼吸困難、沮喪、胸口疼痛、精神恍惚等等。通常這些副作用發生的機率較低，但是如果發生時，此可能是藥物造成的不良反應，或者是劑量需要調整，應該盡快地通知醫師。

☞懷孕及哺乳

此藥對孕婦的影響，並無很完備的資料，但是根據動物實驗顯示，在高劑量下，此藥可能會影響胎兒骨骼的發育及成長，因此，除了有絕對的需要，並且經過醫師的同意外，孕婦應該避免服用此藥。

少量的藥物會經由母乳到達嬰兒體內，可能會造成新生兒過度的安睡，餵奶的母親應該考慮使用其他乳製品，以取代母乳。

☞忘記用藥

此藥只有在失眠，而且覺得有需要的時候才服用。如果當天晚上忘記服藥，或者是睡著了，等到第二天早晨才記起來的話，就應該捨棄所遺忘的藥物。如果在第二天晚上失眠時，可服用當天的藥物，但是千萬不可服用加倍的劑量。

口服避孕藥

由於避孕藥的廠牌繁雜，藥用成分依照不同的廠牌及不同的組合更是不計其數，本章節所介紹的只是一些使用避孕藥時的基本概念或知識。至於詳細的內容及正確的使用方法，應當參考說明書，或者依照醫師的指示服用。另外，本章節所使用的商品名，彼此之間的有效成分並不見得與其他的商品名相同。

商品名（台灣）

Alfames®（奧・Arcana）
Andryl®（瑞士・Cimex）
Behope-A®（日・Fuji）
Brevicon®（中化）
Conova 30®（西羅）
Diane 35®（德・先靈）
Estrinor®（派德）
Gynera®（德・先靈）
Logynon ED®（德・先靈）
Lyndiol®（歐嘉隆）
Marvelon®（歐嘉隆）
Minigynon®（德・先靈）
Minules®（德・Wheth）
Minulet®（惠氏）
Neovlar ED®（德・先靈）
Neovlar®（德・先靈）
Netrol®（瑞士・Arco）
Nomel®（東洲）
Nordette®（惠氏）
Nordiol®（惠氏）
Norinyl®（美・Syntex）
Oracon®（必治妥）
Ortho-Novum®（英・奧素）
Ovostat 28®（歐嘉隆）
Ovral®（惠氏）
Ovulen 50-Fe28®（希爾）
Ovysmen®（英・奧素）
Pregno®（華盛頓）
Previson®（龍壽）
Previson®（英・Roussell）
Primovlar ED®（德・先靈）
Primovlar-P®（德・先靈）
Restovar®（歐嘉隆）
Trinordiol®（惠氏）
Trinovum®（英・Cilag）
Winstop®（溫士頓）

商品名（美國）

Demulen 1/35®（Searle）
Desogen®（Organon）
Lo/Ovral®（Wyeth-Ayerst）
Loestrin-Fe 1.5/30®（Parke-Davis）
Ortho-Cept®（Ortho Pharm）
Ortho-Novum 1/35®（Ortho Pharm）
Ortho-Novum 7/7/7®（Ortho Pharm）
Tri-Levlen（Berlex）
Triphasil®（Wyeth-Ayerst）

☞藥物作用

避孕藥通常是由一種或兩種人工合成女性荷爾蒙所組合而成的，其成分類似一般婦女懷孕時荷爾蒙的成分與含量。當婦女使用避孕藥後，其腦部偵測到身體含有此一避孕成分與含量時會誤認爲該婦女已經懷孕，因此會間接地藉著改變體內荷爾蒙的平衡而阻止卵子從卵巢內釋放出來，改變陰道及子宮頸的黏膜以避免精子的穿透，和改變子宮的內膜而避免精子的著床，因此最後經由這些改變而能夠達到避孕的目的。避孕藥也可用來治療月經不規則、經血過多，以及子宮內膜異位症等等。但是它對防止愛滋病或其他性病的感染，則絲毫沒有預防的作用。

☞用法

避孕藥通常是一天服用一次，由於避孕藥的品牌過多，因此在服藥之前，應當詳細地閱讀說明書。說明書內會記載所服用藥物的一切訊息以及指示應當在月經來潮時的第一天、第五天，或者是月經來潮後的第一個星期服用。避孕藥通常在晚飯後或睡前服用，最好養成每天在固定時間服藥的習慣，以免忘記服用。

避孕藥通常分爲28粒及21粒兩種包裝。21粒包裝的藥物，裡面所包含的藥物全部都是避孕的有效成分；28粒包裝的藥片，前面21粒爲有效的避孕藥成分，後面的7粒通常爲含鐵類的補血藥，或者是一些非避孕成分。當服用28粒裝的藥片時，應當先服用完前面的21粒，然後繼續服用後面的7粒，等到所有28粒藥片服完後，接連的第二天立刻使用另一盒的藥物。當服用21粒裝的藥物時，應當21粒全部服完後，先停止服藥7天，接著再繼續服用另一盒(一個循環)。

避孕藥的成分是按照生理周期的先後順序，以及體內女性荷爾蒙的不同變化所安排的不同藥物及劑量的組合。因此在服藥時應當完全按照藥盒內藥品的一定順序，從第一顆藥到最後一顆按照藥盒內藥物排列的順序服用，不可混合服用。

☞注意事項

避孕藥通常附有使用說明書，在使用避孕藥之前，應該詳細地加以閱讀。如果有疑問時，可請教藥師或醫師。

如果對藥物過敏，懷孕或餵哺嬰兒，或者有心臟病、血液凝結方面的疾病、乳癌、肝臟疾病、陰道不正常的出血、黃疸、腦中風、精神沮喪、糖尿病等，醫師需要針對這些情況謹慎用藥，因此在使用避孕藥之前，應該先通知醫師。

如果在服藥的過程中或者在兩次經期中間，有大量經血產生；或者經期持續超過一個星期，就應該通知醫師。此可能是藥物成分組合或者含量的多寡不適合生理周期，醫師也許會重新按照生理的狀態，要求換另一種藥物來服用。在使用藥物前三個月的兩次經期中間，可能會有短暫或少量出血的現象，不過應該繼續服藥，但是如果此一現象持續一個星期，或者使用藥物後的三個月仍有此一現象發生時，就應該通知醫師。

剛開始使用第一盒避孕藥時，由於藥物必須經過一陣子，才能完全達到避孕的作用。因此在使用藥物的前三個星期，應當要求先生使用保險套或者其他較可靠的方法避孕。

避孕藥有造成乳癌、陰道癌及子宮頸癌的可能。在使用避孕藥之前，應該請教醫師如何檢查乳房，如果發覺乳房有任何腫塊及陰道有不正常的出血時，就應該通知醫師。另外每6個月至一年最好能夠定期做一次包括血壓、乳房、陰道內診、陰道抹片等等在內的檢查。

服用避孕藥一段長時間後，除了醫師同意外，最好不要換別種廠牌的藥品。不同廠牌的藥品，雖然標示的劑量或成分相同，但是由於各個藥廠品管的能力和生產過程中使用的添加物不同，都有可能會影響避孕藥的吸收，因此其在體內所產生的濃度與藥效也不見得會相同。

抽煙會增加避孕藥造成高血壓、腦中風、血液凝固、心臟病發等等問題。抽煙的數量愈多或者病人的年齡愈大，造成此一副作用的機會就愈高。因此使用避孕藥的婦女，最好能夠戒煙，或者至少降低抽煙的數量。

本藥會增加皮膚對陽光的敏感性，如果在陽光下曝曬太久，可能會導致皮膚過敏或者產生棕色的斑點等等。因此應該盡量避免陽光直接曝曬，並穿著一些長袖衣物，以保護皮膚。

避孕藥會增加血液在血管內形成小血塊的機會，進而可能阻塞微血管而造成心臟病、中風或其他手術的複雜性。因此在拔牙或動手術之前，應該先通知醫師。

由於避孕藥爲一種荷爾蒙，通常需要一段長時間才可由體內漸漸消失。如果計畫懷孕而停止服用避孕藥後，必須等至少3個月的時間才可受孕。在此3

個月期間，應當要求伴侶使用保險套，或其他較可靠的方法避孕，以免萬一懷孕而造成胎兒的不良影響。

如果每天按照正常時間服藥，而連續兩次月經沒有來時，就應該停止服藥並且立即通知醫師，醫師需要重新檢查是否有懷孕的可能。在未確定是否懷孕之前，不該服用避孕藥。如果曾經忘記服藥，即使只有一次忘記，但當月經沒有來時，也應該停止服藥並通知醫師，以確保沒有懷孕的可能。

長期使用避孕藥後，可能會造成牙齦腫脹、脆弱易流血、發炎，以及牙周病的發生。如果能用牙線或牙刷經常保持牙齒的清潔衛生，定期讓牙醫洗牙，以及經常按摩牙齦，應該可以將此一副作用減輕到最低的程度。

由於每個人的體質及生理周期不同，在服用避孕藥前，醫師會詳細檢查生理狀況及荷爾蒙的含量，以便處方適當的避孕藥供你使用。由於此一避孕藥僅適用於你的體質，千萬不能將此一藥物給她人使用，以免造成對方服藥後的後遺症及危險性。

☞副作用

避孕藥常見的副作用為：皮膚有棕色的斑點、乳房腫脹、性欲增加或減少、拉肚子、長粉刺、胃口改變、神經緊張、惡心、焦慮不安、腹脹、腹痛、嘔吐、對隱形眼鏡敏感、體重增加或減少、頭痛等等。這些副作用，通常在服用藥物一陣子後，應該會漸漸地消失。不過，如果這些副作用強到困擾你的程度，或者經過一段時間後，還不能完全消除，就應該通知醫師。

避孕藥較嚴重及最值得關切的副作用，是藥物可能會造成血管內小血塊的凝結。如果小血塊阻塞肺部的血管則會造成呼吸急促、咳嗽、突然呼吸困難、胸部疼痛等等肺栓塞的症狀。小血塊阻塞腦部的血管會引起手腳，或身體某一部位突然癱瘓、視覺改變、說話遲鈍、嚴重的頭暈目眩、頭痛等等腦中風的症狀。小血塊阻礙心臟的血管則會引起手臂、頸部、下顎或胸口疼痛、流汗或惡心等心臟病發作的症狀。小血塊阻塞腿部血管則會造成腫脹或疼痛、腿部發麻。雖然血塊凝結副作用發生的機率相當低，但是萬一發生時，就應該立即通知醫師。

☞懷孕及哺乳

避孕藥並不適用於懷孕婦女，許多報告顯示，孕婦服用避孕藥，可能會使男性胎兒生殖器受到影響，女性胎兒成年後產生陰道癌及子宮頸癌的機會增多。如果在使用避孕藥期間發現已懷孕，就應該立即停止使用避孕藥，並且通知醫師。

少量的藥物會經由母乳到達嬰兒體內，可能會造成新生兒黃疸或乳房腫大。另外避孕藥也可能會抑制母乳的產生。餵奶的母親應該考慮使用其他的乳製品，以取代母乳。

☞忘記用藥

此藥即使只忘記服用一天的劑量，藥物喪失避孕能力的可能性就增加，因此除了繼續使用避孕藥外，應該同時使用其他的方法避孕。如果忘記服用一天的劑量，應當在第二天時一次服用兩顆藥片；如果連續忘記服用兩天的劑量，應當在接連的兩天中，每天服用兩顆的劑量，然後恢復到一天一顆的劑量。如果連續忘記服用3天的劑量，就應當將整盒未用完的藥物丟棄，等到下一次周期的第一天再開始服藥；或者可停藥7天，等到第8天後無論是否有經血產生，再重頭開始使用另一盒藥物。在停藥的幾天以及服藥後的兩個星期，應該同時使用其他可靠的方法避孕。

綜合感冒藥

☞藥物作用

綜合感冒藥通常是由兩種或兩種以上不同的藥用成分，如抗組織胺劑、血管收縮劑、止痛劑、止咳藥、祛痰劑及抗膽鹼藥物等等成分組合而成的。「抗組織胺藥」具有抵抗組織胺的作用，它主要的作用是能夠防止感冒後，由於體內細胞組織胺的釋放而造成的流鼻水、眼睛發癢及打噴嚏。「抗膽鹼藥物」與抗組織胺藥相同，同樣具有止鼻水的作用。「血管收縮劑」主要是能將鼻腔內的微血管收縮，使鼻腔的通道不再受到腫脹微血管的壓迫而達到呼吸順暢及止鼻塞的作用。「止咳藥」主要能夠抑制腦部的咳嗽中樞，因此達到止咳的作用。「祛痰劑」的成分具有痰液溶解的作用，能夠使痰液變得更稀薄，幫助痰液從口腔內排出。「止痛藥」的成分同時具有止痛及退燒的作用，它不但能將高燒的體溫降到正常的程度，並且能夠減輕感冒所引起的肌肉痠痛和頭痛。市面上綜合感冒藥的種類繁多，每種藥品各針對不同的感冒症狀而有不同藥用成分的組合。當選擇感冒藥的時候，應該針對感冒的症狀，選擇適合的藥物。

感冒藥中常見的藥用成分有下列幾種：

抗組織胺(具止鼻水作用)：如Astemizole，Azatadine，Brompheniramine，Carbinoxamine，Chlorpheniramine，Clemastine，Dexbrompheniramine，Diphenhydramine，Loratadine，Phenyltoloxamine，Terfenadine，Triprolidine。

血管收縮劑(具止鼻塞作用)：如Ephedrine，Phenylpropanolamine，Pseudoephedrine。

祛痰劑：如Amonium Chloride，Guaiacol Glycerin，Guaifenesin，Iodinate Glycerol。

止咳劑：如Dextromethorphan，Codeine。

止痛及降溫劑：如Acetaminophen，Ethenzamide。

抗膽鹼劑：如Noscarpine。

商品名(台灣)

商品名	抗組織胺(止鼻水)	血管收縮劑(止鼻塞)	其他成分
Codin-P®	Chlorpheniramine	Methylephedrine	Codeine(止咳)
Coulitin®	Chlorpheniramine	Methylephedrine	Diprophylline(支氣管擴張)
Cotaine®	Diphenhydramine	Methylephedrine	Codeine(止咳)
Bromtapp®	Brompheniramine	Phenylephrine Phenylpropanolamine	
Asphonlin®	Phenyltoloxamine	Phenylpropanolamine	Acetaminophen(止痛)
Likang®	Phenyltoloxamine	Phenylpropanolamine	Acetaminophen(止痛)
Sunso®	Chlorpheniramine	Pseudoephedrine	Codeine(止咳)
Actifed®	Triprolidine	Pseudoephedrine	

以下的藥物主要用於止鼻水及咳嗽。由於不含血管收縮劑，因此不具有止鼻塞的作用，但是其優點是對高血壓及心臟病的影響較低。

商品名	抗組織胺(止鼻水)	止咳劑(止咳)	其他成分
Ricol®	Brompheniramine	Dextromethorphan	Guaiacol Glycerin(祛痰)
Coldex®	Chlorpheniramine		Ethenzamide(降溫) Acetaminophen(降溫)
Foning®	Chlorpheniramine	Dextromethorphan	Acetaminophen(降溫)
Lilocol®	Chlorpheniramine	Dextromethorphan	Guaiacol Glycerin(祛痰)
Tsufonlol®	Chlorpheniramine	Dextromethorphan	Acetaminophen(降溫)
Anso®	Chlorpheniramine		Acetaminophen(降溫) Ethenzamide(降溫)
Antissves®	Noscarpine(抗膽鹼、止鼻水)	Dextromethorphan	Guaiacol Glycerin(祛痰)

以下的藥品較適用於鼻塞及咳嗽症狀，並且由於不含抗組織胺的成分，因此不會產生想睡覺的副作用。

商品名	血管收縮劑(止鼻塞)	止咳劑(止咳)	祛痰劑
Koni®		Dextromethorphan	Iodinate Glycerol
Codelin®	Ephedrine	Codeine	Amonium Chloride
Subelin®	Phenylephrine Phenylpropanolamine		Guaiacol Glycerin
Coughcin®	Phenylpropanolamine	Dextromethorphan	Guaiacol Glycerin
No-Cough®	Phenylpropanolamine	Dextromethorphan	Guaiacol Glycerin
Pilinton®	Phenylpropanolamine		Acetaminophen(降溫)
G.P.D®	Pseudoephedrine	Dextromethorphan	Guaiacol Glycerin
Sodicon-G®	Pseudoephedrine	Dextromethorphan	Guaiacol Glycerin
Softcough®	Pseudoephedrine	Dextromethorphan	Guaiacol Glycerin

商品名(美國)

商品名	抗組織胺(止鼻水)	血管收縮劑(止鼻塞)
Trinalin®	Azatadine	Pseudoephedrine
Bromatapp®	Brompheniramine	Phenylpropanolamine
Dimetapp®	Brompheniramine	Phenylpropanolamine
Rondec®	Carbinoxamine	Pseudoephedrine
Deconamine®	Chlorpheniramine	Pseudoephedrine
Sudafed Plus®	Chlorpheniramine	Pseudoephedrine
Triaminic®	Chlorpheniramine	Phenylpropanolamine
Rynatan®	Chlorpheniramine Pyrilamine	Phenylephrine
Tavist-D®	Clemastine	Phenylpropanolamine
Drixoral®	Dexbrompheniramine	Pseudoephedrine
Actifed®	Triprolidine	Pseudoephedrine

☞用法

一般而言，綜合感冒藥可以空腹或與食物一起服用。不過如果覺得藥物會刺激胃造成不舒服，可將其與食物、牛奶或飯後服用。如果服用的是長效的錠劑或膠囊，則應該整粒吞服，不可在嘴內咀嚼或壓碎服用，以免藥物喪失其長效期的效力，更由於咀嚼或壓碎的關係，大量的藥物會突然地釋放於體內，可能會造成藥物過量或副作用增強的作用。如果服用液體藥物的話，應該使用有刻度的量杯或藥管，以量取正確的藥量。

☞注意事項

由於一般感冒通常在7天之內，即使沒有服用藥物也能自行痊癒。使用感冒藥的目的只是減輕流鼻水或鼻塞等等症狀而已。因此在使用感冒藥時應該以短期使用，並且以不超過7天為主。如果症狀持續超過7天，或者在使用藥物2至3天後，感冒的症狀沒有改善或甚至惡化，以及在感冒的過程中有發燒、嚴重的喉嚨痛、大量黏液性濃痰等等，此可能是細菌感染所造成的。因此應該經醫師診斷，並加以治療。

如果懷孕，對藥物過敏，或者有青光眼、攝護腺疾病、氣喘、心臟疾病、高血壓等等，醫師需要進一步考慮這些情況，並且謹慎地用藥，因此在使用此藥前，應該事先通知醫師。

綜合感冒藥通常為兩種以上成分組合而成。由於各個成分所造成的副作用和藥物之間的相互作用，會隨著使用成分數目的增加而提高，因此在選擇感冒藥的時候，最好只針對現狀，購買適合的藥品使用。另外一些市面上所能購買的止咳藥、止痛藥、減肥藥、退燒藥、抗過敏藥、祛痰藥等等，這些藥物通常與綜合感冒藥部分的成分相似或相同，因此在購買的時候，應該先詢問藥師是否有類似或重複的成分，以免造成過量的危險。

幾乎所有的感冒藥都具有「抗組織胺」的成分。由於抗組織胺的成分具有極大的思睡作用，除非已經適應了此藥的作用，當開車或操作危險機械時，應該格外地小心謹慎。酒精會增加此藥思睡的副作用，應當避免或限制酒量。老年人或小孩可能會產生相反的作用，因而有可能會引起興奮不安及失眠的作用。安眠藥、肌肉鬆弛劑、鎮靜劑、抗過敏藥、抗抑鬱藥、止痛藥等等，這些藥物都有可能會增加感冒藥思睡的副作用。同時服用這些藥物時，應當特別注意其彼此增加思睡的效果。

如果服用的感冒藥具有「血管收縮劑」成分的話，由於此成分具有增加血壓及心跳的作用，可能會使血壓突然地升高或造成心臟病的惡化。如果有高血壓或心臟病而在服用此類藥物之前，應該先諮詢醫師的意見。另外，許多的減肥藥是由此一藥物類似的化學藥品所構成的，服用此藥期間，如果要使用任何減肥藥的話，應該詢問藥師是否含有此一成分，以免藥物彼此間的增強作用，而造成副作用增強或過量中毒的危險。

由於感冒藥中「血管收縮劑」的成分，可能會造成緊張不安及失眠的副作用，因此如果覺得所服用的感冒藥會造成失眠的話，應該避免在睡前的幾小時服用。由於感冒藥中「抗組織胺」的成分具有思睡的作用，如果覺得服用此藥會幫助睡眠，可將最後一次服藥的時間安排於睡前。

如果服用的感冒藥具有「抗膽鹼藥物」成分的話，由於此一成分會降低正常的排汗及散熱的能力。因此，應該避免在陽光及過熱的地方太久以免中暑，同時，洗澡時也應該避免水溫太熱，以免散熱不良及血壓下降而造成暈倒。

服用此藥後也許會產生口渴的現象，但是如果能夠含一塊冰塊或糖果的話，應該可以減少此一副作用。另外，除了醫師的特別指示外，最好每天能服用大約8杯(每杯約250cc.)的開水，以幫助痰液的稀釋及減輕口渴的現象。

綜合感冒藥的某些成分可能會增加皮膚對陽光的敏感性，如果在陽光下曝曬太久，有可能會導致皮膚的過敏或灼傷，因此應該盡量避免陽光直接曝曬，並穿著長袖衣物，以保護皮膚。小孩及老年人對感冒藥也較一般人敏感，可能會引起噩夢、不正常的興奮及情緒不安等等。另外，老年人較易引起虛幻、排尿困難、頭暈、口舌乾燥、低血壓等等副作用。

☞副作用

此藥常見的副作用爲：口乾、小便困難或疼痛、心跳加快、失眠、皮膚對陽光敏感、耳鳴、思睡、流汗增加、胃口降低、胃腸不適、做噩夢、排尿困難、惡心、焦慮不安、視覺模糊、腹瀉或便秘、嘔吐、精神緊張及不正常的興奮、手部顫抖、頭暈目眩等。這些副作用，通常在服用藥物一陣子後，應該會漸漸地消失；不過，如果這些副作用強到困擾你的程度，或者經過一段時間後，還不能完全消除，就應該通知醫師。

此藥較嚴重的副作用爲：心跳嚴重的增快或變慢、幻覺、皮膚起紅疹或有青紫色的瘀傷、血壓升高、呼吸困難或增快、精神恍惚或沮喪、突然發燒、迷幻、眼睛及皮膚發黃、發冷或喉嚨痛、極端的疲倦、過度的緊張不安或興奮、精神極度的興奮等。通常這些副作用發生的機率較低，但是如果發生時，可能是藥物造成的不良反應，或者是劑量需要調整，應該盡快通知醫師。

☞懷孕及哺乳

由於此單元的藥品及成分過多，因此不在此介紹各個藥品對孕婦及哺乳的影響。當懷孕或哺乳嬰兒前，應該事先諮詢醫師的意見。

☞忘記用藥

如果忘記服藥，應該在記得時，立即服用。但是，如果距離下次服藥的時間太近，就應該捨棄此次的藥物，然後恢復到下次正常服藥的時間，千萬不可一次服用雙倍的劑量。

英文索引

A

B

C

D

E

F

G

H

I

L

M

N

O

P

Q

R

S

T

U

V

W

X

家庭常用藥品須知：230種藥物3000種藥品名的實用手冊

1998年2月初版
2004年7月初版第十二刷

定價：新臺幣480元

著　　者　邱永智
發行人　林載爵

出版者　聯經出版事業股份有限公司
台北市忠孝東路四段555號
台北發行所地址:台北縣汐止市大同路一段367號
電話:(02)26418661
台北忠孝門市地址:台北市忠孝東路四段561號1-2F
電話:(02)27683708
台北新生門市地址:台北市新生南路三段94號
電話:(02)23620308
台中門市地址:台中市健行路321號
台中分公司電話:(04)22312023
高雄辦事處地址:高雄市成功一路363號B1
電話:(07)2412802
郵政劃撥帳戶第0100559-3號
郵撥電話:26418662
印刷者　世和印製企業有限公司

責任編輯　簡美玉

行政院新聞局出版事業登記證局版臺業字第0130號

本書如有缺頁，破損，倒裝請寄回發行所更換。
ISBN 957-08-1775-5 (平裝)
聯經網址 http://www.linkingbooks.com.tw
信箱 e-mail:linking@udngroup.com

國家圖書館出版品預行編目資料

家庭常用藥品須知：230種藥物3000
種藥品名的實用手冊 / 邱永智著 .
--初版 . --臺北市：聯經，1998年
780面；16×23.5公分 .
ISBN 957-08-1775-5(平裝)
〔2004年7月初版第十二刷〕

I . 藥物-手冊，便覽等

418.026 87001340